DOM HELDER CAMARA
o profeta da paz

Proibida a reprodução total ou parcial em qualquer mídia
sem a autorização escrita da editora.
Os infratores estão sujeitos às penas da lei.

A Editora não é responsável pelo conteúdo deste livro.
Os Autores conhecem os fatos narrados, pelos quais são responsáveis,
assim como se responsabilizam pelos juízos emitidos.

Consulte nosso catálogo completo e últimos lançamentos em **www.editoracontexto.com.br**.

DOM HELDER CAMARA
o profeta da paz

Nelson Piletti
Walter Praxedes

Copyright © 2008 Walter Lúcio de Alencar Praxedes
e Nelson Piletti

Todos os direitos desta edição reservados à
Editora Contexto (Editora Pinsky Ltda.)

Imagem de capa
Acervo IDHeC

Montagem de capa e diagramação
Gustavo S. Vilas Boas

Revisão
Patricia Zagni
Victor Del Franco

Dados Internacionais de Catalogação na Publicação (CIP)
(Câmara Brasileira do Livro, SP, Brasil)

Piletti, Nelson
Dom Helder Camara : o profeta da paz / Nelson Piletti, Walter
Praxedes. – 3. ed. – São Paulo : Contexto, 2025.

Bibliografia.
ISBN 978-85-7244-305-0

1. Bispos - Brasil - Biografia 2. Camara, Helder, 1909-1999
I. Praxedes, Walter. II. Título.

08-07628   CDD-922.2

Índice para catálogo sistemático:
1. Bispos : Brasil : Biografia   922.2

2025

EDITORA CONTEXTO
Diretor editorial: *Jaime Pinsky*

Rua Dr. José Elias, 520 – Alto da Lapa
05083-030 – São Paulo – SP
PABX: (11) 3832 5838
contato@editoracontexto.com.br
www.editoracontexto.com.br

Dizem os entendidos nas regras de bem contar contos que os encontros decisivos, tal como sucede na vida, deverão vir entremeados e entrecruzar-se com mil outros de pouca ou nula importância, a fim de que o herói da história não se veja transformado em um ser de exceção a quem tudo poderá acontecer na vida, salvo vulgaridades.

José Saramago

Tenho para mim que se escolhêssemos na história do nosso pensamento alguns escritores católicos e os apresentássemos ao público, não em tom de panegírico, mas no estilo forte e ágil com que estão surgindo as modernas biografias, teríamos um livro fadado a causar grande bem.

Pe. Helder Camara, 1933

Do Nelson
para os netos
Lorenzo, Lucas
e Thomas.

Do Walter
para
Maria Alencar dos Santos
e Nair Pinto Rosa.

SUMÁRIO

INTRODUÇÃO 9

ANOS VERDES (1909 –1935)

Laços de família 19

Alegrias e tristezas 25

O sobrado da rua Sena Madureira 31

Na escola de Dona Salomé 39

Vida de seminário 49

Encontro com o padre Cícero 57

Padre aos 22 anos e meio 65

Legionário e integralista 71

De batina preta e camisa verde 79

Dirigindo a educação cearense 87

ANOS DOURADOS (1936–1964)

Do Ceará ao Rio de Janeiro 97

Novas amizades 105

Nos meandros da burocracia 111

Do integralismo ao humanismo integral 117

Penitências e vigílias 123

Pregações e meditações 131

Renovando a Ação Católica 137

Em Roma no Ano Santo 145

Articulando a organização dos bispos 153

In manus tuas 161

A fundação da CNBB 167

No jogo do poder 173

Organizando o Congresso Eucarístico 181

"Um tal Angelo Roncalli" 191

Cruzada São Sebastião 199

"O Banco de Deus" 209

Com os amigos no governo 217

"Viver é lutar" 225

Nos bastidores do Concílio 231

Direita, volver! 241

ANOS VERMELHOS (1964–1999)

Noitadas em Recife 251
Propondo a reforma da Igreja 263
Guerra de posições 271
Confrontos e entendimentos 279
Convivendo com a morte 289
Censurado pelo poder eclesiástico 297
A "Família Mecejanense" 305
"Quaisquer que sejam as consequências" 315
O risco da resistência 325
Dialogando com o marxismo 333
"A maldição revogada" 343
A morte de Paulo vi 351
A sucessão 359
"O bom combate" 369
A grande viagem 379

BIBLIOGRAFIA 385

ANEXOS 387

AGRADECIMENTOS 393

ICONOGRAFIA 395

OS AUTORES 397

INTRODUÇÃO

Para a avaliação das qualificações de dom Helder Camara ao prêmio Nobel da Paz, há certos pontos a ser destacados: sua mensagem de não violência na América Latina de hoje pode ser considerada importante para a conservação da paz, já que representa uma real alternativa ao aumento do terrorismo e dos movimentos guerrilheiros. Sua coragem pessoal é indiscutível, é um homem de prestígio e importância, o que faz com que a sua mensagem seja ouvida tanto no Brasil como no exterior. (O Sunday Times *de 17 de maio mostra-o como o homem de maior influência na América Latina depois de Fidel Castro). Além disso, Camara não representa apenas ele próprio, mas também uma grande e importante corrente dentro da Igreja Católica da América Latina.*

Jakob Sverdrup
Consultor do Comitê Nobel do Parlamento da
Noruega – Oslo, 1970

Às duas horas de 18 de outubro de 1971, uma segunda-feira, o arcebispo de Olinda e Recife, dom Helder Camara, acorda ao som do despertador para mais uma madrugada de vigília – um ritual de reflexão e oração repetido quase diariamente há mais de 40 anos, desde sua ordenação em 15 de agosto de 1931, aos 22 anos e meio.

Dom Helder dedica a vigília daquela madrugada a pensar em como deveria reagir caso se confirmassem as previsões das agências de notícias internacionais e de um jornalista norueguês que o procurara no domingo: consideravam-no "favorito absoluto para o Nobel da Paz, 1971".

Apenas alguns passos separam seu pequeno quarto, nos fundos da Igreja das Fronteiras, em Recife, de seu escritório. Já em sua escrivaninha, dom Helder resolve dividir suas preocupações e expectativas escrevendo para alguns amigos que, do Rio de Janeiro, acompanhavam sua atuação religiosa e o assessoravam na preparação dos discursos proferidos nas inúmeras conferências a que era convidado no mundo todo, desde que ficara conhecido internacionalmente por sua atuação no Concílio Vaticano II:

Vamos, então, brincar de faz de conta...

Faz de conta que a altas horas do dia 20 do corrente ou da madrugada de quinta, 21, as agências telegráficas me despertem com a notícia do prêmio.

A primeira reação seria de prudência: poderia ou poderá, perfeitamente, tratar-se de um trote...

Faz de conta que se comprovasse a concretização do impossível... Primeiríssimo cuidado: rir de mim mesmo e dizer ao Pai, com o Irmão Jesus Cristo: "A vós, ó Pai Todo-poderoso, toda honra e toda glória, agora e para sempre, pelos séculos dos séculos!".

Cuidado absoluto para não receber o prêmio como se já fosse recompensa que me chegasse na terra: prefiro, mil vezes, deixar tudo para o encontro pessoal, face a face com o Pai. E para que recompensa, se a Santa Missa, estendida ao dia todo, já me torna multimultimilionário?!...

Na hipótese do faz de conta, o Nobel só valeria na medida em que ajudasse a marcha das ideias, que não são apenas minhas, mas nossas!

Tenho acalmado amigos, a quem temo ver na frustração... Há quem imagine que seria convidado a fazer uma palestra sobre justiça no mundo na fase final do Sínodo de Roma... Há quem jure que o Nobel arrastaria, infalivelmente, ao cardinalato. Há quem leve o delírio a ponto de achar que o Nobel seria sinal verde para o sumo pontificado...

Vários grupos de parlamentares da Holanda, Suécia, França e Irlanda, e mais o vencedor do prêmio em 1968, René Cassin, haviam proposto formalmente a candidatura de dom Helder em 1970, apoiados por cinco milhões de assinaturas de trabalhadores latino-americanos recolhidas pela Confederação Latino-Americana Sindical Cristã, graças ao esforço do secretário-geral da entidade, Emílio Maspero.

De acordo com o relatório que subsidiou a decisão do Comitê Nobel, elaborado pelo professor de Filologia Jakob Sverdrup, Cassin justificou sua proposta argumentando que dom Helder "simboliza a luta para a melhoria das condições de vida por meios pacíficos". Para os membros do parlamento da Irlanda, atribuir a dom Helder "o prêmio da Paz seria uma manifestação valiosa de solidariedade humana numa situação dominada pelo terrorismo e pela opressão".

Os parlamentares suecos argumentaram em sua justificativa que dom Helder, além de "importante protagonista da não violência", exerce uma "posição de liderança" dentro da Igreja, "ao mesmo tempo que atua de maneira importante na luta pela obtenção de reformas sociais". Considerando que dom Helder "tem obtido sempre maior importância internacional, como se verifica por seu papel durante o Concílio Vaticano II e por seu comparecimento a várias conferências internacionais"..., eles concluem que "seria de importância inestimável" atribuir-lhe o prêmio da Paz, uma vez que sua atividade, "de modo geral, é censurada e combatida pela parte conservadora da Igreja e pelas autoridades do Brasil". O próprio consultor do Comitê Nobel, Jakob Sverdrup, em seu relatório sobre dom Helder, também se manifestou visivelmente favorável a que lhe fosse concedido o prêmio.

Apesar desses importantes pareceres favoráveis à premiação de dom Helder, o Nobel da Paz de 1970 foi "surpreendentemente" atribuído ao professor norte-americano Norman Borlaug, especialista em Fisiologia das Plantas, que realizara pesquisas sobre cereais para o Instituto Rockefeller do México. Insatisfeitos com esse resultado, os partidários de dom Helder ratificariam sua candidatura ao prêmio nos três anos seguintes.

Em 8 de fevereiro de 1968, o nome de dom Helder recebe apoio para a indicação ao Nobel da Paz.

Nas vésperas do anúncio do premiado em 1970, dom Helder escreve a seus assessores do Rio que, "caso venha o prêmio, eu o interpretarei como encorajamento que o Pai me envia...". Em 1971, não só considerou mais detidamente a possibilidade de vitória, na brincadeira do "faz de conta", como chegou a imaginar que se o prêmio lhe fosse atribuído, "seria o caso de estudar prós e contras de um aceno direto ao governo brasileiro (na linha de um apelo, em alto nível, para certas aberturas!), sobretudo na hipótese de qualquer gesto de simpatia ou de mera cortesia".

A julgar por sua expectativa "otimista" quanto à possibilidade de ser agraciado com o Nobel da Paz, dom Helder não tinha conhecimento da silenciosa e eficiente campanha de bastidores coordenada pela embaixada brasileira em Oslo, em nome do governo brasileiro chefiado pelo general Emílio Garrastazu Médici, com o objetivo de "neutralizar" sua candidatura ao Comitê Nobel.

Durante a produção de um documentário sobre o Comitê Nobel do parlamento norueguês, a rede de televisão Norwegian Broadcasting Corp. (NRK-TV, Oslo, Noruega) conseguiu documentos que comprovam as gestões do governo brasileiro, por meio de sua missão diplomática naquele país, com os membros da comissão encarregada de escolher o ganhador do prêmio, nos anos em que a candidatura de dom Helder foi apresentada. Sua vitória foi evitada por aquela embaixada em Oslo em virtude de uma atuação sigilosa em duas frentes:

incentivando uma campanha contrária ao arcebispo brasileiro em alguns jornais noruegueses, na tentativa de criar uma corrente de opinião que legitimasse a rejeição de seu nome pelo Comitê Nobel, e trabalhando indiretamente para que a maioria dos membros do Comitê votasse contra a premiação de dom Helder.

Para que a campanha não fosse descoberta pela imprensa favorável ao arcebispo, o embaixador Jaime de Souza-Gomes contou com a colaboração do empresário Tore Munch, dono de importantes negócios na Noruega e no Brasil, entre eles duas fábricas de guindastes em São Paulo, um jornal na cidade de Bergen, sede de seu grupo, e outro em Oslo, o *Morgenposten.*

Com a ajuda do jornalista Júlio de Mesquita Neto, dono do jornal *O Estado de S. Paulo,* Tore Munch conseguiu, no Brasil, um dossiê sobre a vida de dom Helder que municiou vários artigos sensacionalistas contra o arcebispo publicados no *Morgenposten.* Um dos artigos foi assinado pelo jornalista Arild Lillebo, diretor chefe do departamento de política internacional do jornal, e publicado no Brasil pelo mesmo *O Estado de S. Paulo*, de 18 de outubro de 1970, com o título "Prêmio Nobel à Violência":

> ... Na década de 1930, dom Helder Camara era fascista, "camisa verde" e defensor dos adeptos de Adolf Hitler no Brasil. Hoje em dia ele tem se virado no sentido oposto, politicamente, e muita gente o considera comunista. Ele é um grande admirador de Fidel Castro e vê líderes como Ernesto Che Guevara e Camillo Torres como modelos.
>
> Na América Latina, dom Helder tem chegado a ser uma personalidade sumamente controvertida. Alguns o consideram um oportunista, enquanto outros o acusam de mentir quando lhe é conveniente. A verdade aqui, como acontece tão frequentemente, é difícil de esclarecer. Mas será que uma personalidade tão controvertida merece o prêmio Nobel da Paz?...

A atuação de Tore Munch foi ainda mais decisiva para a persuasão da maioria dos cinco membros do Comitê Nobel a votar contra a candidatura de dom Helder. Munch era amigo pessoal de pelo menos dois membros do Comitê: Sjur Lindebraekke, na época o maior banqueiro do país, presidente do Privat Bank de Bergen, e Bernt Ingvaldsen, presidente do parlamento norueguês e vice-presidente do Comitê Nobel.

Para completar o trabalho de bastidores de Tore Munch, ainda segundo a pesquisa realizada pela NRK-IV, outro importante empresário norueguês com negócios no Brasil, Henning Boilesen, presidente do Grupo Ultra, logo depois de participar de um encontro do Banco Mundial em Copenhagen, no final de 1970, também visitou o Instituto Nobel, em Oslo, para pressionar o Comitê a votar contra dom Helder. (Boilesen ficou conhecido em meados de 1969, quando passou a arrecadar dinheiro de outros empresários estrangeiros que atuavam no Brasil para financiar a tristemente famosa Operação Bandeirante (Oban), formada oficiosamente por policiais e militares para intensificar a repressão aos opositores do regime militar brasileiro, recorrendo, para tanto, ao uso sistemático de métodos de tortura em seus "interrogatórios". Pouco tempo depois, em 15 de abril de 1971, o empresário Henning Boilesen acabaria sendo morto pelo grupo de guerrilha urbana Ação Libertadora Nacional (ALN), que decidira executá-lo em razão de sua colaboração com os órgãos de repressão do governo ditatorial).

Em dezembro de 1970, a revista inglesa *Private Eye* publicou um artigo denunciando as influências políticas sobre a decisão do Comitê Nobel, citando inclusive os nomes de Munch, Lindebraekke e Ingvaldsen como responsáveis pela derrota de dom Helder, mas sem envolver a embaixada brasileira em Oslo. Logo depois da publicação do artigo na Inglaterra, Munch e Souza-Gomes, embaixador brasileiro, articularam-se para evitar que a denúncia repercutisse na Noruega e provocasse, em consequência, o afastamento de Lindebraekke e Ingvaldsen do Comitê Nobel, o que seria prejudicial à continuidade da campanha contra dom Helder, cuja candidatura seria novamente proposta em 1971. Munch, depois de reconhecer que o vazamento das informações para a revista inglesa ocorrera em um de seus jornais, não se sabe como, conseguiu o "silêncio" do único jornal norueguês que ameaçava publicar a matéria da *Private Eye* o *Dagbladet* (publicação do Partido Trabalhista).

Para garantir que se repetisse, em 1971, o sucesso de sua campanha contra dom Helder no Comitê Nobel, a embaixada brasileira buscou ampliar seu leque de colaboradores na Noruega. Decidiu, então, em nome do Ministério das Relações Exteriores, convidar o jornalista Audum Tjomsland, redator de política internacional do maior jornal da Noruega, o *Aftenposten*, ligado ao Partido Conservador. O Ministério das Relações Exteriores contaria com a colaboração do jornalista Rui

Francisco Mooren, organizador da campanha internacional pela atribuição do Prêmio Nobel da Paz a dom Helder oferece-lhe um bolo em comemoração aos seus 65 anos, em 7/02/1974, na Suíça.

Mesquita, um dos diretores de O *Estado de S. Paulo,* que se ofereceu para pagar as passagens do jornalista norueguês e acompanhá-lo em sua visita ao Brasil, já que também estava interessado em colaborar para a inviabilização da atribuição do prêmio da Paz ao arcebispo brasileiro.

Durante sua estada no Brasil, Audum Tjomsland faria a cobertura jornalística da inauguração de uma nova fábrica de guindastes de Tore Munch, construída no quilômetro 20 da rodovia Raposo Tavares, em São Paulo.

O embaixador Souza-Gomes acreditava que a divulgação de notícias sobre os negócios da Munch do Brasil S.A. ajudaria a melhorar a imagem de seu país na Noruega, incentivando os empresários noruegueses a realizar novos investimentos no Brasil.

O empresário Tore Munch chefiaria a comitiva em que viria o jornalista do *Aftenposten,* composta ainda pelo banqueiro Sjur Lindebraekke, um cientista e um professor. Ao governo brasileiro caberia recepcionar, promover excursões e homenagear os ilustres visitantes para mantê-los fiéis à campanha da embaixada brasileira em Oslo. Pouco antes da viagem, porém, o banqueiro Sjur Lindebraekke desistiu de fazer parte da comitiva, evitando, assim, nova acusação de envolvimento na campanha contra dom Helder, como aquela do ano anterior feita pela *Private Eye.*

Em outubro de 1971, já no Brasil, o jornalista Audum Tjomsland mudou o roteiro proposto pelo governo brasileiro e foi a Recife, onde visitou dom Helder num domingo, dia 17. Como se nada planejasse contra dom Helder na Noruega, Tjomsland chegou a conversar com o arcebispo, inclusive comentando seu "favoritismo absoluto" para receber o prêmio. Embora não soubesse o verdadeiro motivo da visita do jornalista ao Brasil, dom Helder, nada ingênuo, procurou demonstrar-lhe "a impossibilidade de ser vencedor, com mais 39 concorrentes, entre eles Monnet, criador da Comunidade Europeia, e Willy Brandt, o demolidor do Muro da Vergonha".

Contrariando a esperança que expressara em sua vigília de segunda-feira, 18 de outubro, na quarta-feira, dia 20, às três da tarde, quando iniciava uma reunião no secretariado da arquidiocese, dom Helder recebeu a notícia de que o prêmio Nobel da Paz daquele ano fora concedido ao alemão Willy Brandt.

Se a notícia o abalou, não foi suficiente para atrapalhar sua participação na reunião em que se decidiu a elaboração do plano pastoral para o ano de 1972, a ser anunciado em uma concentração pública prevista para o final do ano no ginásio Geraldão, em Recife.

Willy Brandt recebeu os votos de três dos cinco membros da comissão que escolheu o vencedor: de Aase Lionaes, a presidenta do Comitê Nobel, de Bernt Ingvaldsen, vice-presidente do Comitê Nobel e dirigente do Partido Conservador, e do banqueiro Sjur Lindebraekke. Dom Helder recebeu os votos de Helge Refsum, juiz do Tribunal de Justiça em Bergen, e de John Sannes, presidente do Instituto de Política Exterior da Noruega.

A repercussão da derrota de dom Helder em 1971 foi ainda mais ruidosa que no ano anterior. Vários jornalistas denunciaram como tendenciosa a decisão do Comitê em virtude de supostas pressões do embaixador da Alemanha na Noruega em favor do chanceler Willy Brandt. O próprio Willy Brandt acabou precisando defender-se publicamente das acusações.

Em 1972, para fugir da polêmica, o embaixador brasileiro acautelou-se ainda mais, evitando atitudes ostensivas contra a candidatura de dom Helder, na esperança de que o trabalho de bastidores realizado nos dois anos anteriores continuasse a surtir efeito, e assim foi: apesar de novamente ratificada a candidatura do arcebispo em 1972, o Comitê Nobel decidiu não escolher nenhum ganhador para o prêmio da Paz.

Em 17 de outubro de 1973, seria anunciada a decisão do Comitê Nobel para aquele ano. Dom Helder encontra-se em mais uma madrugada de vigília quando volta a escrever aos amigos do Rio de Janeiro considerando tanto a possibilidade de vitória como a de uma nova derrota.

Mas dessa vez, ao contrário do sutil otimismo revelado nos anos anteriores, o arcebispo demonstra certa indiferença em relação ao prêmio:

Misteriosos e sábios os caminhos de Deus:

As agências telegráficas internacionais interpelam-me dizendo que, às vésperas do Nobel da Paz 1973, sou apontado como favorito indiscutível.

Respondo, amável, que todos os dias vemos em corridas de automóveis, em partidas de futebol, em corridas de cavalos, "favoritos" sendo superados...

Ou me engano de todo, ou não me conheço nada, ou não vejo nada de nada dentro de mim, ou se o balão furar, se o prêmio não vier, não perderei um segundo de sono... Estou preparado, inclusive, para gozações que certamente surgirão em decorrência disso.

... Os irmãos Barrigan – Filip e Daniel – me escrevem dizendo que devo saber que sou o favorito absoluto do Nobel da Paz 1973. Eles me transmitem um apelo, dizem, em nome de milhões: vindo o prêmio, que eu o rejeite, como protesto por haver o comitê de Oslo aceito a candidatura de Richard Nixon... Respondi-lhes dizendo:

– que o Nobel da Paz jamais chegou a preocupar-me;

– que minha candidatura sempre foi lançada, sobretudo, por jovens e trabalhadores, a quem escrevi dizendo que, para mim, o verdadeiro Nobel era a compreensão e a simpatia dos moços e dos operários, dos oprimidos e dos simples...

– que, no entanto, me perdoassem: de modo algum assumiria, diante de Nixon, a posição que me sugeriam: tenho, com ele, pontos comuns, muito mais profundos do que o fato de sermos, os dois, candidatos ao Nobel da Paz: os dois somos irmãos em humanidade e irmãos em Cristo...

Às seis da manhã do mesmo dia 17, quando se preparava para rezar a primeira missa do dia, dom Helder recebe, por telefone, a notícia de que o prêmio Nobel de 1973 fora atribuído ao norte-americano Henry Kissinger e ao vietnamita Le Duc Tho, por conta das negociações pelo fim da Guerra do Vietnã, ou seja, vitória do presidente norte-americano Richard Nixon, por meio da premiação de seu secretário de Estado.

ANOS VERDES
(1909 −1935)

LAÇOS DE FAMÍLIA

Caro Amigo Aquiles,
Cumprimento-o. Esta lhe será apresentada por meu filho João Camara,
a respeito de quem lhe falei e escrevi há pouco.
Peço que faça por ele o que poderia fazer por mim. Assim o espera o seu
amigo, criado, admirador.

João Camara
Fortaleza, 8 de janeiro de 1892

Vestindo um bem talhado terno branco, o rapaz entregou pessoalmente ao todo-poderoso comendador Aquiles Boris o bilhete escrito por seu pai, apresentando-o como candidato a um emprego. Para o comendador Boris, não seria difícil atender àquele pedido do influente jornalista João Eduardo Torres Camara, pois era o irmão responsável pelos negócios da principal empresa comercial de Fortaleza, a Casa Boris Frères.

Desde que fora fundada, em 1871, por três irmãos franceses de origem judaica, a Casa Boris Frères tornou-se extremamente popular e respeitada nas transações comerciais e na intermediação de pedidos de empréstimos do governo do estado a bancos europeus. O nome Boris era sinônimo de garantia e confiança, tanto no sertão quanto na capital. Como a exportação e a importação eram seus principais ramos de atividade, o oceano passou a ser chamado popularmente de "o açude do Boris". No auge da popularidade da casa, no início do século XX, a qualquer pendência em um negócio surgia logo o gracejo: "O Boris resolve". Nos tribunais, a influência da casa comercial era tamanha, que a Justiça chegou a ser apelidada de "mãe do Boris". Naqueles tempos, eram comuns até os pedidos de empréstimos pelo governo estadual à Casa Boris Frères, na tentativa de sanear as minguadas finanças públicas do estado.

João Eduardo Torres Camara, o autor do bilhete, tinha a patente de tenente-coronel e era um jornalista de confiança da facção que havia muito governava o estado. Nascido em 13 de outubro de 1842, desde sua juventude João Camara encontrava-se ligado ao grupo político do poderoso senador Pompeu, que depois passou a ser liderado por seu genro, dr. Antônio Pinto Nogueira Acióli. Liberal convicto e membro ativo da franco-maçonaria, propagava suas ideias e as de seu grupo político nas páginas do jornal *A República,* fundado e dirigido por ele não tanto para difundir ideias, por certo, mas para defender publicamente os interesses econômicos e políticos da oligarquia que governava o estado na época e atacar sem piedade a oposição. No auge de sua carreira política, chegou a ser deputado na assembleia provincial, depois de vários mandatos como vereador em Fortaleza. Como jornalista, além de fundador de vários jornais e revistas, criou o importante *Almanaque Administrativo, Estatístico, Mercantil e Industrial do Estado do Ceará* em 1896, que sobreviveu mais de meio século depois de sua morte, sob a direção de um dos filhos.

O tenente-coronel João Eduardo Torres Camara, avô de Helder, fundador e diretor do jornal situacionista *A República* – porta-voz da oligarquia Acióli.

Casado com dona Maria Sussuarana em 16 de julho de 1866, João Camara teve com ela três filhos: José Eduardo, Maria e João Eduardo Torres Camara Filho (sobre quem ainda falaremos muito, não tanto por seus méritos pessoais, embora os tivesse muitos, mas por ter sido o pai do nosso biografado; se bem que já merecesse um detido estudo só por ter proporcionado as condições genéticas, econômicas e culturais para o nascimento e a educação de tão eminente filho). Em 1878, em 22 de julho, já viúvo, o tenente-coronel João Camara casou-se com dona Maria de Souza, e então nasceram mais sete filhos: Carlos, Sófocles, Diva, Noemi, Letícia, Edith e Zaira.

O terceiro filho do tenente-coronel, João Eduardo Torres Camara, batizado com seu nome, nasceu às 22 horas do dia 9 de dezembro de 1872. Em seus arroubos de mocidade, João Eduardo Torres Camara Filho tentou começar sua vida profissional no Rio de Janeiro, a então capital federal; sem conseguir alcançar de imediato o sucesso esperado, voltou a Fortaleza e, por influência do pai, como já pudemos perceber, aos 20 anos tornou-se guarda-livros da principal casa comercial do Ceará, ocupando o cargo nos cinquenta anos seguintes, no único emprego de sua vida.

Mesmo ainda jovem, João logo se tornou um funcionário de confiança do patrão Aquiles, fato que percebeu quando passou a ser o alvo das atenções dos figurões cearenses, que com frequência caíam em dificuldades financeiras em razão das seguidas secas que inviabilizavam as safras agrícolas. Não era para menos, pois, quando um coronel do interior recorria à Boris Frères para conseguir algum crédito em mercadorias ou em dinheiro, o comendador Aquiles Boris, para se inteirar da situação do caixa da empresa, não deixava de consultar João.

A maneira como João conseguiu seu emprego na Boris Frères revela de que forma as antigas relações de lealdade e compadrio se mantinham presentes em uma cidade em franco crescimento como a Fortaleza da época. Os laços de amizade entre algumas ilustres famílias de classe média da cidade, caso da família Camara, com a oligarquia que dirigia e controlava todo o estado representavam uma forma de aliança social e política por meio da qual os poderosos apadrinhavam os mais fracos em troca de lealdade política.

A oligarquia cearense, cujo comando estava nas mãos de Antônio Pinto Nogueira Acióli, seus filhos e genros, garantia para algumas famílias de classe média cargos no Poder Judiciário, na administração pública e em posições de direção nas grandes empresas privadas do estado. Foi o que ocorreu com os filhos do jornalista e tenente-coronel João Eduardo Torres Camara: José Eduardo, juiz de Direito, chegou a ocupar o cargo de chefe de polícia (que corresponderia hoje ao de secretário da Justiça do Estado) no último mandato de Nogueira Acióli, entre 1908 e 1912; Carlos, teatrólogo e redator do jornal governista dirigido pelo pai (*A República*), chegaria a deputado estadual e diretor da Junta Comercial; o próprio João chegou, assim, a seu estratégico cargo de contador na principal empresa privada cearense.

Essa forma de apadrinhamento fazia com que parte da classe média da cidade se mantivesse subordinada à oligarquia, garantindo aos poderosos o apoio necessário para a manutenção de seu poder econômico e político em troca de proteção. Relação e lealdade eram renovadas continuamente por uma série de obrigações mútuas, como batizar filhos ou apadrinhar casamentos, arranjar empregos, emprestar dinheiro, avalizar títulos ou obter crédito junto às casas comerciais, e toda sorte de favores que cotidianamente fortaleciam os laços de compadrio e amizade, além, é claro, da participação ativa nas eleições e lutas políticas ao lado da "situação".

Fortaleza, ao final do século XIX, aproximava-se dos cinquenta mil habitantes, dobrando a população de 25 anos antes em um rápido crescimento populacional que contrastava com a falta de infraestrutura urbana. As ruas eram cobertas por capim-de-burro, e mesmo a Praça do Ferreira, onde ficava o prédio da Intendência Municipal, no centro da cidade, emprestava suas árvores para que fossem amarrados animais, enquanto os donos descansavam ou realizavam negócios. Nas outras 15 praças, a vegetação servia como pastagem para o gado solto. Um meio de transporte bastante utilizado eram os bondes puxados a burro da Companhia Ferro Carril, que começou a operar em 1880. Sua capacidade era de 25 passageiros sentados em cinco bancos. Pela viagem, o passageiro pagava cem réis para um boleeiro quase sempre vestido de fraque. O último bonde partia às nove da noite da Praça do Ferreira, respeitando o toque de recolher que a força pública impunha à população.

A Praça do Ferreira era também o principal ponto de encontro e lazer da população. Em seus quatro cantos, havia quiosques de madeira construídos sobre bases de alvenaria onde funcionavam os cafés, abertos até a hora do toque de recolher. Eram eles o Java, o Elegante, Do Comércio e Iracema. O historiador Raimundo Girão conta que

> ... em suas mesinhas interiores, e nas que se espalhavam fora, regalavam-se os fregueses tomando café e refrescos, comendo refeições de bom cardápio, degustando cervejas ou aperitivos mais quentes, palestrando assuntos ou contemplando, descuidadamente, o burburinho das idas e vindas dos transeuntes. Remodelado a partir de 1880, o Passeio Público rivalizava com a Praça do Ferreira como atrativo para a população nos horários de lazer, principalmente pela vista ampla para o mar, por sua arborização bem planejada e pelas ruas decoradas com estátuas de deuses gregos. Na avenida Mororó, às quintas e domingos, uma banda do exército ocupava o coreto, prendendo a atenção de todos.

Como responsável pela contabilidade da Boris Frères, a estabilidade no emprego e seu salário mediano davam a João condições de formar uma família: casar, ter filhos e educá-los nos colégios particulares, que excediam em número aos públicos, mas nada mais que isso; a possibilidade de que viesse a se tornar proprietário de terras, de imóveis na cidade ou casas de comércio era remota, porque o dinheiro não dava para tanto. Logo se perceberá isso, pois ao casar-se pagará aluguel por sua moradia durante muitos anos; para nos adiantar um pouco aos acontecimentos, embora isso contrariasse os costumes da época, até a esposa escolhida por João contribuiria para as despesas da casa com seu salário de professora primária, evidentemente parco, como permitia antigamente e permite até hoje a maneira com que os governos distribuem seu orçamento.

Os parentes perceberam antes mesmo do próprio João que era hora de pensar em casamento, pois Maria, a filha do meio, por ser mulher, naturalmente deveria aguardar um pretendente, e o mais velho, José Eduardo, não dava sinais de que iria "desencantar", assim permanecendo até o fim da vida, dedicado que era aos estudos para tornar-se bacharel, e, depois, à profissão e à política. Na tentativa de criar a ocasião propícia, os tios e primas da parte de dona Maria, sua madrasta, residentes em Araçoiaba, no interior do estado, insistiam para que João os visitasse nos fins de semana. Em uma dessas viagens, a "ocasião propícia" apareceu como resultado de uma quase tragédia: o trem em que João viajava descarrilou e virou, ferindo vários passageiros, inclusive João, cujo braço sangrava. Por sorte, a seu lado viajava uma gentil professorinha que nada sofrera e que, assustada com o ferimento de tão elegante rapaz, teve a audácia de levantar a saia, rasgar a anágua e, com o tecido, fazer um torniquete para estancar o sangramento.

João ficou impressionado tanto com o jeito decidido da moça como com sua beleza. Adelaide Rodrigues Pessoa lecionava em Araçoiaba e era filha de um médio proprietário de terras no sertão cearense, que prosperava e afundava nos negócios conforme se sucediam os períodos de inverno ou de longa estiagem. Por sorte dos dois, o padrinho e cunhado de Adelaide, Raimundo Pereira Lima, era conhecido da família de João e foi quem convenceu o pai da moça a receber o rapaz e autorizá-lo a frequentar sua casa na condição de pretendente da filha. Enquanto não definiam a data para o compromisso maior, quando não podiam ver-se, os dois trocavam cartas. Adelaide, em Araçoiaba, guardava as cartas que recebia em um pequeno embornal feito de tecido cor-de-rosa. João, em Fortaleza, guardava a correspondência da amada num embornal azul.

Adelaide nascera em 9 de janeiro de 1874, na pequena vila de São João do Inhamuns, no sertão cearense. A longa estiagem de 1877 a 1879 fez com que, arruinada, sua família emigrasse para a cidade de Picos, no Piauí. Com apenas 3 anos de idade, Adelaide viajou no colo de sua irmã mais velha, Deolinda. Para escapar da seca que provocou o desaparecimento da agropecuária e a morte de 180 mil pessoas por fome ou doenças no estado, outros 125 mil cearenses também emigraram para várias regiões e, assim, o Ceará perdeu um terço de sua população e a maior parte de sua riqueza em apenas três anos.

As dificuldades da família em Picos fizeram com que João Pereira Pessoa voltasse para São João do Inhamuns, logo após a volta do "inverno", com sua mulher, Adelaide Rodrigues Gentil Pessoa, e os sete filhos, Adelaide, Deolinda, Francisca, Norvinda, Olindina, Rosa e José. Desencantado com a agricultura, o pai fez questão de colocar as filhas para estudar. Adelaide e Olindina demonstraram mais aptidão e resolveram continuar os estudos em Fortaleza.

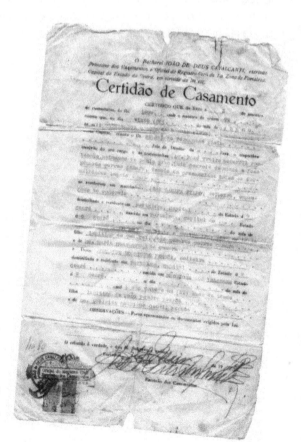

A certidão de casamento dos pais de Helder. Detalhe: entre as testemunhas o presidente do estado do Ceará, José Freire Bezerril Fontenele.

Adelaide ingressou na Escola Normal, que ficava na praça José de Alencar, em fevereiro de 1889. Em um curso de dois anos de duração, com mais cem alunas matriculadas, estudou Língua Portuguesa, Língua Francesa, Matemáticas Elementares, Geografia, História, Ciências Naturais, Pedagogia e Metodologia. Mas não se pode dizer que o curso fosse aprofundado, pois o próprio regulamento ordenava que o professor se abstivesse de entrar em longos desenvolvimentos, para que o curso fosse "essencialmente intuitivo, simples e fácil". Aos sábados, as futuras professoras recebiam aulas de "noções de prendas domésticas" e realizavam seu estágio na escola primária feminina, anexa à Escola Normal.

Um ano depois de seu ingresso na Escola Normal, em 26 de fevereiro de 1890, o pai de Adelaide viria a falecer antes de ver a filha diplomada, em novembro do ano seguinte. Depois de aprovada em concurso público, tendo se enquadrado nos requisitos "de idade, sanidade e moralidade indiscutíveis" exigidos para a nomeação como professora de escola pública, Adelaide lecionaria por quatro anos nas cidades de Caio Prado, Araçoiaba e Baturité, até conseguir sua remoção para a capital em 1896.

O casamento de João e Adelaide aconteceu em 20 de junho de 1896. As cerimônias civil e religiosa ocorreram às seis da tarde na casa de Raimundo, o cunhado alcoviteiro. Padre Antônio Carlos Barreto, auxiliar do bispo, dirigiu a cerimônia religiosa, e, como se tratava de um casamento de gente bem relacionada, uma das testemunhas oficiais do enlace foi o tenente-coronel de engenharia dr. José Freire Bezerril Fontenelle, na época presidente do estado do Ceará.

ALEGRIAS E TRISTEZAS

Eu tinha a impressão de que era uma princesa quando chegava na porta da sala vindo do interior da casa. Como ouvíamos atentos a sua palavra... Hoje, tenho nitidamente, com devoção e respeito, esta suave recordação do carinho com que ela ensinava os seus alunos, ainda lhe sobrando tempo para cuidar de tantos filhos pequenos.

Hermengarda Faria de Amorim,
aluna de Adelaide Pessoa Camara
entre 1897 e 1903

O casal João e Adelaide foi morar nas imediações do Passeio Público de Fortaleza, na antiga rua da Assembleia, número 3, e logo as crianças começaram a nascer praticamente uma depois da outra, até o décimo terceiro filho. O primeiro foi Gilberto, nascido em 2 de abril de 1897 às dez da manhã. O mesmo padre que celebrara o casamento batizou o menino, que recebeu como padrinhos o avô paterno e a avó materna, para quem não guardou os nomes, o tenente-coronel João Camara e dona Adelaide, respectivamente. Sabemos disso porque, desde esse episódio, a mãe começou a anotar em uma pequena caderneta alguns acontecimentos que julgava importantes para a história da família, como a primeira vez em que Gilberto andou, dia 18 de dezembro de 1898, ou quando vestiu sua primeira calça comprida, dia 11 de junho de 1900, já então com 3 anos de idade.

Apenas 13 meses depois do nascimento do primeiro filho, à uma da madrugada do dia 19 de maio de 1898, nasceu mais um menino, que como o pai e o avô, mas sem a sorte de sua longevidade, logo veremos, recebeu o nome de João. Em 1899, também no mês de maio, nasceria às seis da tarde do dia 18 o terceiro filho de João e Adelaide. Desta vez veio à luz uma menina, Maria, que seria chamada Maroquinha pelos pais e irmãos. Maroquinha foi batizada aos seis meses de idade; seus padrinhos foram o tio José Eduardo, irmão do pai, e a tia Francisca, irmã da mãe; o celebrante foi padre Dantas. Já a cerimônia de crisma, ocorrida em 8 de dezembro de 1901, a mãe deixou registrado que foi celebrada pelo próprio bispo diocesano, dom Joaquim José Vieira.

No ano seguinte ao nascimento de Maroquinha, às duas e meia da tarde de 28 de novembro de 1900, nasce Ethelberto, batizado apenas oito dias depois pelo cura da Sé, padre Pedro Leopoldo de Araújo Feitosa. José, tio pelo lado da mãe, e Maria, irmã do pai, foram os padrinhos. Com saúde precária, como denuncia o batismo precoce, Ethelberto andaria aos 14 meses e cortaria o cabelo pela primeira vez aos três anos e meio.

A passagem de século encontrou João Camara Filho na casa do pai com toda a família, apesar de Adelaide ainda estar de resguardo do último parto. Da casa, ouvia-se uma ruidosa combinação de sons: o badalar ininterrupto dos sinos das igrejas, a música do hino nacional e dos morteiros se misturando aos aplausos da multidão que lotava a Praça da Estação esperando a meia-noite. O barulho cessa quando, na praça, o professor Farias Brito, discursando nos instantes finais que antecedem a entrada do novo século, conclama a todos: "Agora mesmo a sombra de Deus perpassa sobre as nossas cabeças. Ajoelhemo-nos!".

Em uma caderneta, dona Adelaide anotava acontecimentos marcantes da infância dos filhos. Reprodução das páginas sobre seu 11º filho, Helder, escritas em 9/02/1923.

Motivos para tamanha comemoração não faltavam. Muito mais que a simples passagem de um século ao outro, a alegria da multidão era motivada pelo fracasso das previsões de que o mundo iria acabar na entrada do novo século. Muitos acreditavam que o fim do mundo já estava marcado pela Providência, e como o mundo já acabara uma vez em água, com o Dilúvio, desta vez um cometa cairia sobre a Terra e irradiaria o fogo da destruição dos homens e de toda a natureza. A rigorosa "seca dos dois zeros", que castigava o Ceará exatamente no ano de 1900, era vista como um prenúncio desse fim trágico para a humanidade.

As primeiras quatro crianças nasceram na casa da rua da Assembleia, próxima ao Passeio Público. Em meados de 1901, a família mudaria para a Praça dos Mártires, número 21. Mas em ambas as casas o problema da falta de infraestrutura urbana de Fortaleza impunha à família Camara, como a toda a população da cidade, ricos e pobres, uma infinidade de dificuldades.

Na nova casa, as crianças continuaram a chegar. Em primeiro de fevereiro de 1902, seria a vez do nascimento de José, quinto filho do casal.

Depois veio Rubens, em 6 de junho de 1903. Um ano depois, nasceria Zeneida, em 30 de junho de 1904, sétimo filho de João e Adelaide, no oitavo ano de casamento. O batismo ocorreu em outubro e a madrinha foi uma irmã da mãe, Aline. O padrinho foi o comendador Aquiles Boris, patrão do pai.

O pai de Helder, João Eduardo Torres Camara Filho, guarda-livros da principal empresa de comércio do Ceará no final do século xix e início do século xx – a Casa Boris Frères, na época de seu casamento com Adelaide Rodrigues Pessoa, professora primária, filha de um médio proprietário de terras do interior do estado.

A vida alegre e sem sobressaltos da família Camara seria interrompida por uma epidemia de crupe, em julho e agosto de 1905, que levaria à morte dos quatro filhos mais novos do casal. A primeira a morrer com a angina provocada pelo crupe seria Zeneida, em 19 de julho, pouco depois de completar 1 ano de vida, às oito da noite. Três dias depois, à meia-noite, morreria Rubens, de 2 anos. Dia 30, às cinco da madrugada, seria a vez de Ethelberto, com 4 anos e meio. Por fim, em 23 de agosto, morre José, com 3 anos e meio. Os dois meninos mais velhos, Gilberto e João, estavam passando as férias na casa de uma tia no interior, e Maroquinha, então com 5 anos, ficou na casa de parentes em Fortaleza.

Os dias de infortúnio provocaram extremo desespero em Adelaide. Mesmo assim, muito religiosa, quando deixava momentaneamente um filho que agonizava, colocava-lhe antes uma vela na mão, indo depressa ver outro filho. O esforço de Adelaide e João na tentativa de salvar as crianças foi total. A mãe, auxiliada por uma empregada, cuidava diretamente dos doentes, queimava roupas, brinquedos e outros pertences para se livrar do contágio, e o pai chegou a solicitar ao presidente do estado, seu amigo Nogueira Acióli, vacinas para seus filhos e para quem mais necessitasse na cidade. O presidente atendeu ao pedido, mas quando as vacinas chegaram do Rio de Janeiro, de navio, a família Camara só pôde salvar três de seus sete filhos.

Durante esses dramáticos acontecimentos para a família Camara, dona Adelaide encontrava-se novamente grávida, e três meses depois da morte dos quatro filhos nascia Eduardo, no início da madrugada do dia 28 de novembro de 1905.

As cerimônias de batismo e crisma das crianças revelavam-se muito mais que simples atualização com os compromissos sacramentais católicos. Eram verdadeiros momentos de festa e confraternização familiar, quando se reuniam parentes, sacerdotes e ilustres amigos da família. Apenas um mês depois do batismo de Eduardo era a vez da cerimônia de crisma do primeiro filho do casal, Gilberto, então próximo de completar 9 anos. Dom Joaquim José Vieira, o bispo diocesano, encarregou-se da cerimônia, e o padrinho foi o tio juiz José Eduardo Torres Camara.

O nascimento seguinte na família foi o da menina Adelaide, que ocorreu logo depois de mais uma comoção que atingiu a família Camara: a morte do tenente-coronel João Eduardo Torres Camara no dia 6 de outubro de 1906. Adelaide nasceu em 18 de dezembro e, logo depois, foi batizada, tendo sido agraciada com um padrinho dos mais ilustres, dr. José Acióli, filho do velho Nogueira Acióli, chefe da principal oligarquia familiar do Nordeste brasileiro na Primeira República, e que na época estava em seu segundo mandato como presidente do Ceará. Mas Adelaide estaria morta antes mesmo de completar seu primeiro ano de vida, vítima da epidemia de meningite que grassava então em Fortaleza.

A seguir nasceu Mardônio, no dia 29 de janeiro de 1908, às sete da manhã. O batismo ocorreu em 21 de fevereiro também na capela da Santa Casa de Misericórdia, tendo o monsenhor José Menescal como celebrante e os tios Sófocles e Noeme por padrinhos. Mardônio viria a ser o principal companheiro da infância de Helder, nascido no ano seguinte.

O décimo primeiro filho de João e Adelaide nasce em um domingo, 7 de fevereiro de 1909. A família ainda morava na Praça dos Mártires e já eram dez da noite quando se ouviu seu primeiro choro. Como o repertório de nomes prediletos dos pais já fora utilizado nos filhos anteriores, até trazendo azar para seus mal-aventurados donos (argumento utilizado por João para dissuadir Adelaide de batizar o recém-nascido de José), o pai resolveu ir até a estante da sala onde era guardado o material didático que a esposa utilizava nas aulas, de onde tomou um velho atlas geográfico. Abriu o livro ao acaso e passou os olhos sobre os nomes de vários países, ilhas, cidades. De repente, seu dedo indicador parou sobre um ponto no extremo norte da Holanda. João guardou o nome do lugar, voltou ao quarto e disse a Adelaide: "O nome dele vai ser Helder".

Com a anuência da mãe, o menino foi batizado em 31 de março de 1909, na capela da Santa Casa de Misericórdia. Como a criança estivesse um tanto adoentada, o celebrante, monsenhor José Menescal, precisou usar água morna na cerimônia. Quem o apresentou para o batismo foi a irmã Maroquinha. Para madrinha do menino, foi escolhida tia Diva Pamplona, casada com Carlos, irmão de João. O padrinho veio de fora da família, dr. Maurício Gracho Cardoso, na época vice-presidente do estado e, como se não bastasse, casado com uma filha do presidente, o poderoso Nogueira Acióli.

Logo depois do nascimento de Helder, ainda em 1909, novamente um acontecimento trágico priva João e Adelaide de um dos filhos. Brincando na rua, João, de 11 anos, é atropelado por um ciclista. Uma das pernas foi mais atingida pelo choque com a bicicleta e gangrenou. Os médicos propunham que a perna doente fosse amputada, e os pais esperavam que o menino melhorasse. Como a melhora não acontecia, pais e médicos passaram a discutir em que altura da perna de João deveria ser realizado o corte, de modo a livrá-lo da enfermidade e a comprometer o mínimo possível sua mobilidade futura. Os dias foram passando e quando a decisão foi tomada, já era tarde: depois de sofrer várias hemorragias, João não resistiu e morreu.

Ainda nasceriam mais duas crianças na família: Nair, em 6 de junho de 1911 e, quatro anos depois, em 22 de junho de 1915, outro menino em quem os pais colocaram o nome de João, em homenagem ao filho que falecera em 1909.

A escolha do nome de Nair foi mais controvertida que a de Helder. Quando a menina nasceu, o pai insistiu para que fosse chamada Alice. Dona Adelaide até concordara, mas descobriu que aquele era o nome de uma atriz que fazia temporada em Fortaleza com a peça *A princesa dos dólares* e por quem João estava deslumbradíssimo. Porém, ainda que o deslumbramento de João extrapolasse o espaço de sua coluna de crítica teatral no *A República*, onde fazia elogios rasgados a atriz e a sua peça, a amizade entre os dois não teria futuro: na temporada que a trupe fora fazer em Recife, logo depois de apresentar-se em Fortaleza, os artistas caíram doentes e morreram todos de febre amarela.

Depois de vinte anos de casamento, mesmo com o trágico desaparecimento de seis dos treze filhos, a família de João e Adelaide estava consolidada, dando continuidade à condição social tipicamente de classe média urbana herdada do velho jornalista João Eduardo Torres Camara. Em casa, sempre querendo estar bem vestido, João, às vezes, era surpreendido de pijama e gravata, provocando boas risadas nos filhos e na mulher. Seu temperamento fazia-o reservado e calmo na relação com as crianças, embora não se eximisse de colocar limites às estripulias dos filhos. Como de costume era um pai afável, quase sempre calado. Quando os três mais velhos, Gilberto, João e Maroquinha, notavam que os olhos verde-acinzentados do pai os fixavam com rigor, percebiam logo que haviam cometido algum deslize. Apesar do rigor no olhar, a severidade do pai quase nunca o levava a bater nos filhos.

Fora de casa, João continuava a tradição do pai e dos irmãos, mantendo-se fiel aos ideais e aos amigos da franco-maçonaria, o que lhe garantia uma vida social relativamente intensa, com presença regular nos cafés, livrarias e teatros da cidade. Nas conversas com os amigos, João falava com vivacidade sobre música e teatro, mas, habilmente, evitava monopolizar o uso da palavra, estimulando os outros para que falassem sobre o que lhes interessasse.

Na realidade, as convicções maçônicas de João combinavam com um catolicismo nem sempre tão disfarçado: em sua casa, o mês de maio era consagrado à Virgem

Maria. No sobrado em que a família morava, havia uma pequena capela de madeira com as imagens de Cristo, da Virgem e dos Santos da devoção de Adelaide; durante o mês de maio, todos os dias, o próprio João comandava uma pequena celebração na qual era rezado todo o rosário em latim. Adelaide fazia as leituras e o primeiro a cantar a "ladainha" e o "bendito", "e com entusiasmo, era o maçom João Camara". Em junho era Adelaide quem comandava as orações do mês dedicado ao Coração de Jesus: "... todas as noites, sentada no corredor que dava para o céu estrelado, rezava o Terço".

Mesmo defendendo a franco-maçonaria e acreditando no "Grande Arquiteto do Universo", o casamento de João, os batismos e a educação dos filhos seguiam as tradições cristão-católicas, o que o tornava alvo das zombarias da segunda esposa de seu pai, dona Maria Camara, senhora de sólida cultura anticlerical. Apesar disso, quando mais tarde a filha Maroquinha decidiu ingressar na Ordem Franciscana, pediu ao pai que renunciasse à franco-maçonaria, o que foi recusado por João, que argumentou: "Filha, desejo viver de acordo com os sacramentos e não tenho problemas com o Credo. Posso até rezá-lo de memória. Mas renunciar à franco-maçonaria para mim significa trair a memória de meu pai e de toda a minha família".

Para Adelaide, que, além de mãe, era a professora de primeiras letras dos filhos, a paciência e o carinho com as crianças não tinha limite. Quando uma amiga mais próxima receitava umas palmadas para curar a peraltice da criançada, ela costumava responder que Deus havia feito das crianças seres inteligentes, não havendo necessidade de ser tratadas como se fossem animais irracionais. Em sua forma de educar os filhos, uma boa conversa era sempre o melhor caminho. Apesar do baixo salário, Adelaide recebia também do governo do estado uma ajuda de custo para o aluguel, o que contribuía para complementar o salário de guarda-livros do marido na Casa Boris Frères e era um estímulo para que continuasse lecionando na sala de sua casa, onde chegava a receber sessenta meninas para aprender as primeiras letras.

O SOBRADO DA RUA SENA MADUREIRA

Setembro já se acabara, com seu rude calor e na aflita miséria; e outubro chegou, com São Francisco e sua procissão sem fim, composta quase toda de retirantes, que arrastavam as pernas descarnadas, os ventres imensos, os farrapos imundos... E novembro entrou, mais seco e mais miserável, afiando mais fina, talvez por ser o mês de finados, a imensa foice da morte.

Rachel de Queiroz, *O Quinze*

Alguns momentos de muita tensão e muito medo estavam reservados a toda a família Camara no mês de novembro de 1912. Mardônio, Helder e Nairzinha, muito pequenos, quase nada perceberam de suspeito nas atitudes nervosas de pais e tios, apavorados com a possibilidade de ter suas casas saqueadas e incendiadas por uma multidão incontrolável, revoltada com os desmandos da oligarquia dos Acióli, havia vinte anos no controle do governo do Ceará, distribuindo cargos públicos e benesses para seus aliados e perseguindo com violência os adversários políticos.

Os estreitos laços entre os Camara e o esquema político dos Acióli vinham desde os anos 1860, quando o avô de Helder, o então jovem jornalista João Eduardo Torres Camara, passara a trabalhar no jornal *Cearense*, órgão político do senador Thomas Pompeu, um dos mais influentes políticos nordestinos do Segundo Império. O esquema político do senador, montado com o apoio dos grandes proprietários de terra do interior do estado, mais tarde foi legado a seu genro, Antônio Pinto Nogueira Acióli, que, por sua vez, combinando habilidade e truculência, detinha enorme poder político e econômico, aproveitando-se da chamada "Política dos Governadores": iniciada pelo presidente da República Campos Salles, consistia na troca do apoio dos presidentes dos estados e seus deputados no Congresso Nacional par cargos, favores e verbas federais.

O controle exercido por Nogueira Acióli na política cearense chegou a pontos extremos: o presidente do estado no período de 1900 a 1904, dr. Pedro Augusto Borges, precisou assumir publicamente que não tinha o controle do governo. Ao reconhecer sua posição como simplesmente decorativa, Borges foi mais longe e fez uma declaração que entrou para o folclore político do país: "Sou um simples vaqueiro. O dono dos bois é o comendador Acióli".

Helder Pessoa Camara com um ano.

Em 1908, Nogueira Acióli inicia seu terceiro mandato como presidente e, como sempre, para manter o controle sobre a estrutura administrativa e política do estado, nomeia parentes, amigos e aliados para os cargos mais importantes. O vice-presidente era seu genro Maurício Gracho Cardoso, padrinho de batismo de Helder. Para a Assembleia Legislativa conseguiu eleger a maioria dos deputados, vários deles seus genros e primos. A família Camara também teve seu quinhão no loteamento dos cargos: o tio de Helder, José Eduardo, juiz de direito, ocupou a chefia de polícia do governo (mais tarde, Secretaria do Interior e da Justiça), outro tio, Carlos, comediógrafo, foi eleito deputado estadual e diretor da Junta Comercial.

Em razão da eleição prevista para o ano seguinte, já em 1911 a situação política no Ceará era conturbada e violenta. A oposição pretendia colocar um fim no domínio dos Acióli no estado e, para tanto, conseguiu que Hermes da Fonseca, então presidente da República, apoiasse seu candidato ao governo estadual, coronel Franco Rabelo. Hermes da Fonseca adotou a posição com o argumento de que era preciso acabar com a corrupção e salvar as instituições republicanas das mãos das velhas oligarquias estaduais.

Mesmo sem apoio federal e com a oposição a seu governo crescendo e se tornando cada dia mais ousada, o velho Nogueira Acióli consegue realizar um acordo, o "Pacto dos Coronéis", assinado na cidade de Juazeiro em 1911, que lhe garante o apoio do homem mais forte e influente de todo o interior cearense, padre Cícero Romão Batista. Assim, além de garantir o apoio decisivo dos milhares de fiéis seguidores do "Santo Padim", Acióli conseguia manter a seu lado os grandes fazendeiros e chefes políticos da região do Cariri.

A oposição, catalisando o descontentamento da população de Fortaleza com o governo estadual, e com o apoio dos pequenos e médios comerciantes da capital, organiza uma passeata feminina pelo centro da cidade em 21 de dezembro de 1911. O presidente Nogueira Acióli considera a manifestação provocativa e, para dispersá-la, manda que a polícia, se preciso, até atire. A oposição revida com igual violência e ocupa os prédios da Assembleia Legislativa e da Chefia de Polícia. No dia seguinte, em apoio ao presidente, chega à cidade um batalhão de jagunços vindos do interior a mando dos grandes fazendeiros. A oposição radicaliza ainda mais, ocupando outros prédios públicos e, com uma tropa de quase mil homens armados e gritando "Franco Rabelo ou morte", cerca o palácio onde se encontrava Nogueira Acióli. Para retirar o cerco, a oposição exige a renúncia e a entrega do policiamento da cidade ao controle do Exército.

As negociações entre governistas e revoltosos perduram por um mês, até que em 24 de janeiro de 1912, depois de três dias de tiroteio quase ininterrupto, o velho Nogueira Acióli renuncia e entrega o cargo ao genro Maurício Gracho Cardoso, padrinho de Helder. A oposição não aceita a manobra e obriga Gracho Cardoso a renunciar em favor do segundo vice-presidente do estado, dr. José Bastos.

Para se recompor politicamente, Nogueira foge para o Rio de Janeiro e, com o apoio do influente político gaúcho Pinheiro Machado, consegue convencer o presidente Hermes da Fonseca a retirar seu apoio ao líder oposicionista Franco Rabelo e apoiar o nome do general José Freire Bezerril Fontenelle como candidato situacionista às eleições do próximo mês de abril. O problema é que Bezerril Fontenelle, o mesmo que testemunhara o casamento dos pais de Helder em 1896, já consideravelmente idoso quando presidente do estado, não contava com a popularidade necessária para sair vitorioso das eleições.

O resultado foi o esperado. Nas eleições de 11 de abril de 1912, a oposição deu uma "lavada" na situação, com a vitória de Franco Rabelo, muito embora padre Cícero, que apoiava Nogueira Acióli, tenha conseguido ser eleito vice-presidente do estado. Porém, como também previsto, Franco Rabelo não consegue o apoio do presidente da República, nem de Pinheiro Machado, e observa assustado o revigoramento dos aciólitas e dos aliados do padre Cícero.

Empossado em julho, sofre em novembro daquele mesmo ano uma tentativa de cassação pelos deputados estaduais aciólitas, maioria na Assembleia, já que ainda não ocorrera a posse dos novos parlamentares. Na ocasião, Carlos Camara, tio de Helder, vota pela cassação e, em represália, é exonerado do cargo de diretor da Junta Comercial. A rejeição da maioria dos deputados a Franco Rabelo faz com que os aliados do presidente organizem batalhões de recrutas entre a população, para lutar contra a Assembleia Legislativa.

No dia 9 de novembro de 1912, os comerciantes de Fortaleza fecham seus estabelecimentos porque uma multidão de cerca de dez mil pessoas invade as ruas do centro da cidade e, gritando o seu "Franco Rabelo ou morte", vai em direção à Assembleia, só não invadida por contar com a proteção do Exército. A multidão não desiste do levante e vai em direção às casas dos Acióli e seus aliados. A fábrica de tecidos de Nogueira Acióli é incendiada e o jornal aciólita *O Unitário*, saqueado. José Acióli, filho do ex-presidente e que fora padrinho de uma irmã de Helder já falecida (Adelaide), tem a casa invadida e incendiada, a exemplo do que ocorre com a casa do padrinho de Helder, dr. Maurício Gracho Cardoso, e com as de vários outros parentes e amigos dos Acióli.

A família de Helder, nessa época, já morava no sobrado da rua Sena Madureira. João, Adelaide e os filhos mais velhos, Gilberto e Maroquinha, que entendiam o que estava acontecendo na cidade, ficaram apavorados com o boato de que a multidão também saquearia e queimaria sua casa. João chegou a pensar em fugir às pressas com a família, mas em meio à sua aflição chega a notícia de que o velho Nogueira Acióli e seus parentes, "espavoridos e apanhados de surpresa", haviam fugido "com a roupa do corpo" e estavam escondidos na Escola de Aprendizes de Marinheiros, aguardando um navio para a fuga em direção ao Rio de Janeiro, e que a multidão comemorava a vitória, deixando de lado a desforra contra os "peixes miúdos".

A vitória dos rabelistas, porém, não duraria muito. Em um ano, os Acióli conseguem arrebanhar o auxílio do governo federal, do padre Cícero e de Floro Bartolomeu, seu braço político, e também o dos coronéis do interior do estado, e organizam um cerco militar a Fortaleza. Para evitar uma batalha sangrenta, o Ministério da Justiça decreta, em 10 de março de 1914, estado de sítio no Ceará, depõe o presidente Franco Rabelo e coloca em seu lugar o aciólita Setembrino de Carvalho.

As turbulências políticas ainda estavam frescas na memória dos cearenses quando uma nova catástrofe climática voltou a ocorrer no estado: a seca de 1915, dramaticamente retratada em *O Quinze,* romance da escritora cearense Rachel de Queiroz publicado em 1930. Dessa vez foram trinta mil os cearenses mortos por fome ou epidemia e cerca de 42 mil retirantes deixaram o estado; a agricultura e a pecuária foram novamente arrasadas.

O sobrado da família Camara na rua Sena Madureira, 91, onde Helder passaria toda a infância e os primeiros anos depois de sua saída do seminário, era amplo e ficava em um terreno que ocupava um quarteirão inteiro. João Camara comprara-o, em novembro de 1911, por seis contos de réis, mas com algumas facilidades, pois os proprietários eram seus patrões na Casa Boris Frères, em que já trabalhava havia vinte anos. Voltado para o nascente, o sobrado tinha quatro portas de frente no pavimento térreo e um andar superior. Cinco quartos ficavam embaixo, onde dormiam os adultos da casa. As crianças dormiam nos quartos de cima. Para unir os dois pavimentos, havia uma escada de 24 degraus com um corrimão em que as crianças se penduravam e desciam escorregando: contra a vontade da mãe, pois volta e meia alguém escapava do corrimão escorregador e rolava na maior choradeira.

Havia também uma sala de espera, uma de jantar e um salão maior, logo na entrada, onde se recebiam as cerca de sessenta meninas que geralmente aprendiam as primeiras letras com Adelaide. Completavam o sobrado uma varanda, dois banheiros e uma cozinha, ampliada com uma cobertura.

O quintal, com 10 mil metros quadrados, era cortado ao meio por um córrego chamado Pageú. Próximo à casa, havia um galinheiro cercado por uma trepadeira e um enorme pé de fruta-pão. Logo depois, havia uma "cacimba deliciosa protegida pela sombra de um enorme pé de cajá. O cajazeiro vivia em boa paz com um sapotizeiro, um pé de araçá, um de goiaba e várias bananeiras à margem do Pageú".

O córrego Pageú servia tanto para as brincadeiras das crianças como para levar os dejetos que uma das empregadas, uma negra chamada Antônia, recolhia de manhã no banheiro da casa e jogava fora. A água potável usada pela família Camara continuava sendo trazida algumas vezes por semana das fontes da cidade em barricas carregadas em lombo de burro. Para os banhos e uso geral, era usada a água da cacimba. A iluminação do sobrado continuaria dependendo dos combustores de ferro a gás carbônico até 1921, sempre com a providencial ajuda das lamparinas de querosene, apesar de a luz elétrica já estar sendo utilizada na cidade desde 1913, quando lá se instalara a empresa canadense The Ceará Tramway, Light and Power, Ltd.

Depois do córrego, havia uma subida arenosa e, no final do terreno, já voltado para o poente, em uma rua conhecida na época como da Escadinha, com a permissão de João Camara, três famílias pobres moravam em três casebres. Quando, ainda menino, Helder tornou-se aspirante da Conferência de São Vicente de Paulo, sua primeira ação de caridade foi visitar aquelas famílias para prestar-lhes alguma ajuda.

A praça e a igreja da Sé, na qual Helder assistia com a mãe a missa de domingo, onde faria sua primeira comunhão e rezaria sua primeira missa como padre, ficava a apenas algumas quadras do sobrado da família. Mas se o caminho do céu ficava próximo, o da perdição idem: na vizinhança também havia uma casa de prostitutas.

Para os Camara, era quase obrigatório passar diariamente em frente da tal "casa de mulheres", o que para o pequeno Mardônio não era nenhum sacrifício, pois lá era um dos locais preferidos para suas brincadeiras. Quando ele desaparecia, já se sabia onde procurá-lo. A dona da casa, senhora já idosa, chegou a se afeiçoar a Mardônio: se uma de suas funcionárias quisesse fazer alguma "safadeza" com o menino, ela "colocaria para fora" do seu estabelecimento. Quando se encontravam por acaso, a cafetina respeitosa e dona Adelaide Camara conversavam normalmente, para escândalo de algumas famílias ilustres da vizinhança.

João passava a maior parte do tempo no trabalho. Nunca faltava nem chegava atrasado ao departamento de contabilidade da Casa Boris Frères, onde era o chefe. Saía bem cedo de casa e voltava para o almoço. Pontualmente, às 13h30, retornava ao trabalho, para estar novamente em casa às cinco da tarde. Sob a responsabilidade de Adelaide estavam o trabalho das empregadas, o orçamento familiar e a educação das crianças, além das aulas que continuaria a ministrar ainda por muitos anos, até se aposentar. João entregava a Adelaide todo o salário e, quando ia à feira de domingo, pedia à mulher a quantia necessária. As compras eram quase sempre grandes e pesadas, levadas para sua casa por entregadores.

A partir de 1915, moravam no sobrado da rua Sena Madureira o casal, sete filhos – Gilberto, Maroquinha, Eduardo, Mardônio, Helder, Nair e o caçula, Joãozinho –, uma irmã de Adelaide, tia Dodó (Deolinda), "sempre doente, sempre de camisola e mais tarde cega", e Antônia, misto de babá e empregada dela, que fora mandada pelos parentes de Araçoiaba. Além dela, mais duas empregadas faziam o trabalho da casa: a cozinheira, Zefinha, e a lavadeira, Sinhá Domingas. (Eventualmente, dona Adelaide recorria também à ajuda de outras pessoas, como na primeira infância de Helder, quando uma ama-seca, com o estranho apelido de São Pedro, cuidou do menino por algum tempo).

Como a irmã era muito doente, principalmente por sofrer de constante pressão baixa, Adelaide, para poder cuidar dela, quase nunca saía de casa: restringia-se a saídas para as missas de domingos e dias santos, a algumas compras raras ou a visitas a algum amigo ou parente que estivesse "à morte". Apesar de doente, tia Dodó era presença marcante na casa; como tinha todo o tempo livre, ao contrário de João e Adelaide, podia muitas vezes contar às crianças as histórias da família dos tempos em que nem eram nascidas.

Antônia era também muito importante para as crianças. Além de ser a única pessoa negra que os pequenos conheciam, fascinava a todos com seus longos relatos sobre escravos que fugiram ou sofriam nas senzalas, casos que conhecia de sua infância anterior à abolição, apesar de já ter nascido em liberdade, já que a Lei do Ventre Livre, de 1871, declarara libertos os filhos de escravas nascidos a partir daquela data.

Ao final da tarde, quando chegava do trabalho, João quase sempre trazia para jantar o irmão José Eduardo: quarentão e solteiro convicto, gostava muito da companhia dos sobrinhos, que o chamavam de tio Juca. Quando não vinha para o jantar, era comum Adelaide mandar Helder levar-lhe a refeição em casa, não muito longe dali.

Ocasiões especiais para a família não eram o Natal nem a passagem de ano, na época pouco comemorados, mas o 9 de dezembro, aniversário de João, e o 9 de janeiro, aniversário de Adelaide, quando eram recebidos todos os parentes para um almoço. Nos aniversários das crianças, geralmente não havia festa, mas os padrinhos sempre traziam algum presentinho.

Caminhando nas margens do pequeno córrego Pageú, Helder fez suas "primeiras viagens para lugares longínquos: em botes fabricados pelas bananeiras, em barcos de papel, em barcaças improvisadas". Em silêncio e pensativo, ele passava longos momentos contemplando o movimento da água do riachozinho.

Nair gostava de brincar de boneca dentro de casa ou no fundo do quintal. Mardônio variava mais suas brincadeiras e, de vez em quando, para ver como a irmãzinha reagiria, pintava barbas e bigodes em suas bonecas. Jogar futebol era brincadeira frequente de Mardônio e Helder, para pavor da mãe e de Maroquinha, que viam suas meias transformadas em bolas. Logo depois da sala onde ficava a escola da mãe, havia um longo corredor que dava para o quintal e que os meninos usavam como "quadra". Quando chovia e a bola desobedecia aos esportistas, caindo na lama do quintal, eles a buscavam e, mesmo molhada e suja, continuavam o jogo, insensíveis ao argumento de que a casa acabara de ser pintada, e deixavam as paredes todas marcadas. Quando o tempo ajudava, Mardônio e Helder iam para o quintal, faziam três buracos no chão e passavam horas brincando, acertando-os com suas "cabeçulinhas", como chamavam as bolinhas de gude.

A algumas quadras da casa, havia uma pequena mercearia de secos e molhados, onde Helder e Mardônio sempre iam comprar guabiraba, quando conseguiam algum dinheiro com a mãe. De volta para casa, já chupando as guabirabas, sem que a mãe percebesse, subiam até o solar do sobrado e ficavam jogando as sementes para baixo, na tentativa de acertar a cabeça das pessoas que passavam pela rua. Essa brincadeira ficou tão marcada na memória dos dois que, passados oitenta anos, ainda era revivida, quando de Recife dom Helder falava ao telefone com o irmão que apelidou de Piloto e que então vivia no Rio de Janeiro: "Piloto... vai se aprontar para a gente ir comprar guabiraba!".

A partir de 1914, Gilberto, o filho mais velho de João e Adelaide, já com 17 anos, começou a trabalhar na administração dos Correios, enquanto Maroquinha ajudava a mãe nas aulas e a cuidar dos irmãos menores. A morte de seis crianças na família deixara um grande intervalo entre os dois mais velhos e os cinco menores, Eduardo, Mardônio, Helder, Nair e Joãozinho.

Logo Gilberto começou a progredir em sua carreira nos Correios, chegando em poucos anos ao cargo de oficial de gabinete, ao mesmo tempo em que se tornava figura em evidência nos meios intelectuais, graças aos frequentes artigos jornalísticos e a suas amizades nas inúmeras rodas literárias da cidade. Maroquinha, antes de decidir-se pela vida monástica, mas sempre acompanhada pelo pai, frequentava até com certa assiduidade os bailes do importante Clube Iracema e do elitista Clube dos Diários. Mesmo com essa distinção marcante entre os dois clubes, na sua condição de crítico musical e de teatro, João Camara Filho tinha livre acesso aos eventos promovidos em ambos.

As crianças da casa ocupavam a maior parte do seu tempo com as brincadeiras no quintal, mas também frequentavam as aulas da mãe com outras sessenta crianças da redondeza. Eduardo já passara pela fase das primeiras letras, estudava em outra escola da cidade e não se envolvia muito nas brincadeiras dos irmãos menores. Helder e Mardônio participavam das aulas da mãe meio envergonhados com a companhia exclusiva das meninas, pois a escola era feminina. Quando algum compromisso urgente exigia que dona Adelaide se ausentasse, Maroquinha substituía a mãe e, por vezes, a jovem substituta era mais rigorosa na observância da disciplina da turma que a própria professora, em geral mais condescendente com as alunas. Mas, por justiça, Maroquinha deve ser absolvida por seus excessos, pois precisava manter a credibilidade; além disso, havia a presença sempre desobediente de Nairzinha, a irmã caçula, colocando em risco sua autoridade, ao iniciar a bagunça entre as outras meninas, reclamando os rigores do castigo com a palmatória. Porém, dona Adelaide não pensava assim e, quando voltava para casa, ficava descontente com o fato de Maroquinha ter castigado Nairzinha como nem ela mesma costumava fazer.

Na verdade, as atitudes de dona Adelaide como professora e como mãe diferenciavam-se muito dos costumes da época. Para ela, o rigor e a disciplina deveriam vir depois da compreensão e do carinho. Assim, até os filhos constantemente eram surpreendidos por sua maneira de resolver as situações conflituosas do lar. Como no dia em que insistia para que Helder, então com seus 8 ou 9 anos, terminasse o seu quinto livro de leituras. Sem conseguir, Helder começou a chorar. De repente, dona Adelaide levantou-se rápida e chamou o menino para perto de si. Quando Helder pensou que seria castigado, a mãe professora entregou-lhe um "santinho". O menino olhou o que havia recebido de presente e, ainda um pouco amedrontado, leu o que estava escrito atrás da reprodução de um retrato de São Geraldo: "Ao meu querido filho Helder, de quem estou exigindo um esforço acima de suas forças, afetuosamente...".

Sempre muito expressiva, gesticulando muito ao falar – hábito que legou a Helder –, em outra oportunidade dona Adelaide estava preocupada com os preconceitos "que em tudo descobriam pecado", impedindo que as crianças entendessem o corpo humano e a sexualidade. Resolveu, então, conversar a respeito com Helder, mostrando com as mãos o que tentava explicar: "Você encontrará quem pense que isto aqui [e apontava o rosto] foi feito por Deus. Isto [e apontava os seios], não se sabe; mas isto [e apontava a região dos rins] certamente foi criado pelo Diabo... Não acredite, meu filho: da cabeça aos pés fomos feitos por Deus". No corpo humano, não havia "partes feias, indecentes, imorais", na visão de dona Adelaide. Para ela, o que poderia ocorrer era o "uso indecente do corpo humano".

À noite, quando cantava para ninar as crianças, dona Adelaide desfiava um repertório de canções tão tristes que os pequenos ficavam impressionados. É provável que aquela mãe afetuosa expressasse, em suas tristes canções, a mágoa pelos vários filhos que já perdera. Uma delas ficou na memória de Helder:

> Quando no prado nasce a flor primeira
> e foge o inverno que enregela os males
> ruflando as asas pelos céus, ligeira
> volta a andorinha aos seus antigos lares.
> Volta a esperança ao coração descrente
> que vida afora o desespero escolta
> e a primavera volta novamente
> quando aos seus lares
> a andorinha volta...
>
> Só tu não voltas ao teu ninho antigo
> bela andorinha a quem amo tanto.
> Só tu não traz ao teu velho amigo
> a primavera deste amor tão santo.
> Ai, volta, volta, se é que por acaso
> em outro peito não fizeste ninho,
> volta que é tarde, já findou-se o prazo,
> já estou cansado de viver sozinho...

NA ESCOLA DE DONA SALOMÉ

Em casa, brincava de missa – um tanto às escondidas, porque minha mãe dizia que missa não era coisa de brincadeira. Arranjávamos um altar, Capitu e eu. Ela servia de sacristão, e alterávamos o ritual, no sentido de dividirmos a hóstia entre nós; a hóstia era sempre um doce. Dominus, non sum dignus... Isto, que eu devia dizer três vezes, penso que só dizia uma, tal era a gulodice do padre e do sacristão. Não bebíamos vinho nem água; não tínhamos o primeiro e a segunda viria tirar-nos o gosto do sacrifício.

Machado de Assis, *Dom Casmurro*

Apesar de companheiros inseparáveis em casa, nas brincadeiras e na escola em que estudariam juntos depois de aprender as primeiras letras com a mãe, Mardônio e Helder bem cedo foram ficando diferentes um do outro. Mardônio tornava-se mais brincalhão e extrovertido, com forte atração pela "vagabundagem", como reconheceria mais tarde, e até metido a valente. Não raro, Helder precisava intervir para apartar as constantes brigas de rua do irmão, tido na família como de "gênio forte".

O padrinho de crisma de Mardônio era o professor catedrático de direito e dono de leiteria José Carlos de Matos Peixoto, que seria eleito presidente do estado em 1928. Sempre que encontrava o afilhado, dr. Peixoto lhe dava algum dinheiro de presente, geralmente uma nota de 5 mil réis. Saía de sua leiteria, diariamente, o leite consumido pela família Camara, pago rigorosamente em dia pelo chefe da casa. Em certa ocasião, quando Mardônio percebeu a chegada do leite no início da manhã, correu para perto do leiteiro e arriscou um pedido não muito explícito: "Avisa meu padrinho que hoje é meu aniversário". Na verdade, seu aniversário ainda estava longe. O pai ouviu a conversa e teve tempo de alertar o leiteiro e repreender o menino: "Meu filho, não repita mais isso, seu padrinho vai pensar que você está pedindo presente".

Mardônio não se emendava. O pai levaria as crianças ao cinema, era a estreia de outro filme mudo, projetado a manivela ao som de um piano. Seria uma grande diversão para Nairzinha, Helder, Mardônio e Eduardo. Quando Mardônio viu o pai andando na frente, de mãos dadas com Nairzinha, não resistiu a um impulso e puxou-lhe a casaca gritando: "Olha a casaca do velho Nogueira Acióli!". O pai zangou-se com a ousadia do menino, não tanto pelo puxão na roupa, mas pela brincadeira desrespeitosa com o já idoso Antônio Pinto, e deu-lhe um piparote na cabeça, obrigando-o a ficar em casa. Mardônio ainda tentou segui-los de longe, mas não adiantou. O pai o viu e ordenou-lhe novamente: "Não venha, não! Fique em casa!". Para Mardônio, não restou outra alternativa senão voltar para casa chorando.

Helder era diferente. Mais recatado e tímido, desde muito pequeno, por volta dos 4 anos, começou a prestar atenção à forma como agiam os padres durante as cerimônias de batizados, casamentos e missas que frequentava com os pais, e vivia repetindo em casa: "Quero ser padre! Quero ser padre!". Outras vezes dizia que queria ser "lazarista" (na época, grande número de padres lazaristas franceses e holandeses atuava em Fortaleza). Helder também demonstrava esse desejo celebrando missas de brincadeira, nas quais ficava ajoelhado de frente para um pequeno altar improvisado com algumas caixas de sabonete vazias, e de costas para os fiéis imaginários, como ainda era costume dos padres na época, fazia o sinal da cruz, abria os braços e ia juntando as mãos bem devagar, ao mesmo tempo em que baixava a cabeça em reverência.

Outra brincadeira de Helder que o diferenciava de Mardônio e dos outros meninos da rua era inventar histórias e contá-las para as crianças menores. A meninada da vizinhança se juntava no quintal da casa de Helder para ouvir as histórias que, improvisadamente, ele ia contando. Às vezes, até algum adulto de folga ficava prestando atenção. Na hora de terminar ou quando alguma mãe chamava o filho que fazia parte da pequena plateia, Helder interrompia a história, sem concluí-la, para continuar no dia seguinte, como uma novela em capítulos.

De tanto Helder ficar falando em ser padre, dona Adelaide também começou a sonhar com o dia em que veria o filho ordenado. As expectativas da mãe acabaram potencializando o desejo prematuro manifestado pelo menino, que, assim, se tornou mais receptivo aos sermões, devoções e atividades católicas de que a família constantemente participava, que eram carregados de uma pregação destinada a despertar a vocação em membros das classes médias urbanas. Afinal, desde a Proclamação da República e da consequente separação entre Igreja e Estado, era na classe média que a Igreja Católica brasileira esperava encontrar os recursos e os quadros de que necessitava para o reerguimento organizacional e o crescimento de sua influência religiosa e política no país. A mistura de sentimentos de mãe e filho, aliada ao poder de persuasão da Igreja Católica em Fortaleza, já sabemos a que destino levou Helder.

A personalidade e as atitudes cotidianas do pai também tiveram lá sua contribuição para que não fosse a vocação de Helder mais uma entre as tantas despertadas e que logo definhavam por falta de incentivos e exemplos. As vigílias dedicadas à Virgem durante todo o mês de maio, comandadas e rezadas em latim em casa pelo próprio João, apesar da convicção maçônica que o fazia usar regularmente o famoso anel com um triângulo e um compasso simbolizando o Grande Arquiteto da Humanidade, além de sua irrepreensível conduta como esposo, pai e profissional, também marcaram profundamente a formação de Helder. De tanto ouvir que o filho queria ser padre, um dia João chamou-o para uma conversa séria. O menino estava entre os 8 e os 9 anos quando ouviu do pai:

– Filho, você está crescendo e continua a dizer que quer ser padre, mas você sabe de verdade o que significa ser padre?

O menino ficou quieto, meio acabrunhado com o questionamento do pai, que prosseguiu:

– Você sabia que para uma pessoa ser padre ela não pode ser egoísta, não pode pensar só em si mesma? Ser padre e ser egoísta é impossível, eu sei, são duas coisas que não combinam.

O olhar de Helder revelava a atenção que dispensava às palavras do pai. Mas ainda não teve forças para falar o que estava pensando.

– Os padres acreditam que quando celebram a eucaristia é o próprio Cristo que está presente. Você já pensou nas qualidades que devem ter as mãos que tocam diretamente o Cristo?

Helder, então, resolveu responder:

– Pai, é um padre como o senhor está dizendo que eu quero ser.

O menino parecia convicto, e como já havia anos que manifestava cotidianamente aquele desejo, João concluiu que o melhor a fazer era ajudá-lo a conseguir o que queria.

– Então, filho, que Deus o abençoe! Que Deus o abençoe! Você sabe que não temos muito dinheiro, mas, mesmo assim, vou pensar em como ajudá-lo a entrar para o seminário.

Helder ficou muito feliz com a atenção e o carinho demonstrados pelo pai, o que fez com que os dois se aproximassem ainda mais. A partir disso, onde quer que João fosse, Helder queria ir junto, o que nem sempre era possível para um menino. Mas num sábado, 14 de julho de 1917, estava prevista a inauguração de um novo cinema na cidade, e João resolveu levar Mardônio e Helder. O pai não poderia prever que a alegria e a excitação de Helder provocariam um acidente tão grave em casa que quase levaria um irmão à morte. Gilberto e Maroquinha iriam também, ele em companhia de amigos e a moça acompanhando o tio Carlos e a esposa, Diva. Dona Adelaide ficaria em casa com a irmã Deolinda, os dois filhos menores, Nairzinha e Joãozinho, também cuidando de Eduardo, de 12 anos, de cama com furunculose.

Mais moderno que todos os outros cinemas da cidade, de arquitetura imponente, o Majestic-Palace surgira para divertir a "fina flor" da sociedade cearense, que logo passou a frequentá-lo não tanto pelos filmes em surradas cópias mudas, mas pelas disputas para ver quem melhor se adequava à última moda parisiense ou da capital federal. No início da tarde do dia da inauguração tão esperada, Mardônio e Helder tanto fizeram que conseguiram que o pai os levasse mais cedo, pois queriam ver a banda da Polícia Militar que tocaria na entrada. Para a festa de inauguração, o proprietário contratara a atriz transformista Fátima Miris, lembrada pelo historiador e ex-prefeito de Fortaleza, Raimundo Girão, como "artista de invulgares méritos, que acabou revolucionando a cidade inteira com a originalidade dos seus trabalhos e o entusiasmo que provocou sua figura de mulher diferente, de cabelos revolucionariamente cortados a *la garçonne*".

A sala do novo cinema ficou completamente lotada, mas ninguém se importou com o ar abafado ou com o aperto. Logo que a banda da Polícia Militar terminou a execução da "Cavalaria Rusticana" do lado de fora, subiu o pano e, em meio a um cenário deslumbrante, como descreveu o cronista Otacilio Azevedo,

> ... surge Fátima Miris, vestida como japonesa e, após entrar rapidamente na primeira porta, voltou a sair, desta vez na forma de um pastor. Era inacreditável tudo aquilo. Jamais olhos humanos haviam contemplado uma transformação tão rápida. E assim, consecutivamente, a genial transformista ia, cada vez mais rápido, mudando de figura com ligeireza e perfeição: era um rapaz, era um próspero comerciante, uma linda jovem, um padre. Os aplausos estalavam repetidos. Ao levantar-se o pano, no segundo intervalo, a violinista deslumbrantemente trajada apareceu, imitando um dueto com tamanha habilidade e perfeição que o maestro Henrique Jorge, subindo ao palco, ajoelhou-se e beijou-lhe as mãos!

> Ao cair o pano, em meio à maior chuva de aplausos, gritavam todos a uma só voz: "bis, bis", ao que ela atendeu. Depois, lançou um beijo à plateia através das rosadas pontas dos seus dedos.

A cidade já estava às escuras quando o espetáculo terminou e João e os dois meninos voltaram logo para casa. Mardônio e Helder, deslumbrados com o espetáculo, caminhavam cantando um trecho de uma das músicas apresentadas por Fátima Miris:

> Eu ia por uma rua
> E encontrei uma mulher
> Com um vestido tão curto
> Que parecia estar nua
> E eu fiquei envergonhada
> Da pouca vergonha sua.

Ao chegar em casa, eufórico, Helder só encontrou o silêncio e precisou guardar sua alegria para o dia seguinte. Quando acordou, desceu imediatamente para o quarto do casal para contar à mãe as proezas da atriz. Foi logo pulando para cima do colchão de molas e virando cambalhotas. Dona Adelaide, sentada, fazia a limpeza e colocava compressas e unguentos nos furúnculos de Eduardo. Num dos pulos de Helder, uma garrafa de álcool se virou e, como havia uma vela acesa no criado-mudo, pegou fogo, que se alastrou por tudo que estava por perto, lençol, roupas, colchão, provocando queimaduras graves em Eduardo, que, gritando, se agarrou desesperadamente à mãe, queimando-a no braço.

Dona Adelaide não sabia o que fazer, mas João, ao ouvir os gritos e perceber o incêndio, correu e abafou as chamas com um cobertor. Antônia, a empregada, correu para ajudar e ficou acalmando Helder, enquanto dona Adelaide cuidava de Eduardo e João chamava um médico. As outras crianças ficaram observando a situação, assustadas. Nairzinha, que tinha 6 anos, sem que ninguém percebesse, pegou perto da cama o que sobrara da vela e levou-a para destruí-la no quintal, chutando-a e esfregando-a nos tijolos, ao mesmo tempo em que dizia chorando: "Desgraçada, infeliz, queimou meu irmão!".

Com as dores provocadas pelos furúnculos que insistiam em nascer no seu corpo todo, Eduardo passou a sofrer com as queimaduras: até o médico que ia examiná-lo quase diariamente tinha pavor de realizar o tratamento. O menino gritava como um louco na hora dos curativos e levou para o restante da vida as marcas das queimaduras pelo corpo.

Helder ficou muito abalado com o acidente que provocara involuntariamente, sentindo-se culpado ainda por um bom tempo. Este foi o principal pecado que contou ao padre que ouviu sua confissão, antes de sua primeira comunhão, na Igreja da Sé, dois meses depois do ocorrido, em 29 de setembro de 1917. Mardônio também fez a primeira comunhão naquele dia. Os dois haviam feito o catecismo naquele ano, no Seminário da Prainha, e estavam vestidos de camisa branca e gravata borboleta preta, calça curta e sapatos também brancos.

Mas o que seria motivo de festa deixou de sê-lo por coincidir com um episódio dramático que ora vivia a família Camara. Maroquinha, a filha mais velha, "desiludida em seu primeiro e único namoro, tentou afogar-se para valer e chegou em casa desacordada, entre a vida e a morte". Quando recuperou os sentidos, Maroquinha entrou em profunda crise nervosa, obrigando dona Adelaide a "não deixar um instante a filha, que insistia em matar-se".

Quando Mardônio e Helder saíam para a primeira comunhão, acompanhados pelo pai, a mãe beijou os dois meninos e lhes fez um apelo: "Peçam a Deus que toque o coração da Maroquinha. O Cristo não sabe negar nada a quem faz a primeira comunhão". Os meninos atenderam ao pedido da mãe; por coincidência, no momento em que os dois comungavam pela primeira vez, em casa Maroquinha voltou a si, pedindo a presença de um padre. Foi vê-la o padre holandês Guilherme Vaessen, reitor do Seminário local. O efeito da conversa entre o sacerdote e a jovem foi além do esperado: Maroquinha decidiu que jamais se casaria e que se tornaria irmã de caridade.

Depois de curado, Eduardo passou a ser frequentador assíduo do Majestic-Palace, não só para ver as longas séries de filmes mudos, mas, principalmente, para assistir aos espetáculos que ocupavam o palco da sala quando não havia projeção. Helder, sempre em companhia de Nairzinha, também frequentava o Majestic e outros cinemas da cidade, mas parou quando estava próximo de ingressar no seminário. A irmã lamentou com ele:

– Você, que ia comigo ao cinema, agora vai entrar para o seminário. O Mardônio não gosta de passear comigo.

Helder ainda tentou consolá-la:

– Olha, maninha, é porque eu vou ser padre. Eu não tenho namorada, nem nada, e não posso ficar passeando, e o Mardônio tem lá os amigos dele... não fica triste, não.

Embora tenha superado com folga o sucesso dos cinemas mais antigos da cidade, como o Rio Branco e o Politeama, era comum o Majestic fechar, deixando Rodolfo Valentino nas prateleiras quando seu público preferia assistir às comédias do Grêmio Dramático Familiar, fundado em 1918 por Carlos Camara.

Nos dias de apresentação das comédias de costumes, *A bailarina*, *O casamento de Peraldiana* (as duas de 1919), *Zé Fidélis* (1920) e várias outras, de autoria do próprio Carlos, a prefeitura chegava a colocar vários bondes de prontidão em frente à sede do Grêmio, no antigo *boulevard* Visconde do Rio Branco, onde eram encenadas as burletas, para transportar o público no final dos espetáculos.

Talvez as origens da retórica repleta de gestos vibrantes e expressões faciais do futuro padre Helder estejam tanto na maneira de sua mãe falar como nos ensaios e apresentações das peças do tio Carlos, que sempre ia assistir antes de ingressar no seminário, em 1923.

Embora sadio, apesar de magro, o menino Helder não conseguiu escapar dos percalços normais à saúde das crianças da época: sofreu com um forte sarampo aos 2 anos e, seis meses depois, Helder teve também catapora. Mas seu mais grave problema de saúde na infância guardava uma relação direta com as precárias condições sanitárias de sua casa e da cidade. Helder devia ter pouco mais de 10 anos quando sentiu uma febre repentina e dores de cabeça. Logo caiu de cama com dores por todo o corpo. Dona Adelaide chamou o médico, que receitou isolamento e remédios. O diagnóstico condenava as pescarias no córrego Pageú, onde eram jogados os esgotos das casas que ficavam nas margens, e exigia maior cuidado com a água consumida em casa. O menino estava com febre tifóide.

Com o rápido diagnóstico e as providências sugeridas pelo médico, e mais a experiência de dona Adelaide, que já cuidara da mesma doença em Mardônio havia um ano, Helder não demorou em se restabelecer. Mas o susto na família foi grande. Nairzinha, compadecida do irmão, embora ainda uma menina de 8 anos, instruída pela mãe, prometeu tornar-se "Filha de Maria" caso Helder se curasse. Mais tarde, já na juventude, para cumprir a promessa, Nair manteve-se afastada dos bailes nos clubes da cidade e dos rapazes, pois como "Filha de Maria" não podia dançar e muito menos namorar.

Foi com a expectativa de avançar nos estudos antes de ingressar no seminário que Helder, aos 11 anos, começou a frequentar as aulas de dona Salomé Cisne, em uma turma de meninos com os quais cursaria as três primeiras séries do curso secundário. Ali, as crianças aprendiam História, Geografia, Português, Francês e Matemática, na única sala existente e sempre com a polivalente e enérgica dona Salomé. Mardônio também estava lá, e ele e Helder sentavam-se juntos em uma carteira dupla de madeira. Para Mardônio, sentar-se com o irmão era muito cômodo... Ele não gostava de estudar muito, e a professora tinha o hábito de arguir cada aluno sobre o ponto que estava sendo estudado:

– Mardônio, levante-se!

Já esperando não saber a resposta à pergunta que a professora faria, Mardônio levantava-se envergonhado e com medo.

– Diga o nome do rei de Portugal que dividiu o Brasil em capitanias hereditárias.

Mardônio, semiparalisado e com medo de apanhar nas mãos com a palmatória, caso não respondesse, ficava quieto por alguns instantes e espichava o pescoço para o lado de Helder, esperando que a resposta fosse soprada, o que o irmão sabia fazer com muita discrição: "Dom João III".

– Foi Dom João III, professora – respondia-lhe, aliviado.

Na escola, os irmãos tinham atitudes completamente diferentes. Um era o avesso do outro. Enquanto Mardônio era falador, brincalhão e de vez em quando se metia em encrencas, Helder era mais quieto, calado e tímido. Numa roda de meninos na hora do intervalo, se não fosse chamado para a conversa, Helder ficava quieto o tempo todo.

No seu desempenho escolar, Helder sobressaía em relação ao irmão e ao restante da turma em parte por ser muito inteligente, mas também por ter a predileção da professora, e sabemos bem como a compreensão e a boa expectativa por parte de uma professora podem ajudar no desempenho de um menino meio tímido, feioso e magricela como era, então, nosso futuro sacerdote. O principal motivo de tal predileção era, na verdade, extraescolar. Dona Salomé tivera um irmão que abandonara o sacerdócio, deixando a família envergonhada. Para ela, ajudar outro jovem a se tornar padre, como assumidamente pretendia Helder, faria com que fosse ocupado o lugar que fora de seu irmão, o que, no seu entender, absolveria sua família perante Deus e a Igreja.

Durante os três anos em que Helder estudou com dona Salomé, um único incidente estremeceu a relação de ambos, e isso só ocorreu no último ano do curso, em 1922. Era um sábado e todos os alunos estavam na sala para uma atividade coordenada pela professora. Haveria uma competição entre eles em torno dos assuntos estudados durante a semana: um aluno perguntaria a outro. Caso o inquirido não conseguisse responder ou se errasse a resposta, o que havia perguntado poderia responder. Se sua resposta fosse correta, deveria pegar a palmatória e bater nas mãos de quem não respondera. O castigo era motivo para a sala inteira vibrar. Quando chegou a vez de Helder, a professora pediu que fizesse sua pergunta, no que foi atendida, mas o colega questionado não soube responder. Então, a professora voltou-se para Helder e ordenou:

– Agora responda você.

Depois da resposta correta, a professora novamente ordenou:

– Bem, você sabe o que tem a fazer.
– Mas, professora, sou incapaz de bater em alguém – disse-lhe Helder, enquanto os outros acompanhavam ansiosamente e em silêncio a discussão.
– Neste caso, será você a receber o castigo.
– Prefiro mil vezes apanhar a bater – retrucou Helder.

O clima da sala ficara tenso com a discussão, e a professora, sentindo-se ofendida com a desobediência do aluno, resolveu encerrar a competição e dispensar os alunos. Na volta para casa, Mardônio comentou:

– Acho que você vai ser expulso da escola.

Helder concordou com o irmão e ficou preocupado. Ao chegar em casa, contou o ocorrido à mãe e ao pai. À tarde, dona Salomé chegou para conversar com dona Adelaide e as duas se trancaram em um quarto por mais de uma hora. Na saída, Helder notou que sua professora estava triste e cabisbaixa. Logo depois, a mãe chamou-o e disse:

– Você vai continuar com sua aula. Como está em seu último ano de curso, dona Salomé aceita continuar a recebê-lo e vai suspender os castigos com a palmatória.

Helder sentiu-se aliviado, mas com um pouco de remorso, pois a mãe também lhe contara que a professora havia manifestado a vontade de parar de dar aulas, porque se "sentia incapaz de ensinar sem a palmatória".

A formação intelectual recebida por Helder na infância e na adolescência não se restringia às aulas de dona Salomé. Sua inteligência e curiosidade eram alimentadas pelo ambiente culturalmente rico de sua casa. Algo que o influenciou diretamente e que se manifestaria por toda a sua vida foi o apego do irmão Gilberto à Língua e à Literatura Francesas.

Desde 1915, Gilberto conciliava seu emprego na administração dos Correios com o curso na Faculdade de Direito, na qual receberia o título de bacharel em Ciências Jurídicas e Sociais em 1920. Também escrevia regularmente para a imprensa local. Em casa, Gilberto recebia o importante guia de leituras publicado pelo jornal francês *Le Figaro* e mais uma enorme quantidade de livros em francês, que devorava fluentemente, antes de resenhá-los e criticá-los nos jornais da cidade.

Com a família, Gilberto mantinha uma relação muito afetuosa, especialmente com Helder, mais novo que ele doze anos, a quem chamava carinhosamente, em "portunhol", de "el hombre del cabelo cacheado" (em razão dos longos cabelos do menino, cortados pela primeira vez só depois dos seis anos de idade) e que desde pequeno mostrava gosto pela leitura. Conforme crescia, Helder contagiava-se pela paixão do irmão mais velho pela Literatura Francesa, no que era muito estimulado e desviado do caminho das pedras por Gilberto.

Helder aos seis anos, em 1915,
calçando botas emprestadas de uma prima.

NA ESCOLA DE DONA SALOMÉ   47

Se Helder foi introduzido na Literatura Francesa pelo irmão, é preciso explicar como Gilberto tornou-se francófilo, para que não pareça ao leitor que o apego às letras e a erudição geravam-se espontaneamente na família, o que, além de contrariar os fatos, nos afasta do entendimento sobre as condições culturais que cercavam nosso biografado na infância, pois já vinha de muito antes a influência da cultura francesa no Ceará.

Na arquitetura de Fortaleza, inúmeras eram as obras desenhadas por engenheiros franceses desde que o padre José Martiniano de Alencar (pai do romancista) estivera no governo provincial (1834-1839). Como Tollenare o fizera em 1816, foram muitos os viajantes franceses que passaram pelo Ceará e escreveram sobre ele. Entre as famílias mais abastadas eram comuns as viagens de meses e até de anos à França: os filhos lá estudavam e, não raro, voltavam casados. Para as famílias que não viajavam à França, ou para as que, viajadas, suspiravam de saudades da "civilização", havia em Fortaleza um serviço de carruagens de luxo, muito utilizado em passeios, casamentos e batizados.

Em Fortaleza, também se mantinham atuantes sucessivos representantes da Aliança Francesa, que divulgavam a cultura e a língua francesas, e geralmente acumulavam a função de correspondentes de vários jornais franceses no Brasil. Na economia, a principal casa comercial era de origem francesa, a Casa Boris Frères, na qual o pai de Helder trabalhava, e não era a única. Como lembra o historiador Raimundo Girão, era comum que os estabelecimentos comerciais, mesmo os de propriedade de "gente da terra", recebessem nomes franceses: Farmácia Pasteur, Café Art Nouveau, Café Riche, Au Phare de la Bastille (casa de modas), Hôtel de France, Hôtel de l'Univers, e muitos outros que vendiam uma infinidade de artigos importados da França: remédios, perfumes, bebidas, roupas, tecidos, sapatos, chapéus, *bijouteries,* conservas... O Seminário Arquidiocesano, no qual mais tarde ingressará Helder, era dirigido por padres lazaristas, e seu corpo docente era quase todo formado por padres franceses. Ainda havia vários outros hospitais e escolas fundados em Fortaleza por ordens religiosas francesas.

Um desses estabelecimentos, o Café Riche, era muito frequentado por João Camara e Gilberto. Sófocles, Carlos e José Eduardo também gostavam do lugar e eram amigos dos proprietários Alfredo Salgado e Luís Severiano Ribeiro. O Riche era considerado decente, com um ótimo serviço e um certo luxo, e desde sua inauguração, em 1913, passou a ser o principal ponto de encontro da classe média e dos intelectuais de Fortaleza. Eduardo, Mardônio e Helder, de vez em quando, acompanhavam o pai e ficavam nas mesas desarmáveis de madeira que avançavam sobre a calçada da rua Major Facundo. Os três meninos tomavam refrescos de frutas enquanto ouviam as animadas conversas dos adultos ou as declamações improvisadas dos poetas que estivessem presentes. Um ex-professor do Colégio Militar do Ceará, Sílvio Júlio, deixou em suas memórias uma descrição do ambiente intelectual do Café Riche:

> Estudantes, jornalistas e homens de negócio ali se reuniam cotidianamente. Eu, que já lecionara noutros lugares, ficava espantado ao apreciar o gosto do cearense pelo estudo.

Os rapazes discutiam sobre Lógica e História, Literatura e Política. Conheci jovens de 16 anos que liam Virgílio em latim, e com facilidade.

Os anos 1920 encontram Fortaleza em ebulição, não só pelos seus 78.536 habitantes, contados por um censo local, e que indicam um rápido crescimento da cidade, mas também pela presença contrastante de trabalhadores de colarinho branco vindos da Inglaterra e dos Estados Unidos e operários negros vindos de Barbados para trabalhar nas firmas Dwight P. Robinson & Co., Inc., e Norton Griffiths & Co. Ltd., que haviam ganho a concorrência pública para a construção do porto de Mucuripe e do açude de Orós. Para a família Camara, a nova década inicia-se com a formatura de Gilberto na Faculdade de Direito do Ceará, em 1920.

Em 10 de janeiro de 1921 é instalada a luz elétrica no já velho sobrado da rua Sena Madureira (atualmente avenida Alberto Nepomuceno). Pouco depois, em 16 de abril, ocorreria o primeiro casamento dos filhos de João e Adelaide. Gilberto, agora redator do *Diário do Ceará,* de propriedade de José Acióli (filho e sucessor do velho Nogueira Acióli), reforçaria uma vez mais a ligação da família Camara com a velha oligarquia dominante no estado, casando-se com uma moça de família tradicional, Zuleika Stael Catunda Gondim, neta de senador e também funcionária dos Correios. O novo casal foi morar em uma casa construída por João Camara no mesmo terreno do sobrado da rua Sena Madureira, só que depois do córrego Pageú, de frente para a outra rua, na época chamada travessa Baturité. Zuleika, de apelido Leikinha, era, como o marido, apaixonada pelos livros e também ajudaria na iniciação literária de Helder.

No ano seguinte, 1922, Maroquinha ingressaria no Colégio da Imaculada Conceição – o mesmo onde a escritora Rachel de Queiroz estudou entre 1921 e 1925 –, que era dirigido por irmãs de caridade. Mas "a tentativa de suicídio barrou-lhe a entrada como irmã". Como a moça não desistia de sua vocação, em 1924 seguiu para o Maranhão, onde se tornou, mais tarde, freira franciscana. Com essa persistência em querer ingressar na vida religiosa, Maroquinha seria uma grande aliada de Helder em seu desejo de tornar-se padre.

VIDA DE SEMINÁRIO

Eugênio se ocupava às vezes em escrever algumas coisas que não eram os seus temas de latim, e escondia cuidadosamente esses manuscritos, em que cismava longamente.
O padre regente, conquanto admirasse o precoce talento poético do menino, tratou logo de sequestrar e ir meter nas mãos do padre-mestre diretor aqueles execrandos papéis, à exceção de alguns poucos que como apreciador do talento de seu aluno quis conservar consigo.
O diretor, cheio de assombro e altamente escandalizado, resolveu chamar à sua presença e interrogar com todo o rigor o autor daquelas libertinagens, disposto a castigá-lo severamente...

Bernardo Guimarães, *O seminarista*

Quando dom Luís Antônio dos Santos, o primeiro bispo da Diocese de Fortaleza, resolveu fundar um Seminário, suas razões eram prementes: além da existência de poucos padres no Ceará, os que havia eram considerados pela Igreja "decaídos" nos costumes, sendo raros os realmente celibatários. Dom Luís Antônio não conseguira sequer encontrar um padre em condições de ser seu vigário-geral. Depois de muito trabalhar pela autorização do Vaticano, finalmente, em 18 de outubro de 1864, o bispo consegue inaugurar o Seminário Diocesano de Fortaleza, com o objetivo de ampliar e moralizar o clero cearense, entregando-o desde o início à direção dos padres da Congregação da Missão dos Lazaristas, ordem religiosa que desde 1820 dirigia com sucesso e reconhecimento o Colégio do Caraça, em Minas Gerais. Como sua sede ficava no antigo bairro Outeiro da Prainha, próximo à praia, ficou por isso conhecido como Seminário da Prainha.

Depois de três anos no curso médio de dona Salomé Cisne, Helder poderia ingressar no Seminário da Prainha para o correspondente ao curso secundário, já na quarta série, mas tinha a limitação de não ter aprendido latim. Por isso foi aceito na terceira série. Mesmo assim, em pouco tempo sobressaiu no rendimento escolar em relação aos colegas, quase todos vindos do interior cearense, com formação familiar e experiências pessoais diferentes da formação cultural erudita valorizada no seminário.

Com a vida urbana da família, a mãe professora, o pai colaborador de jornal, os tios todos bacharéis, jornalistas e políticos razoavelmente bem-sucedidos, e um tio, inclusive, comediógrafo de grande sucesso de público, ainda, com o irmão mais velho, Gilberto, já circulando com desenvoltura pelos meios literários e jornalísticos da cidade, Helder contou em casa com certas precondições educacionais que o tornaram apto a receber a cultura erudita e europeizante oferecida pelos padres lazaristas franceses e holandeses.

A vocação sincera e apaixonada de Helder também o distinguia da quase totalidade dos outros garotos. Como muitos dos alunos ingressavam no seminário para ter acesso aos estudos, já que as escolas públicas eram poucas e quase todas na capital, e as particulares eram proibitivas para a maioria, bastava que um pai apresentasse um menino com uma vaga intenção de tornar-se sacerdote, para que o seminário o recebesse e o escolarizasse. Por isso, era comum uma turma de seminaristas começar com vinte ou trinta meninos e, ao final, serem ordenados apenas dois ou três. Para os alunos, era vantajoso o curso de humanidades oferecido no seminário, pois, geralmente, quando saíam, poderiam prestar algum concurso público, com boas chances de alcançar as primeiras colocações em razão da boa formação recebida.

Para ingressar o filho no Seminário de Fortaleza, o pai teria de pagar a pensão anual de 450 mil réis, em três prestações de 150 mil réis cada uma. Havia, ainda, o pagamento de 30 mil réis no ato da matrícula e mais 15 mil réis por ano para pagamento do consumo de luz. Ficavam por conta da família do aluno as despesas com papel, tinta, livros, médico, remédios, lavagem de roupa e outras imprevistas. Para essas últimas, deveria ser depositada uma quantia em dinheiro nas mãos do padre procurador. Como João Camara já arcava com as despesas de Maroquinha no Colégio da Imaculada Conceição e de Eduardo e Mardônio no curso secundário, pleiteou e conseguiu um abatimento de 50% na pensão, que ficaram a cargo das Vocações Sacerdotais da Diocese de Fortaleza.

Para preparar o enxoval do filho, dona Adelaide juntou suas economias e comprou a maior parte dos tecidos e aviamentos no centro da cidade, na filial de uma loja que nas décadas seguintes expandiria seus negócios para todo o país, as Casas Pernambucanas. Foi uma trabalheira para que já no primeiro dia de internato, como exigido, o noviço levasse consigo 6 camisas, 4 ceroulas, 2 calças, 2 calções de riscado grosso para banho, 6 pares de meias brancas ou de cor, 1 batina de merinó, 2 batinas de brim preto, 6 colarinhos eclesiásticos, 3 camisões de dormir, 2 pares de sapatos e chinelas, 4 toalhas de rosto, 4 lençóis e demais pertences para cama, 10 lenços de algibeira, 3 guardanapos, 2 sacos com o nome marcado por extenso, para roupa suja, 1 chapéu preto e 1 barrete, 2 roquetes, 1 escova para dentes, 1 escova para fato, 1 escova para cabelo e uma cadeira para a banca de estudo.

O ingresso de Helder no seminário ocorreu no início do ano letivo de 1923, pouco antes do início das aulas em 1º de março. No primeiro ano de internato ainda usaria calça curta, enquanto os meninos que lá estavam havia mais tempo já usavam batina. A rotina do seminário era dura. Todos acordavam às cinco da manhã e, em fila e silêncio absoluto, iam direto para o banheiro no andar térreo. O banho era coletivo e a água do chuveiro, fria. Os meninos ficavam de calçãozinho e, quando terminavam de se lavar, outro grupo passava a usar os chuveiros. Na porta do banheiro ficava o padre regente, observando a disciplina durante o ritual de cerca de dez minutos. Caso houvesse algum desordeiro, o padre regente anotava seu nome para baixar-lhe a nota de comportamento no boletim.

Depois do banho, os seminaristas voltavam ao dormitório, escovavam os dentes e vestiam-se rapidamente para a hora de oração e a missa. Durante o percurso, em fila e em silêncio, para a capela, Helder aproveitava para ler. Rezada em latim, cada dia a missa era preparada por uma turma diferente, de modo a que todos ajudassem durante o mês.

Em seguida, vinha um austero café da manhã, quase sempre resumido a um pouco de café preto e um pedaço de pão. Os seminaristas de família de melhor condição econômica guardavam no armário de uso pessoal, ao lado da cama, latinhas de leite condensado (a marca era Vigor). Depois da missa, quem quisesse podia ir buscar sua latinha de leite para tomar com café. Os meninos de família pobre ou do interior geralmente conseguiam na capital uma senhora católica rica como madrinha e acabavam recebendo também leite, bolos, frutas e doces. Era a mãe quem levava essas guloseimas para Helder e, apesar de magrinho e mirrado, ele comia com vontade. Quando dona Adelaide levava pão com manteiga, a vontade com que Helder segurava o sanduíche fazia com que quase sempre escorresse pelo queixo a manteiga amolecida pelo calor, chamando a atenção dos colegas, que ficavam mangando dele.

Logo depois do café da manhã, havia um pequeno recreio utilizado pelos meninos em conversas ou brincadeiras rápidas. Só então, começava a primeira aula do dia. Eram alternadas uma hora de aula com professor e uma hora de estudo individual e preparação para a aula seguinte por parte dos alunos. Ao meio-dia era servido o almoço: arroz, feijão, carne, farinha e macarrão constituíam o cardápio mais frequente. As travessas ficavam na mesa e os seminaristas serviam-se à vontade.

Depois do almoço, havia o chamado "recreio grande", no qual todos eram obrigados a se envolver nos jogos de futebol, bilhar, barra ou pingue-pongue. Ninguém podia ficar parado. Então era novamente hora de estudar em preparação às aulas que seguiam até às quatro da tarde. Às cinco era servido o jantar, depois do qual os meninos ficavam com o horário livre. No começo da noite, os seminaristas tomavam um chá com bolachinhas antes da última oração do dia, que antecedia o recolhimento de todos ao dormitório. Antes de dormir, quem tivesse algum lanche guardado no armário aproveitava para mais uma "boquinha".

As quartas-feiras eram dias de folga no seminário. Na primeira do mês, os alunos que tivessem boas notas em comportamento poderiam sair para um passeio individual. Quem não quisesse sair sozinho ou não tivesse boa nota poderia participar dos passeios coletivos. Liderados por alguns professores, os meninos saíam em filas enormes usando batina e chapéu pretos, geralmente em direção à praia ou ao passeio público. Durante o trajeto era comum os meninos ouvirem os gritos das pessoas: "Olha os formigões!".

Os formigões só conversavam entre si, pois era proibido qualquer contato com os transeuntes. Quando chegavam ao local de destino, podiam brincar, tomar o lanche e até conversar com as pessoas do lugar. Menos, é claro, com mulheres, porque, como se dizia no seminário, "mulher é palha, homem é fogo. Se se colocam os dois juntos, o diabo vem, assopra e incendeia".

Sempre que os seminaristas iam ao passeio público, um dos irmãos de Helder, Mardônio, passava por lá, e os dois ficavam conversando perto de uma árvore até a hora do retorno ao seminário.

Nas outras quartas-feiras do mês e nos domingos, o seminário era aberto aos visitantes. Helder recebia a visita de sua mãe. Os dois chamavam a atenção de todos porque durante todo o horário de visitas ficavam se beijando e se abraçando. Era um "grude", uma "melação", como diziam. Dona Adelaide fazia e levava para o filho doce de banana, doce de leite, arroz-doce, pão com manteiga e até um prato com mucunzá (feijão cozido com milho de canjica bem temperados), mas sua preferida era a canjica preparada com leite e açúcar.

No início do internato de Helder, Nairzinha, a irmã mais nova, também acompanhava a mãe, mas logo o regente, padre Cabral, pediu para as moças não entrarem. Nairzinha passou a ficar do lado de fora do prédio, no portão, esperando a saída da mãe, até que desistiu de acompanhá-la.

O rigor do regente baseava-se em um regulamento que não deixava dúvida sobre a concepção de disciplina que vigorava no seminário. Ao reitor cabia toda a autoridade para manter a ordem, inclusive a atribuição de examinar "tudo quanto haja de entrar em casa ou dela sair", como cartas ou recados trocados entre os seminaristas e familiares ou amigos. Caso algo considerado inconveniente para a vocação do interno fosse percebido, como a correspondência com uma mulher, por exemplo, o reitor chamava-o e encostava-o na parede:

– Você quer ser padre ou prefere continuar com isso?

Para se comunicar com as pessoas de fora do seminário, o interno tinha de usar a sala de visitas, mas apenas nas horas determinadas e que, nos domingos e dias santificados, se estendiam um pouco, acrescentada ao horário permitido nas quartas-feiras mais uma hora no final da tarde. Sair do seminário fora dos dias previstos era ainda mais complicado e, raramente, autorizado. Quando esta última norma era desobedecida, o seminarista poderia até ser expulso, o que poderia ocorrer também quando um aluno fosse considerado "incorrigível", caso "proferisse discursos contra a religião", "ofendesse a moral de qualquer modo grave que fosse", desatendesse um superior ou, ainda, agredisse um colega ou superior.

As notas dos exames realizados e o julgamento sobre a saúde, os "procedimentos" e a aplicação dos seminaristas eram enviados trimestralmente para os pais.

A sobrecarga de atividades religiosas e de estudo liberava os seminaristas da ajuda nos serviços de limpeza e manutenção. A limpeza do prédio, o trabalho na cozinha e a lavagem de roupa suja eram realizados por empregados. Durante a semana, quando o lixo acumulava nas barricas, um grupo de seminaristas levava-as para ser despejadas nos fundos do terreno onde se localizava o seminário.

A higiene pessoal dos internos deveria ser rigidamente observada. Além dos horários de banho e asseio pessoal, os cabelos deveriam estar sempre bem aparados.

Exigia-se que o corte de cabelo fosse realizado à máquina, de modo que a cabeça ficasse quase inteiramente raspada. Se alguém deixava o cabelo crescer um pouco e penteava, padre Cabral logo dizia: "Você é vaidoso. Não tem vocação!".

Apesar do rigor disciplinar, não havia casos de excesso dos professores. Quando um aluno se tornava inconveniente na aula, o máximo que um professor fazia era pedir para que ficasse alguns minutos de pé, olhando para uma das colunas do prédio. Um castigo até brando, considerando-se que nas escolas da cidade os professores ainda utilizavam a palmatória em casos semelhantes. Os alunos respeitavam muito os professores, mas, às vezes, quando percebiam que o mestre não dominava o assunto da aula, um ou outro mais atrevido fazia uma pergunta capciosa, para vê-lo embaraçar-se.

Helder ficava fora dos castigos impostos pelos professores e também não se envolvia nas tramas dos colegas para colocar em má situação um professor que não dominasse bem os conhecimentos de sua disciplina. Seu comportamento era sempre educado e respeitoso com os professores, e com os colegas costumava ser simpático e solidário. Considerado feio e magricela pelos outros meninos, esses atributos não o impediam de ser um dos seminaristas mais extrovertidos e brincalhões.

O seminarista Helder Camara.

Desde o início do seminário menor, Helder empenhou-se muito nos estudos e logo passou a chamar a atenção dos superiores. No seu primeiro ano, ao cursar a terceira série, Helder já pôde presenciar a desistência de três colegas, João, Manoel e Raymundo, que não se sentiam com vocação. Nessa série, no terceiro e último trimestre do ano letivo, as aulas haviam começado em março – Helder teve a nota máxima, 6, em Procedimento, Aplicação, Asseio e Civilidade, Saúde, Doutrina Cristã, Francês, História Universal e Matemática. Em Aproveitamento, teve 5,5 e, em Português, 5. Na sua maior dificuldade, o Latim, teve nota 4. Já nesse primeiro ano, Helder conheceu seu único contendor em toda a fase do seminário, Luiz Braga, o aluno que em todas as disciplinas e quesitos julgados pelos padres conseguiu a nota máxima no terceiro trimestre de 1923, fazendo jus aos prêmios distribuídos no final de cada ano letivo aos melhores alunos. Helder tratou de aproximar-se do seminarista brilhante que era Luiz Braga e, logo no início da amizade entre os dois, provocou-o:

> – Vou lhe dar uma boa notícia, Luiz. Acho que deve ser muito monótono para você não ter concorrência. Farei o possível para tirar-lhe três prêmios: o de Literatura Brasileira, o de Literatura Portuguesa e o de Literatura Francesa. Os outros prêmios podem ficar para você.

Luiz Braga aceitou o desafio, mas os dois continuaram amigos e solidários durante toda aquela fase.

As primeiras preocupações teológicas e espirituais de Helder no seminário não chegavam a ser profundas, mas já revelavam uma personalidade questionadora. Um dia, ainda na fase do seminário menor, Helder perguntou a um de seus professores, um padre holandês:

> – Padre, como se explica que Deus, que é amor, imponha os dez mandamentos, todos negativos: não pode, não pode, não pode..., todos negativos. Daria para entender se se tratasse do Antigo Testamento. Mas Cristo disse que ele não viera para mudar a Lei.
>
> – Quando perguntaram a Cristo qual era o primeiro mandamento, respondeu categoricamente: "Amar a Deus com todo o coração, com a alma, e amar o próximo". E completou: nestes dois mandamentos está tudo, a Lei e os Profetas – respondeu de maneira sincera e carinhosa o professor, o que deixou no seminarista uma impressão nova sobre as leis de Deus, que o futuro sacerdote levaria para o restante da vida.

Durante os anos que Helder passou ali, houve dois reitores: o primeiro foi um holandês, Guilherme Vaessen, pioneiro dos Círculos Operários Católicos no Brasil, que se demitiu do cargo para dedicar-se à vida de missionário. Helder foi escolhido pelos colegas para despedir-se em nome de todos os seminaristas. No final do discurso, suas últimas palavras foram:

> – Parte, padre, teus filhos te contemplam como os filhos dos cruzados contemplavam os pais ao partirem... Te seguiremos com os olhos... estaremos contigo com o coração...

O segundo reitor foi um francês, Tobias Dequidt. Helder manteve muitas discussões com ele. O relacionamento dos dois era muito bom, mas como Helder não deixava de travar certas discussões, no mínimo polêmicas do ponto de vista doutrinário, caso não tivesse ele uma personalidade afável e cativante, com certeza os dois teriam sérios problemas de relacionamento. Depois de vários anos de seminário, já na fase do seminário maior, cada noviço tinha na sala de aula uma mesa com um tampão que se levantava e era fechado com cadeado. Nas mesas ficavam os livros e o material escolar de cada seminarista. O cadeado tinha duas chaves: uma ficava com o seminarista e a outra, com o reitor. Um dia, ainda bem cedo, antes da missa das seis, Helder foi até sua mesa pegar os livros de oração quando o colega Luiz Braga o avisou:

– O padre reitor mandou dizer que se você precisar de algum papel que esteja faltando aí dentro é para pedir a ele, pois os papéis estão com ele.

Quando abriu a escrivaninha, Helder percebeu-a toda revirada. Como se nada tivesse ocorrido, pegou seu missal em latim, voltou a fechá-la e foi para a missa. Uma ou duas semanas depois, como Helder não se manifestasse sobre o ocorrido, o reitor encontra-o e pergunta:

– Você não está precisando dos seus papéis?
– Padre reitor, posso responder como sempre lhe falo, de coração aberto?
– Claro.
– O senhor sabe por que não fui procurá-lo? Porque tenho um grande respeito ao meu reitor e lhe quero muito bem. Sinto pelo senhor respeito, admiração e simpatia humana. Tanto que prefiro antes abrir mão dos meus papéis a ir buscá-los com o senhor. Acho que o senhor se sentiria mal em reconhecer que de madrugada, como um ladrão, foi até a sala de aula com um lampião para abrir minha mesa e levar meus papéis... Não, não. Não quero submetê-lo a essa humilhação.

O reitor ficou comovido e emocionado.

– Venha cá, você tem razão. Realmente é algo vergonhoso... e não o farei de novo. Não, não, jamais voltarei a fazer isso. Olhe, meu filho, em seu armário estavam estes poemas...
– Como o senhor reitor tem coragem de falar contra alguns poemas? Logo o senhor, um poeta?
– Como é que você sabe disso? Como?
– Poeta, padre reitor, não é só quem faz versos. É quem vibra diante da beleza! O senhor é incapaz de deixar de vibrar. O senhor lê uma página bela, o senhor vibra, o senhor vê um dia lindo, o senhor vibra, seus olhos cintilam. Eu o considero um poeta. E logo o senhor, um poeta, vai falar contra os meus poemas?
– Sim. E precisamente por isso. Eu o vejo como um sacerdote, sinto em você a vocação sacerdotal, e sei os perigos que está correndo por causa da poesia. E quero protegê-lo deles. A imaginação... Eu ia perdendo a vocação por causa da imaginação.
– Ah, padre reitor, perdão. A imaginação é um dom de Deus. Entre nós, quando se quer chamar alguém de um pobre homem, sem inteligência, dizemos que não tem imaginação. Porque imaginar é participar de uma forma totalmente especial do poder criador de Deus. Como o senhor pode ter medo, como pode estar contra a imaginação, um dom de Deus?
– Ah, meu filho, é que a poesia nos leva tão longe... mais do que queremos.
– O padre reitor é tão leal que lhe digo: o senhor não me convence, mas como também não tem a pretensão de me convencer, vamos fazer um pacto de honra: até minha ordenação, não voltarei a fazer o que o senhor chama de poesia, e que eu chamo de meditações. Mas o senhor deverá confiar em mim e não ficar fiscalizando minhas coisas nem mexendo em meus papéis. Da minha parte, prometo: nenhuma poesia até minha ordenação.
– Você faz por um tempo o sacrifício da poesia, mas não definitivamente. Aqui nós não temos inverno, não conhecemos a neve. Se você estivesse na Europa e a neve caísse, seria ingênuo pensar que ela anuncia a morte. A morte? Não: é a preparação da primavera. Logo se verá.

Fazendo um gesto com as mãos, o reitor continuou:

– Está aqui a sua chave.
– Não, não quero isso só para mim. Não aceitaria um privilégio desses.

O reitor, quase impacientando-se, retrucou:

– O senhor pensa que todo mundo tem a sua maturidade?
– O seu engano, padre reitor, é pensar que os jovens não têm maturidade. O seu engano é não confiar na juventude. Se o senhor fizer apelo na base da lealdade, garanto que saberemos cumprir.

O reitor se deu por vencido e resolveu:

– Tudo bem, hoje mesmo vou entregar as chaves a todos.

Até a ordenação de Helder, as duas partes cumpriram o acordo. Helder parou com suas meditações, ou poesias, como queria o reitor, e as chaves das mesas foram entregues aos seminaristas. Depois da conversa, ao sair, Helder percebeu lágrimas nos olhos do homem.

Mesmo com a resolução do problema, um ou dois dias depois da conversa de ambos, dona Adelaide foi visitar o filho e encontrou-o acabrunhado. A mãe percebeu nele uma ponta de frustração com a vida do seminário, magoado que estava com o "sequestro" de seus escritos. Tentou, então, encorajá-lo a não desanimar, usando os argumentos que mais tocassem seu coração. No final do horário de visitas, para encerrar a conversa entre os dois, a mãe levantou as palmas das mãos para que nelas o filho repousasse os olhos e disse-lhe as palavras que sempre soavam nos ouvidos de Helder: "Coragem, José!".

ENCONTRO COM O PADRE CÍCERO

Na verdade, os católicos, somos a maioria do Brasil e, no entanto, católicos não são os princípios e os órgãos da nossa vida política. Não é católica a lei que nos rege. Da nossa fé prescindem os depositários da autoridade. Leigas são as nossas escolas, leigo o ensino. Na força armada da República, não se cuida de religião. Enfim, na engrenagem do Brasil oficial não vemos uma só manifestação de vida católica.
O mesmo se pode dizer de todos os ramos da vida pública.
Anticatólicas ou indiferentes são as obras da nossa literatura.
Vivem a achincalhar-nos os jornais que assinamos. Foge de todo à ação da Igreja a indústria, onde no meio de suas inúmeras fábricas a religião deveria exercer sua missão moralizadora.
O comércio de que nos provemos parece timbrar em fazer conhecido que não respeita as leis sagradas do descanso festivo.
Hábitos novos, irrazoáveis e até ridículos, vão introduzindo no povo o esnobismo cosmopolita. Carnavais transferidos para tempos de orações e de penitência, danças exóticas e tudo o mais que o morfinismo inventou para distração de raças envelhecidas na saturação do prazer.

Dom Sebastião Leme, 1916

Quando se encerrou o ano letivo de 1927, o vigário-geral de Fortaleza, monsenhor Tabosa Braga, chamou Helder e solicitou-lhe que dedicasse suas férias ao jornal da Diocese, *O Nordeste*, visitando as paróquias cearenses na busca de novas assinaturas. Ao chegar em Juazeiro, Helder apresentou sua carta de recomendação ao padre Manoel Macedo, o contato indicado por monsenhor Tabosa, que de imediato se prontificou a ajudá-lo. Pouco antes da pregação, o padre Macedo apresentou o seminarista Helder, elogiou o jornal *O Nordeste* e solicitou que todos o procurassem depois da missa para fazer a assinatura. Poderiam só deixar o nome, o dinheiro trariam depois. Terminou a bênção e, mesmo com o padre insistindo novamente, todos foram embora sem assinar o jornal. No dia seguinte, seus apelos continuaram e não produziram melhor resultado. Procurado por Helder, padre Macedo concluiu que o melhor a fazer era procurar a ajuda do padre Cícero. Helder não o conhecia e ficou muito ansioso em encontrá-lo. No dia seguinte, o encontro dos dois ocorreu:

– Monsenhor Tabosa Braga me pediu... eu vim a Juazeiro, estou percorrendo todo o Ceará, mas aqui, o senhor sabe, sem o seu apoio não vai, não é?

Padre Cícero já contava com 83 anos, mas o diálogo revela que estava totalmente lúcido.

– Meu filho, se eu fosse agir humanamente, era para eu nem querer ouvir o nome desse jornal. Esse jornal tem sido ingrato comigo. Nunca mandou um repórter aqui. Faz afirmações que não são verdadeiras e nunca me deu o direito de resposta. Mas eu devo provar a você, hoje você é um jovem seminarista, amanhã será um padre, que no coração de um cristão, e sobretudo de um padre, não cabe uma gota de ódio.

Helder ficou emocionado e guardou as palavras do velho sacerdote. Padre Cícero continuou:

– Você, com certeza, vai dizer que traz aí um esboço de carta. É assim que a gente diz, diga, diga!
– Não, realmente, padre Cícero, eu não ia trazer uma carta para o senhor assinar. Eu trago só...

Um pouco intimidado, Helder foi interrompido:

– É assim que a gente diz. Vou dar uma prova de confiança. Eu não assino nada sem ver. O seu eu vou assinar.

Helder, então, fez menção de sair e começou a agradecer. Antes de despedir-se, padre Cícero resolveu convidá-lo a ficar um pouco mais.

– Está muito apressado?
– Até que não – respondeu Helder.
– Fique aí, para você ver como é que eu recebo aqui o povo.

Logo em seguida, chegou um sertanejo ainda jovem caminhando de joelhos:

– A bênção, meu padim!
– Deus te abençoe.
– Meu padim, vim aqui pedi perdão a vosmecê, porque eu vou precisar matar Rosa.

Helder ficou impressionado com a dureza do sertanejo por baixo de sua fala submissa. Assustado, padre Cícero perguntou:

– Que história é essa?
– Eu até que gosto da Rosa. Mas meu padim me deu licença preu ir pos Piauí. Eu fui, cheguei, Rosa tá com um menino que num é meu. O jeito é matar Rosa.
– Venha cá, mais perto de mim. Quanto tempo eu disse que você podia ficar no Piauí?
– Meu padim disse que eu não passasse dos cinco meis.
– Você passou cinco anos! Deixou Rosa com três crianças esperando a quarta. Se eu não acudisse Rosa, as crianças tinham morrido! Você nunca mandou um tostão para ela! Venha cá mais perto de mim, com os olhos nos meus olhos sem bater pestana: você, no Piauí, foi fiel a Rosa?
– Ah, meu padim, o senhor sabe, home é home.
– Não, meu filho. Homem não é aquele que grita com os outros, homem é o que domina a si mesmo. Olhe, passe para cá sua faca!
– Ah, meu padim. Pelo amor de Deus! Um home sem faca é um home nu.

Padre Cícero levantou-se, chegou bem perto do sertanejo, passou a mão no ombro e em todo o braço direito e falou taxativamente:

– Meu filho, vou dizer uma coisa a você. Se você levantar um dedo contra Rosa, esse seu braço aqui, daqui até a ponta dos dedos, seca na mesma hora. Dê-me a sua faca, meu filho!

O homem entregou a faca chorando e padre Cícero encerrou a conversa:

– Eu sabia. Você tem coração bom. Meu filho, comece vida nova com Rosa, e daqui a um ano passe aqui pra gente batizar mais uma criança.

Helder, impressionado, ainda assistiu a mais algumas visitas ao Santo Padim. No dia seguinte, tirou várias cópias da carta de recomendação do padre Cícero e, então, choveram-lhe assinaturas do jornal.

Para a Igreja Católica brasileira, os anos de seminário de Helder, de 1923 a 1931, coincidem com um amplo processo de reorganização interna, visando à recuperação de sua influência política no Estado e seus governantes e de sua influência religiosa sobre a população.

O principal artífice dessa reorganização foi o arcebispo coadjutor do Rio de Janeiro, dom Sebastião Leme da Silveira Cintra. Grande estudioso da situação do catolicismo brasileiro, dom Leme aceitou para si a missão de ajudar a Igreja a implantar no Brasil uma ordem política e social cristã-católica, afastando as ameaças que colocavam em jogo o futuro católico do país, representadas pela maçonaria, pelo espiritismo, pelo protestantismo e pelo comunismo.

Para dom Leme, o Brasil, no começo do século xx, era um país "essencialmente católico", como o demonstravam, segundo ele, "nossas tradições, o nome religioso das cidades e aldeias, como dos mais remotos povoados do sertão; as cenas devotas de família, a magnificência de tantos templos, o fervor e o respeito das procissões e romarias aos santuários da Virgem, o empenho que os pais têm em batizar os filhos, a facilidade com que os doentes aceitam os últimos sacramentos". Mas, paradoxalmente, dom Leme considerava que a maioria católica do Brasil era inoperante para fazer valer suas tradições na sociedade brasileira, aceitando, por consequência, o domínio da minoria não católica, mais eficiente em impor à sociedade seus pontos de vista.

Em sua famosa Carta Pastoral de 1916, quando, então, assumiria a Diocese de Olinda – antes, portanto, de ser designado coadjutor do cardeal Arcoverde no Rio de Janeiro, o que só ocorreria em 1921 –, dom Leme faz uma análise cuidadosa da situação do catolicismo nacional, chegando à conclusão de que a causa daquela situação desfavorável para os católicos era a "falta de instrução religiosa", pois "as verdades, a doutrina, os ensinamentos e os preceitos do evangelho não são conhecidos com clareza de ideias nem com fundamento de razões". Tratava-se, então, de recristianizar o povo brasileiro. Para isso, o primeiro passo seria a conquista das classes dirigentes e intelectuais, que desempenhariam o papel de formadoras de opinião, influenciando o povo a aceitar o catolicismo oficial, abandonando suas crenças sincréticas. A partir desse primeiro passo, poderia ser dado o segundo: criar no Brasil uma "ordem cristã" por meio de uma legislação na qual fossem reconhecidos os direitos da Igreja Católica.

Na Constituição republicana de 1891, fora decretada a separação entre Igreja Católica e Estado, com os católicos perdendo uma série de prerrogativas legais, como o direito de voto dos membros das ordens religiosas, doravante proibido; o casamento religioso passou a não mais ser reconhecido oficialmente e a educação pública foi laicizada, com a eliminação do ensino de Religião do currículo e com a proibição de os governos subvencionarem escolas e hospitais católicos. Em resumo, depois de quatro séculos como religião oficial, o catolicismo perdeu o apoio do Estado no Brasil.

O futuro arcebispo do Rio de Janeiro pretendia reverter a situação e reconquistar as posições perdidas pela Igreja ao Estado. A estratégia que escolheu para alcançar seu objetivo foi a mobilização de uma elite dirigente católica capacitada a pressionar o governo em defesa dos interesses da Igreja. Para promover a educação católica ao povo brasileiro, essa nova elite utilizaria a estrutura do Estado, principalmente o Ministério da Educação, criado em novembro de 1930, e a rede de ensino oficial.

O jovem Helder estava atento à atuação de dom Leme à frente da Igreja, mas o que mais lhe chamava a atenção era a capacidade do hierarca em "comunicar-se com os homens de inteligência, mesmo quando de todo afastados da fé". Helder ficara impressionado com o papel desempenhado por dom Leme na conversão do intelectual Jackson de Figueiredo ao catolicismo.

A partir de sua adesão ao catolicismo, Jackson viria a se transformar no leigo que mais influenciou a profunda renovação ocorrida nos movimentos católicos do Brasil na primeira metade do século xx. Arrojado e impetuoso, em 1921, Jackson funda a revista *A Ordem* e, em 1922, o Centro Dom Vital, órgãos criados para a propagação do apostolado católico nos meios intelectuais, com o objetivo de canalizar as energias dessa intelectualidade na defesa dos interesses políticos da Igreja.

Jornalista de estilo polêmico e indignado, Jackson de Figueiredo, com seus artigos na defesa da legalidade, da ordem, da autoridade, do nacionalismo e do moralismo, conquistou a liderança do laicato católico. Usando a revista *A Ordem*, orientava a ação política dos leitores com um ideário autoritário e assumidamente reacionário e de tendências monarquistas, pois acreditava que a "pessoa humana" só escaparia à ameaça comunista se a "autoridade" impedisse o que considerava a "desordem revolucionária". Não é de estranhar, portanto, que Jackson tenha sido um intransigente defensor dos três últimos presidentes da República Velha, Epitácio Pessoa, Artur Bernardes e Washington Luís, ameaçados que estavam pelos movimentos tenentistas e pelas oligarquias estaduais descontentes, que logo promoveriam a Revolução de 1930.

O jovem Helder lia os artigos de Jackson de Figueiredo e concordava com eles, chegando a liderar um grupo de seminaristas que se autodenominavam "jacksonianos". Essa influência perduraria por vários anos. Quando, em 1930, irrompe o movimento que levaria Getúlio Vargas ao poder, sob influência de uma máxima de Jackson, "a melhor revolução é pior que a pior legalidade", Helder decide ficar contra o movimento revolucionário.

Outro autor lido atentamente por Helder no seminário era o jesuíta Leonel Franca. Não só seu livro mais conhecido, *A igreja, a reforma e a civilização*, de 1923, em que ataca duramente o protestantismo, mas principalmente os artigos em que ele discutia as correntes de pensamento e os problemas sociais e políticos da época. As análises críticas que padre Franca fazia do movimento modernista, na literatura brasileira, e do movimento da Escola Nova, na área da educação, fundamentavam o processo de formação da visão de mundo católica de Helder e de seus colegas de seminário.

Na formação intelectual dos seminaristas, os padres lazaristas privilegiavam o ensino das línguas, da literatura e das humanidades, dentro da tradição greco-latina, legando aos alunos um eruditismo que acabava transformando-se em uma espécie de sentimento de superioridade em relação aos alunos formados nos cursos secundários e superiores laicos, que começavam a privilegiar o estudo das ciências e das tecnologias. Não havia, no seminário, "um só professor apaixonado pelos grandes problemas humanos", o que tornava as questões sociais distantes dos estudos e discussões realizados pelos futuros padres.

Com essa formação distanciada da realidade vivida por eles próprios e pela população brasileira e nordestina, quando os futuros padres procuravam desenvolver atividades pastorais, não raro ocorria um choque entre sua formação acadêmica e sua linguagem levada de termos emprestados das literaturas grega e latina e a linguagem usada pelo povo para expressar os problemas de seu cotidiano, o que provocava um estranhamento entre as partes. O próprio Helder revelaria mais tarde que, ao sair do seminário, tinha uma cabeça excessivamente lógica: "... Éramos cartesianos. Pensávamos à base de premissas e conclusões. Éramos silogísticos, absolutamente silogísticos. Os homens não pensavam assim. O choque com a realidade nos sacudiu...".

Quanto ao ideário político apreendido no seminário, Helder, ao se formar, tinha a "impressão de que o mundo se dividia sempre em dois campos opostos: capitalismo e comunismo... O comunismo era o mal, o mal dos males. Era intrinsecamente perverso". Para ele, o comunismo representava o aniquilamento da religião e da propriedade privada. Os homens não poderiam viver sem a propriedade privada, que via como o maior estímulo para que se dedicassem ao trabalho, e muito menos sem a religião, base de toda a moralidade. Defender o capitalismo, por sua vez, significava para Helder a opção pelo mal menor.

Como a Igreja acreditava que o comunismo representava a dissolução da família e o surgimento do "amor livre", que poderiam ocorrer no Brasil a partir da aprovação da Lei do Divórcio e do controle da natalidade, tratava-se de defender o povo brasileiro dessas ameaças. Contra a ideia comunista do internacionalismo proletário e da revolução mundial, a Igreja acreditava que o melhor antídoto seria a defesa intransigente da pátria. Em resumo, a formação de Helder e de seus colegas no seminário seguia fielmente tanto a linha do catolicismo oficial consagrado no Concílio Vaticano I, de 1870, com seu verdadeiro ódio ao Iluminismo filosófico, à Revolução Francesa, ao liberalismo e ao comunismo, como a adaptação tupiniquim dessa linha oficial, realizada por Jackson de Figueiredo, em defesa da ordem e da autoridade contra as transformações revolucionárias, que agitavam a Europa e ameaçavam chegar ao Brasil, com o Movimento Tenentista e o Partido Comunista do Brasil, este criado em 1922.

Convertido ao catolicismo por dom Leme, Jackson de Figueiredo havia anos mantinha uma intensa discussão doutrinária com o intelectual Alceu Amoroso Lima, na tentativa de também atraí-lo para as fileiras do catolicismo. Depois de um longo debate filosófico e religioso por correspondência, finalmente, em 15 de agosto de 1928, Alceu Amoroso Lima comungou pela primeira vez como convertido, em uma missa celebrada pelo padre Leonel Franca.

Apenas dois meses e meio depois da conversão de Alceu, no dia 4 de novembro, num domingo em que saíra para fazer uma pescaria com o filho de 8 anos, Jackson de Figueiredo morre afogado, no Rio de Janeiro. Logo depois, dom Leme convence

Alceu Amoroso Lima a ocupar o lugar vago com a morte de Jackson, tornando-se o líder do laicato no Brasil. Como consequência, Alceu assume a direção do Centro Dom Vital e da revista *A Ordem*, fundados no início da década de 1920 por Jackson de Figueiredo com o apoio de dom Leme, com o objetivo de aglutinar um grupo intelectual que tomasse para si a tarefa de elaborar um pensamento católico e iniciar uma nova fase do laicato no Brasil.

Helder, então, escreve a Alceu "uma carta de adolescente, lastimando profundamente a partida de Jackson, bendizendo a Deus pela chegada" do novo líder, em um tom extremamente sentimental e humilde. Essa carta acabou se tornando o ponto de partida para o início de uma duradoura amizade.

Alceu respondeu prontamente "com uma carta de próprio punho, dificílima de ler, mas um encanto pelo calor humano, pela vibração, pela esperança", que deixou o seminarista orgulhoso pela atenção recebida do líder leigo. No final de sua resposta, Alceu fez a sugestão – interpretada quase como uma ordem por Helder – de que procurasse, em Fortaleza, o jovem tenente Severino Sombra, também recém-convertido ao catolicismo e que voltava ao Ceará depois de cursar a Escola Militar do Realengo, no Rio de Janeiro.

Seguidor do pensamento de Jackson de Figueiredo, Severino Sombra também estava "embebido de entusiasmo pelo corporativismo português de Antônio Salazar, tendo diante dos olhos o exemplo de Benito Mussolini". A afinidade de pensamento entre ele e Helder foi percebida pelos dois imediatamente. Sombra passou a visitar o amigo no seminário. Nos dias de folga, encontravam-se e conversavam longamente sobre assuntos que iam desde a filosofia de santo Tomás de Aquino até o pensamento de autores contemporâneos, como o brasileiro Farias Brito e o francês Jacques Maritain, passando pelos autores católicos que publicavam artigos em *A Ordem*. (Helder recebia a revista em sua casa, a mãe levava-a até o seminário e ele rapidamente a lia, para que, em seguida, pudesse emprestá-la a Sombra).

Uma carta escrita nessa época por Helder a Alceu Amoroso Lima, que já utilizava o pseudônimo de Tristão de Athayde, ilustra o momento intelectual vivido pelo seminarista, já próximo de tornar-se padre:

> Meu prezado e ilustre amigo
> Senhor Tristão de Athayde,
> Apresso-me em escrever-lhe para vencer um mau pensamento ou, antes, um mau desejo em relação ao senhor. Não pense que estou com pedantismo, Sr. Tristão – pensei em esconder-me, em fugir do senhor, ao ver o último número d'*A Ordem*.
> Vi tanta erudição no seu artigo e nos de seus companheiros, que estou acanhado de mim mesmo, de meu atraso, de minha falta de cultura. Devia ir estudar treze vezes mais para depois aparecer. Foi, sim, um mau pensamento. E para vencê-lo, venho atirar-me em seus braços com o abandono duma criança. Eu não sei nada, Sr. Tristão!
> Em relação ao tomismo, que julgava ser o meu forte, vejo que apenas tenho uma basezinha do próprio sto. Tomás. Não sei nada de todas estas escolas neokantistas a que aludiram o senhor e o sr. padre Leonel... E mesmo sem chegar até o senhor e o sr. padre Leonel, que erudição a dos senhores Luís Delgado e Nelson Romero!...

Mas não quero, não devo, fugir do senhor porque sou atrasado. E peço que os senhores não me desprezem também. Vou redobrar de esforços. Estudar duas vezes mais. É verdade que não conto com o inglês e o alemão, mas enfim... Tenho pena do senhor não me dar uma palavrinha de direção. Também avalio as suas ocupações! Mas veja, por bondade! Veja, se sem possuir o movimento moderno, posso continuar com a minha luta, com o meu sonho em filosofia – como o meu "De Farias Brito a Maritain". Creio que tenho uma qualidade talvez aproveitável. Acostumei-me, repassando a filosofia e o dogma com companheiros mais fracos, acostumei-me a baixar, a traduzir os assuntos difíceis... De outra parte, como o senhor sabe, há muito venho estudando Farias Brito. E estou convencido de que será um bom meio de introduzir a escolástica a partir do nosso Farias...
Já estou acanhado de me ter aberto tanto. Mas eu tenho tanta confiança no senhor!...
É verdade que às vezes eu penso com que cara eu lhe apareceria, se o senhor viesse ao Ceará, ou se eu, por um absurdo, fosse um dia ao Rio...

Numa de suas visitas ao amigo no seminário, Sombra apareceu com "uma carta de um colega seu de farda, o tenente Jeová Mota", manifestando a Helder "o desejo de uma troca de correspondências", antes mesmo de se conhecerem pessoalmente, "para exame de dogma a dogma do cristianismo, pois sentia urgência, pela influência e pelo exemplo de Sombra, de rever a própria fé". Jeová Mota ainda estudava no Rio de Janeiro. As visitas de dona Adelaide ao seminário nas quartas-feiras e nos domingos passaram, então, a ser ainda mais aguardadas por Helder. Era a mãe que lhe trazia as cartas endereçadas ao sobrado da rua Sena Madureira e também remetia suas respostas para Jeová Mota.

Helder com o amigo Ubirajara Índio do Ceará.

Quando Mota mudou-se para Fortaleza pouco tempo depois, os dois conheceram-se pessoalmente e continuaram mantendo as discussões filosóficas e religiosas. Mas entre os dois havia uma grande diferença de ideias. Helder era religioso ao extremo; Jeová, embora não tivesse "a mais leve dúvida contra a fé... a fé não lhe vinha".

Atarantado pela própria descrença, Jeová foi um dia ao Seminário pedir ao amigo que o aconselhasse sobre a melhor forma de recuperar a fé. Helder sugeriu-lhe que fizesse um "exercício de humildade", indo fardado a uma Igreja para "ajoelhar-se diante do Santíssimo, pedindo o dom da fé". A ideia não o entusiasmou e Jeová já ia embora quando resolveu pedir emprestado o livro que Helder tinha nas mãos. Tratava-se da *História de uma alma*, a autobiografia de Santa Teresinha. Por algum motivo, Helder achou que o livro não era a leitura mais adequada para um descrente, mas diante da insistência de Jeová, concordou com o empréstimo. No dia seguinte, recebeu um bilhete do amigo comunicando-lhe o efeito instantâneo da leitura: "o que você não conseguiu, Teresinha obteve: a fé me veio".

Unidos na fé e nas concepções políticas, Helder, Jeová, Sombra e mais o jovem Ubirajara Índio do Ceará começaram a escrever artigos doutrinários para o jornal católico *O Nordeste*. Os quatro chegaram a publicar uma revista, *Bandeirantes*, que teve a efêmera duração de dois números.

Sob a liderança de Severino Sombra, o grupo também passou a publicar artigos escritos coletivamente, sob o pseudônimo Agathon – o mesmo utilizado em 1912 por um grupo de jovens intelectuais católicos franceses liderados por Henri Massis, que depois se aproximou do filósofo Jacques Maritain.

De acordo com um estudo realizado pelo historiador João Alfredo de Souza Montenegro, o objetivo de Sombra e seus amigos era promover uma "renovação intelectual católica" porque, no seu entendimento, "a intelectualidade católica ficara mais ou menos parada, ou não se atualizara". Embora se esforçasse para esclarecer que a salvação da pátria deveria ser encontrada na "realidade incomparável de Nosso Senhor", nos artigos de Agathon o grupo se especializou no combate às concepções intelectuais que consideravam errôneas. Um de seus alvos preferidos era o Modernismo – movimento renovador que ocorria na arte e na literatura brasileiras desde a Semana de Arte Moderna de 1922 –, em especial os modernistas cearenses, a quem chamava de "metafrívolos". Para Agathon, "ideias velhíssimas em frases desarrumadas nunca serão Modernismo. O espírito é que é novo com anseios inéditos, à procura do sentido do novo das coisas ou maior penetração na realidade".

Compartilhando com seus amigos essas ideias contrárias ao movimento modernista, Helder colocava-se numa posição oposta, inclusive, à de seu irmão mais velho, o já prestigiado jornalista Gilberto Camara. Gil, nessa época, tomou a iniciativa de levar a Fortaleza vários autores modernistas, como Manuel Bandeira e Guilherme de Almeida, que se hospedaram em sua casa. Com o poeta Ronald de Carvalho, outro expoente do movimento modernista, Gil se correspondia regularmente. Ronald chegou a escrever um poema para a pequena Berenice, a primeira filha de Gilberto e Zuleika.

PADRE AOS 22 ANOS E MEIO

O colégio não ilude: os caracteres exibem-se em mostrador de franqueza absoluta. O que tem de ser é já. E tanto mais exato que o encontro e a confusão das classes e das fortunas equipara tudo, suprimindo os enganos de aparato, que tanto complicam os aspectos da vida exterior, que no internado apagam-se no socialismo do regulamento.
E não se diga que é viveiro de maus germes, seminário nefasto de maus princípios, que hão de arborescer depois. Não é o internato que faz a sociedade; o internato a reflete.

Raul Pompeia, *O Ateneu*

Um mês depois do falecimento de Jackson de Figueiredo, um novo afogamento iria abalar Helder. O acidente ocorreu com seu irmão caçula, João Eduardo Torres Camara Neto, o Joãozinho, de apenas 13 anos, em 6 de dezembro de 1928.

O mais incrível é que, um dia antes de sua morte, Joãozinho escapara de se afogar no mesmo local, por ironia do destino chamado de Poço das Graças. Ao chegar a casa, contou à irmã Nair como se sentira aliviado ao conseguir nadar até a praia, depois de passar por instantes de desespero. Mesmo assim, voltou para brincar com os amigos no outro dia, e então ocorreu a tragédia.

Depois das poesias encontradas pelo padre reitor em sua escrivaninha, os artigos que Helder passou a publicar na imprensa cearense em 1929 tornaram-se novo motivo de preocupação para seus superiores. Informado por amigos de que no Instituto de Educação de Fortaleza havia uma professora de psicologia ensinando uma teoria considerada materialista e herética na época, o behaviorismo, Helder conseguiu os cadernos de algumas alunas e ficou horrorizado com o que leu. Foi até seu reitor solicitar autorização para denunciar publicamente a professora materialista. Para ele, era uma missão que teria de desempenhar para salvar os alunos. Tanto insistiu e foi enfático que conseguiu a aprovação do reitor.

O primeiro artigo escrito por Helder sob o pseudônimo Alceu da Silveira – em homenagem a dois intelectuais que admirava muito, Alceu Amoroso Lima e o poeta Tasso da Silveira – causou sensação nos meios intelectuais da cidade e, no seminário, os colegas ficaram admirados pela capacidade polemizadora do jovem articulista. Helder sentiu-se realizado com o seu desempenho, mas não demorou muito e veio a réplica da professora Edith Braga, fazendo surgir, assim, uma acirrada polêmica na cidade, bem ao gosto dos jornais e leitores da época. Alceu da Silveira voltou à carga ainda mais eloquente no estilo e impiedoso no combate aos erros que via nas ideias da professora.

Monsenhor Tabosa Braga, então vigário-geral de Fortaleza, aproveitando o tempo que lhe sobrara depois da festa dedicada a Santa Marta naquele 29 de julho de 1929, chamou o jovem polemista para uma conversa. Helder o atendeu com presteza, convencido estava de que receberia felicitações pelo desempenho jornalístico na defesa da fé católica autêntica. Quando chegou, o vigário foi logo perguntando:

– É verdade que estes artigos são seus?

Emocionado, Helder não pestanejou em assumir a autoria.

– Sim, padre, é verdade.

Mal acabou de responder e veio a ordem categórica e definitiva.

– Então, você deve saber que o de ontem foi o último.

Helder ainda tentou resistir:

– Mas, padre, isso é impossível. Por favor. O senhor não leu os enormes disparates que essa mulher publicou hoje no jornal? Não pode ser, padre! Ao menos o senhor me permita publicar o último artigo amanhã, já está até pronto.
– Eu já disse que ontem você escreveu seu último artigo.

A ordem para não mais prosseguir na polêmica ressoou autoritária e injustificável na cabeça de Helder, que logo deduziu que se tratava de uma maneira que o vigário-geral encontrara para proteger a professora Edith Braga, sua cunhada. Em seu cérebro, surgiu uma terrível tempestade: raios e trovões apareciam como mensagens diabólicas para não aceitar a humilhação de calar-se, prosseguir na polêmica a qualquer custo. Deixaria o seminário se fosse preciso. Mas, depois de sair da sala de monsenhor Tabosa, Helder parou na capela para refazer-se. Duas horas e meia depois, os colegas de seminário souberam do que se passava pelo reitor, e com o apoio deste e de vários professores se prepararam para um protesto contra a decisão do vigário-geral.

Helder continuava pensativo na capela, repetindo para si mesmo que não sairia de lá enquanto não se acalmasse. Veio-lhe, então, a ideia de que o que lhe parecia a princípio a defesa da fé e da verdade não passava de orgulho intelectual. Helder começou a rezar e a agradecer a Deus por ter chegado a essa compreensão. Mas os colegas não o haviam acompanhado nas reflexões e, no seu retorno da capela, receberam-no como um líder, incentivando-o a continuar a polêmica. Helder não voltou atrás e pediu aos colegas que o ajudassem a superar o orgulho e a vaidade. Mesmo com a renúncia de Helder em continuar a polêmica, os colegas e professores passaram a admirá-lo ainda mais e a prever-lhe um grande futuro, já se falando, desde esse momento, no seminário, que "um dia, o Brasil inteiro iria ouvir a sua voz".

Algum tempo antes de sua ordenação, Helder manteve outro diálogo com o reitor Tobias Dequidt, que o chamou a sua sala:

– Tenho uma boa notícia: você foi admitido à tonsura, a primeira etapa para se tornar padre.

Helder ficou muito contente e disse:

– Então, padre reitor, quero pedir uma coisa.
– Ah, um dia de folga, e com certeza não só para você, quer uma folga geral. Não é isso?
– De forma nenhuma.
– Então, você quer permissão para falar no refeitório?
– Não, na verdade é algo incrivelmente mais importante.
– Então, diga.
– Padre reitor, se o senhor me permite entrar no caminho do sacerdócio, acho que será possível também aceitar minha candidatura a congregante de Maria. Imagine, padre reitor: desde minha entrada no Seminário até hoje, jamais foi aceita minha candidatura. Por quê? Porque, padre reitor, no regulamento de nosso seminário existem proibições sem sentido. Por exemplo, há corredores enormes que devemos cruzar em silêncio absoluto. Exigir silêncio é muito fácil, muito mais fácil que conseguir que se fale como pessoas humanas que sabem respeitar-se e respeitar os demais. Acaba sendo muito mais fácil impor o silêncio que educar no diálogo. Mas minha pouca idade não me faz compreender isso. Por isso me rebelo e falo nos corredores. E quando vejo um superior que vem em minha direção, continuo falando, parece-me uma questão de honra, de caráter. Evidentemente, isso me vale uma má nota de comportamento que me impede de ser admitido entre os congregantes de Maria. Na sala de estudo também é exigido silêncio! Lá, padre reitor, é proibido consultar ou ajudar o vizinho! Ou seja, estamos aprendendo a nos fechar no egoísmo, no individualismo. É assim que aprenderemos a ser sacerdotes? Por isso, lá também me rebelo, falo e consulto meus colegas quando preciso, ou ajudo-os quando sou capaz. E se por acaso um inspetor me olha, eu sigo falando, é uma questão de honra. Por isso, recebo uma nota baixa que se torna um obstáculo para entrar na Congregação Mariana.

O reitor novamente concordou com Helder e respondeu:

– Meu filho, hoje mesmo você será aceito como congregante...

Mas Helder mais uma vez não se deu por satisfeito:

– Padre reitor, o senhor pensará que é muito o que está me concedendo. Perdoe-me, mas não aceito apenas minha admissão, há pelo menos dezoito colegas meus exatamente na mesma situação.
– Todos, se quiserem, serão recebidos amanhã, domingo, na Congregação Mariana.

No dia seguinte, Helder voltou a procurar o reitor para agradecer-lhe e realizar um novo pedido.

– Ah, padre reitor, sempre tenho coisas para pedir... Desta vez quero pedir para o senhor fazer uma experiência: quem quiser estudar em silêncio, que fique na sala de estudos. Mas em nossa turma há aqueles que precisam de ajuda e outros que entendem mais rápido o que está sendo ensinado, que veem mais longe. Por que não deixar que, enquanto os que preferem o silêncio fiquem na sala chamada Silêncio, os demais possam ir a outra sala? Porque a pessoa que tem maior facilidade, que recebeu esse favor do Senhor, favor que não lhe pertence, deve compartilhá-lo. Acho que meu amigo Luiz Braga pode perfeitamente encarregar-se de ajudar nas disciplinas científicas. E eu poderia me encarregar da filosofia. Depois ele se encarregará da moral e eu, da dogmática.

O reitor não só concordou com o pedido, mas também manteve a experiência mesmo depois da saída de Helder e Luiz Braga do seminário. Perto dos dias de exame oral ou escrito, Helder juntava um grupo de seminaristas e repassava toda a matéria estudada, fazendo um resumo e esclarecendo as dúvidas dos colegas. Essas reuniões de reforço escolar foram apelidadas de brocoiós. Arquimedes Bruno, outro seminarista, não gostava muito de estudar para as provas e, durante os brocoiós, ficava jogando bilhar, mas ouvindo o resumo de Helder. Quando chegavam os resultados das provas, não era raro Arquimedes ter conseguido notas melhores que as de Helder. O reitor Tobias Dequidt, conhecendo os dois alunos e observando suas atitudes, várias vezes chamou Arquimedes e tentou estimulá-lo a se empenhar mais:

– Arquimedes, você é mais inteligente que o Helder, só que é preguiçoso, não estuda.

O reitor e Helder tornaram-se grandes amigos. Helder passou a ajudá-lo na seleção dos livros que seriam utilizados pelos seminaristas e também lia muitos deles, discutindo-os depois com o reitor e com o professor de literatura do seminário, monsenhor Otávio de Castro. Em uma oportunidade, quando terminara a leitura de nada menos que quinze livros contendo relatos das visões e revelações recebidas por algumas santas, Helder procurou o seu professor de dogma, a quem respeitava e estimava muito, e lançou-lhe uma questão nada ortodoxa em termos espirituais:

– Bem sei, padre, que não se trata de dogma o que li nesses relatos extraordinários. Sei que essas santas tiraram de sua imaginação individual essas revelações e confidências que atribuem a Cristo. Mas não tenho o direito de pensar que hajam inventado tudo... então, eu me pergunto: por que Cristo não disse a mesma coisa a todas elas?

Sem deixar de sorrir da desconfiança bem-intencionada de Helder, talvez por já estar acostumado, o professor respondeu-lhe:

– Meu filho, não podemos medir no mesmo padrão o infinito amor de Deus e nossas pequenas dimensões humanas. Deus ama a cada um de nós de forma peculiar.

Em outra ocasião, o reitor passou-lhe um livro com a recomendação de que deixasse de ler as páginas assinaladas. Ao recebê-lo, Helder objetou:

– Perdão, padre reitor, mas prefiro não tocar neste livro se o senhor não tem confiança total em mim. Não aceito confiança pela metade. Uma confiança ao meio, de dois terços, não me interessa...
– Mas é que, você sabe, nestas páginas há coisas verdadeiramente delicadas...
– Padre reitor, o senhor é um homem inteligente, um homem honesto, e sabe que se eu começar a ler este livro, ao chegar a uma parte em que tiver de parar, minha imaginação com certeza irá mais longe que o próprio autor o foi.

O reitor ainda não estava convencido.

– Sim, está certo, sem dúvida você tem razão, mas é tão delicado...
– Então, padre reitor, perdoe-me, mas acho que seria melhor o senhor me dizer: atenção, aqui há uma coisa um pouco forte, talvez você não a entenda bem. Desejo que depois de ler venha discutir comigo.

O reitor mais uma vez concordou:

– Está bem, está bem. Aceito.

Os colegas consideravam Helder a "alma das festas e dos passeios", pois sempre tinha uma brincadeira nova para propor e fazia todos rirem com seus versos de repentista. Em um 13 de maio, para o colega de turma José Gaspar, bem moreno, tirou um longo repente que terminava assim:

Gaspar sorrindo
Mostrando os dentes

E em redor dele
Os negros reluzentes.

Porém, numa festa que organizara para comemorar o aniversário do reitor Tobias Dequidt, Helder cometeu uma gafe enorme. Francês, o reitor servira na Primeira Grande Guerra como enfermeiro das tropas francesas. Das trincheiras onde ficava, sempre ouvia o hino alemão tocado e cantado pelos soldados inimigos, como forma de intimidação, antes dos ataques. Na festa que organizara, sem conhecer essas duras recordações, compôs uma letra em sua homenagem parodiando a música do hino alemão. Até um pequeno coral foi improvisado com alguns colegas. Quando começaram a cantar, imediatamente o reitor deu um pulo, levantando-se, e com um murro na mesa, que ecoou por todo o seminário, antes de se retirar e acabar com a festa:

– Isto é um insulto! – gritou.

Ao final do curso de teologia, já próximo de ordenar-se sacerdote, Helder passou por uma forte crise vocacional, angustiado pelo fato de encontrar-se prestes a assumir um compromisso com a Igreja e, ao mesmo tempo, pensando em canalizar sua inquietude intelectual para a ação política. Chegou a pensar na renúncia definitiva a sua vocação, depois em adiar por um tempo a ordenação para esperar os acontecimentos e refletir melhor sobre seu projeto de vida. Por um lado, como sacerdote realizaria seu ideal de vida definido desde a infância, que era também uma grande aspiração de sua mãe. Mas havia também a possibilidade de realizar um projeto de vida cujos contornos não tinha ainda bem definidos, mas que se apresentava conforme Helder aprimorava sua formação intelectual: a ideia era dedicar-se à ação política como membro do laicato católico, como o inspiraram a vida e a ação de Jackson de Figueiredo.

Foram vários meses de oração, diálogos com a mãe e com o reitor e amigo, padre Tobias Dequidt, até convencer-se de que não deveria frustrar seu ideal de infância e juventude. Decidido, Helder escreveu em 16 de agosto de 1930 ao arcebispo metropolitano, dom Manoel, solicitando sua habilitação de *Vita et Moribus* para ingressar na vida sacerdotal. Dom Manoel atendeu à solicitação no mesmo dia. Três meses e meio depois, em 30 de novembro de 1930, o mesmo dom Manoel conferiu-lhe o subdiaconato na Igreja da Prainha. Helder dedica o subdiaconato à Virgem Maria:

Mãe Santíssima!
Que felicidade a minha receber o
Meu subdiaconato no
Centenário de Vossa medalha!

Passadas as férias de final de ano, nove seminaristas ingressantes em 1923 cursam as últimas disciplinas do curso de teologia. A despeito da crise vocacional do ano anterior, Helder foi o único a obter nota máxima nas três disciplinas oferecidas: Teologia Moral, Dogma e Direito Canônico. Na última prova prática de técnica vocal, cada aluno deveria apresentar um sermão no púlpito para os colegas e professores. Helder preparou exaustivamente por vários dias um sermão sobre *De Angelis*, inclusive decorando algumas partes. Muito nervoso, apesar de confiante em sua preparação, ao chegar sua vez, assim que começou a falar, teve um "branco" e não recordou de mais nada, precisando interromper a apresentação.

A ordenação sacerdotal dos nove seminaristas ocorreu na Igreja da Prainha num sábado, 15 de agosto de 1931. Como Helder tinha apenas 22 anos e meio, e não 24, idade exigida pelo Direito Canônico para ordenação, foi necessária uma autorização especial do Vaticano. No dia seguinte, na Igreja da Sé, Helder celebra sua primeira missa que, naquele tempo, deveria ser cantada em latim, mas como não tinha voz para o canto – sempre tirava as notas mais baixas em técnica vocal –, teve de celebrar rezando para seus colegas, professores, amigos e familiares.

Motivo de espanto para muitos dos presentes à missa foi a escolha feita pelo neossacerdote de dois militares para auxiliá-lo na celebração: os tenentes Severino Sombra e Jeová Mota.

O medo de errar era tamanho que Helder não parou de tremer durante toda a missa, e a cada frase, procurava na memória as palavras mais sofisticadas que conhecia. Logo depois da missa, padre Breno, seu professor no seminário, chamou-o a um canto e deu-lhe a última lição:

– Deixe de ser bobo. Você vai falar para gente humilde. Você tem de falar naturalmente.

Depois da missa, padre Helder e seus convidados foram para o sobrado da rua Sena Madureira, onde dona Adelaide preparara um almoço em comemoração à ordenação do filho.

O jovem padre e a mãe em fevereiro de 1933.

LEGIONÁRIO E INTEGRALISTA

Ele certamente sabia que as pessoas que têm excessiva certeza de que há um só caminho e uma só verdade, verdade que nos é inteiramente conhecida, são perigosas e propensas a todo tipo de crime. Saber da verdade e querer impô-la aos outros, num mundo onde tudo muda e tudo se envolve por toda sorte de aparências, é uma grave espécie de loucura.

João Ubaldo Ribeiro, *Viva o povo brasileiro*

Em Fortaleza existiam, havia vários anos, os Círculos Operários Católicos de São José, criados por influência do padre holandês Guilherme Vaessen, que conhecia o movimento operário católico da Bélgica e tentava repetir a experiência no Brasil. Dom Manoel da Silva Gomes, bispo da Diocese, ampliou os objetivos dos Círculos, tirando-lhes a designação "católicos", na tentativa de atrair um público mais amplo, passando a designá-los Círculos Operários Cristãos. O padre Helder, ao contrário de seus colegas de turma, enviados ao interior, foi incumbido por dom Manoel de acompanhar a atividade desses Círculos, permanecendo, portanto, na capital.

Logo no começo de suas atividades, Helder empenhou-se na organização do movimento Juventude Operária Católica (JOC). Paralelamente, assumiu também as funções de assistente eclesiástico da Liga dos Professores Católicos e de professor de Religião do Liceu do Ceará.

Assim que definido o destino de cada padre recém-ordenado, Helder foi ao seminário apanhar suas roupas e alguns pertences. Lá encontrou o amigo José Gaspar, então se preparando para assumir a paróquia de Maranguape. Gaspar não perdeu a oportunidade de brincar com o amigo:

– Vai ser bom para você ficar em Fortaleza mesmo. Você não serve para ser vigário no sertão, não!

Helder não entendeu onde o amigo queria chegar e perguntou:

– E por que você acha isso?
– Lá você não iria entender nada do que o povo diz. Por exemplo, se uma velha se ajoelhasse no confessionário e dissesse: "Seu padre, hoje eu amanheci o dia estomagada", o que você entenderia por isso?
– Ah, não sei, Gaspar – respondeu Helder um tanto sem graça.

Enfático, e antes de dar uma boa risada do amigo "almofadinha" da capital, Gaspar completou:

– Isso quer dizer que ela amanheceu o dia com raiva, azucrinada, de mau humor, homem!

No Brasil dos anos 1930, o clima político e ideológico apontava para a radicalização, tanto por parte dos representantes da esquerda como da direita, e o líder católico Alceu Amoroso Lima compartilhava essa atmosfera intelectual combatendo, ao mesmo tempo, o liberalismo e o comunismo, por meio dos artigos que assinava com o pseudônimo Tristão de Athayde, dando continuidade ao pensamento autoritário legado por Jackson de Figueiredo. O próprio Alceu explica melhor seu pensamento no período:

> ... quando fui convidado a substituir Jackson de Figueiredo na direção do Centro Dom Vital, o sentimento de responsabilidade, a tradição deixada por ele, a presença de amigos comuns me empolgaram. A partir daí caminhei numa outra direção, passando do liberalismo anterior para uma posição ortodoxamente autoritária, baseada no sentimento da disciplina e da ordem. Fui tomado da convicção de que o catolicismo era uma posição de direita. Esta crença ficou em mim durante muitos anos. Quando terminou a guerra da Espanha, festejei a vitória de Franco, para mim representava a vitória da Igreja.

Severino Sombra, grande amigo de Helder, como católico militante concordava inteiramente com as concepções de Alceu Amoroso Lima. Suas preocupações eram as mesmas da Igreja na época: defesa da ordem social e do princípio da autoridade como meios de combater o comunismo, visto como o inimigo principal.

Essa preocupação com a defesa da ordem social fez com que Severino Sombra discordasse do movimento revolucionário que levou Getúlio Vargas ao poder em 1930, por considerá-lo de caráter liberal e democrático e, portanto, destinado a corromper a sociedade pela promoção do individualismo e da corrosão do princípio de autoridade. Como Jackson e, depois, Alceu, Sombra atribui a corrupção da sociedade brasileira e o atraso econômico e social do país à existência de um Estado liberal que, segundo ele, baseia seu poder em instituições desagregadoras por natureza, como o parlamento e os partidos políticos. O autoritarismo era visto como o único meio capaz de harmonizar a sociedade brasileira, garantindo a unidade nacional e a modernização econômica e política do país. A democracia, com seus partidos políticos, promovia a disputa entre facções rivais e, em consequência, provocava a desagregação nacional ao impedir a solidariedade entre as diferentes classes sociais.

Como membro de tradicional família cearense e com o prestígio conquistado na Academia Militar, Severino Sombra consegue reunir uma parcela considerável da elite cearense em torno da ideia de fundar um movimento que conseguisse dar o exemplo ao país de uma nova orientação política e ideológica a ser seguida. Assim, em outubro de 1931 é inaugurada a Legião Cearense do Trabalho, com o apoio de aproximadamente nove mil filiados, e que poucos meses depois chegariam a 15 mil. Um número verdadeiramente expressivo se considerarmos que a população de Fortaleza em 1930 oficialmente era de 117.452 habitantes.

A prioridade na ação da Legião Cearense do Trabalho era a educação do operariado, para que se tornasse coeso e "colaborador honesto e consciente das outras classes", e não ficasse suscetível à propaganda comunista. Os legionários acreditavam que o importante era combater o individualismo desagregador, pela volta ao regime corporativo da Idade Média na Europa. A Legião declarava-se, ainda, anticapitalista e antiburguesa, ao mesmo tempo que anticomunista. Ao Estado caberia integrar as classes sociais e organizar a vida política e econômica da nação para fundar uma nova ordem social.

Na mesma época em que é fundada a Legião Cearense do Trabalho, o padre Helder organiza, também no Ceará, a Juventude Operária Católica, movimento apelidado de jocismo. Como entre Helder e Sombra não existiam divergências doutrinárias, o jocismo recebeu a mesma orientação ideológica da Legião. Em poucos meses, o dinamismo dos dois movimentos não podia mais ser ignorado dentro nem fora do Ceará. A Legião conquistando milhares de novos adeptos, e a JOC conseguindo organizar escolas e núcleos de diversão em Fortaleza, chegando a reunir cerca de duas mil crianças pobres em atividades de alfabetização e lazer.

As semelhanças doutrinárias e na forma de desenvolver suas atividades, além das afinidades existentes entre os líderes dos dois movimentos, davam a impressão de ser o jocismo uma instância da Legião, cuja finalidade era atuar em meio à juventude. No segundo aniversário de fundação da JOC, a edição de 7 de outubro de 1933 do jornal *Legionário*, da Legião Cearense do Trabalho, faz uma saudação ao jocismo e a seu líder, que confirma a complementaridade de ambos os movimentos:

O JOCISMO, SEMENTE LEGIONÁRIA, COMEMORA FESTIVAMENTE A PASSA-GEM DO SEU 2º ANIVERSÁRIO DE PREGAÇÃO
O jocismo (Juventude Operária Católica) completa o seu segundo aniversário de pregação. Aqueles que, como nós, acompanharam o desenvolvimento deste grande empreendimento que o Rev. Pe. Helder Camara, com alma de apóstolo, levou a efeito para a formação instrutiva e educacional dos filhos dos operários, abandonados pelos governos, podem compreender a grande alegria que sentimos, ao ver transcorrer vitoriosamente o segundo aniversário da pregação e fundação das escolas jocistas.
... O jocismo é um produto genuinamente brasileiro, filho da mentalidade nova dos moços de hoje, organizado com o intuito de instruir o filho pobre do operário e inspirar-lhe uma formação intelectual à luz dos princípios legionários e uma formação moral segundo os princípios da doutrina católica. Nas escolas jocistas, prepara-se o operário legionário de amanhã e o cidadão brasileiro patriota e católico, pronto a defender a Pátria e a Cruz.
Pe. Helder Camara é o nome do fundador do jocismo, nome que a criançada pobre de Fortaleza inteira repete eloquentemente e tem-no gravado em seus corações num preito de reconhecimento inapagável...
Muito moço ainda, possuidor de inteligência fulgurante que põe a serviço de Deus e da Pátria, senhor de uma capacidade de trabalho invulgar, humilde e simples – eis em linhas sinceríssimas e ligeiras os traços marcantes de sua personalidade.

Embora tão efusivamente festejada por seus correligionários, a atuação do jovem padre estava muito longe de ser unanimamente aceita pela elite cearense. Polêmico e irrequieto, Helder tomava iniciativas que surpreendiam a fina flor da sociedade fortalezense, como ocorreu em julho de 1933, quando decidiu (como sempre, com o aval de seu arcebispo) fundar o movimento Sindicalização Operária

Católica Feminina, com o objetivo de reunir as lavadeiras, engomadeiras, domésticas, cozinheiras, amas e copeiras da cidade.

A primeira objeção a essa iniciativa condenava o fato de estar sendo promovida a sindicalização de mulheres, quando o "normal" e aceito eram os sindicatos masculinos. Como este argumento carecia de poder de persuasão sobre o arcebispo dom Manoel, que pretendia que a pregação da Igreja chegasse, de fato, às mulheres operárias, a oposição passou a atacar o próprio fundador do movimento, acusando Helder de promoção e exibição pessoal à custa das operárias. Outro argumento dizia que o movimento só serviria para colocar as empregadas contra as patroas. Havia também o medo de que a direção da sindicalização feminina passasse a estabelecer tabelas de preços para os serviços prestados pelas mulheres e a promover greves que insuflariam as operárias para, ao final, tomar-lhes o dinheiro, para si própria e para a Igreja.

Com o auxílio de várias professoras da Liga dos Professores Católicos, entre elas Letícia Ferreira Lima, irmã de seu melhor amigo, Ubirajara Índio do Ceará, Helder decide ir a público para esclarecer os objetivos da sindicalização feminina, distribuindo trezentos convites para uma palestra que daria no teatro José de Alencar. O evento acabou sendo boicotado pelas famílias mais ilustres da cidade, fracassando a tentativa de Helder de acalmar as patroas.

Mesmo assim, um ano depois de sua fundação, a Sindicalização Operária Feminina Católica já contava com dez núcleos na periferia da cidade, onde funcionavam escolas "de ler, escrever e contar" e também aulas de educação estética para "promover o gosto pela arte", tudo isso com uma orientação religiosa e nacionalista. Diante do sucesso do movimento, o editorial de *O Nordeste*, de 9 de julho de 1934, comemora o primeiro aniversário da sindicalização feminina, rebatendo as críticas dos que se opunham à iniciativa de padre Helder:

> Muitos outros eram os sonhos do jovem sacerdote e do grupo de professoras abnegadas e boas que tomaram a si a tarefa urgente da sindicalização feminina. Haverá uma base beneficente, sim – auxílio às sócias doentes e à família das falecidas. Ensinar-se-iam os direitos reais das operárias. Mas, ao mesmo tempo, se processaria a educação destas pobrezinhas, educação sob todos os aspectos, educação integral.

Iniciativa muito mais polêmica que a organização de um sindicato feminino foi narrada pelo próprio Helder em um texto autobiográfico: "Sombra, Jeová, eu e um jovem, quase criança, então, Ubirajara Índio do Ceará – o queridíssimo Bira –, partimos para a fundação da Legião Cearense do Trabalho, movimento que chegou a arregimentar porção ponderável do operariado cearense e tinha nítidas linhas do corporativismo salazariano. Chegamos a promover uma greve da Light, uma companhia canadense que oferecia condução – os famosos bondes –, luz e energia a Fortaleza. Esgotamos os meios de parlamentação pacífica para combater as injustiças para com os operários. Paramos os bondes. Nosso pensamento era, depois de três dias, se a companhia não cedesse, fazer parar força e luz. Verificamos, depois, que não tínhamos, moralmente, o direito de deixar a cidade sem energia e luz. Conclusão: a greve que tinha tudo para ser vitoriosa fracassou.

Promovemos outras greves, de resultados sempre duvidosos. O Sombra, na época, vestia uma blusa que era clara imitação, menos na cor, dos blusões de Mussolini".

Um ano depois de fundada a Legião Cearense do Trabalho, Plínio Salgado lança em São Paulo, no dia 7 de outubro de 1932, o seu "Manifesto de Outubro", iniciando oficialmente um movimento de inspiração assumidamente fascista no Brasil, a Ação Integralista Brasileira (AIB). No primeiro escalão dos colaboradores de Plínio Salgado estavam algumas personalidades conhecidas nacionalmente: Miguel Reale, Olbiano de Melo e o cearense Gustavo Barroso. Além das características autoritárias e antiliberais que já faziam parte do pensamento político das elites intelectuais do país nos anos 30, a AIB recebe forte influência ideológica dos movimentos fascistas europeus, principalmente do fascismo italiano do líder Benito Mussolini. Os integralistas pregavam a valorização da pátria por um nacionalismo exacerbado, a defesa da tradição, da família e de valores militares, tudo isso temperado com ataques ao capitalismo internacional, visto como dominado pelos banqueiros judeus, e ao comunismo soviético.

No "Manifesto de Outubro" aparece também o desejo de proximidade dos integralistas com a religião católica, o que pode ser deduzido já no início do documento, na declaração de que "Deus dirige o destino dos povos". Plínio Salgado acreditava que ao Brasil estava reservado um grande futuro como nação "organizada, una, indivisível, forte, poderosa, rica e feliz", com uma "cultura, uma civilização, um modo de vida genuinamente brasileiros". Porém, para que este destino glorioso fosse atingido seria preciso que o país vivesse em harmonia, sem os desagregadores conflitos de classe. Por isso era necessário um Estado forte, capaz de defender o interesse nacional, impondo a harmonia e a cooperação entre as diferentes corporações profissionais e classes sociais.

Para organizar a AIB nacionalmente, Plínio Salgado entra em contato com as lideranças estudantis ligadas à Igreja Católica. No Ceará, o escolhido é o tenente Severino Sombra, que já se correspondia com Plínio desde a fundação da Legião Cearense do Trabalho em 1931, mas que no momento da fundação da AIB se encontrava exilado em Portugal, por ter sido contrário ao movimento que levara Vargas ao poder e por ter apoiado a revolta constitucionalista de São Paulo, em 1932, ficando, portanto, impedido de corresponder às expectativas do chefe integralista.

O convite é feito, então, ao padre Helder Camara e a seus amigos Jeová Mota, na época capitão do exército, e Ubirajara Índio do Ceará, todos militantes da Legião Cearense do Trabalho. Mas, por carta, Severino Sombra tenta influir para que seus amigos não aceitem o convite, explicando que era contrário à adesão à AIB, pois não concordava com o fato de o movimento estar submetido à direção unipessoal de Plínio Salgado.

Com a objeção de Sombra, Helder fica em dúvida. Coincidentemente, o líder católico Alceu Amoroso Lima acabara de publicar um artigo na revista *A Ordem*, expondo sua opinião a respeito do integralismo. Alceu defendia a ideia de que não havia incompatibilidade entre a doutrina integralista e a doutrina católica, e aconselhava os católicos não só a dar seu apoio moral, mas também a engajar-se como militantes na AIB. Alceu levantava, porém, a mesma objeção apontada por

Severino Sombra, opondo-se também ao juramento de fidelidade incondicional ao chefe nacional da AIB, pois, segundo ele, só a Deus um católico consciente "poderá jurar fidelidade sem condições". Mesmo assim, Alceu aconselhava a adesão ao integralismo, com a condição de que os católicos mantivessem a proeminência de sua consciência católica sobre sua consciência política. À parte essa objeção, Alceu acreditava que o autoritarismo e o conservadorismo eram posições próprias da Igreja e uma forma de defender a instituição contra o "espírito burguês", individualista, liberal e laico, e contra o comunismo ateu e "apátrida".

As opiniões do líder católico coincidem inteiramente com o pensamento de Helder na época. Ambos se sentiam antiliberais e antissocialistas, eram também de direita e defendiam os princípios da autoridade e da ordem. A simpatia pelo fascismo e pelo integralismo era uma consequência lógica desse ideário.

Esclarecidas suas dúvidas, restava a Helder ainda mais um passo antes de aceitar o convite de Plínio Salgado para tornar-se secretário de estudos da AIB no Ceará. Era necessária a autorização do arcebispo, dom Manoel. Ao seu superior, Helder explica que o movimento integralista no Ceará exercerá grande atração sobre os jovens e intelectuais e, como a Legião Cearense do Trabalho, o novo movimento, inspirado nos movimentos fascistas europeus, principalmente no fascismo liderado por Benito Mussolini, na Itália, representava, a seu ver, a única forma de combate eficaz ao comunismo.

Dom Manoel ouve o pedido de autorização de Helder para ingressar na AIB e pede um tempo para pensar, ler os documentos integralistas e rezar, na esperança de que Deus lhe revelasse sua vontade. A Igreja Católica no Brasil passava naquele momento histórico por uma fase de reaproximação com as classes dominantes do país e com o governo, depois de praticamente marginalizada do poder durante toda a República Velha. O único cardeal do Brasil, dom Sebastião Leme, conseguira grande aproximação com o presidente Vargas e vários dos seus ministros, ainda por conta de sua intervenção ao ex-presidente Washington Luís, convencendo-o a abandonar o Palácio do Catete e a Presidência da República em outubro de 1930, deixando o poder aos revolucionários, sem derramamento de sangue. Dom Leme temia perder essa proximidade e antevia a possibilidade de que os radicais e autoritários integralistas, liderados por Plínio Salgado, chegassem ao poder no Brasil, como já ocorrera com os fascistas na Itália; neste caso, uma relação de proximidade com os integralistas seria uma forma de a Igreja combater o mal maior, o comunismo. Esta era a orientação que o grande líder da Igreja Católica no Brasil passava a todo o episcopado brasileiro.

Dias depois, já analisados os documentos da AIB, e consciente da posição da Igreja em âmbito nacional, dom Manoel concorda com a entrada de Helder no movimento integralista.

Autorizado por seu arcebispo, Helder passa a uma militância intensa como secretário de estudos da AIB no Ceará, acima de tudo, como o maior propagandista do integralismo em seu estado, fundando núcleos de militantes nas cidades do interior, organizando manifestações de rua e comícios, dando palestras e cursos e publicando artigos sobre a doutrina integralista.

Mas Helder não ingressou sozinho na AIB. Levou consigo praticamente toda a militância da Legião Cearense do Trabalho. Para resolver o problema com o líder Severino Sombra, ainda no exílio em Portugal, que discordava da filiação da Legião à Ação Integralista, com o apoio do capitão Jeová Mota e de Ubirajara Índio do Ceará, Helder convoca uma reunião do movimento e os três convencem a maioria dos conselheiros legionários a apoiarem a adesão formal ao integralismo. Assim, em dezembro de 1932, à revelia de Severino Sombra, oficializa-se o integralismo no Ceará. O trabalho de padre Helder, como introdutor do integralismo no Ceará, logo é reconhecido pela cúpula da AIB. O próprio Plínio Salgado, em visita aos correligionários cearenses em 12 de agosto de 1933, cumprimenta Helder pelo segundo aniversário de sua ordenação sacerdotal, e no mesmo dia o *Legionário* reconhece o desempenho do jovem padre em "defesa da causa legionária e integralista", publicando uma nota de felicitações:

PE. HELDER CAMARA
Transcorre, no próximo dia 15 do corrente mês, o 2º aniversário de ordenação do Rev. Pe. Helder Camara. Aqueles que, como nós, conhecem de perto esta figura de apóstolo bem podem compreender o significado ditoso desta data.
É que Pe. Helder fez de sua batina sacerdotal um apostolado fecundo de fé e de civismo! Ele é sacerdote de Cristo, mas também é apóstolo de sua geração, do Brasil novo.
Ah!, como o Brasil está precisando de sacerdotes assim cheios de fé e de patriotismo, capazes de fazer jocismo e Sindicalização Operária Católica!

Ao assumir, com Jeová Mota, a liderança do movimento integralista no Ceará, Helder sairia chamuscado pela maneira como contornou, sem resolver, a divergência com o amigo Severino Sombra, que o introduzira na Legião Cearense do Trabalho. Logo depois de tomar conhecimento dos acontecimentos no Ceará, Sombra redige um documento, a ser publicado no *Legionário*, reafirmando sua posição contrária à adesão da Legião à AIB. Os editores do jornal, em sintonia com o posicionamento de Jeová Mota e Helder, decidem não publicar o documento. Como não podia ainda retornar ao Brasil para tirar a limpo o episódio, que considera um golpe dado contra sua liderança, Sombra consegue que o jornal *Correio do Ceará* publique seu documento. Mas isso ocorre só em janeiro de 1934.

Em fevereiro de 1934, beneficiado pela anistia decretada pelo presidente Getúlio Vargas, Severino Sombra finalmente retorna ao Ceará e tenta se rearticular com os antigos companheiros da Legião para reaver a liderança do movimento. Fracassado seu intento, em 22 de março, Sombra rompe publicamente com o integralismo. Cinco dias depois, publica um manifesto no *Correio do Ceará*, que é recebido pelos antigos correligionários como uma verdadeira declaração de guerra. Helder escreve, então, um longo artigo intitulado "O integralismo em face do catolicismo", refutando, uma a uma, todas as objeções de Severino Sombra ao integralismo.

A disputa entre as facções de Sombra, por um lado, e de Helder e Jeová Mota, de outro, acirra-se ainda mais em junho, quando Sombra convoca uma manifestação em comemoração ao terceiro aniversário da "pregação legionária", no mesmo dia e horário em que a direção da Legião convocara seus adeptos para as comemorações que realizaria em outro local. O golpe de misericórdia dado em Sombra ocorre antes do comício. Helder, Jeová Mota e o presidente da Legião Cearense do Trabalho, Manuel dos Santos, convocam o Conselho Legionário e conseguem aprovar uma nota oficial com o apoio de 55 conselheiros, e apenas um voto contrário, declarando o tenente Severino Sombra inimigo do movimento legionário. A nota é publicada no mais influente jornal do estado, o católico *O Nordeste*, em 5 de julho de 1934:

> O Conselho Legionário, por seus membros abaixo assinados, declara de uma vez por todas que o sr. Severino Sombra – diante de sua atitude hostil e desleal contra os órgãos dirigentes da Legião – é considerado inimigo do movimento legionário e, portanto, do operariado.

> Nestas condições, desautorizamos qualquer manifestação a ser prestada ao mesmo cidadão por sociedades legionárias, bem assim tornamos público que a concentração anunciada para hoje, em outro local que não o secretariado, não é Legionária.

Com o isolamento e a derrota de Sombra, fica afastada a ameaça de divisão do movimento integralista no Ceará, e padre Helder pode dedicar-se, então, ainda mais às duas prioridades da Igreja Católica brasileira em 1934: direcionar para os seus interesses as mudanças que estavam ocorrendo na área educacional e influir decisivamente nas eleições estaduais.

DE BATINA PRETA E CAMISA VERDE

> *Quanto a saber se a massa é capaz de governar-se é outra questão. Por amor a uma criança, muitas vezes terei precisão de contrariá-la. O povo é e será sempre, em seu conjunto, uma criança grande. Por isso mesmo é também platônico pensar em substituir entre o grande número a autoridade externa pela interna. Querer que todos se orientem e se dirijam a si mesmos é esperar que todos sejam elite, todos inteligentes, honestos, vontadosos e sadios. Desejo muito nobre, mas irrealizável.*

> Pe. Helder Camara, 1933

Nem as manifestações e comícios da Legião Cearense do Trabalho, nem as conferências e cursos que ministrava como secretário de estudos da Ação Integralista Brasileira no Ceará eram suficientes para consumir as energias do irrequieto e polêmico padre Helder. O tempo tomado por suas atividades na chefia da Juventude Operária Católica e no acompanhamento da Liga dos Professores Católicos também lhe parecia pouco. Até que por determinação da Igreja, mas também para realizar suas inclinações pessoais, Helder passou a atuar em defesa das reformas educacionais que interessavam aos católicos nos anos 1930. Escrevia para jornais defendendo as propostas da Igreja e atacando duramente seus adversários. Ajudava a organizar encontros de professores, congressos estaduais de educação, viajava para participar de eventos em outros estados, proferia palestras e dava cursos de Pedagogia.

Havia muito a Igreja Católica no Brasil elegera a área educacional como prioritária em seu apostolado, pois sua estratégia principal, após a proclamação da República em 1889, era empreender a educação das elites do país por meio da vasta rede particular de escolas católicas, espalhadas por quase todos os estados. Uma vez cristianizadas nos colégios confessionais, essas elites poderiam desempenhar a tarefa de "cristianizar o povo, o Estado, a legislação". Sem contar ainda que, pelo domínio do mercado de ensino, a Igreja conseguia uma rentabilidade que alavancava seus empreendimentos e ajudava na sua reorganização nacional.

A partir dos anos 1920, essa estratégia da Igreja começa a ser ameaçada. As crises e transformações por que passa a sociedade brasileira inspiram nas elites políticas e intelectuais do país algumas propostas de solução dos problemas nacionais que passam pela democratização do acesso à escola, já que a maioria da população era analfabeta, e, portanto, inadequada a um modelo de desenvolvimento econômico baseado na industrialização, que reclamava uma mão de obra mais qualificada e instruída que a exigida pelo modelo econômico vigente até então, baseado na exportação de produtos primários.

Em 1924 é fundada a Associação Brasileira de Educação (ABE), que passa a promover as famosas Conferências Nacionais de Educação, na tentativa de impulsionar a ampliação da rede de escolas públicas, dentro de uma orientação laica e adaptada à industrialização e à urbanização crescentes. Após a terceira Conferência Nacional de Educação, realizada em São Paulo em 1929, consolida-se a divisão existente entre as propostas dos educadores liberais e as propostas católicas para a educação brasileira. As divergências acirram-se e explodem na quarta conferência, realizada no Rio de Janeiro em dezembro de 1931, à qual compareceu o próprio chefe de governo, Getúlio Vargas, com o objetivo de solicitar aos educadores sugestões para a formulação de uma política nacional de educação.

Os participantes da conferência, divididos, não conseguem chegar a um acordo em relação à "nova política educacional" e adiam a resposta ao governo. Vitória dos educadores liberais, de orientação mais democrática e aberta às novas ideias educacionais, que assim ganham tempo e, em 1932, liderados pelo importante intelectual Fernando de Azevedo, saem na frente e lançam o "Manifesto dos Pioneiros da Educação Nova" em defesa da escola pública, obrigatória, gratuita e laica, assinado, entre outros intelectuais e educadores de variados matizes ideológicos, por Anísio Teixeira, Lourenço Filho, Júlio de Mesquita Filho, Cecília Meireles, Paschoal Lemme e Francisco Venâncio Filho.

A reação católica foi imediata. Em oposição à ABE é criada, em 1933, a Confederação Católica de Educação, para defender as posições da Igreja no campo educacional, pois as propostas de gratuidade, laicidade e obrigatoriedade para as escolas públicas, na opinião dos católicos, eram inaceitáveis, já que retiravam "a educação das mãos da família e destruíam os princípios de liberdade de ensino", como escreveu Alceu Amoroso Lima na época.

No início do 1934, a ABE organiza sua sexta Conferência Nacional de Educação na cidade de Fortaleza. O jovem padre Helder Camara – que já começara a ficar conhecido fora do Ceará desde o ano anterior, quando havia publicado o pequeno artigo "Educação progressiva" na respeitada revista católica *A Ordem*, atacando um livro homônimo do educador Anísio Teixeira – vai então se projetar nacionalmente como nova liderança da Igreja, ao polemizar ardentemente em defesa dos ideais e interesses católicos.

A Conferência tem início em 2 de fevereiro na Escola Normal Pedro II, com a presença de delegações da maioria dos estados brasileiros e de ilustres representantes do movimento de renovação da educação nacional. Como Almeida Júnior e Edgar Sussekind de Mendonça, signatários do "Manifesto dos Pioneiros da Educação Nova" de 1932. Porém, as mais animadas sessões ocorrem nos dias 7 e 8, quando se acirra o confronto entre católicos e renovadores escolanovistas.

No debate noturno do dia 7, desta vez no auditório do teatro José de Alencar, o primeiro a falar foi o beneditino dom Xavier de Mattos, representante da Confederação Católica de Educação. Em seguida, Edgar Sussekind de Mendonça contestou-o duramente, denunciando suas ideias como elitistas e antidemocráticas, contrárias ao acesso da maioria da população à escola pública. O terceiro e mais esperado conferencista da noite foi o padre Helder, que, além de já contar com grande prestígio nos meios educacionais da cidade, organizara previamente o plenário, a pedido da Confederação Católica.

Helder, primeiro, defendeu a importância da introdução do ensino religioso nas escolas públicas, argumentando que era a única forma de promover a paz social e a salvação das almas contra o comunismo ateu. Em seguida, atacou duramente Sussekind de Mendonça, acusando-o de representante do bolchevismo na Conferência. No final de sua exposição, Helder propôs que a Conferência telegrafasse à Assembleia Nacional Constituinte, reunida desde novembro de 1933, para redigir a nova Constituição do país, reivindicando a aprovação de um artigo que instituísse o ensino religioso nas escolas públicas. Como já se esperava, o palestrante foi interrompido por uma vibrante salva de palmas do plenário, em meio a gritos de aclamação. Quando o silêncio voltou, Helder dirigiu-se à plateia e protagonizou a parte mais pitoresca do debate:

> – Meus amigos, a ABE convidou-me para fazer uma palestra, mas depois não temos a menor possibilidade de interferir nas conclusões da Conferência. Então, aqui não tenho mais nada a fazer. Eu me retiro, e que meus amigos me sigam!

O teatro esvaziou-se rapidamente, deixando os educadores escolanovistas presentes totalmente estarrecidos e surpresos.

Mas o pior estava por acontecer nos dias seguintes. Em 8 de fevereiro, na sessão de encerramento da Conferência, cada delegado falou sobre a situação do ensino em seu estado. O representante do Espírito Santo, Ciro Vieira da Cunha, trouxe novamente à pauta a proposta defendida por Helder no dia anterior, para que a Conferência se manifestasse favoravelmente ao ensino religioso nas escolas públicas e telegrafasse nesse sentido para a Assembleia Constituinte, uma vez que o assunto fazia parte das discussões dos deputados. Novamente, contra tal sugestão, Edgar Sussekind de Mendonça falou com veemência e ânimo predisposto ao conflito em razão dos acontecimentos do dia anterior. No momento em que defendia suas posições de forma mais inflamada, Sussekind de Mendonça declara-se disposto a "fora dali, enfrentar em todos os terrenos" o representante da Confederação Católica de Educação, dom Xavier de Mattos. Com essa provocação explícita, a sessão teve de ser encerrada, pois não havia mais clima para discussões pedagógicas e de política educacional.

Em desagravo ao beneditino provocado, nos dias 9 e 10 de fevereiro ocorrem várias manifestações organizadas por membros da Igreja Católica local e por militantes integralistas; entre eles, despontam Helder e seu amigo Ubirajara, atacando duramente o educador Sussekind de Mendonça. No dia 11, foi a vez dos simpatizantes do movimento da Escola Nova demonstrarem em outro auditório da cidade o apoio a seu representante envolvido na querela, que já começava a extrapolar o campo educacional. Em contrapartida, Helder novamente recepciona dom Xavier de Mattos, desta vez na sede de uma importante associação de moradores.

O desfecho da polêmica ocorre só no dia 12, e fora do terreno intelectual, como desafiara Sussekind de Mendonça; porém, ele leva a pior. Um grupo de jovens integralistas, vestidos a caráter, com camisa verde e gravata marrom, comandados pelo próprio padre Helder Camara, que, por baixo da batina preta, aberta ao peito, deixava à mostra sua camisa verde integralista, dá uma surra em Sussekind de Mendonça, no final da tarde, em frente ao Café Emídio, na praça do Ferreira.

A notoriedade conquistada por Helder, na VI Conferência Nacional de Educação, leva a Confederação Católica de Educação a organizar-lhe uma viagem na qual defenderia as posições católicas nos estados do Maranhão e do Pará. Apenas dez dias depois do encerramento da Conferência, Helder viaja em missão para aqueles estados, retornando a Fortaleza só no mês seguinte, já no dia 15 de março de 1934.

No seu retorno, os amigos e correligionários integralistas o homenagearam, e o jornalista Hugo Victor, da redação de *O Nordeste*, procurou-o para que relatasse os resultados de sua viagem. Helder relutou o quanto pôde em atendê-lo, despertando certa estranheza no jornalista, que o julgava "afeito a entrevistas e vida de imprensa". Vencido pela insistência de Hugo Victor, em um tom desanimado, Helder descreve São Luís e Belém como "estacionadas, senão retrógradas em vários aspectos", mas, para ele, o mais triste era que "no Maranhão e em parte, no Pará, os retardos não são só materiais, mas invadem dolorosamente os setores da inteligência e da religião". Helder referia-se à estagnação pedagógica da educação em ambos os estados, a despeito do otimismo dos delegados presentes na VI Conferência. A falta de bibliotecas atualizadas e de instalações escolares adequadas frustrara o visitante, mas mesmo a situação da Igreja Católica não era melhor, segundo ele, pois os recursos eram parcos e pouquíssimos os sacerdotes.

Como Helder, propositadamente continuasse com as considerações sobre a situação da educação e da religião no Maranhão e no Pará, o jornalista pediu para que comentasse um incidente ocorrido com o interventor federal no Pará, major Barata, e que fora o boato mais quente da cidade nos últimos dias. A matéria publicada em 17 de março de 1934 traz, então, o relato de Helder sobre o episódio:

> Levando aos operários paraenses uma saudação dos operários do Ceará, ao ser informado de que o major era o líder da Federação do Trabalho do Pará, procurei S. Exª. para transmitir-lhe meu desejo de falar à Federação. Recebeu-me fidalgamente o interventor. Ao lado de autoelogios deliciosos, soube proporcionar-me delicadezas cativantes. Não sabia eu que seria vítima de um ardil logo depois. Fui à Federação. Sessão magnífica. Operários sem conta. Música. Fotógrafos. Autoridades. E, presidindo a sessão, o próprio interventor.
>
> O meu discurso foi um dos mais serenos de minha vida. Pois bem, hóspede, homenageado, num ambiente que de modo algum era meu, tive o desprazer de ouvir, após o meu trabalho, três verrinas contra o integralismo e as ideias que eu abraçava. Um dos oradores, investindo contra o chefe integralista, ia causando sérias perturbações,

tal a animosidade que despertou no ambiente. Estava surpreso diante da armadilha arquitetada com tanta astúcia, quando se ergue o próprio interventor. Durante uma hora, derrama-se em ataques ferrenhos contra os seus inimigos, para, em seguida, endeusar-se.

Por fim, insinuações pessoais contra mim: era um discursador, um revolucionário de boca. Nesta altura, perdendo a linha, um sr. tenente Boanerges dá apartes capazes de imortalizá-lo, como o célebre telegrama que as revistas do Rio tanto glosaram. Terminou o major por pedir intempestivamente que eu dissesse, logo, em Belém, o que tivesse a dizer do seu governo e não fizesse como amigos meus que o elogiavam na frente e atacavam pelas costas...

Ali mesmo, apesar de ser mais de onze e meia da noite, dei duas respostas enérgicas e fiz um convite final. Primeira resposta ao interventor: não éramos discursadores. Éramos, sim, estudiosos e procurávamos doutrinar, e isto para não cair no erro dos revolucionários que, cheios muitas vezes de ótimas intenções, erravam fragorosamente por não haver estudado e visto quais os grandes problemas da nação. Segunda resposta aos operários: ou eles, querendo o sindicato operário, desejavam também sindicatos de outras classes com que vivessem em harmonia – e era integralismo –, ou queriam mesmo só o proletariado, o que seria comunismo.

Esses acontecimentos no Pará, divulgados inclusive na imprensa carioca, como mencionado, chocaram Helder, que, acostumado ao assédio e aos elogios dos amigos e correligionários, nunca enfrentara um debate público em situação tão desfavorável. Ainda mais porque no auge das manifestações de repúdio à sua presença em Belém, insuflados pelo interventor Manuel Barata, alguns militantes organizaram seu enterro simbólico, exibindo o caixão em praça pública, aos gritos de "fora, galinha verde!" – o apelido dos integralistas, em alusão à camisa verde do uniforme. No final da manifestação, o caixão do enterro simbólico de Helder foi jogado na "praia de Ver-o-Peso".

Impressionado com o tom acabrunhado do entrevistado, o redator tenta levantar seu ânimo no final da matéria: "Padre Helder não desanima", pois "... crê no Brasil porque espera em Deus e na mocidade verde-oliva que se levanta disposta a sacrificar-se pelo nosso país".

O desgaste resultante desses acontecimentos chegou a provocar uma crise gástrica em Helder, que teve de recorrer a um remédio muito popular na cidade, as Gotas Arthur de Carvalho, de um farmacêutico que emprestava o nome ao seu invento e era um anunciante quase frequente no jornal católico. Depois de recomposto em sua saúde, Helder deu seu testemunho sobre a eficácia do remédio em um anúncio de *O Nordeste* publicado em 24 de março de 1934:

VALIOSO TESTEMUNHO DO VIRTUOSO
SACERDOTE PADRE Helder Camara
Há poucos dias, um embaraço gástrico um tanto sério e muito aborrecido ia impedir-me de estar presente a uma concentração operária, a que eu tinha de assistir. Com esforço podia aparecer, mas mal-humorado e sem ânimo de vibrar diante dos milhares de legionários reunidos em assembleia geral.
Precisava de um remédio rápido e eficaz que me restituísse todas as energias. E as Gotas Arthur de Carvalho fizeram o que eu desejava e num espaço tão curto. Levando a vida

agitada que levo, tendo necessidade de aparecer muitas vezes em público como chefe da Juventude Operária Católica e missionário do trabalho, é esta a benemerência que proclamo nas Gotas Arthur de Carvalho – a rapidez e eficácia de suas curas e aos homens de trabalho e condutores de homens é que eu as recomendo nas circunstâncias em que me vi.

Pe. Helder Camara

Pressionado pela Revolução Constitucionalista de São Paulo, o presidente Getúlio Vargas convocara eleições para uma Assembleia Nacional Constituinte para maio de 1933. O líder da Igreja brasileira, dom Sebastião Leme, de imediato passou a articular a participação católica na Constituinte. Mas, para ele, a ideia de formar um "partido católico" não tinha cabimento e, quanto a isso, opunha-se à proposta de vários membros do laicato. No entendimento do hierarca, o termo "partido", derivado de parte, fração, era incompatível com o termo "católico", sinônimo de "universal". A solução seria coordenar a ação dos católicos presentes nos vários partidos, por meio de uma frente suprapartidária. Assim, nasce a Liga Eleitoral Católica (LEC), para "instruir, congregar e alistar o eleitorado católico" e "assegurar aos candidatos dos diferentes partidos a sua aprovação pela Igreja" e, portanto, o voto dos fiéis, mediante a aceitação, por parte dos candidatos, dos princípios sociais católicos, com o compromisso de que os defenderiam na Assembleia Constituinte.

Para o cardeal Leme eram três as propostas fundamentais a ser aprovadas pelos católicos na Constituinte: a indissolubilidade do casamento, o ensino religioso facultativo nas escolas públicas e a assistência eclesiástica às Forças Armadas. Para controlar diretamente a atuação da LEC, dom Leme escolheu como coordenador nacional um homem de sua inteira confiança, Alceu Amoroso Lima, o principal dirigente leigo do catolicismo nacional. E o resultado dessa estratégia não poderia ter sido melhor. Na eleição ocorrida em maio de 1933 a LEC conseguiu eleger a maioria dos deputados constituintes, que aprovaram, depois, quase todas as propostas católicas para a nova Constituição.

Além das três propostas consideradas fundamentais por dom Leme, a Igreja conseguiu inserir no texto constitucional o reconhecimento do casamento religioso para efeitos civis; o direito de voto dos religiosos, banido na Constituição de 1891; e uma lei que garantia a repressão contra as propagandas consideradas subversivas ou comunistas. Desde o seu início, a nova Constituição expressava a influência católica, com um preâmbulo que contrariava totalmente a inspiração laica e positivista da Constituição anterior: "Nós, os representantes do povo brasileiro, pondo a nossa confiança em Deus...".

Promulgada a Constituição, a vitória católica é comemorada em todo o Brasil. A Arquidiocese de Fortaleza organiza seu ato de celebração às conquistas católicas no teatro José de Alencar. Quando anunciado que falaria o padre Helder Camara, "o teatro, em peso, demoradamente, manifestou-se em formidável ovação". Como noticiou o jornal *O Nordeste* na edição de 3 de agosto de 1934, "o jovem e distinto sacerdote, em linguagem simples, mas veemente, manejou a ironia, com admirável destreza, contra os expedientes de que os políticos maçons estão lançando mão, para desacreditar, se o pudessem, o nosso clero junto ao povo".

De acordo com a nova Constituição, em 14 de outubro de 1934 deveriam ocorrer eleições nos estados para uma nova Câmara Federal e as Assembleias Constituintes Estaduais. Helder, já destacado colaborador da campanha para a Assembleia Nacional Constituinte, é então convocado por seu arcebispo a coordenar a campanha da Liga Eleitoral Católica no Ceará, ajudando a escolher os candidatos e percorrendo o interior para conseguir apoio dos coronéis e votos dos eleitores.

Mesmo com a proximidade das eleições de outubro, Helder resolve viajar com uma delegação de professores para participar do I Congresso Católico de Educação, no Rio de Janeiro. Como a viagem de navio era demorada e o Congresso iria reunir-se entre 20 e 27 de setembro de 1934, Helder parte logo no início do mês, acompanhado do padre Expedito de Oliveira, futuro bispo de Patos, Paraíba, e mais 11 professoras. Sua passagem foi paga pelo arcebispo dom Manoel, e ele levou consigo a importância de 50 mil réis. "Fiquei hospedado no Mosteiro São Bento" – escreveria Helder num relato autobiográfico, "cujos horários se chocavam com os do Congresso... Mas vim também como integralista. Falei em todos os portos a camisas-verdes, pois viajava com honras de chefia nacional... No Rio, durante uma semana, inflamei os integralistas, falando em companhia de Gustavo Barroso (então, em plena campanha contra os judeus) e Santiago Dantas, então em plena adolescência". Em sua viagem, Helder só não falou no porto do Recife, porque antes de sua chegada houve um confronto entre militantes integralistas e seus adversários.

No Congresso, ele dá uma conferência sobre os "Excessos da pedagogia moderna", causando forte impacto entre os educadores católicos presentes. Além de participar do Congresso, visitou vários centros integralistas em companhia do jovem Francisco Clementino de San Tiago Dantas, que viria a se tornar ministro da Fazenda de João Goulart. Em Nova Friburgo, onde existia um forte núcleo da AIB, Helder falou para uma plateia composta de cerca de trezentos jesuítas, padres e seminaristas, no auditório do velho Colégio Anchieta. O então estudante, futuro padre e importante intelectual católico Fernando Bastos de Ávila era um dos presentes quando Helder discursou:

> Só me lembro dele, entre os que falaram. Eu, jovem estudante de retórica convencional, fiquei espantado ante o arrebatamento daquela oratória vibrante, daqueles gestos rasgados, abraçando todo o Brasil, simbolizado nos escudos dos diversos Estados da Federação, que ainda lá estão pintados. Vendo aquele corpo frágil, crepitante como uma chama, tive minha primeira sensação do poder da palavra humana.

O Congresso Católico de Educação ainda não terminara, quando Helder foi surpreendido por um telegrama de dom Manoel, que, como bom baiano, estava "aperreado" com a ausência do coordenador da campanha da LEC no Ceará. As eleições estavam próximas e a disputa se acirrara com o crescimento da campanha do adversário Partido Social Democrático (PSD) e da candidata socialista, a deputada Rachel de Queiroz, ainda jovem, porém já importante escritora cearense, que em sua campanha atacava abertamente as propostas da Igreja. Dom Manoel chegou até a enviar uma passagem de avião para que Helder não demorasse. Helder partiu prontamente, embora um pouco amedrontado com aquela que seria sua primeira viagem de avião. Ao chegar a Fortaleza, foi logo apresentar-se ao arcebispo, que lhe ordenou:

– Quero que vá imediatamente a todas as cidades e vilas do Ceará defender nossa lista de candidatos em nome da Igreja.

Como sempre, Helder nem discutiu a ordem de dom Manoel e envolveu-se totalmente na campanha eleitoral, seguindo religiosamente o itinerário que lhe fixara o arcebispo, com a recomendação expressa de não discutir as propostas da Igreja para a Constituinte Estadual. A única coisa a ser dita era: "Estes são os nossos candidatos, é neles que vocês devem votar!".

A tática eleitoral do arcebispo mostrou-se totalmente eficiente, como fica claro no resultado oficial publicado um mês e doze dias depois de ocorridas as eleições. A LEC elegeu 7 deputados federais, enquanto seu rival, o PSD, apenas 4. Para a Assembleia Constituinte Estadual, a LEC conseguiu a maioria desejada, 17 deputados, contra 13 do PSD. Os socialistas e comunistas não conseguiram eleger nenhum representante no Ceará.

DIRIGINDO A EDUCAÇÃO CEARENSE

É justo dizer, portanto, que na minha geração o ingresso nas "hostes do sigma", como diziam, não foi para muitos rapazes adesão consciente a uma modalidade de fascismo, mas fruto de inquietação honesta, embora quase sempre reacionária, nascida da revolta contra o império do coronelismo atrasado e bilontra, mascarado de "imortais princípios de 89". O integralismo lhes parecia, com efeito, uma "solução nacional", e muitos deles largaram o movimento assim que seu aspecto fascista evidenciou-se ou se tornou insuportável, com os progressos do nazismo e sobretudo com a guerra, que os obrigou a optar entre uma tradição mais liberal, própria dos Aliados, e o autoritarismo de cunho militar que predominava nas potências do Eixo. Assim, mesmo partindo da mera experiência pessoal, bem sei quanto é preciso pensar com objetividade, ter o senso dos matizes e calcular a força especificadora das condições históricas.

Antonio Candido

Encerradas as eleições de 1934, Helder deixa aos companheiros a tarefa de fiscalizar a apuração dos votos e recolhe-se em sua casa para descansar e ler um documento do Departamento Nacional de Doutrina da Ação Integralista Brasileira (AIB) chamado "Diretrizes integralistas", atividade que já havia meses sentia necessidade de realizar, mas que os compromissos ininterruptos impendiam-no. Quando termina a análise do documento, ele o considera claro e preciso, além de muito mais adequado para ser entendido pelos leitores pouco afeitos à linguagem um tanto rebuscada comum aos textos da AIB, como no caso do "Manifesto de outubro", segundo Helder, repleto de "termos justos e verdadeiros, embora nem sempre explícitos".

Para popularizar os princípios que defendia, Helder resolve publicar o documento, apresentando-o ao leitor de *O Nordeste*, de 25 de outubro de 1935, sob o título "Diretrizes sempre mais firmes para o integralismo", onde são enfatizados os "tópicos principais, chamando para eles a atenção de todos os católicos esclarecidos, que neles terão ainda uma vez a prova da compatibilidade absoluta entre integralismo e catolicismo". Sua intenção naquele momento era afastar-se um pouco da atividade propriamente política de disputa pelo poder e influência para a Igreja no Estado, para dedicar-se mais à pregação doutrinária católica e integralista entre os professores e estudantes. Na realidade, Helder não tinha clareza da dimensão de sua projeção na política estadual e, mesmo como membro de uma organização como a Igreja Católica, imaginava que podia decidir com certa autonomia os passos seguintes de seu apostolado.

Para os superiores hierárquicos, amigos e correligionários, a militância aguerrida e a oratória exuberante de Helder eram motivos de admiração e respeito, ainda mais porque, na prática, como coordenador da campanha da Liga Eleitoral Católica, era um dos principais responsáveis pela maioria conquistada na Assembleia estadual. Por outro lado, esses mesmos motivos haviam despertado contra ele a animosidade do interventor federal.

O interventor do governo Vargas, no Ceará, desde setembro de 1934, era o coronel Felipe Moreira Lima, que desde sua posse assumira publicamente a condição de candidato às eleições para governador constitucional do estado, que ocorreriam por via indireta no ano seguinte. O arcebispo dom Manoel já se resolvera pela candidatura do dr. Francisco Meneses Pimentel; por isso, as relações entre a Igreja e o interventor tornaram-se conflituosas, levando este último a divulgar boletins de intimidação aos adversários de sua candidatura com o lema "o coronel Moreira Lima será governador constitucional do Ceará pelo voto ou pelas armas". A eleição para governador estava marcada para 25 de maio de 1935, pelo voto da maioria dos deputados eleitos nas eleições de outubro de 1934. Como o arcebispo e seus aliados haviam conseguido elegê-la, era óbvio que conseguiriam eleger o novo governador. Com isso, graças a sua visão como coordenador e maior propagandista da LEC, Helder acabou tornando-se alvo das represálias do interventor a seus adversários.

No final de 1934, Helder, convidado para paraninfo dos formandos da Escola Normal Pedro II, é surpreendido por um decreto do interventor suspendendo por quinze dias as professoras integralistas que haviam proposto a homenagem. Era apenas um sinal de que o clima político iria esquentar ainda mais no estado. Sem nada a fazer de imediato contra o decreto, a resposta de Helder veio no início do ano seguinte, na forma de duras críticas ao interventor federal, pelo decreto de reorganização da Escola Normal à revelia de professores e alunos. Em represália às críticas, Moreira Lima proíbe a entrada do padre Helder em qualquer estabelecimento de ensino do estado a partir de 20 de fevereiro de 1935.

Mas o pior ainda estava por vir. Na terça-feira de Carnaval, em plena praça do Ferreira, um grupo de jagunços mata o sargento Correia Lima, ligado ao interventor, e mais dois amigos que o acompanhavam. No dia 7 de março, o jornal governista *O Combate* considera o crime político, responsabilizando o candidato da LEC ao governo do estado, Menezes Pimentel, e o padre Helder Camara. No mesmo dia, em *O Nordeste*, os acusados protestam contra a acusação, negando serem os mandantes dos assassinatos.

Apesar da grande repercussão desses acontecimentos, e mesmo interessado em provar que os acusados eram os mandantes do grupo de jagunços, estranhamente o interventor federal não leva adiante as investigações sobre a autoria do atentado, na tentativa de que o caso ficasse por isso mesmo, alimentando assim a suspeita contra Helder e Menezes Pimentel. Mas como, no Nordeste dos anos 1930, era costume os matadores, na certeza da impunidade, deixarem pistas para que todos soubessem as motivações e os autores dos crimes, dias depois se descobriu que a família de um homem que fora morto pelo sargento em Maranguape decidira tomar para si o dever de fazer justiça, consumando a vingança.

O prestígio de Helder fazia-o requisitado nas mais diversas situações. Quando o mesmo interventor federal, por pura animosidade política, ameaçou impedir de desembarcar no aeroporto local seu antecessor no cargo, capitão Carneiro de Mendonça, em uma escala da viagem que realizava para presidir as eleições no Pará, marcadas para abril de 1935, o coronel Colares, comandante da unidade local do Exército, para garantir o desembarque seguro do ex-interventor, convocou ao quartel um amigo pessoal de Carneiro de Mendonça, o importante clérigo monsenhor Quinderé, o ex-prefeito Raimundo Girão e Helder, considerado "chefe popular do operariado cearense".

Quando já solicitara e conseguira a promessa de colaboração de cada um dos presentes à reunião, o coronel Colares, intempestivamente e da forma mais irônica possível, lançou uma provocação a Helder, perguntando-lhe se o lugar dos padres não era na sacristia. Monsenhor Quinderé recorda o fato em suas memórias, dizendo que o "padre Helder, com aquela valentia indômita, que não encontra espaço naquele corpo franzino, retrucou: 'recolham-se os militares aos quartéis e depois venham dar lição ao clero'". Com aquela resposta à altura, o comandante do Exército "desmanchou-se em desculpas, e o capitão Carneiro de Mendonça desembarcou calmamente, debaixo de música e foguete, aclamado pelos admiradores que o foram receber".

A posse dos novos deputados ocorreu no dia 24 de maio de 1935. O clima de terror e ameaças espalhado pelo interventor obrigou os deputados da Liga Eleitoral Católica e seu candidato a governador a se refolgarem no quartel do 23º Batalhão do Exército, sob a proteção da guarnição federal. No momento da posse, os representantes da LEC foram ao prédio da Assembleia e depois retornaram ao quartel, protegidos por numeroso destacamento armado. Finalmente, no dia 25, dr. Francisco Menezes Pimentel é eleito governador com 16 votos lecistas, contra 14 de dr. José Acióli, que assumira a candidatura da situação depois de o coronel Moreira Lima desistir da disputa, convencido da derrota.

Durante toda a campanha eleitoral, nas reuniões e comícios de que participara em todo o estado, um forte trunfo utilizado por Helder era o fato de não pretender ocupar nenhum cargo público, caso a chapa que apoiava vencesse as eleições. Helder argumentava que seu trabalho de coordenação da campanha da Liga Eleitoral Católica estava sendo realizado exclusivamente em razão de suas convicções, sem nenhuma ambição pessoal, na defesa do que considerava os direitos legítimos da Igreja Católica e que coincidiam com as necessidades do Ceará e do Brasil, no seu entender.

O governador eleito, Menezes Pimentel, consciente da representatividade e influência de Helder em meio ao eleitorado, ao movimento integralista e à Igreja, e também como reconhecimento ao papel desempenhado por ele em sua eleição, convidou-o a ocupar a Diretoria de Instrução Pública de seu governo, cargo que corresponderia atualmente à Secretaria de Educação do Estado, na época vinculada à Secretaria da Justiça e do Interior.

Helder recusou categoricamente o convite. Sem saber que o governador já acertara com o arcebispo sua entrada na equipe governamental, Helder foi comunicar e explicar a dom Manoel os motivos de sua recusa:

– Perdão, dom Manoel, mas é impossível aceitar essa nomeação. Em todos os locais em que estive, disse que não tinha nenhuma ambição, que recusaria qualquer vantagem pessoal depois das eleições. Seria uma humilhação terrível para mim. Não me ordene isso, por favor. Além disso, não sou especialista em educação nem estou preparado para o cargo.

Dom Manoel não se sensibilizou nem um pouco com a argumentação e foi ainda mais taxativo e resoluto que Helder:

– Meu filho, o governador lhe fez um convite e eu lhe dou uma ordem. Ninguém está mais preparado do que você para esse cargo. Você é assistente eclesiástico da Liga dos Professores Católicos, que você mesmo criou, tem dado cursos de pedagogia e psicologia... participado dos congressos de educação. Não há por que discutir. Você deve ser o diretor da Instrução Pública. E se seu bispo quer isso é porque esta é a vontade de Deus.

Submisso que era à autoridade de dom Manoel, Helder voltou ao governador e aceitou o cargo. E o arcebispo não se enganara quanto a suas qualificações. Como assistente eclesiástico da Liga dos Professores Católicos, ele sabia dos problemas políticos que envolviam a Diretoria de Instrução Pública, e o mais explosivo, e que podia inviabilizar sua gestão, era o apadrinhamento de professores por parte dos influentes coronéis do interior, exercido por intermédio dos prefeitos e deputados do estado. Muitos eram os professores contratados sem aprovação em concurso público, e outros tantos os transferidos compulsoriamente por pura perseguição, quando faziam parte do grupo político derrotado nas eleições. Helder, então, exigiu do governador a garantia de que não sofreria interferências políticas dessa natureza durante sua gestão e que nenhum professor que tivesse votado ou realizado campanha para os candidatos derrotadas nas últimas eleições seria perseguido. Esta era uma antiga reivindicação da categoria, e Helder a abraçara.

O governador Menezes Pimentel concordou com as exigências do novo auxiliar e, em 5 de junho de 1935, com pouco mais de 26 anos, Helder era empossado no cargo de diretor da Instrução Pública do Estado do Ceará. E, como se envolvia em tudo o que fazia, envolveu-se totalmente em sua nova função. No início da gestão, buscou inteirar-se da real situação em que se encontrava sua Diretoria, em busca de informações que o ajudassem a promover as reformas pretendidas. Nesse sentido, manda realizar um recenseamento escolar em todo o estado. Doze dias depois de empossado, Helder concede uma entrevista ao jornal *O Nordeste* denunciando o descaso e a situação de penúria em que se encontrava a repartição, que, segundo ele, não contava sequer com material escolar para ser distribuído às crianças pobres.

Sua atuação como membro do governo passa a receber grande atenção da imprensa e dos meios intelectuais do estado. Vários congressos profissionais o convidam para dar conferências e apresentar seus planos de reformulação do ensino, que já começavam a sair do papel. Apenas dois meses depois de assumir a pasta, Helder manda instalar um jardim na Escola Normal Pedro II, onde as alunas de magistério poderiam estagiar, ao mesmo tempo que muitas crianças pobres seriam atendidas. A seguir, consegue que o governador decrete que o dia 11 de agosto passe a ser considerado feriado estadual, em homenagem à "classe estudantil", numa clara tentativa de agradar a um dos segmentos em que tinha maior penetração. Uma medida bastante polêmica que adota em 18 de setembro de 1935 é a suspensão da execução de um decreto de seu antecessor na Diretoria, que criava a cadeira de inglês na Escola Normal, compreensível se levarmos em consideração sua formação intelectual clássica e francófila.

No final de setembro, Helder consegue mostrar serviço à Igreja, por meio de duas ações: ao interceder ao governador para que assinasse um decreto regulamentando o ensino religioso facultativo nos estabelecimentos públicos escolares, uma das principais reivindicações católicas na área educacional; e ao patrocinar oficialmente, por meio da Diretoria de Instrução Pública, a realização do "Congresso Católico Regional de Educação" na cidade de Sobral, no interior do estado.

Nos poucos meses de sua gestão, Helder conseguiu demonstrar uma capacidade de trabalho e de iniciativa política que faltava em outras pastas do governo, o que incomodava vários secretários de estado e o próprio governador, que nada podiam fazer para obscurecer sua atuação e coibir sua projeção política, dada a ótima relação que mantinha com a imprensa e a poderosa retaguarda que lhe garantia a Igreja. Porém, um incidente envolvendo integralistas e a polícia no interior do estado, e mais a forma intempestiva e emocional com que Helder reage a este, muda o curso dos acontecimentos.

No dia 20 de novembro, o bispo de Sobral, dom José Tupinambá da Frota, amigo de Helder, vai à cidadezinha de Meruoca para uma visita pastoral. O forte núcleo integralista de Sobral, que contava com cerca de dois mil membros, resolve unir-se aos integralistas de Meruoca para uma manifestação de saudação ao bispo. O governador já proibira quaisquer manifestações públicas no estado, para com isso impedir o crescimento da Aliança Nacional Libertadora, fortemente influenciada pelo Partido Comunista. Quando ocorre a manifestação integralista em Meruoca, a polícia a reprime violentamente, causando até mesmo a morte de um soldado e de um camisa-verde. O governador apoia a ação policial. Helder, então, protesta duramente contra a atitude do governador. Também por já estar cansado das interferências políticas em sua pasta, da parte de seu superior hierárquico no governo, o secretário do Interior e da Justiça dr. José Martins Rodrigues, às quais Menezes Pimentel fazia vistas grossas, não cumprindo com a palavra que empenhara, numa atitude inesperada, mas desejada por vários membros do governo, inclusive pelo governador, Helder pede exoneração depois de apenas cinco meses e dezesseis dias no cargo de diretor de Instrução Pública do Ceará.

O tratamento dispensado a Helder pela Arquidiocese em algumas oportunidades chegava a ser exagerado, despertando certo ciúme no clero cearense. O jovem padre adquirira uma notoriedade suplantada apenas pelo arcebispo, dom Manoel. Mesmo tendo sido ordenado com mais oito colegas de seminário, os quais no seu dia a dia como padres amassavam o barro e comiam a poeira das paróquias do sertão cearense, apenas Helder, que atuava na capital e nem sequer era responsável por uma paróquia, tinha o seu aniversário de ordenação sacerdotal comemorado todos os anos, com direito a missa de ação de graças, ato público e nota de felicitações publicada no jornal mais lido do estado, o diário católico *O Nordeste*, como ocorreu em agosto de 1934, no seu terceiro aniversário de ordenação.

A lista de personalidades públicas presentes na celebração promovida pela Arquidiocese, na matriz do Patrocínio, não deixa dúvida sobre o prestígio de Helder no estado. Em meio a uma igreja repleta de "famílias, operários, estudantes, elementos da Ação Integralista, professores etc.", estiveram lá várias autoridades do estado e inúmeros representantes de movimentos católicos, associações profissionais e de moradores, e de sindicatos de vários municípios do Ceará.

Depois da missa da manhã, iniciada às oito horas do dia 16 de agosto de 1934, mesmo já um tanto adoentada, dona Adelaide recebe os amigos do filho, servindo-lhes uma "farta mesa de café com bolos", enquanto todos aguardavam as homenagens marcadas para o período da tarde, desta vez promovidas por dona Nana Vieira e pela professora Letícia Ferreira Lima, ambas dirigentes da Sindicalização Operária Católica Feminina. À noite, as comemorações continuaram na casa de dona Nana Vieira, com a presença de oficiais do Exército, padres, operários, estudantes, professores e dirigentes da AIB e da Legião Cearense do Trabalho.

Naturalmente, acontecimentos como aqueles eram motivo de alegria para toda a família de Helder, compensando, assim, os inúmeros momentos de preocupação que a atuação política do filho trazia a dona Adelaide. Desde que deixara o seminário, Helder voltara a morar com a família no velho sobrado da rua Sena Madureira, onde passou a infância. A mãe já se aposentara do magistério e, por isso, dividiu com um tabique o enorme salão onde lecionava, deixando "livre um corredor e preparando um quarto para o neossacerdote".

Em casa, passou a ser chamado de Padrezinho pela irmã mais nova, Nair; Mardônio, quando vinha do Rio de Janeiro passar as férias, pois desde 1927 ingressara no curso para piloto da Marinha Mercante brasileira, chamava-o de "Seu Vigário". Helder retribuía os apelidos carinhosos, chamando a irmã de "Maninha" e Mardônio de "Piloto", em razão de sua futura profissão.

Depois que voltou a morar com a família, nos fins de semana em que estava livre de outros compromissos, o Padrezinho reunia em casa um bom número de crianças pobres que vagavam pelas praias, trazidas das escolas que organizava por meio da JOC, para ensinar-lhes o catecismo de forma cativante, com uma abordagem mais atualizada e próxima à realidade dos meninos. A garotada ouvia com atenção seus ensinamentos. Nos finais de reunião, todos recebiam doces e balas.

Dom Bosco, que fora canonizado pelo Vaticano em 1º de abril de 1934, era muito popular em Fortaleza, pois os salesianos do Ceará tinham realizado no mesmo dia uma grande festa. Um "pobre" que pedia esmola para dona Adelaide, vendo Helder com as crianças, comentou que ver o jovem padre "era ver dom Bosco". Ainda adolescente, o futuro santo italiano reunia os meninos que encontrava próximos à sua casa, divertia-os com todo tipo de brincadeira e, depois, fazia-os recitar as orações, explicava-lhes o catecismo, como usar o rosário e cantar a ladainha. A mãe comentou com o filho a frase do pedinte e Helder ficou contente com a comparação.

> – É mesmo? Então, de hoje em diante eu vou chamar a senhora de Margarida, o mesmo nome da mãe de dom Bosco.

Para ser ainda mais carinhoso com a mãe, como se fosse uma criança que não conseguia pronunciar a letra "r", Helder passou a chamá-la de "Magaída" e, às vezes, de "Magaidinha".

> Um dia, ao voltar da missa matinal da igreja do Patrocínio, encontrei-a na cama, esvaindo-se em sangue. O médico logo diagnosticou câncer no útero e deu-lhe 6 meses de vida. Previsão matemática... A princípio agarrou-se comigo, apavorada com a ideia da morte. Chegou a dizer: "Se você pedir, Deus me salva". Claro que optei pela preferência divina. E pedi coragem para ela e para nós. Fiquei trazendo todos os dias comunhão para ela.

Diariamente dona Adelaide tomava o remédio Luteo-Ovarina®, em drágeas, do Laboratório Clínico Silva Araújo, mas não se via melhora. A doença foi se agravando, até que em 23 de agosto de 1935, dois meses depois de Helder ter assumido a Diretoria de Instrução Pública do Estado, aos 61 anos, dona Adelaide faleceu.

> Um dia me pediu que no dia seguinte lhe trouxesse a Extrema-Unção, mas não dissesse nada em casa, para não afligir... No dia em que partiu, teve um passamento e todos a imaginamos sem vida. De repente, abriu os olhos e comentou tudo o que se passara em volta: ouvira tudo, apenas não podia falar. Cinco minutos antes de partir, pediu-me baixinho que lhe cantasse ao ouvido: "No céu, no céu, com minha mãe estarei".

A casa da família encheu-se para o velório, com a visita de muitos amigos de Helder. O Padrezinho conseguiu conter seu desespero até o instante da saída do esquife, quando não suportou mais e começou a chorar, chamando inconsolavelmente pela mãe: "Magaída... Magaidinha...".

Os familiares acompanhavam com satisfação a bem-sucedida carreira eclesiástica de Helder, e com preocupação sua conturbada trajetória política como dirigente integralista e diretor da Instrução Pública. Todos mantinham certa reserva quanto a suas convicções integralistas. Gilberto, já com família constituída, era intelectual e jornalista de renome no estado, tendo conquistado notoriedade como um dos fundadores da Associação de Jornalistas Cearenses, filiada à Associação Brasileira de Imprensa durante sua gestão como presidente, e proferindo concorridas conferências sobre Beethoven e Pasteur. Difundiu também o jogo de xadrez no Ceará, chegando a ocupar a presidência da Confederação Brasileira de Xadrez e a representar o Brasil em competições internacionais na Argentina, Inglaterra e Holanda.

Para Helder, seria interessante contar com o prestígio de Gilberto no apoio à Ação Integralista no Ceará. Mas Gilberto, mesmo tendo participado de algumas reuniões integralistas a convite do irmão, não se empolgou o bastante para engajar-se.

Nairzinha, solteira, jovem, estudara contabilidade e desde 1934 trabalhava com o pai na Casa Boris Frères. Ao contrário de Helder, a irmã revelava-se inteiramente cética com relação à política e desconfiada dos camisas-verdes, dos quais ouvia, uma vez ou outra, o boato de que passavam a noite nos bordéis da cidade. Ela, como "Filha de Maria", não podia admitir o que considerava um comportamento devasso por parte dos integralistas, achando-os incoerentes com seu próprio lema: amor a Deus, à Pátria e à Família.

Eduardo, que, em 1935, aos 30 anos, terminara o curso de Agronomia, tendo sido o orador de sua turma, também não sentia grandes atrações pela política, muito menos pelos radicais camisas-verdes.

Maroquinha, depois de dois anos no Colégio Imaculada Conceição, desde 1924 vivia reclusa em um convento da Ordem Franciscana no Maranhão e raramente viajava a Fortaleza. João Camara Filho, pai de Helder, embora já com 63 anos de idade, dos quais 43 na contabilidade da Casa Boris Frères, seu primeiro e único emprego, relutaria ainda por vários anos em se aposentar.

ANOS DOURADOS
(1936–1964)

DO CEARÁ AO RIO DE JANEIRO

Na vida dos ambiciosos e de todos quantos não podem triunfar senão com a ajuda dos homens e das coisas, segundo um plano de ação mais ou menos bem estabelecido, observado e mantido, há um momento cruel em que não sei que poder os submete a rudes provas: tudo falha ao mesmo tempo, por todos os lados os fios se rompem ou se emaranham, a desgraça surge de todos os cantos. Se um homem perde a cabeça em meio a essa desordem moral, está perdido. Os que sabem resistir a essa primeira revolta das circunstâncias, que se conservam firmes deixando passar a tormenta, que fogem, subindo, por meio de um espantoso esforço, à esfera superior, esses são os homens realmente fortes.

Honoré de Balzac

No final de 1935, próximo dos 27 anos, padre havia pouco mais de quatro, Helder, embora jovem, apresentava uma vasta experiência política e uma bagagem intelectual pouco comum para pessoas de sua idade. Inúmeros artigos seus já haviam sido publicados na imprensa cearense, desde a polêmica de 1928 com a professora Edith Braga, quando usara pela primeira vez o pseudônimo Alceu da Silveira. Com Severino Sombra e outros amigos, publicara alguns artigos sob o pseudônimo coletivo Agathon. Já como sacerdote, seus conhecimentos pedagógicos demonstrados nos cursos que ministrara e nos congressos da Confederação Católica de Educação e da Associação Brasileira de Educação lhe valeram o reconhecimento nacional como defensor das reformas educacionais católicas. Nesse campo, teve um artigo "Educação progressiva", em que polemizava duramente com o renomado Anísio Teixeira – incluído na respeitada revista *A Ordem*, dirigida por Alceu Amoroso Lima.

Politicamente, como integralista assumido – "um sacerdote camisa-verde da província do Ceará", como se autodefinira em um artigo polêmico contra o ex-correligionário Severino Sombra –, pregara a "doutrina do sigma" em vários estados brasileiros e teve textos incluídos na *Enciclopédia do integralismo*, editada pela Livraria Clássica Brasileira. Colocara sua retórica vibrante a serviço da propagação e organização do integralismo em comícios ocorridos desde a capital até as mais remotas cidadezinhas do interior cearense. Organizara a Juventude Operária Católica, fundara a Liga dos Professores Católicos e um sindicato para as operárias e empregadas domésticas. Ajudara a organizar greves e viajara de cidade em cidade apresentando os candidatos da Liga Eleitoral Católica às eleições ocorridas entre 1933 e 1935, alcançando todas as vitórias perseguidas pela Igreja Católica em seu estado e pelo arcebispo dom Manoel, desde a eleição de uma bancada à Assembleia Constituinte, passando pela dos deputados estaduais, até a eleição do governador Menezes Pimentel.

O êxito de sua militância política e sua reconhecida competência na área educacional credenciaram-no a ocupar o importante cargo de diretor de Instrução Pública do Ceará a partir de junho de 1935. Posição abandonada apenas cinco meses depois, quando passou a demonstrar claramente a fadiga a que o levara o ritmo febril de sua atuação política e intelectual dos últimos anos.

O estilo eloquente e ardoroso com que Helder se envolveu na ação política provocara reações equivalentes por parte de seus opositores. O episódio lamentável que resultou de suas ásperas discussões com Edgar Sussekind de Mendonça, no congresso da ABE em 1934, demonstrou-lhe que em política muitas vezes os meios utilizados entram em discordância com os fins desejados e, embora isso possa ser entendido racionalmente, constatar esse descompasso entre meios e fins na própria atuação desagradou-lhe e foi o ponto de partida para um desencantamento crescente com a ação política de inspiração fascista.

Logo depois do congresso da ABE, as manifestações de repúdio à sua presença no Pará, em março de 1934, foram um golpe inesperado recebido por Helder, até então acostumado a ser paparicado pelos amigos e pela imprensa cearense. Em seguida, entristeceu-se com a dura polêmica e o consequente rompimento com Severino Sombra, que, além de ter sido seu grande amigo e inspirador, era uma respeitada liderança do laicato católico no país. A crise na relação com o governador Menezes Pimentel, em novembro de 1935, em razão das ingerências políticas em sua pasta e da repressão policial a uma manifestação integralista, além de levá-lo a pedir demissão do seu cargo, também provocou um sério desentendimento com o arcebispo dom Manoel, temeroso de que sua impetuosidade atrapalhasse as boas relações entre a Arquidiocese e o governo do estado. Quando apresentou seu pedido de demissão, Helder chegou a ficar surpreendido e chocado com a atitude de dom Manoel, que não titubeou em demonstrar que estava do lado do governador.

No plano pessoal, em meio a tantas dificuldades políticas, em agosto de 1935, Helder teve de suportar a dor provocada pela morte da mãe, com quem nunca deixara de ter uma relação afetiva intensa. Para piorar a situação, seus desafetos na cidade teimavam em espalhar o boato de que ele e a irmã do amigo Ubirajara, a professora integralista Letícia Ferreira Lima, estavam apaixonados um pelo outro. A amizade entre os dois, de fato, era grande, e ambos se viam com frequência em razão das atividades comuns na Liga dos Professores Católicos e no movimento integralista, mas nenhuma das pessoas entrevistadas que conviveram com os dois na época hesitou em negar que a relação entre eles em algum momento tivesse extrapolado a amizade. Um amigo de Helder no Exército avisou-lhe que fora Severino Sombra quem primeiro comentara "numa roda de oficiais" sobre a existência do romance. Assim que soube do boato, Helder foi pessoalmente falar a dom Manoel para que ficasse prevenido. Avisou também a diretoria da Sindicalização Operária Católica Feminina, da qual Letícia fazia parte. Passou, então, a aguardar os acontecimentos para ver como melhor poderia esclarecer o boato, o que só viria a ocorrer em fevereiro de 1937.

Hoje em dia, diríamos que Helder passou por um verdadeiro "inferno astral" no segundo semestre de 1935. Ele tinha consciência de passar por um mau momento na Diretoria de Instrução Pública, a tal ponto que, poucos dias antes de eclodir a última crise que o levaria a apresentar seu pedido de demissão, escrevera ao educador Manuel Lourenço Filho comunicando-lhe que não suportava mais as ingerências políticas do governador e de vários secretários de estado em sua pasta, ora pedindo para transferir um professor que os apoiava para um posto melhor localizado na capital, ora pretendendo afastar compulsoriamente outro que não se submetia a seu comando.

Lourenço Filho já era um educador experiente e respeitado. Técnico competente, na juventude trabalhara no Ceará, em 1922, a convite do governador Justiniano de Serpa (1920-1923), para realizar uma ampla reforma educacional, aplicando o ideário escolanovista no estado. Helder conhecia Lourenço desde essa época. O irmão de Helder, Gilberto, era redator do jornal *Correio do Ceará* e frequentemente lhe pedia que fosse à casa de Lourenço buscar artigos para publicação ou levar-lhe alguma mensagem. Helder era um menino e ainda não entrara no seminário. Às vezes, Lourenço estava por concluir um artigo e, enquanto terminava, sua esposa fazia sala para Helder. Na saída, antes de Lourenço agradecer a paciência do menino, os dois conversavam um pouco. Coincidentemente, Helder ocuparia o mesmo cargo de Lourenço treze anos depois. Desde que deixara o Ceará, Lourenço atuara no interior e na capital paulista como professor e pesquisador em Pedagogia e Psicologia, publicara importantes estudos e a partir de 1932 se encontrava no Rio de Janeiro como membro da equipe do secretário de Educação do Distrito Federal, Anísio Teixeira.

Em 1934, Lourenço e Helder voltaram a se encontrar no Congresso Católico de Educação no Rio de Janeiro. A disputa entre católicos e escolanovistas azedara a relação entre ambos, principalmente porque Helder se encontrava no ápice de sua empolgação integralista, com uma retórica agressiva contra quem se opunha ao seu ideário político fascista e católico ultraconservador. E Helder chegava a ser descortês com os adversários, como ocorreu no episódio em que induziu o auditório do teatro José de Alencar, em Fortaleza, a abandonar uma das sessões da conferência de educação, deixando os educadores escolanovistas desamparados e estarrecidos. No Rio de Janeiro, a descompostura de Helder em Lourenço foi puramente verbal, mas nem por isso menos contundente.

Se os arroubos de juventude de Helder não lhe permitiam ser mais condescendente com os adversários, Lourenço já se encontrava em plena "idade da razão" e seu pragmatismo político o levou a adotar uma postura mais técnica e neutra em relação ao conflito entre católicos e escolanovistas, o que permitiu que sobrevivesse às perseguições políticas que levaram, inclusive, o educador Anísio Teixeira a abandonar seu cargo de secretário da Educação do Distrito Federal e se esconder na fazenda de seu cunhado em Caetité, interior da Bahia, para não ser preso sob a falsa acusação de comunista. Lourenço Filho, ao contrário, conseguiu manter altos cargos no Ministério da Educação, como a direção do Instituto Nacional de Estudos Pedagógicos, durante a gestão do ministro Gustavo Capanema, indicado diretamente pela Igreja Católica ao presidente Getúlio Vargas.

Quando Helder assumiu a Diretoria de Instrução Pública de seu estado, em junho de 1935, teve a humildade de reconhecer que precisava da ajuda de um educador experiente como Lourenço Filho, que já ocupara o mesmo cargo, e os dois passaram a se corresponder regularmente. Lourenço relevou os acintes praticados por Helder e colaborou como pôde, enviando do Rio de Janeiro inúmeras sugestões, estudos, solicitando dados e se solidarizando com as dificuldades enfrentadas por Helder.

Assim que apresentou seu pedido de demissão ao governador Menezes Pimentel, Helder novamente recorreu a Lourenço Filho; dessa vez, por meio de um telegrama enviado em 23 de novembro de 1935, solicitava uma colocação na capital do país:

> LOURENÇO FILHO
> RUA MARIS BARROS 227 RIO
>
> IMPERATIVO CONSCIÊNCIA ABANDONEI DIRETORIA
> INSTRUÇÃO FACE ARBITRARIEDADE GOVERNO
> ANSEIO TODAVIA TRABALHAR EDUCAÇÃO CUJA
> CAUSA SINTO POSSO SER ÚTIL
> HORRÍVEL PRESENCIAR MORTE MEUS SONHOS
> EXULTARIA AMIGO CONSEGUISSE CAPANEMA MARGEM
> COLABORAR INSTITUTO OU MINISTÉRIO
> SOLICITARIA CONVITE SEU POSSA MOSTRAR MOVER
> ARCEBISPO
> RESPONDA GUILHERME ROCHA 808
>
> HELDER

Quatro dias depois de enviado o telegrama, como não recebesse nenhuma resposta de Lourenço Filho, Helder resolveu escrever-lhe uma carta explicando-se melhor:
Prezado e ilustre amigo, dr. Lourenço

> ... Deixei o Departamento de Educação por estar o governo fazendo partidarismo faccioso. Sou camisa-verde – no entanto, ninguém pode inculpar-me de haver uma vez sequer lançado mão de meu cargo com intuitos partidários. O mesmo não vem fazendo o governo. Sentindo a força dos integralistas, vem consentido em arbitrariedades contra meus amigos, arbitrariedades que culminaram no lamentável conflito de Sobral...

Depois de mencionar vários projetos de que iniciara a implementação durante sua curta passagem pela Diretoria e dos quais esperava que os resultados começassem a aparecer em 1936, Helder chega à conclusão de que teve de "sair na hora mais feliz – a da colheita". A carta continua, então, em tom dramático:

> ... O senhor, que é um idealista, há de compreender o dilaceramento que venho sentindo ao ver e sentir que meus sonhos vão morrer. É horrível, dr. Lourenço. Daí meu desejo de

partir. De fugir para longe, bem longe... Na impossibilidade de trabalhar com eficiência aqui, anseio por outro campo onde empregar minha ação...

Mas Helder está tão inseguro quanto à possibilidade de ver atendido seu pedido de trabalho que decide, de antemão, apresentar a Lourenço algumas explicações sobre três polêmicos atributos pessoais que poderiam dificultar-lhe uma colocação em um emprego público – a militância integralista, a formação autodidata na área educacional e o sacerdócio:

> ... Não há razão de temer pelo meu integralismo. A meu ver, servirei ao sigma, trabalhando, honestamente, pela criação do sistema educacional de que precisa nosso país. Demais, não há tantos comunistas nas repartições?
>
> Sou autodidata, é verdade – mas quantos não o são entre nós?
>
> Sou sacerdote – mas não tenho ideias pequeninas e sinto que serei antes um elo que um traço de desunião.
>
> ... Desculpe a franqueza e a liberdade com que lhe falo. Quem sabe se não é a Providência que me aproxima do Senhor?...
>
> ... Do amigo e admirador em Jesus Cristo

Padre Helder

Lourenço Filho respondeu à correspondência de Helder nos dias seguintes, por telegrama, comunicando-lhe seu empenho em tentar atender ao pedido do amigo:

> PADRE Helder Camara
> RUA GUILHERME ROCHA 808
> FORTALEZA (CEARÁ)
>
> ESTOU TRABALHANDO MÁXIMO EMPENHO SUA VINDA
> MINISTRO EDUCAÇÃO TEM PRONTA REFORMA MINISTÉRIO
> A SER ENVIADA CÂMARA
> PROMETEU CONSIDERAR CASO MAIOR INTERESSE QUESTÃO
> POUCOS DIAS
> ABRAÇOS
> LOURENÇO FILHO

A vaga no Ministério da Educação não apareceu, mas nos dias seguintes Lourenço conseguiu para Helder o cargo de assistente técnico de educação na repartição que chefiava – o Instituto de Educação do Distrito Federal. Além da amizade consolidada entre os dois nos últimos meses, havia motivos políticos para que Lourenço Filho tentasse atender ao pedido de Helder. Lourenço precisava se fortalecer politicamente com o apoio da influente Igreja Católica para não perder seu cargo, pois o secretário da Educação, Anísio Teixeira, e o próprio prefeito do Distrito Federal, Pedro Ernesto, podiam cair a qualquer momento, em razão dos boatos de que apoiavam veladamente um plano de insurreição que estava sendo preparado pelo Partido Comunista do Brasil e por uma ala mais à esquerda do Movimento Tenentista.

A insurreição eclodiu em 23 de novembro, mesmo dia em que Helder lhe enviara o telegrama comunicando seu pedido de demissão e, de fato, em 1º de dezembro,

Anísio Teixeira foi destituído do cargo e logo depois aconteceria o mesmo com o prefeito Pedro Ernesto, que seria inclusive preso em abril de 1936. No lugar de Pedro Ernesto, assumiu o presidente da Câmara dos Vereadores, cônego Olímpio Melo, e para o lugar de Anísio Teixeira foi nomeado Francisco Campos, ex-ministro da Educação futuro ministro da Justiça que, em 1937, redigiria a Constituição do Estado Novo – ambos homens da estrita confiança do cardeal Sebastião Leme. Como era de esperar, Lourenço Filho não foi prejudicado pelas mudanças.

Assim que recebeu de Lourenço a comunicação do novo trabalho, Helder tinha, ainda, um último problema a resolver: conseguir de seu arcebispo autorização para mudar-se para outra Diocese. Para que dom Manoel não pensasse que um de seus padres tomara a iniciativa de sair de sua jurisdição (o que, de fato, ocorrera), Helder resolveu escrever uma carta em 4 de dezembro pedindo para que Lourenço Filho lhe enviasse um novo telegrama:

> ... Tomo a liberdade de lembrar-lhe que, para efeito exclusivo de ação junto ao arcebispo (cuja licença me é necessária para partir), pedi que o senhor redigisse em forma de convite o telegrama em que me avisasse a solução do caso. Não quero que meu bispo pense que eu estou trabalhando para sair de sua Diocese – o que, aliás, faço exclusivamente pelas razões ponderadas de seu conhecimento. Sua bondade saberá ter destes requintes e mais preso ainda lhe ficará seu amigo.
>
> Pe. Helder.

Já de posse do telegrama contendo o convite de Lourenço Filho, Helder foi ouvir o que pensava a respeito o seu superior hierárquico. O arcebispo estava extremamente preocupado com o conflito entre integralistas e o governo, em particular com o pedido de demissão de Helder, temeroso de que fossem estremecidas as relações da Arquidiocese com o governador Menezes Pimentel, e ouviu atentamente o relato sobre o convite recebido. Como pensava que seu polêmico subordinado nem sequer vislumbrara, até então, abandonar a terra natal, dom Manoel foi tão efusivo no incentivo para que o convite fosse aceito, que não ficaram dúvidas sobre o seu desejo de se livrar do jovem padre:

> – Meu filho, é Deus, é Deus quem o está chamando para o Rio de Janeiro. Aceite! Vá, meu filho, vá!

Helder ficou mais que satisfeito por ter conseguido aquela licença sem conflitos com seu superior. Obediente à hierarquia, não toleraria ser considerado desertor nem um empecilho para a realização da estratégia traçada por dom Manoel para ampliar a influência política da Arquidiocese no estado. As negociações de uma transferência para a Arquidiocese do Rio de Janeiro ficaram a cargo do próprio dom Manoel e de seus auxiliares, que rapidamente conseguiram a concordância do cardeal dom Sebastião Leme em receber o jovem padre. Com sua situação na Arquidiocese totalmente resolvida, Helder ficou ansioso para iniciar a nova fase de sua vida, como demonstra um outro telegrama enviado no dia 19 de dezembro a Lourenço Filho:

SEM QUERER SER IMPERTINENTE PEÇO ILUSTRE AMIGO
INFORME AÉREO SE POSSO PREPARAR IDA OU MESMO IR

HELDER

Helder partiu de Fortaleza, em 7 de janeiro de 1936, a bordo do navio Afonso Pena, e desembarcou no cais Facoux, Rio de Janeiro, no dia 16 do mesmo mês. Dias depois foi recebido pessoalmente por dom Leme em um almoço no Palácio São Joaquim, onde ouviu emocionado o cardeal referir-se a ele em um brinde, de acordo com o relato do jornalista Marcos de Castro, dizendo que tinha certeza de que Helder "só iria reforçar a fama de caçador de esmeraldas que conquistara como arcebispo do Rio, por atrair para lá o que havia de melhor em todas as dioceses".

Mas na primeira reunião de trabalho com o poderoso vigário-geral da Arquidiocese, monsenhor Rosalvo Costa Rego, um dia depois do almoço solene, Helder ouviria atento uma exigência que o cardeal deixara para a ocasião e da qual não abriria mão: o engajamento partidário dos padres não era tolerado pela Arquidiocese e sua militância na Ação Integralista Brasileira deveria ser encerrada. Como Helder estava deprimido com a mudança indesejada para o Rio, magoado com a morte da mãe e fatigado pelos acontecimentos políticos que tanto o haviam aborrecido nos últimos meses, não vacilou em aceitar a exigência de dom Leme, ainda mais porque já se considerava desencantado com a prática e a doutrina integralistas. Por outro lado, abandonar a AIB por exigência de seu superior era também um ótimo argumento para escapar das pressões dos inúmeros amigos integralistas que não concordariam com o seu afastamento.

A família Camara no início dos anos 1940 no Rio de Janeiro: Nair – à esquerda de vestido preto; Helder – (atrás do pai) João Camara Filho (de óculos); Eduardo (de chapéu) e a esposa Elisa.

Mesmo assim, ao afastar-se do integralismo, algumas pendências do movimento no Ceará teriam de ser resolvidas por ele no Rio de Janeiro: a principal era fazer com que o coordenador nacional da Liga Eleitoral Católica, Alceu Amoroso Lima, interviesse na LEC cearense, para reverter a ordem do arcebispo dom Manoel de não indicar ao eleitorado os candidatos integralistas na eleição seguinte. Padre Helder conseguiu que o cardeal Leme desse "um formidável pito" em dom Manoel e, satisfeito, em abril de 1936, envia um telegrama para seus correligionários no Ceará:

> Tristão (Alceu A. Lima), após conferência cardeal, Núncio, me autoriza transmitir absoluta reprovação atitude senhor aí. Parte reservada não seguiu, não seguirá nota oficial desaprovação atuação Arcebispo. Este receberá correspondência urgente, inclusive palavra Nunciatura. Fico zelando. Comuniquem novidade. Anauê. Helder.

Os integralistas cearenses aproveitaram o telegrama de Helder e o publicaram nos jornais, na tentativa de desautorizar dom Manoel. Estranhamente, se a correspondência urgente em reprovação ao arcebispo de Fortaleza foi, de fato, enviada do Rio de Janeiro pelo cardeal e pela Nunciatura, não chegou ao destinatário. Dom Manoel escreve, então, uma carta em 11 de abril de 1936, cobrando de Helder um esclarecimento sobre o telegrama e aproveitando para atacar os integralistas:

> De passagem, e humildemente, digo-lhe que também não compreendo agora o ideal integralista de Deus, pátria e família diante do que vi aqui nas eleições, quando se pretendia apenas galgar posições, esquecidos de Deus etc. As afinidades entre pessedistas, maçons, comunistas, ímpios e os integralistas estreitaram-se aqui...

Essa última polêmica travada com dom Manoel foi mais um motivo de desalento para Helder, mais uma razão para que abandonasse as disputas políticas e voltasse a se dedicar aos estudos, à atividade profissional e a seu apostolado.

NOVAS AMIZADES

Quando vim da minha terra
se é que vim da minha terra
(não estou morto por lá?)
a correnteza do rio
me sussurrou vagamente
que eu havia de quedar
lá donde me despedia.

Os morros, empalidecidos
no entrecerrar-se da tarde,
pareciam me dizer
que não se pode voltar,
porque tudo é consequência
de um certo nascer ali.

Carlos Drummond de Andrade

Foi o amigo monsenhor José Quinderé quem indicou a Helder a pensão em que se hospedaria pelos cinco anos seguintes no Rio de Janeiro. Dona Cecy Cruz, aliás, não gostava que sua casa fosse chamada de pensão, para não ser confundida com um alojamento provisório para os inúmeros desvalidos que chegavam todos os dias à capital federal vindos de todos os cantos do país.

Localizada no número 205 da rua São Clemente, em Botafogo, "vizinha da igreja de Santo Inácio, do lado direito de quem olha a igreja de frente", como orientava Helder aos amigos que convidava para uma visita, em uma construção do final do século XIX, de propriedade de um herdeiro da família real brasileira, o príncipe dom Pedro de Orleáns e Bragança, a casa alugada a Cecy Cruz, e transformada em pensão, era considerada um verdadeiro "consulado cearense", por hospedar os filhos das famílias mais influentes do Ceará que vinham ao Rio para estudar, como os sobrinhos do monsenhor Quinderé e vários rapazes e moças Bacelar, Vale Ferro e tantas outras.

Mais tarde, Helder escreveria que "a Cecy criou um verdadeiro lar" para ele. Lá foi recebido com muita amizade e dispondo dos mesmos confortos que contava em sua casa em Fortaleza: quarto individual, roupa lavada e refeições feitas com capricho. O ambiente era também muito agradável e lá Helder conheceu o jovem padre pernambucano José Távora, fiel amigo para o restante da vida.

Mas, para ele, "o sol da casa, o calor, a alegria, a fineza era Nairzinha", sobrinha de Cecy Cruz, que passou a ciceroneá-lo em inúmeros passeios aos pontos turísticos da cidade, "como companheira de todos dias" e "introdutora nos segredos do Rio", pacientemente curando-o "da saudade imensa que trazia do Ceará". A beleza física de Nair também não passava despercebida por Helder, que achava seu "rosto lindo e iluminado por dentro". Os dois se viam frequentemente na pensão, onde a moça também morava, e nos fins de semana ou nos dias de Carnaval divertiam-se juntos nas festas do "consulado" ao som das marchinhas carnavalescas dos últimos anos, insistentemente tocadas pelas rádios Sociedade, Clube do Brasil, Mayrink Veiga, Educadora e Philips, como "Ride palhaço" e "Uma andorinha não faz verão", de Lamartine Babo, "Feitiço da vila" e "Fita amarela", de Noel Rosa, cantadas pelo próprio autor ou por seus intérpretes Mário Reis, Aracy de Almeida e Almirante.

Ouvindo e cantando as marchinhas, padre Helder entrava em contato com manifestações da cultura popular diferentes das da tradição nordestina a que estava acostumado desde a infância e que expressavam o nascimento de um Brasil mais urbanizado e desenvolvido economicamente, como demonstra o samba "Você vai se quiser", composto para o carnaval de 1937 por Noel Rosa e gravado por ele e Marília Batista, no qual se percebe claramente como os problemas relativos à igualdade entre os sexos trazidos pela participação crescente da mulher no mercado de trabalho começam a ser assimilados pelo imaginário masculino:

Você vai se quiser
Você vai se quiser
Pois a mulher
Não se deve obrigar a trabalhar
Mas não vá dizer depois
Que você não tem vestido
E o jantar não dá pra dois

Todo cargo masculino
Desde o grande ao pequenino
Hoje em dia há pra mulher

E por causa dos palhaços
Ela esquece que tem braços
Nem cozinhar ela quer

Você vai se quiser...
Os direitos são iguais
Mas até nos tribunais
A mulher faz o que quer
Cada qual que cave o seu
Pois o homem já nasceu
Dando a costela à mulher
Você vai se quiser...

Na capital federal, padre Helder também entraria em contato com outra paixão nacional, depois do carnaval e do samba: o futebol. Era impossível a qualquer morador do Rio de Janeiro, mesmo a um padre, ignorar a movimentação da cidade, transformada em dia de carnaval nos domingos de Fla-Flu. Só no ano de 1936, quando Helder chega ao Rio, a cidade assiste a dez clássicos entre Flamengo e Fluminense e, de acordo com o escritor Ruy Castro, nessa época

> começaram a aparecer o mar de bandeiras, os torcedores uniformizados, as charangas e, nos jogos noturnos, as lanternas, os fogos e os balões, tudo com as cores de Flamengo e Fluminense. Os torcedores levavam tambores de escola de samba, pratos de banda militar, clarins e até sinos.

Além de bela e alegre, a amiga Nair era muito inteligente e ilustrada, o que permitia que participasse de um seleto grupo de jovens intelectuais que se reunia com frequência para discutir política, religião, teatro, literatura e cinema. Helder foi introduzido por ela nessa roda de amigos que incluía Fernando Carneiro, Barreto Filho, Sobral Pinto e Santiago Dantas. Na realidade, todos já se conheciam de alguma forma, e Nair tratou logo de quebrar o gelo na relação de Helder com os demais, o que foi fácil, pois havia entre eles muitas afinidades intelectuais: o gosto pelos clássicos da literatura, o cultivo das artes e a proximidade de todos com o catolicismo e o integralismo.

Fernando Carneiro era um médico cearense que Helder já conhecia de vista, e Nair tratou de aproximá-los. Por sua vez, ainda em janeiro de 1936, foi Fernando quem levou Sobral Pinto até a pensão de Helder para que os dois se conhecessem. Sobral Pinto, que se tornaria um dos mais ilustres advogados do país, lembrava-se do nome Helder Camara, pois acompanhava de perto a Ação Integralista, apesar de nunca ter aderido formalmente ao movimento, mesmo tendo sido amigo pessoal do líder Plínio Salgado. Nessa época, Sobral já começava a ficar conhecido como intransigente defensor da democracia, e por isso resistia aos apelos de vários amigos para que ingressasse em um movimento de vocação ditatorial. Santiago Dantas era conhecido de Helder desde 1934, quando os dois participaram juntos de algumas manifestações integralistas no Rio de Janeiro, mas agora passariam a ter um convívio mais próximo e intenso.

Outra grande amiga com quem Helder conviveu bastante logo que chegou ao Rio foi a pedagoga Celina Nina, moça maranhense que conhecia desde 1933 e que se mudara para o Rio também a convite de Lourenço Filho, para dirigir o jardim de infância do Instituto de Educação. Lourenço chegou a enviá-la aos Estados Unidos para que se especializasse em sua área. Helder achava Celina "linda, meiga, inteligente, fina e educada", e ela gostava de almoçar em sua companhia durante a semana, para que ele não se sentisse "ilhado" na capital do país. Helder retribuía a hospitalidade da amiga visitando-a em seu jardim de infância e ficava "morrendo de vontade" de ir descansar com as crianças nas suas esteirinhas, em uma sala onde tocava uma suave música a meia-luz. Em uma das visitas, Helder chegou a se surpreender ao ver Celina, "uma professora branca, beijar com a maior simplicidade uma criança negra". Nos fins de semana, Celina também visitava Helder na pensão.

Santiago Dantas conversa com o amigo Alceu Amoroso Lima e, depois de dizer-lhe que participara de uma reunião em que o jovem padre cearense Helder Camara falara de forma arrebatadora, perguntou-lhe se o conhecia. Alceu lembrou-se de um comentário do cardeal Leme sobre a chegada de Helder e também que os dois já se conheciam por correspondência desde 1928. Santiago Dantas combinou, então, de apresentá-los. Quando o fez, Alceu não perdeu a oportunidade de convidar Helder para dar uma palestra na sede do Centro Dom Vital, na praça 15 de novembro. Helder aceitou o convite e falou em um dia em que a sala de conferências do centro ficou repleta de intelectuais, artistas e escritores. Entre os presentes estava Jorge Amado, então com 24 anos, mas já autor respeitado por seus romances *O país do carnaval, Cacau, Suor* e *Jubiabá.*

Helder aproveitou também a proximidade com Alceu para pedir-lhe que o ajudasse a esclarecer com Severino Sombra a origem do boato de que mantinha um romance com Letícia Ferreira Lima. Alceu, também amigo de Sombra, aceitou a incumbência. Como a acusação contra Helder era falsa e, por outro lado, Alceu soube que a origem do boato não poderia ser atribuída a Sombra, que alegava ser "incapaz de veicular semelhante infâmia", não foi difícil promover um encontro de reconciliação entre os dois, sendo também relevadas as divergências políticas que os separavam desde 1934. Do encontro resultou uma carta de esclarecimento assinada por padre Alceu, outro pseudônimo usado por Helder, dirigida ao clero cearense e à diretoria da Sindicalização Feminina em 18 de fevereiro de 1937, com indisfarçável tom de satisfação e contentamento:

> Tenho uma grande alegria a comunicar a vocês: domingo próximo, com a graça de Deus, me encontrarei com o Sombra, que vai comungar em minha missa. Estão perguntando quem capitulou? Ninguém. Convencêmo-nos de que houve muita exaltação de lado a lado, muita intriga de terceiros *e, sobretudo, eu me convenci de que não era exata a suposta acusação que ele teria feito contra a minha honra de sacerdote* [sublinhado por Helder].

> Digam isto em todos os sindicatos. Espalhem em toda parte que o Pe. Helder fez as pazes com o Tenentão, ou melhor, encontrou-se com ele, porque ódio vocês sabem que não havia no meu coração... Quanta paz e quanta felicidade o Bom Deus derrama sobre mim! Vocês que me acompanham, leais, em todos os meus sofrimentos e em todas as minhas alegrias me entenderão perfeitamente hoje, mesmo porque, no íntimo, todos desejávamos sempre que se tornasse possível a reconciliação... Peçam a Nosso Senhor para que eu seja cada vez mais dele e para que em mim a voz da graça fale sempre mais forte do que os instintos e do que a carne... O amigo e irmão em J.C. Padre Alceu.

Mesmo com uma vida social intensa, em um ambiente alegre e agradável como a casa de Cecy Cruz, trabalhando na Secretaria da Educação e atuando como capelão de uma casa de saúde, a tristeza de Helder resistia em abandoná-lo. Sua vida carecia de sentido e uma solução que imaginou para superar a crise foi ingressar na ordem dos Jesuítas. De tanto insistir com a amiga Nairzinha, foi apresentado ao padre Riou, o provincial dos Jesuítas no Rio, a quem pediu permissão para entrar na Companhia de Jesus. Padre Riou, que conhecia a trajetória de Helder no movimento integralista, resolveu encaminhá-lo a uma conversa com o padre e teólogo Leonel Franca, que foi quem conseguiu demonstrar-lhe que estava equivocado em seu desejo. Helder desde o seminário era influenciado pelos livros e artigos do padre Franca e, por isso, acatou-lhe a opinião e passou a visitá-lo com frequência na busca de orientação espiritual.

Apesar das dificuldades iniciais de adaptação, logo após sua repentina e indesejada mudança, Helder aos poucos foi percebendo como era gratificante viver em uma cidade bela e cosmopolita como o Rio de Janeiro, que lhe possibilitava conviver regularmente com as figuras mais importantes do catolicismo nacional na época, como o cardeal Leme, o padre Franca e Alceu Amoroso Lima, cultivar amigos como Nair Cruz, Celina Nina, Santiago Dantas e Sobral Pinto, e trabalhar com os grandes educadores Lourenço Filho e Everardo Backheuser.

Da esquerda para a direita (de pé): o terceiro é o poeta Manuel Bandeira, o quinto é o líder católico Alceu Amoroso Lima e o sétimo é Helder. Sentados: o educador Manuel Bergstrom Lourenço Filho e o terceiro é o ministro da Educação Gustavo Capanema.

NOS MEANDROS DA BUROCRACIA

As pessoas que por razões profissionais estão ligadas ao sofrimento alheio, como juízes, policiais ou médicos, com o correr do tempo se endurecem, por força do hábito, a ponto de assumirem perante seus clientes uma atitude meramente formal, e assim em nada se diferenciarem do campônio que, nos fundos da quinta, abate carneiros e vitelos, sem notar o sangue que derrama.

Anton Tchekhov, *A enfermaria nº 6*

O primeiro trabalho profissional de Helder no Rio de Janeiro foi assessorar Lourenço Filho, que dirigia o Instituto de Educação do Distrito Federal. Mas ele não se sentia totalmente à vontade e seguro na função, apesar da hospitalidade de Lourenço, que, sempre que podia, fazia questão de convidá-lo para o almoço. Precavidamente, trouxera em sua bagagem uma carta de recomendação dirigida ao escritor Austregésilo de Athayde, futuro presidente da Academia Brasileira de Letras, escrita pelo próprio irmão deste, de quem era muito amigo no Ceará. Mas, quando foi entregar pessoalmente a carta, tentar iniciar ali uma amizade e pedir ajuda para conseguir outra colocação, Austregésilo não se dispôs a recebê-lo. Sua esposa, visivelmente constrangida, foi quem conversou com Helder por alguns instantes, antes que fosse embora.

Sem outra alternativa, Helder trabalharia com Lourenço Filho ainda por alguns meses, até receber o convite do amigo Everardo Backheuser para transferir-se para o Instituto de Pesquisas Educacionais, órgão também vinculado à Secretaria de Educação do Rio de Janeiro. O próprio Backheuser convenceu Lourenço Filho a liberar Helder para assumir a chefia da Seção de Medidas e Programas do instituto que dirigia. Helder passou a ter a incumbência de elaborar e acompanhar a aplicação de testes de avaliação do aproveitamento escolar dos cerca de 120 mil alunos das escolas primárias do Rio de Janeiro e de supervisionar os programas de ensino adotados nas escolas. Ali, Helder faria uma grande amizade com Alfredina Paiva e Souza, passando a visitar sua casa com frequência.

No futuro, Helder não sentiria nenhuma saudade daquela atividade, mas, na época, experimentava certa satisfação em preparar os "testes de inteligência" objetivos para os alunos, recorrendo a modelos e sistemas sofisticados importados das escolas de Psicologia dos Estados Unidos.

Na Secretaria de Educação do Distrito Federal, Helder não se atinha apenas às atribuições profissionais, seu cargo era também uma posição política ocupada estrategicamente para ajudar na realização dos objetivos temporais dos católicos. Frequentemente Helder era procurado por militantes católicos leigos ou seus parentes em busca de um emprego público.

Como sua função era eminentemente técnica, ele buscava o apoio de amigos com real poder de decisão e intercedia pelas pessoas que o procuravam. Em agosto de 1938, por exemplo, a Secretaria de Educação realizaria um concurso público para o provimento de alguns cargos auxiliares na Universidade do Distrito Federal. As provas do concurso haviam sido preparadas pela seção chefiada por Helder. Pouco antes da divulgação do edital, o concurso é cancelado e, em seu lugar, são enviadas cartas circulares a três candidatos que já haviam procurado emprego na Secretaria. Surpreendido, Helder escreve ao dr. Alceu Amoroso Lima para que conseguisse incluir dois novos nomes, Milton Durão e Dario Gomes de Araújo, na lista de candidatos existentes, pois ele não poderia pedir pessoalmente à Secretaria tal inclusão, já que haviam sido preparadas em sua seção as provas que seriam aplicadas aos candidatos.

O que aliviava um pouco o cansaço provocado pela rotina do trabalho burocrático eram as visitas que quase diariamente recebia do amigo Sobral Pinto. Os dois encontravam-se ao final do expediente, após Sobral deixar o trabalho no fórum, saíam juntos e ficavam horas e horas conversando. Num desses dias, os dois passaram por uma situação desagradável, de acordo com o que contou Sobral Pinto: quando Helder "saía de sua repartição... que ficava na rua Álvaro Alvim, na Cinelândia, um militante comunista, que ainda o supunha integralista, dirige-se a ele, pega em seus ombros, sacode-o e começa a injuriá-lo. Ele não teve um gesto de impaciência, revolta nem indignação. Apenas disse: 'Eu o perdoo'. E disse de tal forma que o homem apenas respondeu: 'Desculpe-me'. E retirou-se".

Por essa época, houve no Ministério da Educação e Saúde um concurso para técnico em educação. Helder foi logo pedir ao cardeal Leme autorização para prestá-lo e, caso fosse aprovado, assumir o novo cargo, argumentando que se achava na obrigação de fazê-lo, pois conseguira seu emprego por indicação de Lourenço Filho e desejava agora uma aprovação em concurso público. Dom Leme concordou, pois tinha vários motivos para isso. Com um cargo no Ministério da Educação, Helder garantia a própria subsistência, pois vivia do próprio salário, e a Igreja mantinha ocupada uma posição em um órgão governamental que controlava desde 1934 na pessoa do ministro Gustavo Capanema, que assumira a pasta na condição de homem de confiança de Alceu Amoroso Lima para implementar o projeto educacional católico. (O presidente Vargas concordara em deixar o Ministério da Educação sob a influência da Igreja como recompensa ao apoio que recebia dos católicos desde que fizera um pacto com o cardeal Leme no início dos anos 1930).

Helder prestou o concurso apresentando um estudo sobre os testes avaliativos que elaborava e aplicava na Secretaria da Educação do Distrito Federal. Mais tarde, o próprio autor se sentiria tão insatisfeito com o estudo elaborado que trataria de destruir os exemplares que guardara. Para a prova de títulos do concurso, Helder teve de recorrer a um expediente ilícito, solicitando a dr. Alceu que lhe conseguisse no Instituto de Educação Familiar e Social, de propriedade de uma senhora católica e que ajudava a dirigir, um atestado de que vinha lecionando Psicologia.

A esperada aprovação no concurso ocorreu na seguinte ordem de classificação: em 1º, Murilo Braga, em 2º, Paschoal Leme, em 3º, padre Helder Camara e, na 4ª colocação, Manuel Marques de Carvalho. Faziam parte da banca examinadora alguns dos grandes nomes da intelectualidade da época: Fernando de Azevedo, o próprio Lourenço Filho, Almeida Júnior e o botânico Fernando Rodrigues da Silveira. Entre os candidatos que não conseguiram boa colocação no concurso ou que foram reprovados estavam o escritor Josué Montello e o historiador José Honório Rodrigues.

Em 14 de fevereiro de 1939, foi publicada no *Diário Oficial* a nomeação dos quatro primeiros classificados como técnicos em educação. Dias depois, Helder assumiu a chefia da Seção de Inquéritos e Pesquisas do Instituto Nacional de Estudos Pedagógicos (Inep), presidido por Lourenço Filho. No número 16 da *Revista Brasileira de Estudos Pedagógicos* aparece um resumo das atribuições da seção chefiada por Helder: "a) sistematização de dados sobre o movimento escolar, em todo o país, a partir de 1932, e coleta dos dados e informações possíveis em exercícios anteriores; b) prontuário especial do movimento do ensino, no quinquênio 1932-1936, em todos os seus graus e ramos; c) prontuário das despesas de educação, por parte dos estados e municípios, segundo os respectivos orçamentos publicados para o exercício; d) estimativa da 'área escolarizada' e da 'área de possível escolarização', no país; e) plano para estudo da distribuição dos alunos por graus de ensino e grupos de idade".

Nos anos seguintes, Helder trabalharia em várias repartições do Ministério, como as diretorias de ensinos primário, secundário e superior, preenchendo sua rotina de membro da burocracia ministerial recebendo processos de uma seção e encaminhando a outra, não sem antes emitir seu parecer como técnico em educação, realizando despachos com os superiores, assinando o livro ponto na entrada e na saída e, é claro, aguardando o pagamento mensal com a expectativa de que viessem aquelas diárias do mês anterior ou a verba de comissão prometida pelo ministro, pois, afinal, vivia de seu salário.

No dia a dia, a amizade e a confiança dos colegas de ministério faziam dele uma espécie de diretor espiritual da repartição, o que levava a frequentes interrupções de seu trabalho por pessoas que precisavam comunicar-lhe uma confidência durante a degustação de um restaurador cafezinho, explicar-lhe os motivos que levaram fulano a subir, sicrano a descer, avisar-lhe que finalmente seria publicado no *Diário Oficial* do dia seguinte a tão pleiteada nomeação de beltrano e, em tom de segredo, cochichar-lhe que o "homem", no caso o ministro Capanema, estava cada vez mais em alta no Catete, apesar de insistir em manter aquele poeta comunista, o... Carlos Drummond de Andrade, na sua chefia de gabinete: "É, na verdade quem manda aqui é ele, porque o ministro só vive em solenidades".

Um dia padre Helder sentiu-se enfastiado com tudo aquilo e foi até o amigo Alceu fazer-lhe um pedido inesperado:

– Dr. Alceu, venho lhe fazer um pedido muito especial. Quero sua intercessão ao Cardeal para que ele me dispense de meu cargo no Ministério.

Alceu sorriu, pois achava padre Helder muito mais próximo do cardeal do que ele, um leigo. De qualquer forma, ouviu a argumentação do amigo, que pretendia dedicar-se exclusivamente às atividades sacerdotais e sair pelo país afora pregando, porque esta era a missão que concebia para si, e não ficar em uma repartição pública tomando o cargo que um leigo ocuparia com mais gosto e competência, em sua opinião. Alceu aceitou a incumbência e foi pedir a dom Leme que liberasse Helder do trabalho no Ministério. Mas não teve sucesso. O cardeal achava que a Igreja necessitava do padre Helder onde ele estava, próximo a pessoas que quase sempre se mantinham afastadas da prática religiosa: a simples presença de um sacerdote já representava um importante apostolado.

Helder continuou no Ministério e demonstrou, na prática, que dom Leme tinha razão em não liberá-lo, não só pelo motivo da necessidade da presença de um padre entre católicos pouco praticantes. Ali, padre Helder obtinha informações oficiais em primeira mão, intercedia em favor de terceiros para obter transferências de professores ou agir em defesa dos interesses católicos na área educacional.

Seu objetivo principal no Ministério "era fazer com que a legislação que permitia o ensino religioso nas escolas públicas fosse aplicada em todo o país com seriedade e competência", como relatou seu amigo Sobral Pinto. Como, por exemplo, quando, devidamente instruído por dr. Alceu, tratou diretamente com o ministro Gustavo Capanema, em janeiro de 1941, sobre o interesse dos católicos em inspecionar as escolas normais, com autonomia para orientar os estabelecimentos confessionais. A posição no Ministério também permitia que Helder atuasse como um articulador dos interesses católicos, que dominavam a oferta de ensino secundário particular no país. Naquele mesmo ano, ocupando um cargo no Departamento Nacional de Educação, ajuda a organizar o III Congresso Católico Nacional de Educação.

Como na mesma época Alceu Amoroso Lima era membro do Conselho Nacional de Educação, os dois combinavam uma atuação conjunta. Outro exemplo: em outubro de 1941, o Colégio Nossa Senhora de Lourdes, de Aracaju, passava por uma inspeção federal. A madre superiora queixa-se a Helder de que o relator do processo de inspeção era "um comunista fichado" e por isso apresentara "um relatório tendencioso e falso". Helder, então, solicita que durante a reunião do Conselho Nacional de Educação Alceu peça revisão do processo.

Em outra ocasião, dr. Andrade Furtado, destacado militante do laicato cearense, a quem Helder chamava de "Tristão do Ceará" em alusão ao pseudônimo usado por Alceu, solicita a Helder que consiga um emprego no Rio para sua "filhinha" Abigail. Helder escreve, então, a Alceu e pede que o ajude a atender ao pedido do amigo comum, pois ele já "fizera tudo para arranjar um lugar, mesmo humilde", em que ela pudesse se apoiar, e ainda nada conseguira.

Além de se envolver com esses problemas na Secretaria de Educação do Distrito Federal e, depois, no Ministério da Educação, padre Helder mantinha uma intensa atividade intelectual e apostólica como redator chefe da *Revista Brasileira de Pedagogia* (de existência efêmera em razão da falta de fundos), dirigida por Everardo Backheuser, como membro do Conselho Arquidiocesano do Ensino Religioso e assistente eclesiástico do Secretariado de Educação da recém-criada Ação Católica Brasileira. Ainda encontrava disposição para escrever artigos para as revistas *A Ordem*, do Centro Dom Vital, e *Formação*, do Ministério de Educação, e, a partir de 1942, acrescenta à sua agenda algumas aulas de Didática Geral nas Faculdades Católicas, transformadas na PUC do Rio de Janeiro, e na Faculdade de Filosofia do Instituto Santa Úrsula.

Com toda essa disponibilidade e dinamismo, a inserção de Helder no meio eclesiástico carioca só poderia ter sido, no mínimo, polêmica, e ele não fazia por menos. Uma de suas primeiras pregações diante dos colegas da Arquidiocese aconteceu em uma Hora Santa do Clero, evento movido por dom Leme, na igreja de Santana, com o objetivo de aprimorar a formação de seus sacerdotes. Helder subiu ao púlpito para falar e, nas palavras de Carlos Heitor Cony,

> A figura magra, pálida, olhos fechados, mãos trêmulas e exaltadas, pronunciou uma oração que até hoje é recordada pelos padres do Rio. Um sermão que foi quase um escândalo: ele cobrou dos sacerdotes aquele fervor, aquele entusiasmo que o dia a dia ia pouco a pouco esfriando. Parecia em transe, alçado sobre as cabeças de todos os padres da cidade, enumerando as tibiezas de cada um e de todos, o desamor ao trabalho pastoral, a falta de garra no apostolado.

Sua participação no Conselho Arquidiocesano de Ensino Religioso ocorreu por designação de dom Leme, assim que chegara ao Rio de Janeiro. Helder atuava como diretor técnico do ensino religioso da Arquidiocese, sob a chefia do cônego José Maria Moss Tapajós, e sua tarefa era modernizar os métodos de ensino catequéticos da Arquidiocese e implantar o ensino de Religião nas escolas públicas, introduzindo métodos novos e mais participativos. Esta era uma missão relevante para a Igreja, pois o ensino de Religião entrava em vigor na rede oficial de ensino e era uma forma de transmissão da doutrina católica às novas gerações.

No início de suas atividades, Helder ajudou a promover algumas mudanças superficiais, organizando as "maratonas catequéticas", espécie de campeonato de conhecimento em voga na época. Cada Diocese selecionava os candidatos a um grande concurso da Arquidiocese do Rio, com provas escritas e respostas orais diante de um jurado que escolhia os campeões em conhecimentos sobre o catolicismo. O primeiro colocado ganhava uma viagem à Europa.

Aos poucos, Helder foi estudando em profundidade os problemas do ensino catequético e tentava resolvê-los com seus conhecimentos e vivência na área educacional, partindo da premissa de que o catecismo não era uma matéria retrógrada, "só possível de apresentar em moldes rígidos, mumificados, e só possível de ensinar de modo enfadonho e desagradável", como escreveu em um artigo para a revista *Formação*. No seu modo de ver, era necessário utilizar novos métodos de ensino, inclusive os próprios ao movimento escolanovista, para tornar atualizado e contemporâneo o estudo do catecismo, pois entre Religião e Pedagogia Moderna, no seu entender, não havia incompatibilidade.

Helder chegou a propor um detalhado programa de ensino de Religião para o então curso ginasial que incluía o estudo de Dogma, Moral, Liturgia e História da Igreja Católica, mas de uma forma "dirigida à adolescência" e, portanto, que "não esquece que o sentido de força é uma das paixões dessa idade"; por isso, a Igreja deve surgir aos jovens "como a grande vitoriosa que realmente é". A proposta inovava por considerar os conhecimentos existentes sobre a psicologia da adolescência, adequando ao cotidiano dos jovens o ensino catequético. Um grande parceiro de Helder nesta tarefa foi o não menos inovador e contundente padre Álvaro Negromonte, com seus incontáveis cursos, artigos e livros sobre o ensino catequético nas escolas e paróquias. Como escreveu Raimundo Caramuru de Barros, os padres Helder e Negromonte conseguiram "escapar do abstracionismo catequético que dominava a apresentação do ministério da fé" até então, para "levar o catequizando a uma reflexão, mostrando-lhe as implicações de sua fé sobre seu comportamento pessoal e social".

DO INTEGRALISMO
AO HUMANISMO INTEGRAL

Este novo humanismo, sem medida comum com o humanismo burguês, e tanto mais humano quanto menos adora o homem, mas respeita real e efetivamente a dignidade humana e dá direito às exigências integrais da pessoa, nós o concebemos como que orientado para uma realização sociotemporal desta atenção evangélica ao humano, a qual não deve existir somente na ordem espiritual, mas encarnar-se, e também para o ideal de uma comunidade fraterna. Não é pelo dinamismo ou imperialismo da raça, da classe ou da nação que ele pede aos homens que se sacrifiquem, mas por uma vida melhor para seus irmãos e pelo bem concreto da comunidade das pessoas humanas; pela humilde verdade da amizade fraterna a fazer passar – ao preço de um esforço constantemente difícil, e da pobreza –, na ordem do social e das estruturas da vida comum; apenas dessa forma tal humanismo é capaz de engrandecer o homem na comunhão, e por isso ele não poderia ser outro senão um humanismo heroico.

Jacques Maritain, *Humanismo integral*

De acordo com a Constituição de 1934, um presidente eleito pelo voto direto deveria assumir o poder em 3 de maio de 1938. A partir de 1936, vários candidatos potenciais começam as articulações de bastidores em preparação à campanha eleitoral para a sucessão de Getúlio Vargas. O governador paulista Armando de Salles Oliveira e o paraibano José Américo de Almeida, romancista autor de *A Bagaceira*, eram os mais cotados para a vitória, mas havia ainda o integralista Plínio Salgado, também paulista, e o gaúcho Oswaldo Aranha, que tentavam entrar na disputa e se batiam pelo apoio de Vargas.

O presidente, por sua vez, com o apoio de seu grupo político e da cúpula das Forças Armadas, alimentava o desejo de se manter no poder. Em 1º de outubro de 1937, já próxima a data da eleição, com o argumento de que fora descoberta uma conspiração judeu-comunista para a tomada do poder no Brasil, tendo também como metas a destruição da Igreja e da família brasileira – o fantasioso Plano Cohen –, Vargas solicita ao Congresso Nacional um decreto estabelecendo o "estado

118 DOM HELDER CAMARA

de guerra" no país. (O plano fora elaborado pelo militar integralista capitão Olímpio Mourão Filho e divulgado na imprensa pelo Departamento de Propaganda do próprio governo como de autoria comunista).

Como os candidatos à Presidência não se assustassem com a declaração de "estado de guerra" e continuassem em campanha, Getúlio Vargas, em 10 de novembro de 1937, com o apoio do chefe do Estado-Maior do Exército, general Góis Monteiro, e do ministro da Guerra, Eurico Gaspar Dutra, ordena o fechamento do Congresso, cancela as eleições e dá o golpe político que fundou o Estado Novo. Para o presidente e seus apoiadores, entre os quais estava o cardeal Leme, emprestando ao golpe político o apoio da Igreja Católica brasileira, a ditadura seria um mal menor diante da grande ameaça representada pelo comunismo. E este foi o argumento que o ministro da Justiça, Francisco Campos, apresentou no preâmbulo da Constituição autoritária que redigira a pedido de Vargas.

A participação do padre Helder Camara neste episódio da história brasileira, ainda que não como protagonista, não pode passar despercebida. Dias antes do golpe, Plínio Salgado recebe de Francisco Campos a incumbência de procurar, em missão secreta, o cardeal Leme, em nome do próprio presidente da República, para apresentar-lhe uma cópia da nova Constituição que em cinco dias seria imposta à nação. Vargas não queria que dom Leme fosse pego de surpresa. Plínio Salgado, que apoiava o golpe na esperança de fazer parte do governo, escolhe padre Helder para levar a dom Leme a cópia da futura Constituição. Dom Leme leu a nova Carta e fez anotações em uma folha à parte. Quando terminou, pediu para Helder agradecer a Plínio Salgado o envio do documento e recomendar-lhe que o episódio não fosse tornado público, pois, oficialmente, o cardeal não conheceria antecipadamente a nova Constituição. Dom Leme não queria que a sociedade o considerasse cúmplice do golpe político.

Alguns meses antes do golpe de novembro de 1937, Plínio Salgado já percebera que o combativo padre Helder Camara afastara-se do integralismo. Mesmo assim, de vez em quando o procurava para conversar, até que soube pelo próprio Helder que dom Leme baixara uma norma para o clero de sua Diocese não se envolver em política partidária. Plínio Salgado, para tentar atrair novamente Helder para a militância, numa daquelas conversas (que, para não comprometê-lo, ocorreu longe dos núcleos integralistas), convidou-o a participar de um Conselho Superior da Ação Integralista Brasileira, que seria formado por 12 membros, e que se localizaria na estrutura hierárquica da AIB imediatamente abaixo do chefe nacional (Plínio Salgado) e acima dos demais órgãos dirigentes, como a Câmara dos 40 e a Câmara dos 400.

Helder ficou curioso em saber como dom Leme, que exigira seu afastamento da AIB, reagiria a tal convite, e quando o consultou a respeito, coincidentemente o encontrou impressionado com o crescimento do movimento integralista e a aparente proximidade entre Plínio Salgado e o presidente Getúlio Vargas. A conclusão a que o cardeal chega é que o melhor a fazer seria manter uma boa relação com os integralistas, que, no seu entender, poderiam até chegar ao poder no país, e por isso concordou que o padre Helder aceitasse o convite de Plínio Salgado. Impôs, porém, algumas condições: o nome de Helder não poderia constar na lista oficial do Conselho Superior da AIB; formalmente, seria apenas um assistente eclesiástico do movimento e deveria evitar ser identificado publicamente com os camisas-verdes. Apesar de Plínio Salgado concordar com as condições, os integralistas não quiseram deixar às escondidas o trunfo de contarem com um sacerdote em seu órgão superior, que tinha, inclusive, autorização do influente cardeal Leme. Resultado: os órgãos de divulgação da AIB cansaram de aclamar o padre Helder Camara como membro de seu Conselho Superior.

Embora Plínio Salgado acreditasse que após o golpe de Estado de 10 de novembro Getúlio Vargas o convidaria a participar do seu ministério, em 3 de dezembro de 1937 o ditador decretou a "dissolução de todos os partidos e a proibição de quaisquer símbolos, gestos e uniformes identificadores", atingindo diretamente a Ação Integralista com a medida. Em represália, os integralistas rompem com o governo em janeiro de 1938 e, logo depois, em 10 de maio, cercam com um pelotão de dezenas de militantes camisas-verdes o Palácio da Guanabara, onde se encontravam Getúlio Vargas e seus familiares. O Exército repele o levante, muitos rebelados são mortos e, pouco depois, Plínio Salgado foge para o exílio em Portugal.

O governo sabia que muitos fiéis e vários padres católicos simpatizavam com o movimento integralista, por isso Getúlio Vargas pede a Filinto Muller que lembre a dom Leme que os católicos deveriam ser mantidos afastados da atividade política e obedientes às autoridades constituídas. Com a garantia de que os interesses da Igreja seriam respeitados pelo novo regime, o cardeal não se opõe à determinação de Vargas e instrui os católicos a não se oporem ao governo. Padre Helder é pessoalmente avisado por dom Leme para afastar-se definitivamente do integralismo e não mais se envolver com a política partidária.

Da sua chegada ao Rio de Janeiro até o golpe do Estado Novo, em novembro de 1937, padre Helder manteve sua amizade com muitos militantes e dirigentes integralistas e isso inviabilizou, na prática, seu desligamento da Ação Integralista, como dom Leme solicitara em janeiro de 1936. O fim da AIB decretado pelo governo Vargas criou-lhe a ocasião para definitivamente afastar-se das concepções e da prática fascistas. E este era seu desejo, pois já percebera que a concepção autoritária e conservadora de um catolicismo ultramontano, herdada dos anos de seminário e defendida também pelo falecido Jackson de Figueiredo, pelo padre Leonel Franca e pelo cardeal Leme, visivelmente já estava "fora de lugar", embora pouquíssimos sacerdotes e hierarcas, até então, o tivessem percebido.

Com a mesma velocidade com que nos anos 1930 o nazifascismo mostrou sua verdadeira natureza desumana, o pensamento do padre Helder mudou sob a influência dos novos ventos democráticos que, aos poucos, atingiam, na Europa, um catolicismo humilhado pelo descaso com que fora tratado por Hitler e Mussolini, apesar das concordatas celebradas entre o Vaticano e esses dois governantes. Na Alemanha, não bastassem a perseguição aos judeus e a esterilização das pessoas consideradas anormais em nome da purificação da raça ariana, apesar dos acordos de 1934 entre o papa Pio XI e Hitler, os católicos eram cotidianamente perseguidos, suas escolas, fechadas, proibida a Ação Católica e silenciada a hierarquia.

Tornara-se constrangedor para alguém que aderira ao fascismo em nome de um futuro mais digno, humano e católico, como forma de defesa contra o comunismo soviético, compactuar com os regimes totalitários que empolgavam a Europa promovendo a perseguição terrorista e racista aos seus opositores, e que visivelmente se preparavam para uma nova guerra de expansão imperialista. O nazismo e o fascismo, que serviam de modelo para o integralismo no Brasil, no final dos anos 1930 já eram facilmente identificados como manifestações de barbárie e decadência, não mais como alternativas viáveis de luta contra o comunismo e o liberalismo burguês. Para os católicos que ainda tivessem dúvidas, em março de 1937, finalmente, Pio XI rompe com o nazismo e condena o racismo alemão na encíclica *Mit Brennender Sorge*.

Alceu Amoroso Lima, que, embora cauteloso, fora um entusiasta simpatizante do integralismo, vivia também seu momento de transição rumo a um pensamento cristão-católico mais arejado e democrático e, novamente, foi quem mais influenciou a mudança de pensamento de Helder. Já em 1936, Alceu indicou-lhe a leitura do *Humanismo integral*, ainda no original francês, pois o livro do intelectual católico francês Jacques Maritain só seria lançado no Brasil em 1941, pela Companhia Editora Nacional. Alceu chegou a promover um almoço em homenagem a Maritain, no dia 10 de agosto de 1936, no qual estiveram presentes dezenas de importantes intelectuais brasileiros, entre os quais o romancista José Lins do Rego, o poeta Augusto Frederico Schmidt e o ministro da Educação Gustavo Capanema.

No *Humanismo integral*, surge a proposta de reconciliação de catolicismo e democracia e uma condenação de todas as formas de totalitarismo, de direita ou esquerda. Maritain defende uma "nova vida cristã para o mundo", em que predomine a democracia e seja respeitado o pluralismo político e religioso. Tanto fiéis como infiéis devem "participar de um mesmo bem comum temporal", devendo ser preservada a liberdade dos indivíduos e grupos, pois, a seu ver, "a sociedade não é composta somente de indivíduos, mas das sociedades particulares por eles formadas, e uma cidade pluralista reconhece a estas sociedades particulares uma autonomia tão alta quanto possível".

É fácil perceber como o pensamento de Maritain é oposto ao que defendia o padre Helder na juventude. Basta recordar o documento que publicara, em outubro de 1934, no jornal *O Nordeste*, onde aparece a ideia de que "uma vez organizado o Estado integral, este não poderá permitir que se formem fora do seu círculo de ação quaisquer forças de ordem política, social ou econômica que o possam ameaçar. Nesta esfera da vida nacional, tudo deve ser controlado e orientado pelo Estado integral". Esta concepção defendida por Helder era visivelmente influenciada pelo pensamento do líder fascista Benito Mussolini, que já escrevera: "Somos membros de um Estado que controla todas as forças que agem no seio da nação. Controlamos as forças políticas, controlamos as forças morais, controlamos as forças econômicas, estamos em pleno Estado corporativo fascista".

As divergências entre o pensamento de juventude do padre Helder e as novas ideias que passaria a assimilar gradualmente, a partir da leitura do livro de Maritain, iam muito além da concepção de cada um sobre a natureza do Estado e chegavam ao campo da ação propriamente dita. Maritain propunha que uma "renovação cristã do mundo" fosse realizada por pessoas que adotassem um "novo estilo de santidade" em sua ação, devendo abdicar do uso da força, da agressividade e da coação, pois estes seriam os meios utilizados pelos "homens de sangue". Para ele, os cristãos deveriam optar pelo uso dos "meios espirituais de guerra": "os meios de paciência e de sofrimento voluntário, que são por excelência os meios do amor e da verdade".

As ideias do filósofo francês provocaram um verdadeiro impacto em Helder. Dois anos antes, defendera publicamente o uso da violência num artigo de combate ao ex-correligionário Severino Sombra: "Violentos seremos, não o negamos, contra os inimigos de Deus...", "a nossa violência é a violência que Cristo nos ensinou, varrendo os vendilhões do templo". Em outra passagem, ao atacar a maçonaria, padre Helder afirma: "Somos, por substância, francos, corajosos, ferimos de frente, sem ódios, sem rancor, como se cura um cancro, cauterizando-o".

No "novo estilo de santidade" proposto por Maritain para levar o mundo a uma vida intrinsecamente cristã, um lugar especial estava reservado à simplicidade, ao sacrifício, pois "a dor humana desvenda os olhos e é suportada por amor", e "ao esforço difícil da pobreza", que são as condutas próprias a um "novo humanismo", que "não deve existir somente na ordem espiritual, mas encarnar-se... no ideal de uma comunidade fraterna". O homem deve se sacrificar "por uma vida melhor para seus irmãos, pelo bem concreto da comunidade das pessoas humanas, pela humilde verdade da amizade fraterna" e, por isso, este "humanismo integral", "que nada desconhece do que existe no homem" é antes de tudo um "humanismo heroico".

A leitura do *Humanismo integral* abriu uma nova perspectiva ao padre Helder, ao mostrar-lhe algumas novas ideias que poderiam ocupar o lugar das decadentes concepções integralistas que não mais o satisfaziam. A ideia da busca de um "novo estilo de santidade", no qual os esforços da penitência, da simplicidade e da pobreza se combinam para orientar a criação de uma "ordem social cristã", desencadeou em seu pensamento o processo de mudanças que o levou à superação das concepções católicas ultramontanas e conservadoras.

PENITÊNCIAS E VIGÍLIAS

Quem imagina que desde que um velho bispo diz "serás casto" a um homem novo e forte o seu sangue vai subitamente esfriar-se? E que uma palavra latina – accedo – dita a tremer pelo seminarista assustado será o bastante para conter para sempre a rebelião formidável do corpo?

Eça de Queirós, *O crime do padre Amaro*

O príncipe dom Pedro de Orléans e Bragança, filho mais velho da princesa Isabel e do conde d'Eu, pediu e recebeu de volta a casa da rua São Clemente que alugara a Cecy Cruz. O "consulado cearense" teve de ser transferido em meados de 1938 para a rua Voluntários da Pátria, 65, numa espaçosa casa de três andares com um pequeno jardim na frente. O quarto de Helder foi escolhido no primeiro andar, estrategicamente com um banheiro ao lado para dar-lhe mais comodidade.

Mas Helder, com todos os seus compromissos, ficava pouco na pensão, saía sempre muito cedo, antes mesmo do café da manhã, para rezar a missa no Colégio Santa Rosa de Lima, também na Voluntários da Pátria, onde foi capelão por algum tempo, e chegava tarde da noite, muito depois do jantar. Quando aparecia a tempo de jantar na copa com os outros moradores da casa, a hora da refeição virava uma verdadeira festa. O ambiente continuava sendo-lhe muito agradável. A casa era calma e respeitável, bem localizada no bairro de Botafogo, e a mensalidade, módica. Tia Cecy era atenciosa, higiênica no asseio da casa e gostava de agradar aos seus hóspedes fazendo pratos deliciosos – geleias, torta de maçã, arroz-doce ou canjica –, dos quais um pratinho era sempre reservado a Helder.

Além de agradável, a casa de Cecy Cruz revelou-se também um ambiente de apoio e segurança para Helder. Depois do fechamento da Ação Integralista, no final de 1937, ocorre uma radicalização por parte dos militantes que não aceitavam a situação de ilegalidade imposta pelo regime ditatorial do Estado Novo. Dirigentes ou simples membros que haviam abandonado a AIB em obediência à ordem do governo ou a uma mudança de pensamento passam a ser perseguidos pelos militantes integralistas mais exaltados. Isso ocorreu, por exemplo, como conta o historiador Edgar Carone, em Jacutinga, no interior de Minas Gerais, onde o chefe integralista Décio Farah e dois amigos, que o acompanharam na decisão de abandonar o movimento, são mortos a tiros. No Rio de Janeiro, situações parecidas tornam-se quase rotineiras, como no caso de um dos fundadores do integralismo, Ovídio Cunha, que, depois de manifestar-se publicamente contra o movimento e criticar suas lideranças, foi sequestrado e espancado.

O padre Helder passou também por momentos de tensão ao ser perseguido depois de afastar-se do integralismo. Durante vários meses, em 1938, precisou se proteger dessas perseguições. Na casa de Cecy Cruz, quando alguém atendia a um telefonema para ele, dizia: "O número deste telefone é 42-1477, e aqui não mora ninguém com este nome". Mesmo assim, os integralistas iam até lá procurá-lo ou ficavam de carro na rua vigiando a entrada da casa para surpreendê-lo. A amiga Dolores MacDowel às vezes era avisada por alguém da pensão que havia um carro estranho na rua com vários homens dentro. Então, chamava sua tia Maria Augusta La Roque, que possuía carro com motorista, e as duas pegavam Helder onde quer que estivesse e o escondiam por algum tempo.

Outras vezes Helder foi escondido dos integralistas por dona Margarida Campos Heitor e seu marido, o general Campos Heitor. O polêmico bispo de Maura, dom Carlos Duarte Costa, cujo nacionalismo exacerbado faria com que, em 1942, enviasse um telegrama a Getúlio Vargas solicitando que fossem expulsos do país os padres estrangeiros, considerados por ele como inimigos do Brasil, e que, mais tarde, fundaria uma Igreja Católica dissidente, a Igreja Católica Brasileira, era grande amigo de Helder e também o socorreu várias vezes.

No mesmo ano em que a pensão de Cecy Cruz mudou de endereço, um dos irmãos de Helder passava por graves problemas de saúde em Fortaleza. Era Eduardo, recém-formado engenheiro agrônomo e que trabalhava como classificador de sementes de algodão para um órgão público estadual. Já era casado com Elisa, e foi a esposa, percebendo que o marido "devido a companheiros se afogaria em bebidas em Fortaleza", quem tomou a decisão da transferência para o Rio de Janeiro. Helder conseguiu que Cecy Cruz alugasse um quarto para o irmão e a cunhada. Assim que o casal chegou ao Rio, Helder tratou de internar Eduardo na Casa de Saúde do dr. Eiras, onde passara a ser capelão. O tratamento de saúde foi um sucesso e Eduardo livrou-se do alcoolismo, embora herdasse como sequela uma cirrose que poucos anos depois o levaria à morte.

Resolvido o problema emergencial da saúde do irmão, Helder passou a contatar os amigos para conseguir-lhe um emprego. Foi Dolores MacDowel, sobrinha do ilustre padre MacDowel, quem conseguiu que seu cunhado, dr. Cristóvão Leite de Castro, dirigente do Instituto Histórico e Geográfico Brasileiro, arranjasse uma vaga para Eduardo como secretário da *Revista de Geografia* do instituto.

Em 1941, já perto dos 50 anos, a bela e vivaz Cecy Cruz resolveu casar-se com o primo Paulo Saldanha, que a assediara a vida inteira. Os dois montaram uma nova casa e a pensão foi desfeita. Eduardo, Elisa e Helder resolveram, então, alugar uma casa. Uma senhora amiga de Helder, dona Margarida Campos Heitor, era proprietária de uma vila que existe até hoje na rua Voluntários da Pátria, 19, e alugou para eles a casa de número 34.

Helder com a família de dona Margarida Campos Heitor e do general Campos Heitor (ambos ao centro, de roupa branca) que emprestaram parte do dinheiro usado por Helder na compra do apartamento da rua Francisco de Moura, em Botafogo – RJ, no Natal de 1942.

Logo depois da mudança para a nova casa, o sobrinho Gilberto Osório, filho de Gilberto e Zuleika, veio de Fortaleza para terminar os estudos e juntou-se a eles. No final de 1942, "seu" João Camara finalmente se aposenta, depois de cinquenta anos no seu primeiro e único emprego na Casa Boris Frères, e Nairzinha, que trabalhava auxiliando-o na contabilidade da empresa, pede demissão do emprego e os dois também se mudam para o Rio e se juntam a Helder, Eduardo, Elisa e Gilberto Osório na mesma casa. Ainda se mudariam para lá o casal Mardônio e Norma, com a filha, Isolda.

De dois pavimentos, a casa não era muito grande: tinha três quartos e mais uma dependência de empregada onde dormia Gilberto Osório. Um quarto ficava para Norma, sua filha e Nair. Quando Mardônio chegava de suas viagens como capitão da Marinha Mercante e ficava alguns dias com a família, Nair armava uma cama embaixo da escada. O segundo quarto era de Elisa e Eduardo e o restante era dividido entre Helder e o pai. A localização da casa agradara à família inteira, mas em especial a Helder, pois bem em frente morava sua amiga Celina Nina, e sempre que podia ele atravessava a rua para fazer-lhe uma visita.

A organização da casa era comandada pela severa Elisa. Ela recebia os salários de Eduardo e Helder e as contribuições de Mardônio e de "seu" João e separava as quantidades necessárias para o pagamento do aluguel, o salário da empregada e as despesas da casa. A primeira empregada a trabalhar com eles chamava-se Henriqueta, mas fazia questão de ser tratada por Maria, por não gostar do nome. Helder, chamado por todos da casa de Padrezinho, entendia-se muito bem com Maria e, de vez em quando, dava-lhe uma gorjeta. Chegava devagar e em silêncio para surpreendê-la quando estava distraída, colocava algumas notas enroladas na mão da moça e gritava: "Olha a barata, Maria!". Ela se assustava um pouco e, alegre, respondia: "Oh, Padrezinho, baratas como esta eu queria encontrar muitas".

Como Helder nem sempre chegava a tempo de jantar com a família, sua irmã Nairzinha, apesar de detestar o fogão, fazia uma canjica para esperá-lo, mas o comum era que ele nem isso comesse, tomando apenas um copo de água antes de deitar-se. Seu hábito alimentar já era muito frugal. Nas refeições que fazia em casa comia tão pouco que sempre deixava todos preocupados, e no trabalho era a mesma coisa. Do convívio quase diário com Helder, Sobral Pinto ficou com a impressão de que para o amigo "o corpo não existia". No Ministério da Educação, suas secretárias insistiam para que se alimentasse e ele sempre se recusava. "Elas ficavam horrorizadas, temerosas de que pegasse uma tuberculose" (mal disseminado na época e que, em 1937, levara à morte o popularíssimo cantor e compositor Noel Rosa), pois até as três horas da tarde, quando Sobral chegava para vê-lo, ele só "tomara café pela manhã". De acordo com Sobral, "ele passava desde a manhã até aquela hora sem nenhum alimento. E, evidentemente, fazia isso para renunciar a todo e qualquer prazer sensível".

De vez em quando, Helder resolvia jejuar e levava isso a sério. Certa ocasião, em meados de 1942, mesmo já muito adoecido, o cardeal Leme promovia sessões de cinema no Palácio São Joaquim, pensando em instruir e divertir um pouco os padres e amigos mais próximos. Quando assistia a um filme sobre a vida de Santa Bernardete, de tão enfraquecido pelo jejum, Helder chegou a desmaiar. Sua amiga Alfredina Paiva e Souza, também presente, pegou-o imediatamente e levou-o para casa. Como estava muito debilitado, ela precisou dar-lhe primeiro um leve caldo de ovo em uma xícara. Conforme Helder se restabelecia, Alfredina foi aumentando a quantidade do caldo servido. Só depois que ele melhorou e conseguiu tomar um prato de sopa mais substanciosa é que a amiga levou-o para casa.

Mas o padre Helder não se penitenciava apenas pelo jejum. Várias foram as noites em que optava por outro tipo de "mortificação", como se costumava dizer. Quando as reuniões em que participava no Palácio São Joaquim prolongavam-se até tarde da noite, em vez de voltar para casa, dormia a noite inteira sobre as pedras que havia por perto do palácio.

E ainda havia as vigílias que realizava todas as noites, desde sua ordenação em 1931, na tentativa de salvar para si "alguns momentos de encontro com Deus, de oração". Geralmente ia dormir por volta das onze da noite e, pontualmente, seu despertador soava às duas da madrugada. Este primeiro sono livrava-o do cansaço do dia anterior e, então, ele se levantava e permanecia acordado até as cinco da manhã, em silêncio e sozinho na sala de sua casa, pois o quarto era dividido com o pai. Helder rezava, lia o Breviário, respondia à correspondência recebida, rascunhava a homilia do dia seguinte e escrevia poemas, mais tarde conhecidos como "Meditações do padre José", somando mais de sete mil.

Durante as vigílias, Helder aproveitava também para "digerir" os acontecimentos do dia anterior, reavaliando sua atuação nos incontáveis compromissos de que participava diariamente, repensando os longos momentos que passava ouvindo pessoas que buscavam ajuda para a resolução de todo tipo de problema, desde interceder a uma escola católica para que fosse aceita a matrícula de um menino cujos pais eram desquitados até questões financeiras ou familiares.

Às cinco horas, já cansado, voltava a se deitar para um rápido sono até as seis, quando voltava a se levantar para um banho e, em jejum, ir rezar a missa na Escola de Enfermagem Ana Nery, na rua Rui Barbosa, Morro da Viúva, onde era capelão. Depois da missa, tomava o café da manhã preparado pelas freiras e, então, dirigia-se ao trabalho na repartição no Ministério da Educação.

Com pouco mais de 30 anos, padre Helder devia ter lá suas razões para os sacrifícios e penitências que realizava. Em sua convivência diária com várias moças belas, educadas e inteligentes que o admiravam muito, era natural que os "desejos carnais" lhe aflorassem. Mas, para um sacerdote que levava a sério seu voto de castidade, as soluções que encontrava para os infortúnios humanos eram tanto a sublimação de seus impulsos instintivos e afetivos como o socorro das penitências que desde sempre tiveram um lugar muito importante na vida dos sacerdotes da Igreja Católica.

É ilustrativo o fato de que, no início dos anos 1940, Helder tenha lido com muita atenção um pequeno livro sobre a vida de São Francisco de Assis, o santo que mais admirava. Conforme se identificava ou se sentia tocado pela narrativa, anotava a lápis suas impressões ao lado das páginas. Francisco passara também por sérios apuros quando a jovem Clara, uma bela mulher, "talvez a mais bela de Assis", como escreveu o autor, Ernesto Pinto, abandonou a casa dos pais acompanhada por Francisco, para tornar-se monja e "imitar-lhe os sacrifícios". Segundo a narrativa, Francisco conseguiu resistir à atração sexual que sentia por Clara, entregando sua beleza "à glória do Senhor".

Ao ler esta passagem do livro, Helder sentiu-se tão comovido que anotou ao lado da página: "Belo! Uma flor não para colhê-la, mas para ofertá-la em toda a sua beleza ao Criador". E em outro momento, quando São Francisco chega a tirar a roupa e rolar nu sobre a neve para "dominar o instinto furioso das veias e os assaltos da carne", na tentativa de resistir ao demônio que perguntava ao santo se valia a pena gastar sua juventude em estéreis sacrifícios quando "tão perto florescem as mulheres", ao lado da página padre Helder anota: "Ajuda-me, Senhor!". Há anos, padre Helder vinha se debatendo com esse tipo de problema. Basta recordar que em fevereiro de 1937, na carta dirigida às suas amigas da Sindicalização Operária Católica Feminina de Fortaleza, anunciando sua reconciliação com Severino Sombra, faz o comovente apelo: "Peçam a N. S. (Nosso Senhor) para que eu seja cada vez mais dele e para que em mim a voz da graça fale sempre mais forte do que os instintos e do que a carne".

A leitura do livro publicado em Montevidéu no final de 1940 com o sugestivo título *Francisco de Assis e a revolução social* causou profunda impressão em Helder, e não só pelas passagens que acabamos de comentar. Já havia uma grande identificação dele com Francisco. Como o santo, Helder pretendia renovar a liturgia, atualizando-a e humanizando-a para torná-la mais próxima ao povo. Helder também pensava em transformar o "regime social" para "dignificar o homem oprimido", ainda mais agora que seu pensamento se desvencilhara da influência fascista, tendo como pressuposto para sua ação a ideia franciscana de "que toda revolução verdadeira e fecunda se alcança pela reforma interior do indivíduo, pela santificação pessoal", e não pela imposição por parte do Estado, como acreditara em sua juventude.

No livro, também aparece destacada por Helder a passagem em que o autor afirma que São Francisco "deu uma lição de heroísmo interior a quem só acreditava no heroísmo das armas; deu uma lição de pobreza para os que só amavam o ouro e as honrarias; deu uma lição de trabalho para os que só acreditavam na nobreza das armas; e deu uma lição de alegria vital e generosa para aqueles que viam o mundo deformado e consideravam o belo corpo humano como um aliado obscuro do demônio, em vez de uma fonte de alegrias legítimas". Parece claro, portanto, que a vida e a obra de São Francisco de Assis se revelaram outra fonte de inspiração para as mudanças que ocorriam no pensamento e na ação do padre Helder.

Com oito pessoas adultas e uma criança morando juntas, o sobradinho da rua Voluntários da Pátria acabou ficando muito movimentado. Para agitá-lo ainda mais, apareciam todos os dias várias pessoas pedindo ajuda ao padre que lá morava. Como Helder ficava muito pouco tempo em casa, muitas vezes eram seus parentes que resolviam os problemas.

Um garoto invariavelmente ia lá todos os dias pedir um trocado. Numa das vezes, já noite, chovia muito, Helder não estava e Norma se arrumava para ir a um restaurante com Mardônio, que chegara de viagem naqueles dias. O menino, todo molhado, perguntou se o padre estava em casa e, com a resposta negativa, resolveu insistir para ver se não saía com as mãos abanando. Compadecida, Norma pediu a Mardônio que lhe desse algum dinheiro. No dia seguinte, o menino lá estava novamente querendo mais um trocado, Helder também não estava e Norma pediu para Maria, a empregada, livrar-se dele. Maria foi até a porta e gritou enérgica: "O padre não está em casa, não!". O menino não se deu por vencido e lembrou-se da mulher que no dia anterior resolvera seu problema: "Então eu quero falar com a mulher do padre, ela está?".

Em outra ocasião, um senhor aparentando uns 40 anos de idade conseguiu encontrar Helder em casa e contou-lhe que estava endividado, sem emprego e desesperado. Por isso vinha até o padre, que tinha fama de muito caridoso no bairro, mas que não pensasse que era seu costume pedir, pois estava mesmo morrendo de vergonha. Helder nada poderia fazer a princípio, pois também estava com o dinheiro contado. Mesmo assim, ficou pensando em como ajudar o homem. Pensou, pensou e lembrou-se de que uma marca de cigarros estava premiando quem tivesse a sorte de achar um vale-brinde dentro do maço. Helder chamou o homem para os dois irem juntos comprar um maço. O homem estranhou e disse que não fumava, obrigado. Helder insistiu e contou-lhe que poderiam encontrar um prêmio no maço. Os dois compraram o cigarro e foram premiados. A quantia era de vários contos de réis e resolveria momentaneamente o problema do homem, que, de tão agradecido, começou a espalhar que o padre era milagroso.

Outro senhor, também cheio de dívidas, já atrasara três meses de aluguel e estava para ser despejado de casa com a família, e a solução que encontrara fora o suicídio. Helder, de novo com pouco dinheiro, resolveu ir com o potencial suicida à casa de sua amiga Margarida Campos Heitor contar-lhe a situação do pobre homem, na esperança de que uma senhora tão rica quanto caridosa mais uma vez confirmasse sua fama e comparecesse com algum auxílio monetário. Ao expor a situação a dona Margarida, de forma discreta e num canto da casa, pois ao chegar percebera que a ocasião era de festa, recebeu logo a resposta: "Você adivinhou de ter vindo aqui, porque hoje é meu aniversário, e por isso meu marido me deu um conto de réis para eu dar aos pobres". E assim fez, resolvendo mais este problema pelas boas e milagrosas soluções do padre Helder.

Até no Ministério da Educação muitas pessoas necessitadas de ajuda o procuravam e, como aguardavam no pátio do edifício até que conseguissem falar com Helder, o local foi apelidado pelos outros funcionários de "o pátio dos milagres".

No início de 1942, dona Margarida Campos Heitor precisou da casa que alugara a Helder para instalar uns parentes seus. As economias da família de Helder não eram suficientes para que comprassem uma casa e se livrassem do aluguel. Ainda mais porque Nair e Elisa nem pensavam em ir morar em uma casa pouco confortável como as muitas que estavam à venda a baixo preço em Botafogo.

Um dia, quando Helder e Nair voltavam de um passeio pelo bairro à procura de uma nova casa, um menino que vendia bilhetes de loteria com o pai, em frente ao cineminha que ficava no início da rua Voluntários da Pátria, insistiu tanto para que Helder o ajudasse comprando um bilhete que conseguiu o que queria. A boa ação acabou sendo premiada com a razoável quantia de 150 contos de réis. Foi um alívio para a família, que imediatamente passou a procurar uma casa ou apartamento.

Encontraram vários imóveis com valores próximos a 60 contos de réis, mas Nair gostou mesmo foi do apartamento da rua Francisco de Moura em um pequeno prédio recém-construído. O preço é que não ajudava, pois o proprietário pedia um pouco mais de 200 contos. Helder foi falar com dona Margarida, que resolveu emprestar-lhe a quantia que faltava para ser paga em prestações. O apartamento foi comprado e a família logo se mudou. Norma, Mardônio e a filha, Isolda, ficariam nesse novo apartamento até 1946, quando comprariam uma casa no Engenho Novo e mudariam. Gilberto Osório se casa e também muda; o apartamento fica, então, dividido entre Elisa, Eduardo e Ana Maria (uma menina adotada pelo casal) em um quarto, Nair, em outro, e Helder e o pai, no terceiro. Havia ainda o cachorrinho Sheik, cuidado mais por Elisa e Ana Maria, mas estimado por todos.

Eduardo, que se adaptara bem à vida no Rio de Janeiro, gostava do seu trabalho no Instituto Histórico e Geográfico Brasileiro e se livrara do problema com a bebida, mas volta e meia sofria com o mau funcionamento do fígado, em razão da cirrose que contraíra. No final de setembro de 1946, uma séria crise provocada pela degeneração do fígado levou-o à sua última internação na casa de saúde do dr. Eiras. O estado avançado em que se encontrava a doença fez com que a família ficasse de plantão no hospital, no dia 2 de outubro. Helder, que lá estava acompanhado do amigo padre José Távora, mantinha uma boa relação com o irmão, respeitando o fato de ele não ser religioso. Pressentindo a proximidade da morte, porém, Eduardo pediu sua presença no quarto para uma conversa particular. Assim que viu o irmão, Eduardo disse:

> – Sei que você é mais inteligente que eu. Você tem uma cultura muito, muito maior que a minha e eu tenho grande confiança em você. Nunca percebi separação entre sua fé e sua vida. Agora lhe pergunto: é possível ter fé por representação, beneficiar-se da fé de outro em quem se acredita? Eu acredito em sua sinceridade, mas perdi a fé. Posso receber a comunhão me apoiando em sua fé?

Comovido, Helder tratou de consolar o irmão:

> – Meu irmão, estou certo de que sua humildade, porque isto é humildade de sua parte, será recompensada pelo Senhor. Não tenho a menor dúvida. Vou dar-lhe a comunhão e o Senhor lhe abrirá os olhos como você merece.

Eduardo tinha, porém, uma exigência antes de aceitar a comunhão:

> – Não, agora não. Primeiro quero confessar-me.

Helder não se sentiu à vontade para ouvir a confissão do irmão e se propôs a chamar o padre José Távora. Mas Eduardo insistiu para confessar-se com ele. Logo depois da confissão, no momento em que recebia a comunhão, Eduardo sentiu-se convertido:

> – Eu acredito! Eu acredito! E não é simplesmente porque você acredita... Agora eu acredito.

Poucas horas depois, a cunhada Norma estava com ele no quarto quando, repentinamente, Eduardo gritou pela mãe e morreu em seguida em razão de uma parada cardíaca.

PREGAÇÕES E MEDITAÇÕES

> *Ação envolvente de massas, estreitamento constante dos laços econômicos, trustes intelectuais e financeiros, totalização dos regimes políticos, tal qual acotovelamento na multidão dos indivíduos e das nações; impossibilidade crescente de ser, de agir, de pensar sozinho; subida, sob todas as formas, do Outro, à volta de nós. Todos esses tentáculos de uma sociedade em rápido crescimento... vedes a cada instante... E provavelmente também "experimenteis".*

Teilhard de Chardin, 1945

Logo depois de chegar ao Rio de Janeiro, padre Helder passou a realizar intensa pregação pela cidade, falando aos grupos de jovens reunidos nas paróquias ou nos retiros espirituais organizados pela Ação Católica Brasileira, movimento controlado pela hierarquia e fundado pelo cardeal Leme em 1935, por orientação do papa Pio XI, para formar leigos que colaborassem na missão da Igreja de "salvar as almas pela cristianização dos indivíduos, da família e da sociedade". Em algumas paróquias, a convite, Helder esteve presente muitas vezes, como em Nossa Senhora de Copacabana, Nossa Senhora da Paz, na igreja de Santa Rita e na matriz do Coração de Jesus. Desde o primeiro retiro espiritual de que participou, ainda em 1936 no Colégio São Paulo Apóstolo, foram incontáveis as vezes em que coordenou esse tipo de atividade, tanto nos encontros da Juventude Católica Brasileira (masculina e identificada pela sigla JCB) como nos da Juventude Feminina Católica (JFC). (A Ação Católica Brasileira seguia o modelo italiano e tinha ainda mais duas divisões: uma destinada às mulheres adultas, a Liga Feminina Católica, e outra masculina, os Homens da Ação Católica, para que "dentro de sua idade e sexo, cada fiel se empenhasse em conquistar outros fiéis").

Era comum os jovens participantes saírem desses retiros espirituais encantados com aquele padre jovem, de sotaque nordestino e com uma retórica vibrante que empolgava por discutir de forma acessível as teorias abstratas do catolicismo antimodernista predominante na Igreja brasileira, e por conversar de igual para igual com as moças e rapazes sobre os problemas da vida de cada um. Em vez de se colocar em um pedestal ou numa mesa em separado, em um patamar mais elevado que seus espectadores, Helder aproximava-se ao máximo das pessoas e, de forma inesperada, combinava as mais diferentes tonalidades de voz com as expressões faciais e gestuais próprias a cada situação e impossíveis de serem descritas.

Padre Helder entregava-se totalmente a essas atividades, e mesmo com seus inúmeros compromissos profissionais e religiosos, quando conversava com alguém, fazia-o de forma tão atenciosa que dava a seu interlocutor a impressão de que não tinha nada mais a fazer ou a preocupá-lo. Os retiros espirituais ocorriam anualmente em uma casa ou escola onde os participantes ficavam isolados. Helder tinha a função de pregador. Ele realizava três longas pregações durante o dia, abordando a importância de que a doutrina da Igreja fosse levada para o dia a dia daqueles jovens e às futuras áreas de atuação de cada um. Procurava usar uma linguagem atualizada e próxima ao cotidiano do seu público (tipicamente de classe média) e, de forma recorrente, voltava a um tema de que gostava muito: a importância da alegria. Nos intervalos entre as pregações, os jovens ficavam em silêncio absoluto, como era característico desses encontros na época, e ele, então, chamava um a um para conversas particulares.

Já era sua preocupação, na época, conseguir dialogar utilizando a linguagem que mais sensibilizasse seu interlocutor. Ele próprio escreveu em 1938 que gostaria de "saber falar os mil dialetos modernos... falando como os de hoje falam..." para traduzir de forma adequada "a palavra imortal, eterna, o verbo divino". E deve ter conseguido realizar esse objetivo, pois em pouco tempo se tornou uma das pessoas mais requisitadas para conferências em escolas, faculdades e encontros religiosos; lá tratava com conhecimento e de forma a empolgar seus ouvintes, sobre os assuntos mais variados: filosofia, problemas políticos da época, a questão social e literatura clássica universal. Em uma palestra de 1947 no Ministério da Educação, por exemplo, padre Helder discutiu Machado de Assis, Graciliano Ramos e Otávio de Faria. O jornalista Antônio Carlos Villaça estava presente e recordou em um artigo, décadas mais tarde, que o conferencista

> procurava a sombra de Deus, os traços do Absoluto na obra desses três escritores. Um cético, um ateu e um católico. E dom Helder, que ainda era o simples padre Helder, falou de improviso, e muito bem, com grande intimidade com seu tema. Familiaridade. Citou os Salmos. Expandiu-se à vontade. Recordou a cachorra Baleia, de *Vidas secas*, um momento de ternura na obra de Graciliano. Reviu Machado. Deteve-se na *Tragédia burguesa*, de Otávio de Faria, aqueles volumões – ao todo, quinze – cheios de psicologia em profundidade, mística, procura de Deus.
>
> O auditório, repleto. Éramos tão literários, naqueles tempos. Gente moça interessada em ouvir a palavra do padre magrinho, nervoso, atento à vida. Padre Helder pareceu-me um grande orador, impetuoso, nessa tarde antiga. Um gesticulador admirável. Um tanto trágico, um tanto shakespeariano.

A Ação Católica Brasileira também dava uma espécie de assessoria às escolas confessionais por meio de seu Secretariado de Educação, do qual padre Helder fazia parte. Este Secretariado funcionava na praça 15 de Novembro, 101, no centro do Rio, e seus membros tentavam atender a todo tipo de solicitações recebidas das escolas

PREGAÇÕES E MEDITAÇÕES   133

católicas espalhadas pelo país. Helder, por exemplo, se incumbia de transmitir aos representantes católicos no Conselho Federal de Educação, seus amigos Leonel Franca, Jônatas Serrano e Alceu Amoroso Lima, orientações para que interviessem nas reuniões do Conselho para conseguir autorização de funcionamento de novos cursos, faculdades ou colégios católicos. Um irmão marista, diretor da Faculdade de Filosofia de Curitiba, solicitava ao Secretariado que conseguisse que Alceu Amoroso Lima fosse até o Paraná realizar algumas palestras. E lá ia o padre Helder tentar convencer seu amigo Alceu. Noutras vezes, pessoalmente, Helder usava sua condição de funcionário do Ministério da Educação para conversar diretamente com o ministro Gustavo Capanema sobre as reivindicações das escolas católicas.

Por se revelar um sacerdote de estrita confiança tanto nas suas ações como em termos doutrinários, Helder foi convidado por dom Leme a lecionar nas Faculdades Católicas, fundadas em 1941 sob a direção de padre Leonel Franca, que logo se transformariam na PUC do Rio de Janeiro. Quando recebeu o convite, Helder argumentou que preferia, antes, ser aluno dos professores estrangeiros que viriam implantar os primeiros cursos. Mas o cardeal Leme foi irredutível, e o convite transformou-se em uma ordem, pois, a seu ver, "todas as universidades tiveram de começar algum dia" e, em sua visão, padre Helder já era um doutor.

A partir de 1942, mas por poucos anos, padre Helder lecionaria as disciplinas de Didática Geral e Administração Escolar. Também por indicação de dom Leme, passou a ministrar cursos de psicologia para as professoras religiosas da Faculdade de Letras das Irmãs Ursulinas, ajudando-as a entender melhor o imaginário dos jovens. (Na época, Helder realizou um cuidadoso estudo sobre a "psicologia da idade juvenil", chegando, inclusive, a publicar alguns artigos na revista *Formação*, por exemplo, "Problemas sobre a adolescência" e "Investigação sobre o vocabulário infantil"). Pouco depois, Helder também se tornaria professor na Faculdade de Filosofia do Instituto Santa Úrsula.

Ali teve como aluna a já senhora Virgínia Cortes de Lacerda (sem parentesco com Carlos Lacerda), que se tornou sua amiga, e os dois passaram a estudar juntos quase todos os dias. Pela manhã, Virgínia frequentava a missa rezada por Helder na Escola de Enfermagem Ana Nery. Depois da missa, os dois conversavam um pouco e Helder lhe mostrava as meditações que escrevera durante a vigília na madrugada, assinadas "padre José". Aliás, José era o nome que dava também a seu anjo da guarda. Por não saber-lhe o verdadeiro nome, resolvera dar-lhe o mesmo com que a mãe o chamava na infância quando estava contente com ele. Para ele, que sempre afirmou acreditar piamente na existência do seu anjo da guarda, era como se fosse "José" o verdadeiro autor das milhares de meditações que sua mão escreveu.

Virgínia acabou comentando com padre Franca sobre as meditações, que lhe pareciam verdadeiras poesias. Padre Franca logo procurou Helder e quis saber quem era o tal "padre José", e pediu para ver os escritos. Helder ficou meio intimidado com a cobrança de seu orientador espiritual e minimizou-lhes a importância, argumentando que eram poesias sem valor e que, na maioria das vezes, acabava rasgando-as, "como flores que nascem e depois desaparecem". Padre Franca apelou a Helder para que, em vez de destruí-las, as entregasse a Virgínia. Helder assim o fez e Virgínia passou a datilografar e reunir, em grossas brochuras do tamanho de um livro de bolso, todas as meditações que recebia diariamente: cartas a pessoas amigas, comentários sobre livros, poesias que tratam dos mais variados temas: a fé em Deus, em Jesus Cristo e em Maria, as asas quebradas de um passarinho, a chuva, a alegria, a amizade e o amor. Pouco antes de morrer, já nos anos 1950, Virgínia teve o cuidado de passar todas as meditações para Cecília Monteiro, secretária do Padrezinho, que ainda pediu para que fossem destruídas, no que foi prontamente desobedecido. Atualmente, chegam a mais de sete mil e algumas já foram publicadas como as *Meditações do padre José*.

Os encontros diários com padre Helder inspiraram Virgínia a querer organizar reuniões em que as conversas de ambos poderiam ser compartilhadas com outras pessoas. Várias amigas suas do movimento de Ação Católica foram convidadas e logo aceitaram, pois já conheciam padre Helder ou, ao menos, já o tinham ouvido em suas pregações nos retiros espirituais. Às sextas-feiras, a casa de Virgínia se abria para receber padre Helder, Nair Cruz, Cecília Monteiro, Marina Araújo e várias outras moças. Ouvia-se música, de preferência clássica, e as conversas giravam em torno de literatura, poesia, teatro e o apostolado de cada um na Ação Católica. Aos poucos, padre Helder percebeu que essas reuniões levavam ao estreitamento da amizade entre os participantes e, por isso, nem teve dúvida em aceitar acompanhar as reuniões de outro grupo de moças que requisitava sua presença na paróquia do Sagrado Coração de Jesus, em Botafogo. Por influência dos textos estudados nessas reuniões, o grupo chegou a compartilhar a ideia de que existem ações que são muito importantes, apesar de seus autores não virem a público, permanecendo anônimos. Seria uma espécie de "apostolado oculto", expressão escolhida pelo grupo para defini-las. Justamente essa concepção de "apostolado oculto" ajudou os dois grupos de moças a formar, com o passar dos anos, uma só equipe de colaboradoras de padre Helder.

Na época em que começaram a se reunir, um dos assuntos mais frequentes nos meios culturais do Rio de Janeiro eram as polêmicas peças teatrais de Nelson Rodrigues, para alguns, marco genial do renascimento do teatro brasileiro, para a maioria, pura depravação de um autor que não tinha escrúpulo algum na tentativa de chamar a atenção do público. O poeta católico Augusto Frederico Schmidt recebera de Nelson Rodrigues o texto da peça *Vestido de noiva* para que lesse e desse a sua opinião. Augusto se sentiu um tanto confuso e surpreendido com o que leu e resolveu passar uma cópia a seu amigo Helder, para que, como padre, desse seu veredicto sobre a obra. Padre Helder achou a peça instigante e resolveu lê-la em conjunto com suas amigas da Ação Católica. Aglaia Peixoto, que participou da leitura, conta que o grupo tanto não ficou escandalizado com o que leu que algumas moças resolveram ir ao Teatro Municipal à exibição de estreia, que ocorreu em 28 de dezembro de 1943.

PREGAÇÕES E MEDITAÇÕES   135

Os comentários benevolentes, embora críticos, realizados por padre Helder durante as reuniões em que a peça foi discutida, fizeram com que o puritanismo de "Filhas de Maria" fosse deixado de lado pelas moças, orientadas para perceber o que o autor pretendia comunicar e o que havia de artístico e criativo por trás dos "assombrosos" diálogos entre a personagem Alaíde, seu marido (que mantinha uma relação adúltera com Lúcia, a irmã de Alaíde) e o fantasma de Clessi, a cafetina assassinada.

O resultado foi que, depois de *Vestido de noiva*, as moças leram e discutiram com padre Helder várias outras peças de Nelson Rodrigues, e que não se pense que elas eram "moderninhas" nem liberais por causa disso. O grupo mantinha princípios tão rigidamente católicos que ao dirigir-se ao Teatro Municipal para assistir a uma apresentação da Comédie Française foi protagonista de uma cena inusitada. Durante sua temporada na cidade, a Comédie apresentou duas peças por noite e, exatamente no dia em que as moças foram assistir, a primeira peça a ser apresentada teve de ser mudada em cima da hora, substituída por *Édipo rei*, de Sófocles. Como a peça constava no Index, relação dos livros heréticos proibidos aos católicos pelo tribunal do Santo Ofício em 1564, assim que as doze moças amigas de padre Helder souberam o nome da peça que seria encenada, apesar de já estarem nos lugares, combinaram rapidamente uma atitude de protesto, levantaram-se e foram para o saguão do teatro aguardar a segunda peça da noite, deixando vagos seus lugares. Inutilmente um funcionário do teatro ainda insistiu para que as moças voltassem antes do início da apresentação.

Com a decadência da ditadura de Getúlio Vargas a partir de 1942, quando as Forças Armadas deixam de apoiar o governo, cresce também no país um movimento de luta pela democratização, inspirado pela luta dos aliados contra os regimes nazifascistas europeus na Segunda Guerra Mundial e pela atuação dos pracinhas da Força Expedicionária Brasileira na Itália. Para os brasileiros, torna-se contraditório torcer e lutar pelo fim das ditaduras de além-mar e, ao mesmo tempo, internamente, aceitar as prisões, torturas, deportações, censuras à imprensa e proibições aos partidos políticos promovidas pelo governo.

Padre Helder, já livre das concepções fascistas, percebe logo as transformações políticas do Brasil e do mundo. A efervescência política da capital do país facilita-lhe esse aprendizado. Helder assiste de perto ao crescimento do movimento democrático e já não consegue disfarçar suas simpatias por ele, impressionado com a repercussão da "Semana Antifascista" de maio de 1943, organizada pela União Nacional dos Estudantes e por vários sindicatos, na qual se realiza um julgamento simulado do líder integralista Plínio Salgado e do ditador alemão Adolph Hitler.

Em agosto do mesmo ano, Helder assiste a uma palestra de Sobral Pinto no congresso organizado pela Ordem dos Advogados do Brasil para comemorar seu centenário de fundação, na qual o amigo ataca duramente a ditadura do Estado Novo e a cultura autoritária existente no Brasil, a partir de uma ótica liberal-democrática, que o tornaria uma celebridade política nacional, com a credencial de quem aceitara o temerário desafio de defender no tribunal o líder comunista Luís Carlos Prestes, ainda em pleno regime ditatorial, apesar de suas convicções católicas.

Além da influência recebida dessa corrente de opinião pública nacional e internacional em favor da democracia e dos direitos humanos, padre Helder continuava a se empolgar com o pensamento de Jacques Maritain e de seu introdutor no país, o amigo Alceu Amoroso Lima. Em 1943 é publicado na França um pequeno livro de Maritain com um título que, por si só, já representava uma bandeira de luta: *Christianisme et démocratie*. Para escândalo do clero majoritariamente conservador do Brasil, Helder deixa-se impregnar pelas ideias do filósofo francês:

> ... o estado de espírito democrático não só provém da inspiração evangélica, mas ainda não pode sem ela subsistir. Para conservar a fé na marcha para a frente da humanidade... para ter fé na dignidade da pessoa e da humanidade comum, nos direitos humanos e na justiça... para ter o sentimento e o respeito da dignidade do povo... para ter fé na liberdade e na fraternidade... é preciso uma inspiração heroica e uma crença heroica que fortaleçam e vivifiquem a razão e que não foi outro senão Jesus de Nazaré que inseriu no mundo.

O livro é publicado no Brasil em 1945 e Alceu o traduz e escreve a introdução, demonstrando que padre Helder não estava sozinho em sua transição intelectual rumo a um pensamento mais democrático e pluralista. Surpreendentemente, para uma Igreja que há décadas se concentrara no combate ao comunismo, Alceu escreve que "... a liberdade tem de ser precisamente o fruto de uma democracia social realmente introduzida e vivida na sociedade ocidental do após-guerra, na convivência social entre católicos, cristãos não católicos, liberais, socialistas, comunistas ou indiferentes". A influência dessas ideias sobre padre Helder é direta.

Em um discurso que realizou como paraninfo dos formandos da Faculdade Católica de Filosofia, em 1944, Helder, depois de avaliar que estava afastada "a hipótese de uma vitória nazista sobre o mundo" e de que as democracias venceriam "lado a lado com a Rússia soviética", pedia que os cristãos evitassem "o farisaísmo de julgar que nós, burgueses, representamos a ordem social e a virtude, ao passo que os comunistas encarnam a desordem, o desequilíbrio e o desencadeamento das forças do mal" e completou: "Nós, também, temos as nossas falhas e os nossos pecados... pois encobrimos injustiças sociais gritantes com esmolas generosas e espetaculares".

RENOVANDO A AÇÃO CATÓLICA

> *... a ação católica deve encaminhar para a ação política e preparar a solução dos problemas sociais, na medida em que lhe pertence formar, no seio de suas comunidades temporais respectivas, católicos verdadeira e inteiramente instruídos da doutrina comum da Igreja, em matéria social, notadamente, e capazes de insuflar na vida uma inspiração autenticamente cristã.*

> Jacques Maritain

As mudanças políticas pelas quais passaram o Brasil e o restante do mundo durante a Segunda Guerra Mundial e o surgimento de um pensamento católico democrático foram fatores decisivos para que o pensamento e a ação de padre Helder também mudassem. Outro fator de igual importância, porém, foi a crise por que passava a Igreja Católica aqui no mesmo período. O cardeal Leme, com todo seu carisma e habilidade política, conseguiu centralizar e organizar a atuação do episcopado brasileiro durante sua passagem pela Arquidiocese do Rio de Janeiro entre 1921 e 1942, mas, em outubro de 1942, um enfarte leva-o à morte e em seu lugar assume, em setembro do ano seguinte, dom Jaime de Barros Câmara, um hierarca sem as mesmas características de seu antecessor. A personalidade fechada e o retraimento político de dom Jaime tornaram acéfalo o episcopado nacional e a atuação eclesiástica sofreu um processo de fragmentação pelas Dioceses, o que diminuiu em muito a capacidade de influência política da Igreja no Brasil.

Para agravar essa crise, desde os anos 1930, o país aos poucos se industrializava, e as populações rurais migravam para as cidades. Como consequência desse processo de desenvolvimento econômico, a Igreja, ao mesmo tempo que assistia ao definhamento de sua tradicional área de influência, os moradores da zona rural, passava a ser ameaçada pelo crescimento da organização política dos trabalhadores urbanos sob influência direta do Partido Comunista do Brasil. Para as pessoas não atraídas pela mensagem política e ideológica dos comunistas, ou para as que, simplesmente, passaram a viver na periferia das grandes cidades brasileiras à margem do progresso econômico e alheias à efervescência política do período, havia ainda a atração exercida pelas religiões protestantes e pelo espiritismo. Os comunistas chegaram a obter cerca de 10% do eleitorado brasileiro nas eleições que se seguiram à queda do governo Vargas, 1945, chegando a eleger quatorze deputados federais e o senador Luís Carlos Prestes, apesar de toda a repressão de que foram vítimas durante o Estado Novo. No campo religioso, pentecostais, kardecistas e umbandistas tiveram um considerável crescimento no seu número de praticantes, a partir dos anos 40, notadamente em cidades como Recife, Salvador, São Paulo e Rio de Janeiro.

Política e religiosamente, a Igreja Católica no Brasil assistia ao definhamento de sua influência e, no entanto, suas principais lideranças estavam incapacitadas de responder a esses inúmeros desafios em razão de suas concepções tradicionais e conservadoras, mais adequadas a um país rural e oligárquico. A velha aliança com os poderes públicos garantiu à Igreja a manutenção de uma série de privilégios católicos na Constituição de 1946, repetindo o sucesso alcançado na Constituição de 1934, mas para reconquistar os fiéis que perdera tanto no campo como na cidade, essa estratégia era ineficiente. Era necessário renovar a doutrina católica, criar novas práticas pastorais e novas formas de atuação dos leigos na sociedade, e, para que isso fosse possível, o episcopado brasileiro precisava unir-se e organizar-se.

Uma forma de organização como a Ação Católica, controlada pela hierarquia, mas dinamizada pela atuação do laicato, poderia contribuir para a imprescindível renovação das práticas da Igreja, mas da forma excessivamente centralizada como fora criada por dom Leme e voltada quase exclusivamente ao aprimoramento da espiritualidade dos indivíduos, que era como funcionava na prática, isso se tornava impossível.

Não se pode negar ao padre Helder o mérito de ter conseguido perceber essa profunda crise, que chegava a ameaçar o futuro da Igreja Católica aqui. Conversando sobre todos esses problemas, ele e dom Jaime Câmara, seu novo superior a partir de 1943, começaram a construir uma relação de amizade e colaboração que marcou definitivamente o desenvolvimento posterior do catolicismo no país, apesar das divergências que sempre existiram entre ambos.

Assim que chegou ao Rio, o novo cardeal já tinha informações sobre padre Helder e os dois logo se tornaram amigos cordiais. Dom Jaime costumava brincar com Helder recordando que havia um parentesco entre eles, pois a família Camara tinha como origem única três irmãos portugueses que vieram da Ilha da Madeira para o Brasil na passagem do século XVIII para o XIX, e que depois tiveram filhos que se dispersaram pelo país. Em poucos anos, dom Jaime passou a desejar que aquele padre empreendedor e afável que era Helder se tornasse seu bispo auxiliar, e indicou-o à nunciatura para sagração episcopal já em 1946. A nunciatura, como de praxe, procedeu à consulta de seus auxiliares na hierarquia eclesiástica para saber como seria recebida a nomeação de Helder e recebeu um parecer, cujo autor foi mantido no anonimato, que, de acordo com o jornalista Marcos de Castro, "convenceu o Núncio de que não seria bem aceita no Rio de Janeiro a nomeação de um bispo integralista".

Apesar desse episódio, a relação entre dom Jaime e o padre Helder não se abalou. Contando com a ajuda do padre José Vicente Távora, um dos principais assessores do cardeal e, inclusive, morador do Palácio São Joaquim, padre Helder conseguiu conquistar a confiança de dom Jaime a tal ponto que várias vezes pôde convencê-lo a não censurar os artigos escritos por Alceu Amoroso Lima, este sim visto com desconfiança pelo cardeal, que tinha aversão ao "modernismo" das ideias de Jacques Maritain e que, por isso, mantinha um censor instruído para ler cuidadosamente tudo o que o líder leigo escrevia e assinalar com um lápis vermelho as passagens que contivessem influências do pensamento do filósofo francês.

O fato é que padre Helder tornou-se um importante auxiliar do arcebispo, acompanhando-o, sempre que podia, em suas frequentes visitas pastorais às paróquias; ainda no primeiro semestre de 1946, finalmente dom Jaime autorizou-o a pedir exoneração de seu emprego no Ministério da Educação, para dedicar-se exclusivamente às atividades sacerdotais. Novamente, porém, Helder não seria designado para uma paróquia: de imediato recebeu a incumbência de organizar a Semana Nacional de Ação Católica, que ocorreu entre 31 de maio e 9 de junho de 1946. Bem-sucedido, o evento tornou-se o primeiro de uma série que ocorreria nos anos seguintes, com a presença de bispos, sacerdotes e leigos de todo o país, para realizar estudos e reuniões que discutiam os "problemas que extrapolavam a dimensão diocesana". Já na primeira semana, nasceria o Plano Nacional de Ação Social, elaborado pelos bispos presentes. A reunião também teve consequências "importantes para a atualização, organização e coordenação do apostolado dos leigos" da Ação Católica, segundo o padre e estudioso do assunto Gervásio Queiroga.

A partir da I Semana Nacional de Ação Católica, os bons resultados alcançados animaram padre Helder a viajar por várias dioceses do país, acompanhando o desenvolvimento dos chamados quatro ramos – Homens da Ação Católica, Liga Feminina Católica, Juventude Católica Brasileira e Juventude Feminina Católica – e buscando conquistar a confiança dos bispos e seu engajamento em prol da unificação nacional do movimento. Em 1947, entre 31 de agosto e 7 de setembro, ocorre em Belo Horizonte um novo congresso, considerado um marco histórico do catolicismo nacional. Embora dom Jaime não estivesse presente, nada menos que 29 bispos, entre eles dom Antônio Cabral, dom Fernando Gomes e dom José Delgado, decidiram pela criação de um Secretariado Nacional de Ação Católica para integrar nacionalmente as atividades realizadas em cada diocese, e pela edição da *Revista do Assistente Eclesiástico*, confiados ambos à responsabilidade do padre Helder Camara.

Para Helder, a consequência direta da sua capacidade de articulação nacional da Ação Católica, refundando, na prática, o movimento no país, foi sua designação para o cargo de vice-assistente nacional. O cargo de assistente nacional era honorificamente atribuído a dom Jaime, e o vice era quem, de fato, respondia pela direção do movimento. O próprio dom Jaime foi quem bancou a indicação do vice-assistente, isso graças ao trabalho de articulação em favor do nome de Helder realizado pelo padre José Vicente Távora.

Assim que recebeu essa responsabilidade, ainda durante o congresso de Belo Horizonte, Helder resolveu expor publicamente a queixa de que seria muito difícil desempenhar sua nova função com sucesso, em razão de que, até aquele momento, não recebera nenhuma ajuda efetiva das dioceses. Um dos bispos presentes aceitou a provocação de Helder e desafiou-o:

– Isto é um círculo vicioso: você se queixa de que as dioceses não o ajudam; se não o ajudam é porque você não conta com um secretariado nacional apto a ajudá-las... e se você não tem esse secretariado nacional é porque não conta com a ajuda das dioceses... Então, lançamos-lhe o seguinte desafio: crie e organize um secretariado eficaz e, então, o ajudaremos.

De volta ao Rio, Helder foi logo relatar as resoluções do encontro de Belo Horizonte ao cardeal, por quem foi convidado a almoçar quase diariamente no Palácio São Joaquim, para facilitar a troca de ideias entre os dois. O cardeal o autorizou a organizar o tal secretariado. De fato, padre Helder conseguiu a autorização, mas nada mais que isso. Em nome do núncio apostólico, dom Carlo Chiarlo e do episcopado nacional, dom Jaime deu-lhe a bênção solene da nomeação oficial como vice-assistente do Secretariado Nacional da Ação Católica Brasileira no dia 20 de setembro de 1947, embora sem designar qualquer apoio financeiro para a empreitada. A Arquidiocese não contava com recursos suficientes para ajudá-lo e ele teria de se virar para conseguir vencer o desafio de fazer funcionar o novo secretariado por pelo menos seis meses, quando, então, as dioceses passariam a mantê-lo.

Conversando com padre José Távora, Helder soube que não estava sozinho na empreitada. Padre Távora indicou para o amigo a já madura senhorita Cecília Goulart Monteiro (que Helder já conhecia de suas reuniões com as moças da Ação Católica) para ajudá-lo na estruturação administrativa do secretariado, mas havia um empecilho: o trabalho exigiria dedicação exclusiva da moça, e ela trabalhava o dia inteiro como secretária de Armando Falcão, um advogado cearense que dirigia o Instituto do Sal e que morara na pensão de Cecy Cruz na mesma época em que Helder. (Nas décadas seguintes, Armando Falcão tornar-se-ia personalidade importante na política brasileira, tornando-se ministro da Justiça de Juscelino Kubitschek e, nos anos 70, do governo Geisel, período em que baixou uma lei, que ganhou seu nome, restringindo a propaganda eleitoral nas eleições de 1978, com o objetivo de evitar a vitória da oposição ao regime militar).

Como padre Helder sabia que precisava de alguém com a qualificação e a capacidade de dedicação de Cecília Monteiro, embora nem sequer tivesse recursos para pagar-lhe regularmente um salário, pessoalmente foi até o Instituto do Sal e conseguiu que Armando Falcão liberasse sua secretária. Mas dinheiro não era o mais importante para Cecilinha, assim apelidada em razão de sua pequena estatura e da delicadeza com que tratava os amigos. Ela tinha uma retaguarda em casa como filha de tradicional família capixaba que migrara havia muitos anos para o Rio Janeiro e morava em um casarão senhorial no Rio Comprido. Seu pai, Gerônimo de Sousa Monteiro, fora governador do Espírito Santo entre 1908 e 1912, cargo também ocupado por um tio seu, Bernardino de Sousa Monteiro, de 1916 a 1920. Cecilinha, que nascera no mesmo ano que padre Helder, era mais velha que as outras moças do grupo e tinha uma capacidade de liderança reconhecida por todas. Por ser solteira, tinha tempo disponível para o que bem entendesse.

Assim que se tornou a primeira secretária exclusiva de padre Helder, Cecília Monteiro tratou de conseguir uma sala para o escritório do Secretariado e de organizar um grupo de voluntárias da Juventude Feminina Católica para ajudar nos serviços. De um dos cunhados conseguiu o empréstimo de uma pequena sala no centro da cidade, próxima à Igreja de São José, enquanto padre Helder se batia por coisa melhor. A seguir, começou a convidar as pessoas com quem tinha mais amizade na Ação Católica para realizar as tarefas mais urgentes. Sob a direção de Cecilinha, aos poucos foi se formando um coeso grupo de colaboradores de padre Helder, reunindo Aglaia Peixoto, o casal Maria Luiza e Edgar Amarante, Ilda Azevedo Soares, Leida Félix de Souza, Jeannete Pucheu, Marina Araújo, Nair Cruz de Oliveira, Vera Jacoud, Cecília Arraes, Carlina Gomes, Yolanda Bittencourt, Celso Generoso, Célio Borja (futuro ministro da Justiça), Franci Portugal, todos moços e moças recrutados pelo movimento de Ação Católica em meio à classe média da zona sul carioca.

Padre José Távora também teve uma participação muito importante nesses primeiros momentos da nova Ação Católica. Ele acabara de fundar a Ação Social Arquidiocesana do Rio de Janeiro (ASA), contando com a colaboração de algumas renomadas (e endinheiradas) personalidades cariocas. Foi a presidente da ASA, dona Celina Guinle Palia Machado, quem doou a padre Helder uma boa quantia em dinheiro (mais tarde lembrada por ele como sendo de 50 contos) que permitiu que fosse alugado um conjunto de oito salas no 16º andar da rua México, nº 11, em frente à embaixada dos Estados Unidos e com os fundos para a avenida Rio Branco, também no centro da cidade. Foi ainda possível comprar alguns armários e mesas e uma máquina de escrever. Cecilinha levou a escrivaninha que pertencera ao pai (já falecido), e as voluntárias levaram as cadeiras que sobravam em suas casas. Para a impressão dos boletins do Secretariado foi conseguida em uma loja de um conhecido a doação de um mimeógrafo a tinta.

Graças ao talento de padre Helder como articulador político e à capacidade organizacional de Cecília Monteiro, em poucos meses de atividade o Secretariado provou ser de operacionalização viável, além de imprescindível para a articulação nacional da Ação Católica. A *Revista do Assistente Eclesiástico* mostrou-se eficiente órgão de formação doutrinária e de divulgação de atividades em todo o país: encontros religiosos, reuniões de estudo, passeios e celebrações. No prazo previsto, as dioceses passaram a contribuir financeiramente para a manutenção das atividades do Secretariado e até as moças que, voluntariamente, ajudavam nos serviços passaram a receber, mensalmente, uma ajuda de custo para que tivessem o pequeno orgulho de não ter de pedir em casa o dinheiro para pagar o bonde ou para fazer um lanche na rua.

Em 1948, seria a vez do padre José Távora dar sua contribuição para a reestruturação da Ação Católica Brasileira, ao colocar em prática, no Brasil, a concepção do padre belga Cardjin, segundo a qual "sendo o homem em grande parte fruto do meio, não há reforma espiritual profunda dos indivíduos sem concomitante reforma do meio em que vivem e trabalham". E foi com essa ideia que o padre Távora fundou, na Arquidiocese do Rio de Janeiro, a Juventude Operária Católica (JOC), associação composta por uma elite de militantes operários católicos que deveria atuar entre os seus iguais para "converter a Cristo, não apenas este ou aquele colega individualmente, nem mesmo dezenas e dezenas de colegas, mas o próprio operariado", nas palavras da irmã Maria Regina do Santo Rosário. Aparentemente simples, essa concepção teria profunda repercussão no apostolado da Ação Católica.

Conforme a JOC crescia e provava a eficiência de seu método, foi incorporada à Ação Católica, e a Hierarquia entendeu que a melhor maneira de fazer crescer o movimento era deixando cada militante leigo atuar no seu próprio meio social, para que nele conquistasse novos adeptos. Assim, a experiência foi estendida a outros meios sociais, como o agrário, o estudantil e o independente, formado pelos jovens das classes média e alta que não trabalhavam nem estudavam.

Ali os militantes da Ação Católica atuavam colocando em prática o método "ver, julgar e agir", outra ideia conhecida como a "trilogia de Cardjin" que, basicamente, levava os jovens a conhecer adequadamente a realidade para que fossem identificados os problemas a ser resolvidos (ver), realizar um julgamento sobre eles, de acordo com os valores católicos (julgar), chegando a uma resolução de como deveriam trabalhar para solucioná-los (agir).

Padre Helder incorporou rapidamente essas ideias à sua ação e não só ajudou a difundi-las por todo o país por meio do Secretariado Nacional da Ação Católica, mas também procurou implementá-las no meio social em que atuava diretamente dando assistência à Juventude Feminina Católica. Já que se tratava de conquistar o jovem no meio em que vivia, padre Helder, promovido a monsenhor por dom Jaime, em 1948, começou a pensar em desenvolver atividades voltadas para atrair os jovens de classe média: passeios, idas ao teatro, ao cinema e festinhas. Chamou, então, a jovem Aglaia Peixoto, que participara de atividades desse tipo na Ação Católica argentina durante a temporada em que morara em Buenos Aires com a família, e lhe fez um pedido: "Nós aqui não temos ainda experiência recreativa na Ação Católica. Quero que você me ajude a fundar um clube para podermos ter uma vida mais diversificada e não só religiosa". Aglaia atendeu ao pedido e criou o Clube Dom Bosco, com a participação das moças que trabalhavam como voluntárias no Secretariado da Ação Católica e mais algumas amigas suas. Essa experiência também ajudou monsenhor Helder a perceber que para fazer crescer o apostolado da Ação Católica deveria ser usada para cada meio social uma abordagem diferente, respeitando-se os valores culturais de cada grupo.

Quando ocorreu a III Semana Nacional de Ação Católica, em Porto Alegre, em outubro de 1948, simultaneamente à realização de um Congresso Eucarístico Nacional, pela primeira vez ficou nítido que começava a surgir uma divisão no episcopado nacional, com uma ala mais tradicional que acreditava haver certa incompatibilidade entre fé e participação na sociedade e estava preocupada mais com uma "dimensão espiritual do catolicismo", para a qual a prioridade da Igreja deveria continuar sendo o aprimoramento espiritual dos indivíduos pela missa, pelos sacramentos e com a defesa da moral católica na vida familiar e social.

Uma segunda corrente, da qual monsenhor Helder como vice-assistente nacional da Ação Católica se tornara o principal expoente, com o apoio de vários bispos, defendia uma maior "responsabilidade social do catolicismo" por acreditar que a Igreja não poderia ficar "acima" do mundo, mas deveria preocupar-se em criar uma ordem social justa. Para isso, seria fundamental uma nova forma de atuação dos leigos nos "diferentes meios em que viviam, estudavam ou trabalhavam", para ajudar o povo a lutar por reformas que tornassem mais justa a sociedade brasileira. Dessa forma, a Igreja poderia reconquistar o apoio que havia anos vinha perdendo entre as populações rural e urbana, e impedir, assim, o crescimento do movimento comunista no país.

Além de sua percepção do momento crítico e de redefinição pelo qual passava a Igreja brasileira na época e da leitura que começava a fazer dos problemas sociais do país, monsenhor Helder estava, nitidamente, inspirado pelo pensamento de Jacques Maritain, que, em seu *Humanismo integral*, descortinava um novo horizonte para os católicos, sacerdotes ou leigos, que passavam a conceber para si a missão temporal de lutar pela diminuição ou pelo fim das injustiças, e não só pelo aprimoramento espiritual dos cristãos, alterando-se, assim, a forma como encaravam a relação entre sua fé e suas atividades sociais e políticas.

Essa nova concepção de missão terrena para o apostolado da Ação Católica despertou forte reação entre os católicos mais tradicionalistas, que passaram a acusar o movimento de estar sucumbindo ao "modernismo e traindo o espírito de sua fundação, quando definido por dom Leme como destinado a empregar "meios sobrenaturais, a serviço das realidades sobrenaturais", pois a Ação Católica não

Dom Helder (à esquerda), dom José Távora (ao centro) e Alceu Amoroso Lima (à direita).

deveria pertencer "ao reino deste mundo, e sim ao de Deus", em uma clara censura àqueles que "por pensamentos, palavras ou atitudes" pretendiam "estabelecer o primado da ação política" na recristianização do Brasil.

Uma outra crítica severa que antigos militantes da Ação Católica, como Plínio Correia de Oliveira e sacerdotes como Antonio de Castro Mayer e Geraldo Proença Sigaud, lançavam contra as propostas de organização do movimento por leigos especializados em atuar nos seus respectivos "meios sociais", defendidas pelos padres Helder e José Távora, era que estavam dividindo os fiéis católicos, contrariando, assim, os estatutos que definiam a existência apenas dos quatros "ramos" (Homens de Ação Católica, Liga Feminina Católica, Juventude Católica Brasileira e Juventude Feminina Católica, portanto sem distinção por setores especializados).

Para evitar mais um confronto, antes de uma nova Semana Nacional do movimento, Helder e José Távora passaram a articular com bispos uma proposta de alteração nos estatutos da Ação Católica. A reunião, que desde 1946 vinha ocorrendo anualmente, não acontece em 1949. Em compensação, naquele ano padre José Távora consegue dar um grande impulso ao movimento fundando a regional Nordeste da JOC, iniciando, assim, a conscientização do episcopado brasileiro sobre a necessidade de que na atividade pastoral fossem respeitadas as especificidades regionais do país.

Finalmente, em 1950, padre Helder consegue trazer para o Rio de Janeiro a realização da IV Semana Nacional de Ação Católica e obter apoio da Comissão Episcopal da Ação Católica Brasileira (ACB), formada pelos arcebispos do Rio de Janeiro, Salvador, São Paulo, Belo Horizonte e pelo bispo de Niterói, para a reforma estatutária que reconheceu oficialmente os movimentos especializados, correspondentes aos "meios" específicos em que os leigos deveriam atuar: estudantil, agrário, operário e independente. Surgem, assim, a Juventude Estudantil Católica (JEC), de atuação entre os estudantes secundaristas, a Juventude Universitária Católica (JUC), a Juventude Agrária Católica (JAC) e a Juventude Independente Católica (JIC). A Juventude Operária Católica (JOC), já existente, passou também a ser subordinada à ACB.

Na busca do apoio de que precisava para adequação da Ação Católica aos desafios que se apresentavam para a Igreja brasileira no período após a Segunda Guerra Mundial, padre Helder realizou um paciente trabalho de convencimento das autoridades eclesiásticas do país, que o credenciou como nova liderança do catolicismo nacional. Nesta condição, ele, mesmo sem ainda ser bispo, passou a trabalhar por uma maior organização do episcopado brasileiro.

EM ROMA NO ANO SANTO

Ah, e as viagens de recreio, e as outras
As viagens por mar, onde todos somos companheiros dos outros
Duma maneira especial, como se um mistério marítimo
Nos aproximasse as almas e nos tornasse um momento
Patriotas transitórios duma mesma pátria incerta,
Eternamente deslocando-se sobre a imensidade das águas!

Fernando Pessoa, *"Ode marítima"*

Desde que ordenado padre, Helder Camara já viajara por todo o Brasil, participando de inúmeras celebrações religiosas, procissões, reuniões e manifestações políticas, encontros educacionais, congressos eucarísticos e semanas nacionais da Ação Católica. Mas, aos 41 anos, mesmo na condição de liderança nacional do movimento de Ação Católica, ainda não realizara nenhuma viagem internacional e acalentava o desejo de conhecer Roma e o Vaticano assim que houvesse uma oportunidade. Contra esse desejo, havia os inúmeros compromissos cotidianos que tornavam impraticável uma longa viagem. Ainda mais porque no final de 1949, em uma reunião no Palácio São Joaquim, dom Jaime solicitara-lhe que ajudasse o arcebispo auxiliar, dom Rosalvo Costa Rego, a organizar manifestações em todo o país, como parte das solenidades que ocorreriam em 1950, em todo o mundo católico, em celebração ao Ano Santo, decretado pelo Vaticano.

Na realidade, dom Rosalvo andava meio adoentado, sentindo já o peso da idade, de modo que sua nomeação como presidente da Comissão Nacional do Ano Santo tivera de ser acompanhada pela designação de um sacerdote mais jovem e com mais iniciativa, caso de monsenhor Helder, para desempenhar a função de secretário-geral.

Angelo Orazzi era um senhor italiano havia muito morador do Rio de Janeiro; participara, inclusive, de uma grande peregrinação a Roma no Ano Santo de 1925 (a celebração dos Anos Santos ocorre a cada 25 anos) e foi quem mais se empolgou com a nova tarefa de monsenhor Helder, sugerindo-lhe, em conversa informal, que fosse realizada uma nova viagem de peregrinação em 1950.

Experiência para organizar a excursão o senhor Orazzi tinha de sobra e, por isso, deu a dica para que monsenhor Helder tentasse conseguir o transporte marítimo dos peregrinos. A frota da Marinha brasileira era pequena e desaconselhava esse tipo de ideia. Mesmo assim, monsenhor Helder convenceu dom Rosalvo Costa Rego a ir pessoalmente fazer o pedido ao presidente Eurico Gaspar Dutra, que, em ano eleitoral, não teve dúvida em ordenar que a Marinha cedesse o navio-escola Duque de Caxias para uma viagem à Itália. Além do navio, dom Rosalvo conseguiu que o presidente associasse oficialmente o Brasil à celebração do Ano Santo, o que, em termos práticos, significou a isenção da necessidade de passaporte aos peregrinos e férias aos funcionários públicos que viajassem a Roma em 1950.

O navio era projetado para transportar tropas e não proporcionaria o conforto necessário para uma viagem de 22 dias e várias escalas até cruzar o Atlântico. Os passageiros utilizariam dormitórios onde havia camas triplas presas ao teto com correntes. Especialmente para a viagem, a Marinha trocou todos os colchonetes e realizou uma boa reforma nas instalações do navio. Sua capacidade era para 800 pessoas, que contariam com os serviços da tripulação comandada pelo capitão de fragata Luís Otávio Brasil. Até o início de abril, quando ocorreu a partida, o navio ficou atracado no cais da Ilha das Cobras, onde várias vezes foi visitado por monsenhor Helder, acompanhado da imprensa e dos padres e bispos interessados em conhecê-lo previamente.

A Igreja ficou responsável por organizar a viagem, dar as instruções necessárias aos passageiros e garantir-lhes o serviço de alimentação. Com o volume imenso de pequenas tarefas a ser realizadas, como divulgar a viagem, fazer as inscrições, elaborar folhetos explicativos e comprar os suprimentos necessários, monsenhor Helder acabou pedindo ajuda a Aglaia Peixoto, que já exercera atividades como voluntária no secretariado da Ação Católica e, no momento, trabalhava no Instituto de Colonização. Solicitou-lhe que deixasse o emprego e fosse auxiliá-lo nos serviços do escritório da Comissão Nacional do Ano Santo, na rua do Passeio, 90. Não foi difícil convencer a moça, que andava meio desmotivada com o emprego. Aglaia ainda se lembra do argumento usado por monsenhor Helder para convencê-la a auxiliá-lo: "Esse tipo de trabalho é exatamente para você, que é muito ativa e gosta de conversar com as pessoas. Se aceitar, além do trabalho bonito e importante que irá realizar, receberá como prêmio a viagem para a Europa", Aglaia aceitou e começou a trabalhar imediatamente.

A viagem recebeu o pomposo nome de Primeira Peregrinação Oficial Popular a Roma. O repórter Eustorgio Wanderley, da *Revista da Semana*, designado para cobrir a organização do evento, recebeu de monsenhor Helder Camara, "um ligeiro momento de folga do seu incessante trabalho" a declaração de que

> só deverá viajar no Duque de Caxias quem se embeber no espírito de verdadeiro romeiro, embora pretendamos tornar a travessia amena e agradável, porquanto o navio, destinado exclusivamente aos fiéis, reuni-los-á como uma grande família cristã. Os que forem exigentes, os que não entenderem o sentido do Ano Santo e da Peregrinação Popular, tornada possível graças à boa vontade do sr. presidente da República e da colaboração decisiva da gloriosa Marinha Brasileira, não devem ir. Essa viagem, além de ser um ato de fé e penitência, oferecerá também, aos que nela tomarem parte, os encantos da parte espiritual, educativa e instrutiva que a tornarão inolvidável, bem como indeléveis as lembranças de Roma, do Vaticano, dos lugares santos e históricos, monumentos de arte e aspectos pitorescos do percurso.

De acordo com suas posses, o peregrino poderia escolher entre quatro "pacotes" de viagem aos preços de Cr$ 5.900 o mais simples, sem alimentação e hospedagem na Itália, a Cr$ 9.900, o mais completo, com direito a passeios programados, alimentação e hospedagem em quartos para duas pessoas. Para inscrever-se, "o candidato à peregrinação, além de ser pessoa reconhecida idônea pelo vigário de sua paróquia", deveria depositar, antecipadamente, no Banco do Brasil, no mínimo a metade do valor do "pacote" escolhido.

Apesar de toda a divulgação realizada nas paróquias das principais cidades portuárias do país, no final de março de 1950, faltando pouco mais de vinte dias para a partida, só havia 250 inscritos para a viagem. Preocupado com o pequeno número de inscrições, toda vez que alguém telefonava de Santos, Salvador ou Recife, perguntando se havia vagas, monsenhor Helder respondia logo que sim. Aos poucos, as pessoas foram percebendo "que tinham a possibilidade única de suas vidas de viajar à Europa e a Roma" e, então, começaram a chover pedidos de inscrição. De repente, não havia mais lugar para ninguém. Mesmo assim continuaram chegando pessoas: algumas com a carta de um bispo, outras alegando que o avô e o tio já estavam inscritos e que não poderiam deixar de ir, sem contar os inúmeros parentes de gente influente que não poderiam deixar de ser atendidos. No final, as inscrições chegaram a 1.300, enquanto a capacidade do Duque de Caxias limitava-se aos mesmos 800 lugares iniciais.

Para não frustrar a devoção de tão piedosos peregrinos, monsenhor Helder não quis cortar nenhuma inscrição. O pedido de outros tantos que deixaram de se inscrever seria atendido em uma segunda viagem a Roma, que Orazzi comprometeu-se em ajudar a organizar. Quando o navio partiu em direção a Santos para buscar os passageiros paulistas foi feita uma contagem e estavam a bordo mais de 800 pessoas. Mas, além dos paulistas, havia ainda os peregrinos que embarcariam nos portos de Salvador e Recife, situação que provocou um princípio de motim. Vários passageiros tentavam convencer os outros de que não havia lugar para mais ninguém, sugerindo a partida imediata para a Itália. Monsenhor Helder percebeu que era momento de agir e resolveu convocar os peregrinos para uma assembleia na qual realizou uma verdadeira homilia:

Meus amigos, é preciso reconhecer os sinais de Deus. Todos nós estamos preparados para uma coisa que se chama peregrinação? Talvez tenhamos pensado em realizar uma viagem de turismo. Agora temos de aproveitar a graça do Senhor. Porque é a graça do Senhor que nos visita. Temos que transformar nosso projeto de viagem, talvez de turismo, em uma verdadeira peregrinação, em algo que seja forte, firme. Esta travessia de 22 dias vai nos custar sacrifícios: camas desconfortáveis, comida insuficiente. Quando podereis voltar a encontrar nas vossas vidas semelhantes circunstâncias de sacrifício? Como poderíamos imaginar uma maneira melhor de viver o Ano Santo? Esta peregrinação pode marcar vossa vida, vosso destino, vossa eternidade!
Portanto, faço uma sugestão: chegaremos a Salvador e Recife e os que desejarem desembarcar ali terão todas as facilidades para fazê-lo e o dinheiro que já foi pago lhes será devolvido. Mas lhes peço, lhes suplico, que os que escolherem ficar no navio estejam verdadeiramente dispostos e resolvidos a acolher como irmãos, com o coração aberto, os peregrinos que subirão a bordo em Salvador e Recife, que são quinhentos.

Imediatamente pairou um silêncio total entre os passageiros e, no dia seguinte, como resultado prático, apenas algumas pessoas que não passavam muito bem, enjoadas, resolveram desembarcar e voltar ao Rio. Todos os demais seguiram a viagem. Para superar as dificuldades de relacionamento entre as pessoas que não se conheciam e a falta de conforto a bordo, eram promovidos encontros diários para oração, reuniões, estudos e atividades de animação como jogos e brincadeiras. Vários filmes foram exibidos no amplo auditório do navio. Previamente instruídos, muitos passageiros levaram cadeiras de praia que armavam no convés para ler, conversar ou participar de uma improvisada conferência sobre o Santo Sudário, a vida dos santos ou as aparições de Nossa Senhora de Fátima. Especialistas nesses assuntos não faltavam, pois entre os passageiros viajavam dezenas de padres e bispos.

Algumas situações, embora comuns em uma viagem marítima, jamais foram esquecidas pelos participantes da peregrinação. Muitas vezes um grupo de pessoas conversava calmamente no convés e, de repente, alguém começava a se sentir mal e a vomitar e acabava sugestionando os mais sensíveis que estivessem por perto. Os mais resistentes tentavam ajudar, e dessa solidariedade imediata surgiram várias amizades duradouras. Colaborando no tratamento dos doentes, havia também várias enfermeiras a bordo, mas assim que começaram a atender os pacientes, viram-se forçadas a reclamar de monsenhor Helder a modificação do regulamento da viagem elaborado por dom Jaime. Uma das condições estipuladas para as mulheres no regulamento era a proibição do uso de calça comprida, o que criava situações constrangedoras, como quando as enfermeiras subiam de saia nas escadas das camas para ajudar os pacientes homens a tomar um comprimido ou um chá, ficando com as partes pudendas quase em exposição para quem estivesse embaixo. Em certa ocasião, monsenhor Helder acompanhava uma das moças que levava chá para um doente e, conforme foi subindo, sua saia enroscou em um parafuso indiscreto. Toda envergonhada, a moça desceu depressa e fulminou monsenhor Helder com um olhar irritado e uma condenação ao regulamento:

– O senhor percebe, padre Helder, por que temos de usar calças compridas?!

Monsenhor Helder tratou logo de modificar o regulamento, permitindo o uso de calças pelas moças, supondo que dom Jaime entenderia a alteração como necessária para evitar que, diante de uma inesperada visão de pernas femininas descobertas, o piedoso olhar dos peregrinos se transformasse no olhar de lascívia de marinheiros afastados por meses de suas mulheres.

Percebendo como monsenhor Helder se portava com serenidade e condescendência diante das dificuldades dos que o procuravam para conversar sobre os mais diferentes problemas, algumas moças se sentiram à vontade para fazer-lhe uma revelação imprevista, seguida de uma promessa cujo cumprimento faria com que deixassem de ganhar um dinheiro já tido como certo:

– Sabe, padre Helder, nós cinco somos prostitutas. Moramos na zona. Estamos aqui porque, como todo mundo, não quisemos deixar passar esta oportunidade de viajar à Europa, principalmente a Paris. Tínhamos previsto aproveitar a viagem para trabalhar, já que em um navio sempre há muitos clientes. Mas agora viemos procurá-lo para dizer-lhe que não se preocupe. Sabemos que o senhor não puniria. Nós temos ouvido o senhor, fique totalmente tranquilo. Nenhum homem conseguirá nada de nós, a nenhum preço, durante a peregrinação.

As moças devem ter cumprido a promessa, pois nunca ninguém reclamou do comportamento dos que estavam a bordo e se, por acaso, os peregrinos não conseguiram resistir às tentações da carne, comuns num ambiente que favorecia a aproximação das pessoas no longo tempo de percurso do navio, agiram tão veladamente que este assunto não mereceu espaço maior na crônica da viagem.

O relacionamento de monsenhor Helder com os passageiros era, de fato, tão bom e amigável que um pequeno e mais alegre grupo de jovens ousou comemorar a passagem pela linha do Equador jogando-o de batina na piscina do navio. O coordenador da viagem também conseguiu manter a "autoridade moral" sobre o grupo, dando o exemplo de sua abnegação pelo bem-estar coletivo, inclusive recusando-se a dormir no aposento do comandante, escolhendo para si um lugar de tão difícil acesso no dormitório que para deitar-se era necessária certa acrobacia.

Antes de chegar à Europa, o navio parou em Tenerife, nas Canárias, para reabastecimento, permitindo que "os peregrinos visitassem os pontos pitorescos da Ilha". Em Nápoles, próxima parada, foi feita uma excursão ao santuário de Nossa Senhora de Pompeia. Logo depois, todos viajaram de trem para Roma, onde buscaram indulgências nas basílicas de São Pedro, São João, São Paulo, Santa Maria Maior – já que o Ano Santo é considerado também o Ano do Perdão – e visitaram os monumentos religiosos e museus. Puderam, então, encontrar nas celebrações e nas ruas uma quantidade imensa de católicos vindos de todas as partes do mundo, demonstrando a força e a universalidade daquela Igreja. Terços, imagens sacras, distintivos, garrafas de licores e vinhos "especiais do Ano Santo", postais com a gravação da bênção papal e reproduções em ouro e prata dos símbolos do Ano Santo foram os *ricordi* adquiridos com avidez pelos brasileiros nas ruas de Roma.

Em uma audiência no Vaticano, no sábado, 22 de abril, uma delegação escolhida entre os brasileiros foi recebida e abençoada pelo papa Pio XII, em rápido, porém marcante encontro para os participantes: "Que Deus abençoe a todos os de sua família, às pessoas de suas relações e amizade e aos objetos de sua particular estima", foram as palavras do papa aos brasileiros ao encerrar a audiência. Monsenhor Helder, mesmo como coordenador da peregrinação, não se encontraria nesta oportunidade com o papa. Em seu lugar foi o arcebispo dom Rosalvo, presidente da Comissão Nacional do Ano Santo no Brasil, que, em razão de seu estado de saúde, poupara-se da penosa travessia marítima, tendo viajado de avião e se juntado aos brasileiros logo depois da chegada à Itália. Por ter presidido uma das comissões nacionais de celebração do Ano Santo que mais levou fiéis a Roma, e de forma tão disciplinada, dom Rosalvo recebeu várias homenagens.

Uma experiência marcante vivida por monsenhor Helder nesta viagem chega a ser espantosa para quem não crê em milagres. O protagonista da inusitada situação foi ninguém menos que José, o anjo da guarda de monsenhor Helder, que assim recordou o fato 37 anos mais tarde em uma entrevista ao repórter francês Roger Bourgenon:

... em Roma, durante o Ano Santo de 1950, ocorreu algo maravilhoso: não havia ainda a prática da concelebração, e cada padre devia rezar a "sua" missa. Formava-se, pois, uma fila de sacerdotes, cada qual à espera de que chegasse a sua vez... Eu entrara numa igreja e me postara em fila, aguardando meu turno. Não sendo de meu hábito colocar-me à frente de outros, deixei que todos os demais rezassem a sua missa. Chegamos ao meio-dia e ao momento adequado para que eu também a rezasse. Havia nessa igreja um bom frade franciscano que, missa após missa, acolitava os colegas. A essa altura, crendo que não houvesse mais celebrante algum na fila, ele já se preparava para liberar o altar quando me viu à espera. Isso por certo o desagradou um pouco, pois me atribuiu falhas seja em matéria de atenção, ou de presteza... Ao sentir seu mal-estar, eu lhe disse: "Não se preocupe, meu bom irmão. Retornarei amanhã. Nosso Senhor bem sabe da vontade que eu tinha de rezá-la hoje, mas por certo me permitirá que eu o faça amanhã...".
"De modo algum, de modo algum!", insistiu ele, e ato contínuo voltou a preparar o local. Mas uma pergunta logo lhe saiu dos lábios: "Mas quem iria acolitar a cerimônia de sua missa?" (Bem sabemos ser indispensável a presença de um assistente...). "Não se inquiete, bom irmão. Tenho comigo o meu anjo da guarda, e ele me auxiliará."
"Seu anjo? Seu anjo?..." Nesse momento, não sei como explicá-lo... pareceu-me ocorrer algum fenômeno elétrico... a igreja se viu tomada por intensa luminosidade e o pobre franciscano tombou de joelhos, tremendo e chorando, tremendo e chorando. Constrangidíssimo, eu lhe disse que o dispensava de acolitar-me, mas ele insistiu em ficar comigo, tremendo e chorando o tempo todo...

O roteiro da viagem também incluiu visitas a Tívoli, Assis, Perugia, Florença, Montecatini, Pisa e várias outras localidades, opcionais e para quem tivesse dinheiro disponível. Em Pistoia, no dia 30 de abril, os peregrinos fizeram uma visita especial ao Cemitério Militar Brasileiro, onde estavam enterrados os corpos de 465 soldados, membros da Força Expedicionária Brasileira (FEB) mortos em combate na Segunda Guerra Mundial. (Em 1960, as urnas dos "pracinhas" foram transferidas para o Monumento Nacional aos Mortos na Segunda Guerra Mundial, no Rio de Janeiro, e o cemitério de Pistoia foi desativado).

O embarque para o regresso ocorreu em Gênova e, na volta, foram visitadas as cidades de Marselha e Lisboa. Em Portugal, os peregrinos aproveitaram para conhecer também Cintra, Cascais, Estoril e, numa sexta-feira, 12 de maio, o Santuário de Fátima. Ainda foi feita uma escala em Tenerife antes de o navio chegar aos portos de Recife, Salvador, Santos e Rio de Janeiro. Monsenhor Helder, sem tempo para retornar de navio com o grupo, voltou de avião, pois tinha de articular junto aos bispos a mudança nos estatutos da Ação Católica Brasileira, prevista para meados de 1950 durante a histórica IV Semana Nacional do movimento.

O problema dos que não conseguiram embarcar no Duque de Caxias foi resolvido por Angelo Orazzi, que conseguiu de amigos gregos, proprietários de uma frota marítima, o fretamento de um navio que viajara para a Argentina transportando emigrantes. Era o Geni, também com capacidade para 800 passageiros. Esta segunda peregrinação brasileira teve o mesmo roteiro da anterior e partiu para a Itália em setembro, mas desta vez monsenhor Helder não participou da viagem. Os participantes das duas peregrinações viveram uma experiência tão marcante que,

Monsenhor Helder em companhia de Angelo Orazzi, que o ajudou a organizar a peregrinação do Ano Santo a Roma em 1950.

mais de cinquenta anos depois, continuam a se encontrar para trocar reminiscências e recordar as situações vivenciadas por quem viajou no Duque de Caxias ou pelos que só conseguiram ir na segunda peregrinação. Os últimos até o fim da década de 1990 se tratavam por "genianos".

Como saldo dessa sua primeira viagem internacional, além da participação em inúmeras celebrações no Vaticano, do inesperado encontro com José e dos passeios agradáveis, monsenhor Helder recebeu do secretário-geral do Ano Santo, monsenhor Sergio Pignedoli, o convite para voltar a Roma no final do ano, a fim de participar, com os demais secretários das comissões nacionais, de uma reunião de avaliação das atividades ocorridas. Monsenhor Helder voltaria a Roma no final de 1950 e não só participaria da tal reunião de avaliação do Ano Santo, mas também aproveitaria a oportunidade para iniciar com um eminente auxiliar de Pio XII as articulações que levariam à fundação da Conferência Nacional dos Bispos do Brasil, a CNBB, em outubro de 1952.

ARTICULANDO A ORGANIZAÇÃO DOS BISPOS

Estávamos, dizia eu, a 8 de setembro de 1950. Acabavam de soar as duas horas. Monsenhor Montini decerto ainda não almoçara. Não se mostrava de modo nenhum apressado. Uma pesada manhã de audiências não o havia enfadado nem entristecido. Vestindo uma sotaina negra, sem qualquer sinal distintivo, com o pescoço rodeado pelo colarinho eclesiástico romano, mas com à vontade, parecia jovem, esbelto, elegante, e sobretudo, jovial, calmo, senhor de si e da língua francesa, que lhe era visivelmente agradável falar, desdobrando-a como um tecido, com alguma lentidão. Observava pela primeira vez, a sós com ele, muito à vontade, não embaraçado pela ideia que fazia do seu cargo (já que ele não era senão secretário de um secretário de Estado inexistente), observava aquele rosto que depois tanto haveria de contemplar e de ver acusar pouco a pouco a pátina do tempo, as marcas e as incertezas das preocupações. Então era livre e não responsável. Ouvi-lo-ia dizer naquele dia: "A liberdade e a responsabilidade estão em razão inversa".

Jean Guitton, *Diálogos com Paulo VI*

A bem-sucedida experiência de organização do Secretariado Nacional da Ação Católica e o bom relacionamento com o episcopado do país, graças a sua invulgar capacidade de "passar ao largo das intrigas eclesiásticas" e de discutir sobre os mais graves problemas sem abrir mão da ponderação e da simpatia para com os seus interlocutores, credenciaram monsenhor Helder a receber do representante do Vaticano no Brasil, o núncio apostólico dom Carlo Chiarlo, o convite para tornar-se conselheiro da Nunciatura. Dom Chiarlo o chamara no final de 1948 para uma conversa particular na sede da Nunciatura, próxima à praia de Botafogo e, depois de lamentar-se um pouco das características dos seus conselheiros anteriores, lançou o convite:

– Os núncios fecham-se demais nas mãos dos conselheiros locais e, desgraçadamente, nunca tive muita sorte. Mas agora pensei bem e estou certo de que você poderá ser um ótimo conselheiro. Peço-lhe que venha visitar-me todos os sábados para ajudar-me a analisar os assuntos da Igreja no Brasil.

As atribuições mais importantes de um núncio consistem em manter um bom relacionamento entre os bispos e Roma, recomendar nomeações ou transferências de membros do clero, manter o Vaticano a par da situação da Igreja no país e estabelecer os contatos necessários com o governo local. Para monsenhor Helder, o convite representava uma verdadeira honra. Ainda mais porque, havia apenas três anos, esta mesma Nunciatura recusara-se a aceitar sua nomeação como bispo auxiliar de dom Jaime.

Como, na prática, a atividade de conselheiro requereria apenas a sua disponibilidade nas manhãs de sábado para uma troca de impressões com o núncio sobre a situação da Igreja brasileira, monsenhor Helder não hesitou em aceitar o convite, que envolvia também um motivo estratégico. Desde a Semana de Ação Católica de Belo Horizonte, em setembro de 1947, monsenhor Helder esperava a melhor oportunidade para tentar realizar uma ideia surgida no final daquele encontro, em uma conversa com o advogado José Vieira Coelho, dirigente do movimento em Minas Gerais. Os dois conversavam sobre a necessidade de uma atuação mais organizada e unificada por parte dos bispos brasileiros, já que o tamanho do país, a escassez do clero e as difíceis condições de comunicação entre as dioceses levavam a uma dispersão das ações que dificultava não só o apostolado da Ação Católica, mas também comprometia o futuro da Igreja no Brasil. Assim surgiu a ideia da necessidade de se organizar também um "secretariado nacional permanente", com a finalidade de articular uma maior unidade de ação entre os bispos brasileiros, nos mesmos moldes do Secretariado Nacional da Ação Católica Brasileira recém-criado.

A ideia foi amadurecendo conforme o Secretariado Nacional da Ação Católica, sob a responsabilidade de monsenhor Helder, se concretizava e deixava claro que a articulação de esforços do episcopado poderia potencializar o crescimento da influência da Igreja na sociedade brasileira. Quando se tornou conselheiro de dom Carlo Chiarlo na Nunciatura, monsenhor Helder tratou logo de convencê-lo da necessidade de uma assembleia de bispos no Brasil, como as que já existiam na França e nos Estados Unidos. (Ainda não era utilizada a designação "Conferência" para o organismo que estava sendo planejado para congregar os bispos brasileiros). A argumentação utilizada por monsenhor Helder era simples e atraiu logo o apoio do núncio:

> – Dom Chiarlo, temos de colocar a serviço dos bispos um secretariado igual ao da Ação Católica. Os bispos não têm possibilidades de ler nem estudar. Um secretariado com especialistas, para analisar e discutir os problemas, os ajudaria a tomar decisões.

Nas frequentes conversas com os cardeais do Rio de Janeiro e de São Paulo, monsenhor Helder recebeu sinal verde para continuar o trabalho de busca do apoio de outros bispos, durante a IV Semana Nacional da Ação Católica, em julho de 1950. Faltava ainda uma concordância explícita do Vaticano e foi o próprio núncio, dom Carlo Chiarlo, quem sugeriu que ele aproveitasse a reunião de avaliação entre os secretários das comissões nacionais do Ano Santo, que ocorreria em Roma, em dezembro, e para a qual já estava convocado, para apresentar pela primeira vez a ideia da assembleia brasileira de bispos ao subsecretário de Estado do papa Pio XII, monsenhor Giovani Batista Montini (como não havia um secretário de Estado em atividade, na prática Montini respondia pelo cargo).

Para auxiliá-lo a conseguir o importantíssimo apoio de monsenhor Montini, que conhecia como poucos a burocracia do Vaticano e sobre a qual já exercia grande influência, dom Chiarlo sugeriu a monsenhor Helder que lhe entregasse um documento contendo as teses elaboradas pela Ação Católica Brasileira, como contribuição ao Congresso Mundial para o Apostolado dos Leigos, programado para o ano seguinte, com a missão de redefinir o papel do laicato na Igreja. Estrategicamente, na conclusão de cada uma das dezoito teses que monsenhor Helder ajudara a redigir, aparecia um insinuante apelo: "Mas tudo isso será inútil se não tivermos uma Assembleia de Bispos do Brasil que anime, impulsione e controle toda a pastoral do país...".

Além de escrever previamente a Montini, recomendando o sacerdote brasileiro que o procuraria, dom Chiarlo encarregou monsenhor Helder de levar a Roma a mala diplomática com a correspondência oficial entre a Nunciatura e o Vaticano. A tática deu certo e monsenhor Helder, assim que chegou a Roma, conseguiu com facilidade encontrar-se com monsenhor Montini. Os dois tiveram uma rápida conversa em francês, monsenhor Helder entregou as teses brasileiras para o Congresso dos Leigos e defendeu como pôde a ideia da fundação de um organismo episcopal no Brasil.

Monsenhor Montini ouviu mais do que falou e não prometeu nada. Diplomaticamente, lembrou ao seu interlocutor que uma decisão final dependeria da boa vontade da Cúria Romana e da concordância do próprio papa. No final da conversa, anotou em um caderninho o nome, o endereço e o telefone da pensão onde monsenhor Helder estava hospedado e prometeu chamá-lo assim que tivesse alguma novidade.

Os dias foram passando, monsenhor Montini não telefonava e a ansiedade ia tomando conta de monsenhor Helder, que já pensava o pior sobre o resultado de sua iniciativa. A pensão em que estava hospedado, conhecida como Pensão da Medalha Milagrosa, fora escolhida menos pelo conforto, o que realmente não era o seu forte, e mais por sua localização, ao lado da via della Conciliazzione, a poucas quadras do Vaticano. Não possuía nem calefação, e o frio daquele inverno italiano era quase insuportável para um nordestino que vivera sempre em Fortaleza e no Rio de Janeiro. Como Montini demorasse a chamá-lo, as poucas atividades que fazia, como rezar a missa pela manhã, ler e passear pela cidade, não eram suficientes para impedir que os dias se tornassem cada vez mais longos. Mas, finalmente, no dia 20 de dezembro, ao voltar da missa, pela manhã, recebeu um recado de Montini, que telefonara marcando um encontro para o dia seguinte, às 13 horas, no Vaticano.

O frio chegava a ser perverso com monsenhor Helder na madrugada do dia em que a reunião com monsenhor Montini ocorreria. Mesmo assim, às duas em ponto, o despertador tocou e monsenhor Helder imediatamente se levantou para a vigília, pensando em dedicar aquele tempo à preparação da audiência, quando foi surpreendido por um sangramento nos dois ouvidos. Suportou a dor, não muito intensa, mas só conseguiu realizar as orações. Mas o pior monsenhor Helder descobriu quando o seminarista Kerginaldo Memória veio buscá-lo bem cedo para a celebração da missa: não conseguia ouvir nada. Preocupado com o encontro do início da tarde, começou a rezar para que José resolvesse lhe "dar uma mãozinha". Precisava conseguir ouvir e entender o francês fluente de monsenhor Montini e responder o que fosse necessário na mesma língua:

> – José, hoje tenho um encontro com Montini. Se esta ideia de uma Assembleia de Bispos é uma invenção pessoal, se tenho segundas intenções, então que não ouça nada e que ele não entenda o meu francês! Mas se verdadeiramente é uma ideia importante, peço-lhe duas graças: ouvir Montini e conseguir transmitir-lhe minha mensagem.

Logo depois da missa, Kerginaldo levou monsenhor Helder para que tentasse o auxílio menos sobrenatural de um hospital. Uma enfermeira fez a higiene necessária nos ouvidos e o médico diagnosticou um princípio de ruptura nos tímpanos. A audição nem sequer deu sinal de querer voltar e seria necessário realizar alguns exames nos dias seguintes.

Monsenhor Helder saiu do hospital desapontado com a medicina e tendo como única esperança o auxílio pedido a seu anjo da guarda. Em companhia do seminarista, foi almoçar e aguardar o horário previsto para a audiência. Ao chegar ao Vaticano com sua simples e surrada batina preta, explicou aos encarregados da portaria, em italiano hesitante, que tinha uma audiência com monsenhor Montini. Imediatamente um funcionário olhou para o outro e os dois começaram a rir. Um deles dirigiu-se a monsenhor Helder e ironicamente tentou convencê-lo do suposto engano: "Colloquio privato il ventuno dicembre? Impossibile!"

A Cúria Romana já estava em período de férias de Natal e monsenhor Helder chegou a pensar que fora vítima de um trote, comum num 21 de dezembro, dia de São Tomé. Algum colega, sabendo do motivo que o levava a Roma, talvez resolvera brincar com sua ansiedade pelo encontro com monsenhor Montini e telefonara à pensão marcando uma reunião por brincadeira. Apesar da plausibilidade da hipótese, monsenhor Helder duvidou da possibilidade e resolveu insistir:

> – In ogni modo ripeto che monsignore Montini mi ha chiamato per venire qui a trovarlo.

Como os porteiros não davam sinais de dúvida, resolveu apelar:

> – Io vi prego... Per voi è cosi facile chiamare la Segreteria di Stato! Fatemi questo favore!

Do lado dos funcionários, nenhuma reação demonstrava que iriam atender ao pedido, até que monsenhor Helder resolveu ser mais contundente:

> – Io sono qui perche ho ricevuto una convocazione del sottosegretario di Stato per una audienza privata oggi alle ore 13. Se essa non succcede voi ne sarete colpevoli.

Um tanto intimidado, por descargo de consciência, um dos porteiros resolveu telefonar para a Secretaria de Estado e ficou surpreso quando ouviu a voz de monsenhor Montini ordenando que o visitante subisse.

O próximo a se surpreender foi monsenhor Helder: sua audição estava perfeita e ele conseguiu realizar uma ótima conversa em francês com Montini. A reunião entre os dois durou pouco mais de meia hora. Logo no início, Montini justificou a demora em chamá-lo para a audiência em razão de que estivera analisando cuidadosamente o documento da Ação Católica, entregue por monsenhor Helder e escrito em português. De fato, monsenhor Helder percebeu que o subsecretário de Estado assinalara a lápis praticamente todas as teses, destacando tópicos sobre os quais gostaria de obter maior esclarecimento ou fazer algum comentário. Em quase todos os pontos havia concordância plena entre ambos. Mesmo assim, monsenhor Helder não poupou um forte argumento para obter o apoio desejado:

> – Monsenhor Montini, nós temos, no Brasil, a possibilidade de criar um modelo quase ideal de relacionamento entre Igreja e Estado. O catolicismo entre nós não tem o estatuto de religião oficial, mas há um grande respeito mútuo entre Igreja e governo, e trabalhamos em leal colaboração. Uma assembleia episcopal será um instrumento que facilitará enormemente essa colaboração.

A concordância de Montini foi imediata:

> – Monsenhor Camara, a ideia de uma Assembleia dos Bispos do Brasil me convenceu. Temos de criá-la. Entretanto, tenho uma dúvida...

Embora Montini já estivesse convencido sobre a importância e a viabilidade da iniciativa de monsenhor Helder, sua dúvida era sobre os motivos que teriam levado um simples monsenhor a tentar articular a criação de uma assembleia nacional de bispos. Muito diplomaticamente, como era seu estilo, Montini tentou esclarecer sua desconfiança quanto às reais intenções de monsenhor Helder:

> – Monsenhor Camara, se não entendi mal, trata-se de uma Assembleia de Bispos. Conforme tudo que li nestes relatórios, o homem-chave para dirigi-la seria o senhor, mas o senhor não é bispo. E então?

Monsenhor Helder percebeu logo onde o subsecretário queria chegar e também, com diplomacia, incentivou-o a explicitar melhor o seu raciocínio:

> – Por favor, monsenhor Montini, acho que não entendi muito bem. Tenha a bondade de expor-me o seu pensamento com mais clareza.

Montini resolveu abrir o jogo e expor a sua suspeita de que monsenhor Helder estava se movendo com o interesse de tornar-se bispo.

> – Veja, monsenhor, estou convencido da necessidade, inclusive da urgência, de se criar a Assembleia Nacional de Bispos do Brasil. No entanto, tenho uma última dúvida. Trata-se de uma Assembleia de Bispos, mas por tudo o que li, por tudo o que ouvi e sei, o secretário deverá ser necessariamente o senhor, padre Helder Camara. Não poderá ser outro. O senhor é o indicado natural para ocupar essa função. Mas o senhor não é bispo...

Naquela hora a invulgar capacidade de convencimento de monsenhor Helder entrou em ação, e o argumento que resolveu utilizar seria irrefutável por parte do seu interlocutor:

> – Excelência, sou um humilde sacerdote e assim quero continuar sendo até que Deus o queira. Por outro lado, a história do Vaticano nos dá exemplos luminosos de simples sacerdotes que chegaram a ocupar os cargos mais delicados e importantes da Igreja. Talvez o maior exemplo seja o de vossa excelência: um simples sacerdote que o Santo

Padre quis colocar na direção da Secretaria de Estado. E eu, outro simples sacerdote, aqui estou chamando-o de excelência e rendendo-lhe o respeito e a admiração que merece. Não, eu não aspiro a nada: quero apenas servir à Igreja e ao meu país. Acredite-me.

Como monsenhor Montini o olhava com atenção, refletindo sobre as palavras que dizia, monsenhor Helder resolveu completar o raciocínio:

– Perdoe-me, monsenhor Montini, mas o senhor é o único que não tem o direito de manifestar essa desconfiança, essa dúvida. Porque se Nosso Senhor se serve do seu trabalho na Secretaria de Estado, a serviço do Santo Padre, para ser o elo entre todos os bispos do mundo, por que não poderia eu, sem ser bispo, servir igualmente a Cristo e à sua Igreja sendo o elo de um pequeno grupo de bispos, em um pequeno rincão do mundo?

Montini teve de se curvar à argumentação, sorriu e "se comprometeu a dar apoio pleno" à iniciativa de monsenhor Helder. Mas para convencer o brasileiro de que seria necessária muita cautela antes que a Assembleia fosse criada, mostrou-lhe uma pequena publicação, a revistinha literária *Juventude*, editada por algumas moças que auxiliavam monsenhor Helder no Secretariado da Ação Católica, e que chegara ao Vaticano com "grossos traços vermelhos e grandes interrogações", enviada por autoridades eclesiásticas brasileiras sugerindo a necessidade de alguma medida de censura à publicação, em razão do seu excesso de modernismo. Quase sempre as iniciativas inovadoras eram vistas com reserva por parte tanto da Cúria romana como dos setores mais tradicionalistas do clero brasileiro e, por isso, seria necessário um cuidadoso trabalho de convencimento antes que vingasse a ideia de uma nova forma de organização do episcopado brasileiro.

Desse primeiro encontro entre os dois sacerdotes nasceria uma grande amizade que jamais seria encerrada, mas que passaria por sérias turbulências depois de 1963, ano em que Montini foi eleito sucessor de João XXIII e tornou-se o papa Paulo VI.

Antes de despedir-se, monsenhor Helder deixou com monsenhor Montini um anteprojeto de estatuto do que seria a Assembleia Nacional dos Cardeais e Bispos do Brasil, com a sugestão de que fosse solenemente instalada no Rio de Janeiro, já no ano seguinte, em 28 de outubro de 1951, durante a festa de Cristo Rei. Como escreveu o estudioso e padre Gervásio Queiroga, para a elaboração do anteprojeto de estatuto, monsenhor Helder inspirou-se diretamente nas assembleias de bispos já existentes nos Estados Unidos e na França, com as quais se correspondia. Da Assembleia francesa monsenhor Helder chegou a utilizar o nome Assemblée des Cardinaux et Archvêques de France como inspiração para a organização do episcopado brasileiro.

Como se seu anjo da guarda lhe tivesse dado apenas o tempo necessário para ouvir durante a audiência, assim que saiu do Vaticano monsenhor Helder voltou a ficar surdo, sendo novamente obrigado a utilizar gestos e anotações para se comunicar com o seminarista que o acompanhava. Mesmo proibido pelos médicos de viajar de avião, pois poderia perder totalmente a audição se o fizesse, monsenhor Helder voltou nos dias seguintes ao Brasil.

A expectativa de que no final de 1951 a nova organização do episcopado brasileiro já estivesse em funcionamento revelou-se excessivamente otimista. Desde que Montini prometera dar seu apoio à iniciativa em dezembro de 1950, praticamente não ocorreu mais nenhuma conversa importante entre a Santa Sé e a Igreja brasileira sobre o assunto. Esse silêncio não poderia agradar uma pessoa tão irrequieta como monsenhor Helder. Nos encontros semanais com o núncio, este era o tema mais presente na época, mas na falta de fatos novos, as conversas frequentemente giravam em torno de conjecturas sobre o que poderia estar se passando nos longos corredores do Vaticano.

Foi novamente dom Carlo Chiarlo quem encorajou monsenhor Helder a voltar a Roma para tentar descobrir pessoalmente o que estava ocorrendo. Para não parecer uma atitude de cobrança, o pretexto para a viagem foi o fato de monsenhor Helder acompanhar a delegação de quinze leigos brasileiros participantes do Congresso Mundial do Apostolado dos Leigos, em outubro de 1951. Foi assim que ele voltou à Secretaria de Estado do Vaticano preparado para ouvir o pior; assim que foi entrando na sala de monsenhor Montini, porém, o italiano lançou-se em sua direção com entusiasmo e foi logo o tranquilizando: "Estamos em dívida com o Brasil. Dentro de dois meses a Conferência dos Bispos do Brasil estará criada".

O nome com que a nova entidade seria batizada oficialmente deixou de ser Assembleia, por inspiração francesa, para passar a Conferência Nacional dos Bispos do Brasil, nome derivado da tradução italiana dos estatutos propostos para a entidade: "punti per l'elaborazione del progetto di regolamento per le Conferenze Episcopali del Brasile". Já sob essa designação, monsenhor Helder retomou, no Brasil, o trabalho de articulação da participação dos bispos na futura entidade. No prazo prometido por Montini, a autorização do Vaticano chegou, e a instalação oficial da CNBB foi marcada para ocorrer no Palácio São Joaquim, no Rio de Janeiro, em 14 de outubro de 1952.

Antes dessa data, porém, padre Helder Camara tratou de "preparar uma base sólida para a futura CNBB", organizando encontros regionais como o Encontro dos Prelados da Amazônia, ocorrido em julho de 1952, em Manaus, e o Encontro dos Prelados do Vale do São Francisco, ocorrido no mês seguinte, na cidade de Aracaju, prevendo que tais encontros "mais facilmente interessariam aos senhores bispos e abririam caminho para os indispensáveis encontros nacionais". Helder realizaria esse trabalho de articulação dos bispos utilizando a estrutura da Ação Católica e com o apoio explícito do núncio Carlo Chiarlo e de dois cardeais brasileiros, mas agiria não mais como monsenhor, e sim como bispo titular de Salde e auxiliar do cardeal Jaime Câmara.

IN MANUS TUAS

São Norberto era um pregador humilde,
Filho de nobres – ligado pelo berço à família dos imperadores,
Vendeu um dia os seus bens e os distribuiu
Pelos necessitados.
Andava descalço mesmo no inverno.
Quando o fizeram arcebispo de Magdeburgo,
Gemeu e chorou longamente antes de obedecer.
Sua tristeza foi imensa.
Sentiu-se subitamente afastado da sua ambição,
Que era a pobreza, neste mundo.
Sentiu-se coroado pelos espinhos de um grave poder.
[...]
Pesava-lhe a honraria; o contato com os grandes do mundo o ofendia.
Nunca desejara Norberto o comando da Igreja.
Queria apenas transmitir a fama do Cristo
Pela palavra e fundar conventos.
Queria ser um dos últimos, o último, se possível,
Na escala das grandezas.

Augusto Frederico Schmidt, *Fonte invisível*

Antes que a CNBB fosse oficialmente criada, por indicação de dom Jaime e com a concordância do núncio dom Carlo Chiarlo, ocorreu no dia 3 de março de 1952 a eleição episcopal de monsenhor Helder Camara. O papa Pio XII, seguindo a tradição católica de atribuir aos bispos auxiliares a titularidade de um antigo bispado não mais existente, nomeou-o bispo titular de Salde, no norte da África, e, ao mesmo tempo, auxiliar da Arquidiocese do Rio de Janeiro. Evitou-se, assim, que um sacerdote desprovido do anel e do báculo pudesse ser responsável pelo surgimento da nova organização e tornar-se um de seus dirigentes.

A cerimônia de sagração episcopal de dom Helder Camara aconteceu na manhã ensolarada de 20 de abril de 1952, um domingo ou, reportando-nos à tradição, uma Dominga de Quasímodo. A Igreja escolhida foi a da Candelária, na época a mais suntuosa e rica do país, construída inteiramente com granito e mármore, tendo o seu interior revestido de mármores branco e rosa e as portas de bronze em alto-relevo.

A liturgia foi toda realizada em latim, durante mais de duas horas, dirigida por dom Jaime, auxiliado por dois bispos. Dom Jaime, dom Helder e os dois bispos consagrantes entraram juntos na Igreja e rezaram as primeiras orações na capela do Santíssimo e no altar-mor. Logo depois, dom Jaime preparou a missa e vestiu-se com os "paramentos pontificais". Dom Helder também "recitou as orações preparatórias à missa" e vestiu-se com paramentos próprios para o rito (o pluvial, que é a capa para aspersão de água benta, e a estola, uma faixa larga que os sacerdotes colocam sobre a alva), isso tudo diante do altar, ladeado pelos dois consagrantes. A cerimônia começou realmente quando o mais antigo dos bispos consagrantes dirigiu-se a dom Jaime com as palavras: "*Excellentissime et Reverendissime Pater, postulat sancta mater Ecclesia Catholica, ut hunc praesentem Presbyterum ad onus Episcopatus sublevetis*" (Reverendíssimo padre, pede a Santa Madre Igreja Católica que eleveis o presbítero aqui presente ao ônus do episcopado).

Em seguida, dom Jaime perguntou-lhe se tinha o "mandato apostólico" e, diante da resposta afirmativa, autorizou a leitura das bulas para concluir, no final, com o *Deo gratias*. Dom Helder, então, de joelhos, diante de dom Jaime, e também na presença do núncio dom Carlo Chiarlo, jurou fidelidade e obediência ao papa e às leis eclesiásticas. No passo seguinte, chamado Exame, dom Helder

Padre Helder com o pai, momentos antes de sua sagração episcopal (20/04/1952).

foi interrogado longamente sobre sua fé na Santíssima Trindade e na tradição católica. Dom Jaime perguntou, por exemplo, se dom Helder desejava afastar-se do mal, guardar e ensinar a castidade, a humildade e a paciência etc. E a resposta era sempre *Volo* (eu quero) ou *Assentio, et ita credo* (concordo e assim creio). Quando se tratava de condenar "toda heresia que se levanta contra a Santa Igreja Católica", o novo bispo respondia: *Anathematizo* (eu a condeno). No final do Exame, todos responderam Amém, e dom Helder, ainda de joelhos, beijou a mão de dom Jaime.

A partir desse momento, dom Jaime iniciou a missa como de costume, e dom Helder foi até o seu altar para ser paramentado: tirou o pluvial, descruzou a estola, recebeu dos bispos consagrantes a cruz peitoral, as tunicelas, a casula e o manípulo e ficou aguardando o momento do Rito da Sagração. Sentado, dom Helder ouviu dom Jaime falar sobre as obrigações dos bispos e, depois, todos os presentes se ajoelharam e o bispo eleito "prostrou-se sobre os degraus do altar" para ouvir as ladainhas:

> ... Para que vos digneis conservar em santa religião o Sumo Pontífice, e todas as ordens da eclesiástica hierarquia, ouvi nossos rogos.
> Para que vos digneis humilhar os inimigos da santa Igreja, ouvi nossos rogos.
> Para que vos digneis estabelecer a paz e verdadeira concórdia entre os reis e príncipes cristãos, ouvi nossos rogos.
> Para que vos digneis abençoar e santificar o eleito aqui presente, ouvi nossos rogos. Para que vos digneis abençoar, santificar e consagrar o eleito aqui presente, ouvi nossos rogos.
> Jesus Cristo, ouvi-nos.
> Jesus Cristo, atendei-nos.
> Senhor, compadecei-vos de nós.
> Cristo, apiedai-vos de nós.
> Senhor, compadecei-vos de nós.

Assim que terminaram as ladainhas, dom Helder ajoelhou-se diante de dom Jaime, que tocou com o livro dos Evangelhos sua cabeça e seus ombros. Dom Jaime e os outros dois bispos colocaram, então, as mãos sobre a cabeça de dom Helder e recitaram juntos: *Accipe Spiritum Sanctum* (recebei o Espírito Santo).

Inicia-se a leitura do prefácio, interrompida pouco depois para que o celebrante realize a Unção da cabeça de dom Helder: *Ungatur, et consecretur caput tuum, coelesti benedictione, in ordine Pontificati* (Seja ungida e consagrada vossa cabeça com a bênção celestial, na Ordem Pontifical).

In nomine Patris et Filii, et Spiritus Sancti.
Amen.

Dom Helder teve suas mãos também ungidas por dom Jaime logo depois de mais um trecho do prefácio, até que ocorreu a entrega das insígnias: o báculo pastoral, o anel e o livro dos Evangelhos. Conforme entregava uma a uma as insígnias, dom Jaime ia dizendo:

> – Recebei o báculo do ônus Pastoral para que sejais piedosamente severo em corrigir os vícios, julgando sem cólera, levando suavemente os ânimos dos ouvintes à prática das virtudes, sem omitir, na serenidade do espírito, a repreensão severa.

164 DOM HELDER CAMARA

– Recebei o anel, símbolo da fidelidade com que, inviolavelmente, deveis guardar a esposa de Deus, que é a Santa Igreja.
– Recebei o Evangelho e ide pregar ao povo a vós entregue: Deus pode aumentar em vós a sua graça, Ele que vive e reina por todos os séculos e séculos.

"Amém", respondeu dom Helder, após cada uma das falas de dom Jaime. De acordo com a tradição católica, o báculo é um bastão que tem sua parte superior arqueada e simboliza a função do novo bispo no pastoreio do seu rebanho de fiéis; com uma pedra de ametista, o anel simboliza a fidelidade à Santa Sé e o Evangelho é o instrumento a ser utilizado para pregação aos católicos e conversão dos não fiéis.

Após as insígnias, dom Helder recebeu de dom Jaime e dos outros dois bispos o chamado "ósculo da paz" e voltou a seu altar, onde enxugou a cabeça e lavou as mãos para tirar o óleo com que fora ungido, para concelebrar a missa até a hora da Comunhão. Depois de dar a bênção final, dom Jaime sentou-se no faldistório, no centro do altar, e dom Helder ajoelhou-se novamente diante dele para receber a mitra e as luvas.

Iniciou-se, neste momento, o *Te Deum*: *Te Deum laudamus*: *te Dominum confitemur*... (A Vós, ó Deus, louvamos: a Vós, Senhor, bendizemos...). Durante todo o *Te Deum*, dom Helder deu a volta na Igreja, abençoando o povo. Seguiram-se algumas orações, depois das quais dom Jaime dirigiu-se ao trono de dom Helder recitando o último evangelho, e a celebração se encerrou com um *Deo gratias*.

O novo bispo foi, então, cumprimentado por seu padrinho de Sagração, o amigo Antonio Alves Sarda, genro de dona Margarida Campos Heitor e diretor do Banco Português. Logo após vieram os cumprimentos do pai já octogenário, que aguentou firme a longa cerimônia sentado na primeira fileira ao lado das filhas Nairzinha e irmã Stefânia (Maroquinha), e da nora, Elisa. Mardônio e Norma e vários outros parentes que moravam no Rio também estiveram presentes, além, é claro, do pessoal que trabalhava no Secretariado da Ação Católica e de um número incontável de velhos amigos de dom Helder, como Sobral Pinto, Santiago Dantas e vários outros, com exceção de dr. Alceu Amoroso Lima, que não compareceu por encontrar-se nos Estados Unidos, onde trabalhava como diretor do departamento cultural da Organização dos Estados Americanos (OEA).

Dona Margarida Campos Heitor, na sua vez de cumprimentar o novo bispo, fez questão de apontar para a cruz que dom Helder trazia no peito e de piscar-lhe um dos olhos, insinuando alguma cumplicidade entre os dois. Bem trabalhada em bronze com baixos-relevos, a cruz fora presenteada por ela havia vários anos ao então padre Helder. Mas, em um aniversário dela, o distraído padre levou-lhe de presente o presente que recebera. Mais tarde, dom Helder recordaria sua gafe dizendo que dona Margarida "não só recebeu a cruz que lhe dera, mas mostrou-se encantada com o presente". Quando foi eleito bispo, ela devolveu-lhe a cruz e "comentou, rindo amavelmente, o que se passara". Dom Helder achava a cruz de bronze "lindíssima", mas dom Rosalvo Costa Rego, o arcebispo auxiliar do Rio, exigiu que ela fosse banhada a ouro para que ficasse à altura da dignidade eclesiástica do novo bispo.

O lema episcopal escolhido por dom Helder – *In manus tuas* – é a frase que, no seu entendimento, melhor resume o "ideal do seu ministério", mas curiosamente não foi ideia sua, e sim uma sugestão do amigo monsenhor José Vicente Távora. O próprio dom Helder explicou o significado que atribui a seu lema em duas meditações nascidas durante suas vigílias e publicadas como poemas no livro *Mil razões para viver*:

In manus tuas

Só Tu
e mais ninguém
me poderias soprar
lema tão feliz,
que resume, a cada instante,
minha miséria total
e minha riqueza em tuas mãos.
Nada peço e nada recuso.
Não ouso e nada temo.
Decides por mim.
Ages por mim.

In manus tuas – II

Tenho a confiança de dizer-Te
que uma das homenagens mais puras
que Te presto
é aceitar, a cada instante,
não ver um palmo diante dos olhos.
Que rumo tomará minha vida?
Que sucederá em cinco anos?
Em um ano?
Em uma tarde?
Em uma hora?
Em um segundo?...

Depois de sagrado bispo, dom Helder não deixou que os amigos passassem a tratá-lo com mais reverência, chamando-o de "senhor" ou de "dom". Fazia questão de ser chamado de "padre Helder" e, pelos mais íntimos, de "Padrezinho". Quando encontrava um amigo que lhe perguntava "o senhor vai bem?", ele apontava o indicador para o céu e respondia: "Ele vai bem...!", com um tom sério que tirava de qualquer um a dúvida quanto a tratá-lo de "você". Para alguns amigos, dom Helder "impôs" a obrigação de o chamarem apenas de Helder. Sobral Pinto foi um deles. Desde que conheceu o advogado em 1936, quando acabara de mudar-se para o Rio, dom Helder pediu-lhe que não o chamasse de "padre Helder". Quando chegou ao bispado, repetiu o pedido a Sobral: "Tire o 'dom'. Não me chame de dom Helder. Se você não me chamava de padre Helder, não há nenhum motivo para me chamar de dom Helder".

A FUNDAÇÃO DA CNBB

> *Todos os observadores de dom Helder notaram a sua capacidade carismática de estimular, inovar e inspirar. Ele pôde exercer ao máximo esses dons no Rio, onde era bispo auxiliar e, portanto, livre dos deveres pastorais de um ordinário (o bispo que tem a jurisdição específica). Depois de fundar a CNBB em 1952, pôde devotar boa parte do tempo ao seu crescimento e desenvolvimento, exatamente porque o órgão gozava de autonomia; a Igreja se defrontava com ameaças de diversos tipos, e o cardeal e outros bispos concederam a dom Helder a oportunidade de formular uma resposta. Essa resposta, ele a deu por meio da CNBB, institucionalizando, assim, o que poderia não ter passado de um movimento ou programa muito pessoal. Sua liderança, sob esse aspecto, era intencional, pois a CNBB foi criada como uma entidade viva dentro da Igreja e da sociedade, de modo a oferecer uma plataforma ou base para a coordenação dos esforços dos outros. Os outros membros do grupo da CNBB eram, de modo geral, mais jovens e certamente mais ativos do que a maioria da hierarquia. Esse grupo complementava a liderança carismática de dom Helder, com um ímpeto maior na mesma direção.*
>
> Thomás Bruneau

Depois de nomeado bispo auxiliar de dom Jaime, oficialmente o principal encargo de dom Helder continuou sendo "servir a Diocese no tocante à Ação Católica", como nos tempos de monsenhor. A diferença é que havia a fundação da Conferência de Bispos prevista para outubro daquele mesmo ano e já estava claro que caberia a dom Helder um cargo de direção na nova entidade.

Como bispo, foi mais fácil para ele obter a adesão do episcopado brasileiro à CNBB. Seu principal argumento era a necessidade de que os bispos atuassem de maneira conjunta para resolver os problemas que extrapolavam as dioceses. Mas para conseguir o apoio necessário, dom Helder não dispensou jamais o poder de atração exercido pelo apoio explícito que sua iniciativa recebia do núncio e dos dois cardeais brasileiros. A carta de convocação para a Assembleia de Instalação da CNBB, por exemplo, datada de 5 de maio de 1952, foi assinada pelos cardeais Carlos Mota e Jaime Câmara e, para convocar os dois encontros regionais de bispos que antecederam a fundação da CNBB, o Encontro dos Prelados da Amazônia e o dos

Prelados do Vale do São Francisco, foi o núncio dom Carlo Chiarlo quem emitiu as convocações em nome da Ação Católica Brasileira.

Como promotor e coordenador desses dois encontros regionais, além de "preparar a base sólida para a futura Conferência de Bispos do Brasil", dom Helder pretendia também que as ações da Igreja complementassem as iniciativas do governo Vargas, como demonstra uma carta dirigida aos bispos do Vale do São Francisco, assim transcrita no estudo elaborado por padre Queiroga:

> Permita V. Exª. que faça, hoje, chegar às mãos de V. Exª. um exemplar do "Plano geral para o aproveitamento econômico do Vale do S. Francisco"[...] Não seria o caso, Exª., de descobrir-se a fórmula mais feliz de os prelados do Vale do S. Francisco se reunirem para exame do plano econômico e articulação do plano espiritual?
>
> Quando o governo lança planos regionais de grande envergadura, seria uma tristeza que a Igreja não estivesse em condições de congregar esforços, aparecer unida e à altura dos acontecimentos.

Simultaneamente à preparação da instalação da CNBB, foram se definindo na atuação de dom Helder Camara as duas marcas que imprimiria à Igreja no Brasil a partir dos anos 1950: atuação conjunta do episcopado nacional e revalorização da colaboração entre Igreja e Estado. No Encontro dos Prelados da Amazônia, por exemplo, além do aparecimento da inovadora declaração de que os bispos entendiam os problemas econômicos "como capítulos fundamentais" da atuação da Igreja, o que, em outras palavras, queria dizer que não deveriam restringir sua ação pastoral aos problemas espirituais do "rebanho", reafirmou-se que a Igreja estava "disposta a colaborar com o Estado, a multiplicar por dez, por cem, por mil a ação dos órgãos oficiais".

A Igreja Católica utilizaria a estrutura de suas dioceses, espalhadas pelas regiões mais pobres do país, para desenvolver atividades educativas, associativas e de assistência social para as comunidades rurais. O Estado entraria com os recursos necessários. Como já se prenunciara em sua atuação no Secretariado Nacional da Ação Católica, dom Helder e vários outros bispos haviam percebido que a Igreja deveria aproximar-se das comunidades camponesas para contrabalançar a crescente influência dos movimentos em defesa da reforma agrária liderados por socialistas e comunistas.

A assembleia de fundação da CNBB, finalmente, ocorreu no dia 14 de outubro de 1952, às nove e meia, no Palácio São Joaquim. O próprio dom Helder foi o secretário da reunião e elaborou a ata. O núncio apostólico, os dois cardeais brasileiros e cerca de vinte arcebispos e bispos estavam presentes. Pela manhã, logo depois da recitação do *Veni Sancte Spiritus*, realizada na capela, os bispos apresentaram suas sugestões para o regulamento da Conferência, que já haviam recebido previamente, e dom Helder foi encarregado de elaborar o texto final já emendado. À tarde, foram eleitos os bispos dom Vicente Scherer, dom Mário de Miranda Vilas Boas e dom Antônio Morais de Almeida Júnior que, com os dois cardeais, considerados membros natos, passaram a compor a Comissão Permanente. Na prática, a Comissão Permanente responderia pela direção da CNBB, conforme definia o regulamento aprovado, atribuição que deixava claro o caráter

A FUNDAÇÃO DA CNBB 169

centralizado e hierárquico da nova entidade. Composta de apenas cinco membros, foi a Comissão Permanente que escolheu os ocupantes dos dois cargos mais importantes da entidade: como presidente, cardeal dom Carlos Carmelo de Vasconcelos Mota; como secretário-geral, dom Helder Camara, escolhido por aclamação.

No dia seguinte, Dom Helder esclareceu as atribuições do secretariado-geral e propôs seu desdobramento em seis secretariados nacionais: Educação, Ação Social, Ensino Religioso, Seminários e Vocações Sacerdotais, Apostolado Leigo, Liga Eleitoral Católica. Algumas partes de seu discurso, ao definir os objetivos do secretariado, conforme transcritas pelo padre Queiroga, revelam suas intenções ao propor a fundação da CNBB:

> ... contrabalançar, inteligentemente, a conspiração do silêncio, não permitindo que os veículos da opinião pública continuem a dar a impressão de ausência da Igreja ou de um papel secundário da mesma Igreja na vida do país e do mundo. Entre os objetivos do Secretariado Nacional de Educação:
> ... impregnar de espírito cristão o ambiente dos lares do Brasil. ... bater-se pelo sentido construtivo dos órgãos de publicidade: cinema, teatro, rádio, televisão, jornais, revistas e anúncios.
> Os objetivos propostos para a Liga Eleitoral Católica são ainda mais polêmicos e ousados:
> ... alertar a tempo os católicos quanto a partidos ou candidatos que se recusem a comprometer-se em defender os postulados cristãos em matéria política ou que se tenham tornado perjuros em legislações precedentes... Uma influência sistemática, organizada, eficiente, impõe-se verdadeiramente [...] Os assaltos divorcistas, cada vez mais fortes, são um grito de alarme que seria criminoso não tomar a sério.

É fácil reconhecer nessa intervenção a volta do tom apaixonado e voluntarioso que marcou seus primeiros anos de sacerdócio. Mas foi o próprio padre Gervásio Queiroga, no seu cuidadoso estudo sobre a CNBB, quem melhor avaliou o pensamento expresso no discurso:

> Num estilo assim, vivaz, apaixonado, traça esse documento uma panorâmica muito ampla das necessidades da Igreja e da urgência de uma ação planejada e coordenada por parte das forças apostólicas. Insiste particularmente na atuação junto aos organismos de reflexão e decisão da vida pública e política, nacional e internacional, para que sejam inspirados pela doutrina da Igreja. Quer para ela uma presença atuante, aí onde se decidem os destinos do povo. Os tons agressivos, de dominação, os voos utópicos não infirmam o valor desse documento notável, como inspiração e aspiração.

No encontro, os bispos decidiram que a primeira reunião ordinária da Conferência Nacional dos Bispos do Brasil deveria ocorrer em Belém, entre os dias 17 e 20 de agosto de 1953 e, o que não deve passar despercebido, propuseram que fossem discutidos, na ocasião, temas como a posição da Igreja diante da reforma agrária, do problema da imigração e da atuação dos leigos na sociedade, colocando, assim, de forma clara, os problemas sociais do país na agenda do episcopado.

Já quase ao final da reunião, dom Helder conseguiu fazer aprovar a adoção de um orçamento conjunto para a Ação Católica Brasileira e a CNBB, uma medida que, na prática, tirou o movimento do controle dos bispos diocesanos, quase sempre mais conservadores. Com isso, os movimentos especializados de Ação Católica passaram a contar com maior autonomia e a ser financiados pela CNBB. O início dessa nova fase da Ação Católica Brasileira coincide também com o período em que dom Helder se torna oficialmente o assistente nacional do movimento.

Para não deixar dúvidas sobre o desejo de a Igreja manter a colaboração com o governo, em 15 de outubro, às 17h30, os arcebispos que participavam da assembleia de instalação da CNBB tiveram uma "solene recepção no Ministério das Relações Exteriores" pelo ministro João Neves da Fontoura. No dia seguinte, também no período da tarde, seria a vez do presidente da República ouvir do presidente da CNBB, cardeal Mota, um discurso de elogio a seu governo. Getúlio Vargas respondeu ao cardeal "manifestando o propósito decidido de contribuir para uma sempre maior harmonia entre o poder temporal e o poder espiritual", como ocorria nos bons tempos de sua amizade com dom Leme.

Em uma Igreja Católica de maioria tradicionalista, como era a brasileira, a fundação da CNBB foi, sem dúvida, um acontecimento inusitado. Dom Helder alcançou seu objetivo não só por contar com o apoio explícito da Secretaria de Estado do papa Pio XII, mas também porque era quase unânime, entre os bispos brasileiros, a necessidade de modernizar a administração da Igreja e de unificar o episcopado com vistas a ampliar a influência política e social dos católicos no país.

Dom Helder dirige a fundação da CNBB em outubro de 1952.

Outras habilidosas ações de dom Helder também foram importantes para levar sua iniciativa a bom termo, como a ideia de escrever um programa totalmente vago para a fundação da CNBB, colocando no regulamento um insosso Artigo 1, no qual aparece como objetivo da entidade "estudar e discutir... problemas de competência do episcopado e de interesse comum", eliminando assim, de antemão, qualquer possível discordância quanto às finalidades da nova organização; impedindo que um conservador como o cardeal Jaime Câmara assumisse a presidência nos primeiros anos da Conferência, colocando em seu lugar, com o apoio do núncio, o mais simpático e avançado cardeal Carlos Mota; e, ao mesmo tempo em que propôs no regulamento que a direção da CNBB deveria ficar a cargo da restrita e hierárquica Comissão Permanente, "sob a aparência de mero executor" transformou o seu cargo de secretário-geral no verdadeiro "cérebro da conferência", "o órgão mais atuante da CNBB, seu centro dinamizador". Como afirmou padre Fernando Bastos de Ávila, "num episcopado pouco habituado a reuniões plenárias e a trabalhos conjuntos, dom Helder emergiu e exerceu verdadeira liderança".

A importância do apoio ativo de vários bispos e sacerdotes à criação da Conferência também não pode ser menosprezada. Seria, sem dúvida, mais difícil o êxito de dom Helder caso ele não contasse com a ajuda de dom Fernando Gomes, dom José Delgado, dom Antônio Cabral e do combativo e fiel amigo monsenhor José Vicente Távora.

Coincidindo com o décimo aniversário da morte do cardeal Leme, a Assembleia de Fundação da CNBB credenciou dom Helder Camara como a liderança que daria continuidade ao trabalho de adequar a estrutura da Igreja brasileira à realidade do país. Dom Helder permanecerá até 1964 no cargo de secretário-geral da entidade, quando, então, o clima político do país e as necessidades da Igreja serão outros.

Logo que oficializada a Conferência e o seu funcionamento na sede do governo arquidiocesano do Rio de Janeiro, o Palácio São Joaquim, dom Helder levou para trabalhar consigo as mesmas pessoas que já o ajudavam no secretariado da Ação Católica. Para não perder tempo, ainda em outubro, as assembleias episcopais dos Estados Unidos e da França recebem uma entusiasmada correspondência do secretário-geral e iniciam-se os trabalhos para a primeira reunião ordinária, a ocorrer em agosto do ano seguinte.

No final de novembro de 1952, dom Helder voltou ao Vaticano para encontrar-se com monsenhor Montini, comunicar-lhe o êxito da assembleia de fundação da Conferência e planejar seus próximos passos. Foi a primeira viagem de dom Helder a Roma como bispo. Nesse novo encontro, era já evidente a afinidade entre os dois e, depois de uma longa conversa, dom Helder decidira ir embora e começava a despedir-se quando monsenhor Montini apressou-se, impediu que a porta fosse aberta e fez-lhe um pedido inesperado:

– Agora, dê-me sua primeira bênção de bispo.

Dom Helder ficou um tanto embaraçado e quis retribuir o gesto de humildade do secretário de Estado fazendo uma premonição sobre o futuro do seu amigo:

– Está bem! Dar-lhe-ei a minha primeira bênção de bispo. Mas, como já o vejo vestido de branco, quero receber depois sua primeira bênção de papa.

Muito perturbado, monsenhor Montini resistiu ao pedido o quanto pôde, mas, diante da insistência de dom Helder para que lhe desse a bênção, consentiu com uma objeção:

– Também darei a bênção, mas não de papa.

Os dois se abençoaram e, ajoelhados, monsenhor Montini propôs:

– Rezemos, então, juntos o *Pater Noster*.

"Abraçados como irmãos", os dois rezaram o Pai-nosso e se despediram. Onze anos depois, a premonição de dom Helder se realizava: monsenhor Montini era eleito Sumo Pontífice dos católicos.

NO JOGO DO PODER

Chicão parou numa oficina da estrada e mandou que um mecânico consertasse o carro. Chegou ao Rio depois das onze da manhã. Ficou preso no trânsito, centro da cidade, em frente à igreja da Candelária.
Uma multidão cercava a igreja.
"Que está havendo, seu guarda?", perguntou Chicão a um guarda que tentava organizar o trânsito.
"Missa de sétimo dia pela alma do major Rubens Vaz", disse o guarda.
A missa estava sendo celebrada pelo cardeal dom Jaime de Barros Câmara, auxiliado pelos bispos dom Helder Camara, dom Jorge Marcos de Oliveira e dom José Távora. Pelo número de carros oficiais, Chicão concluiu que a igreja deveria estar repleta de altas autoridades.

Rubem Fonseca, *Agosto*

Não houve missa de sétimo dia em sufrágio da alma do presidente Getúlio Vargas porque a Igreja (seguindo a letra do direito canônico) não recomenda o corpo de suicidas, nem lhes dá sepultura eclesiástica.

Revista *O Cruzeiro*, 18/9/1954

"Revolucionário aos 20 anos, conservador aos 30." Embora um clichê, essa sentença é a que melhor resume a conversão de Carlos Lacerda ao catolicismo nos anos 1940. Depois de reivindicar em praça pública a entrega de todo o poder ao comunista Luís Carlos Prestes, em um comício da Aliança Nacional Libertadora (ANL), em 1935, por volta de 1947 Carlos Lacerda era um homem em fase de transição em suas concepções, mas que achava "difícil voltar sozinho, com os pés sangrando, para a casa de Deus. Sem apoio. Sem a companhia dos avançados". Para facilitar esse retorno, Carlos se reunia regularmente com Alceu Amoroso Lima, Gustavo Corção, Hamilton Nogueira e Sobral Pinto, o grupo de intelectuais católicos do Centro Dom Vital.

John W. F. Dulles, o norte-americano biógrafo de Carlos Lacerda, conta que Gustavo Corção foi quem o apresentou ao beneditino dom Lourenço de Almeida Prado. O monge deu-lhe a primeira comunhão após a conversão, batizou seus dois filhos, Sérgio e Sebastião, e realizou seu casamento com Letícia, em 17 de agosto de 1948. Desde então, monsenhor Helder Camara, também ligado ao grupo do Centro Dom Vital, passou a ser seu confessor e confidente.

Embora convertido também ao conservadorismo político, Lacerda jamais deixou de ser um incendiário, exercitando diariamente seu poder de fogo nos duríssimos artigos que publicava no seu jornal, o *Tribuna da Imprensa*, contra o governo Vargas. Foi ele quem convenceu o deputado Armando Falcão a coletar as assinaturas necessárias para que fosse aberta, em maio de 1953, a Comissão Parlamentar de Inquérito que investigaria e comprovaria o favorecimento do governo Vargas às empresas do jornalista Samuel Wainer, por meio de empréstimos irregulares do Banco do Brasil, iniciando, assim, o maior e mais trágico terremoto político da história do país, que culminou no assassinato do major da Aeronáutica Rubens Vaz e no suicídio do próprio Vargas, em agosto de 1954, e no golpe militar do General Lott, em novembro de 1955.

Na condição de bispo auxiliar da Arquidiocese da capital do país, destacado informalmente por dom Jaime como intermediário na relação entre o "poder temporal" e o "poder espiritual" da Igreja, dom Helder viu-se obrigado a conciliar a colaboração com o governo de Getúlio Vargas e a amizade que mantinha com Carlos Lacerda, o mais temido e influente opositor do presidente.

Na época, só os amigos mais próximos de Lacerda sabiam que por trás da virulência com que escrevia os artigos de ataque ao governo, e que lhe valera o apelido de "o corvo", nas páginas do jornal governista *Última Hora*, havia um "cordeiro" que fazia de tudo para não se afastar do "rebanho" católico e de dom Helder Camara, o pastor que mais estima. Quando teve notícia da futura elevação de dom Helder ao arcebispado, Lacerda demonstrou o sentimento que cultivava por seu "pastor":

> Venho dizer-lhe, meu querido amigo, o bem que me faz a sua elevação na hierarquia da Igreja, o reconhecimento de seus serviços e de sua extraordinária vocação. Para ser sincero, devo também anotar aqui certa ponta de melancolia. Cada passo acima, na escala das responsabilidades que o cercam, e às quais o senhor se entrega profundamente, afasta-o mais de nossa convivência, nos seus já raros momentos livres. Por egoísmo e por medo, medo de mim, da vida, dos inimigos e de amigos, por vezes, desejaria tê-lo mais perto de nós, de mim, de meus filhos, de minha família, que tanto carece do seu conselho e, eu mais do que nunca, do seu estímulo, de seu valor, de seu exemplo de firmeza, serenidade e devotamento.
>
> ... Deus o leve adiante, no Seu serviço, para propagar a Sua palavra, nesse mister luminoso. Quanto mais longe e mais alto o levar, maiores serviços poderá prestar-Lhe a sua vocação irresistivelmente aliciadora.
>
> Assim, cada vez mais o que lhe acontece dará alegria ao seu amigo que lhe beija, reverente, o anel e só lhe pede, entre tantas obrigações prementes, não o esqueça em suas orações. Com um abraço muito afetuoso, seu amigo, de todo coração, Carlos (Rio, 2/4/1954).

Dom Helder retribuiu o quando pôde a amizade e o afeto recebido de Lacerda. Como ocorreu depois que seu amigo saíra com um ferimento a bala no pé, vítima de um atentado sofrido na porta do prédio onde morava, na rua Tonelero, 180, em Copacabana, na noite de 4 de agosto de 1954, quando voltava da Tijuca, onde estivera no Colégio São José, em uma atividade de sua campanha para deputado.

Quase todos os dias, dom Helder ia até a casa de Lacerda para conversar um pouco e ministrar-lhe a comunhão.

No mesmo atentado, o major-aviador da Aeronáutica Rubens Florentino Vaz, que fazia a segurança de Lacerda, acabou sendo assassinado. Com a notícia de que a bala que atingira o major Vaz era de uma arma calibre 45, privativa do Exército, mas usada também pela guarda pessoal do presidente, já no dia seguinte, liderada por Lacerda, a oposição ao governo passou a acusar diretamente Getúlio Vargas como mandante do atentado, exigindo sua renúncia para que a apuração fosse realizada. No dia 9 de agosto, até José Américo, ministro da Viação, tentou convencer Getúlio a deixar o poder, mas não teve sucesso. No país inteiro passaram a pipocar manifestações contra o governo. A crise política ameaçava transformar-se em caos. No dia 10, seria a vez de dom Jaime Câmara encontrar-se com o presidente para uma rápida conversa, mas a presença de vários jornalistas no Palácio do Catete acabou truncando o curto diálogo ocorrido entre os dois:

– Senhor presidente – disse o cardeal –, vim visitá-lo a fim de demonstrar o meu pesar, diante da hora aflitiva por que está passando neste momento o país.

A resposta de Vargas, cuja formação intelectual era positivista, veio em um tom diplomático depois de alguns instantes de silêncio:

– Faço questão de viver de acordo com os princípios cristãos.

Contrafeito diante da impossibilidade de aprofundar o diálogo, dom Jaime ainda tentou mais algumas palavras que, no contexto, mais parecem uma repreensão:

– Eu espero que V. Exª. viva sempre de acordo com esses princípios cristãos.

Como Vargas se considerava vítima de uma campanha de difamação, ainda mais porque não teria a ingenuidade de ordenar um atentado contra seu principal opositor, falou de forma conclusiva:

– Eu não seria capaz de me vingar de ninguém.

Foram menos de cinco minutos de encontro, e dom Jaime não chegou a pedir ao presidente que renunciasse, ao contrário de uma das versões divulgadas sobre a conversa.

A missa de sétimo dia pela morte do major Rubens Vaz foi rezada na igreja da Candelária, às onze horas do dia 11 de agosto. Dom Helder, em homenagem ao major e em solidariedade ao amigo Lacerda, fez questão de acompanhar dom Jaime na celebração. Autoridades como o general Zenóbio da Costa, ministro da Guerra, o ex-presidente Eurico Gaspar Dutra, o brigadeiro Eduardo Gomes e o general Juarez Távora e inúmeros militares e políticos juntaram-se às quase cinco mil pessoas presentes dentro e nas imediações da igreja, na avenida Presidente Vargas.

Ainda, durante a missa, surgiram as primeiras escaramuças entre os mais exaltados populares que gritavam palavras de ordem contra o presidente e a polícia. Ao meio-dia, com a celebração já encerrada, teve início uma ruidosa passeata em direção à Cinelândia; no percurso, é incendiado um carro que fazia propaganda eleitoral para o PTB. A escadaria do Teatro Municipal foi transformada em palanque para um comício improvisado. No final da tarde, um grupo de manifestantes ameaçava entrar no edifício São Borja e invadir a sede do PTB. A polícia do Exército, então, resolveu intervir usando a mais nova aquisição de seu arsenal: o carro-tanque "Brucutu". Mas, conforme a reportagem de *O Cruzeiro*, "abertas suas comportas e assestadas suas mangueiras contra o povo, o mecanismo falhou, e o que se teve foi um modesto jato de menos de dois metros – situação embaraçosa que o povo recebeu com apupos". Cacetetes e bombas de gás lacrimogêneo passaram a ser usados em socorro ao Brucutu e vários manifestantes acabaram feridos.

Durante o tumulto, Carlos Lacerda se encontrava com o vice-presidente Café Filho e com o general Zenóbio, para tentar convencê-los a pedir a Getúlio que renunciasse. Mas o general Zenóbio se irritou com Lacerda e responsabilizou-o pela situação no centro da cidade: "O senhor está vendo o que está fazendo ao país?". Lacerda deixou o general e partiu para tentar conter os manifestantes. Discursou da sacada de um edifício, na praça Floriano Peixoto, "pedindo ao povo calma e disciplina".

Terminada a missa pela alma do major Vaz, ao deixar a igreja, dom Helder ficou impressionado com a agressividade das manifestações contra o governo. Voltou-se, então, para dom Jaime, a quem acompanhava, e disse:

– Tenho uma sugestão a fazer.
– Acho que posso adivinhar sua sugestão e a aceito de antemão – respondeu o cardeal, que continuou: – Para deixar claro que não pertencemos a um grupo político, que não somos políticos, devemos fazer uma visita ao presidente Vargas.

Dom Helder ainda completou seu raciocínio:

– Já que Vossa Eminência veio com seus bispos auxiliares a esta missa, e eu achei certo termos vindo, vim de coração, acho que para revelar realmente imparcialidade seria conveniente uma visita ao presidente Vargas, que nesta altura é um homem acuado.

Dom Jaime autorizou dom Helder a telefonar para o general Coelho Lisboa, assessor nomeado por Getúlio para agilizar a ajuda do governo ao XXXVI Congresso Eucarístico Internacional, programado para julho de 1955 no Rio de Janeiro, e pedir-lhe que marcasse uma audiência com o presidente. Praticamente isolado, Getúlio concordou imediatamente em recebê-los. Assim que chegaram ao Catete, dom Jaime e dom Helder foram encaminhados à biblioteca, onde encontraram um Getúlio bastante retraído e de óculos escuros. Celebrizado como político que ouvia muito e falava pouco, Getúlio agiu de forma contrária na ocasião. Bastou dom Jaime dirigir-se a ele, dizendo "presidente, julguei de meu dever vir visitar Vossa Excelência", e Getúlio começou um desabafo que durou cerca de meia hora: "Senhor cardeal, eu o agradeço de todo coração... Eu o agradeço... O senhor sabe que eu não sou um homem de ódio...". "Se via que necessitava falar", segundo dom Helder, que ainda guardou na lembrança a situação de abandono e silêncio em que se encontrava o palácio: "Até o voo de uma mosca poderia ser ouvido. Como ocorre sempre na hora da desgraça, os falsos amigos, ao verem a tempestade se avizinhando, haviam fugido. O palácio estava um deserto...".

Ao sair do Catete, dom Helder não conteve uma premonição sobre a vida do presidente:

– Cardeal, senti Vargas à beira da morte. Ele me pareceu um homem a um palmo do suicídio.

As investigações do inquérito policial militar comandado pelo coronel da Aeronáutica João Adil de Oliveira só deslancharam depois do dia 13 de agosto, data em que alguns soldados da Aeronáutica conseguiram prender Alcino João Nascimento, autor dos disparos que mataram o major Vaz. Descobriu-se logo que Alcino agira a mando de Climério Euribes de Almeida, ex-funcionário de uma das fazendas de Vargas e membro de sua guarda pessoal. Foragido, Climério acabou capturado depois de uma verdadeira operação de guerra, comandada pelo então coronel da Aeronáutica Délio Jardim de Matos, na manhã de 18 de agosto, em uma estrada nas proximidades do Rio de Janeiro. Interrogado, Climério entregou Gregório Fortunato, chefe da guarda presidencial, como o mandante do crime. Gregório, por sua vez, preso no Galeão, confessou ter ordenado o assassinato de Lacerda a mando do deputado Euvaldo Lodi e do general Ângelo Mendes de Morais. O deputado negou e o general jogou a culpa nas costas do irmão do presidente, Benjamim Vargas.

Com essas pessoas de seu círculo mais próximo acusadas, Getúlio Vargas ficou ainda mais acuado. Passeatas pela renúncia do presidente já ocorriam todos os dias nos estados em que a oposição era forte. Só faltavam os chefes militares chegarem a um acordo sobre o momento de exigir a deposição do chefe do governo. Vargas resistiu o quanto pôde às pressões recebidas, chegando a declarar, no dia 22 de agosto, conforme escreveu Dulles, que "ainda que me veja abandonado pela Marinha, pelo Exército e pela Aeronáutica e pelos meus próprios amigos, eu resistirei sozinho... Já vivi muito. Agora posso morrer. Nunca darei, entretanto, uma demonstração de pusilanimidade".

Na noite do dia 23, finalmente, chegou até Vargas o ultimato das Forças Armadas. Como contou Dulles, Lacerda passou a madrugada de 24 de agosto comemorando com os amigos a deposição do presidente. Mas às oito e meia da manhã, "ficou estupefato" quando as rádios começaram a noticiar que Getúlio Vargas se suicidara com um tiro no coração, deixando para ele um recado claro em sua Carta Testamento: "À sanha dos meus inimigos, deixo o legado da minha morte... Se as aves de rapina querem o sangue de alguém, querem continuar sugando o povo brasileiro, eu ofereço em holocausto a minha vida...".

A premonição de dom Helder no dia 11 tragicamente se concretizara. Assim que soube do ocorrido, dom Helder pediu que o amigo dom José Távora buscasse informações mais precisas no Catete, enquanto ele se dirigiria ao Palácio das Laranjeiras, onde o vice-presidente Café Filho assumiria o posto de Vargas.

Ao chegar ao Catete, dom Távora ficou preocupado ao perceber a mudança no comportamento dos manifestantes que até havia pouco exigiam a renúncia do presidente: emocionados com a divulgação pelo rádio da Carta Testamento deixada por Vargas, muitos partiam em direção à casa de Lacerda, exigindo vingança. Dom José Távora conseguiu, então, avisá-los do perigo, e Lacerda refugiou-se no alojamento do aeroporto Santos Dumont, de onde usou o telefone para pedir proteção policial para a sede do seu jornal, que já recebia ameaças de ser invadido e depredado. Além de Lacerda, eram visados pelos protestos o jornalista Roberto Marinho, o brigadeiro Eduardo Gomes e várias outras lideranças anti-Vargas. Duas caminhonetes da Rádio Globo, de Marinho, foram depredadas e incendiadas, e a polícia carioca conseguiu impedir que a Embaixada dos Estados Unidos e a empresa Standard Oil fossem invadidas. Instalações da Aeronáutica também precisaram ser protegidas por soldados armados.

Em vários estados, a reação popular foi a mesma, e o local em que os manifestantes identificavam um foco da oposição, ou dos "grupos internacionais" imperialistas, denunciados por Vargas em sua Carta Testamento, tornava-se alvo dos protestos: o edifício dos Diários Associados, de Assis Chateaubriand, em São Paulo; uma fábrica da Coca-Cola e o consulado norte-americano em Porto Alegre.

O bispo dom José Távora ficou tão impressionado com o suicídio de Getúlio que na noite do dia 24 obrigou dom Helder a dormir no Palácio São Joaquim para lhe fazer companhia. O argumento que o bispo utilizou para convencer o amigo foi cabal: tinha "medo de alma!".

Rei morto, rei posto. Ainda no dia 24 de agosto, às dez da manhã no palácio das Laranjeiras, Café Filho foi empossado na Presidência da República. Às dez e meia, chegava ao palácio um dos responsáveis pela deposição de Vargas, o brigadeiro Eduardo Gomes, imediatamente nomeado para o Ministério da Aeronáutica. A seguir, vários outros militares e políticos foram chegando para participar da definição da composição da nova equipe de governo. Até a noite seriam nomeados também os dois generais que exigiram a renúncia de Vargas: Teixeira Lott, como ministro da Guerra, e Juarez Távora, como chefe da Casa Militar. Mais uma vez na história da República brasileira, os militares protagonizavam a deposição de um governo legitimamente eleito: tristemente, não seria a última.

Dom Helder Camara representou dom Jaime e a Igreja brasileira no aval ao novo governo. Chegou ao palácio das Laranjeiras praticamente no mesmo momento em que chegava o brigadeiro Eduardo Gomes e lá permaneceu por várias horas, de onde redigiu uma "mensagem ao povo, pedindo-lhe contenção e equilíbrio nesse momento cruciante que o país atravessa", noticiou, depois, a *Revista da Semana*.

Em outubro de 1954, o inquérito policial militar da Aeronáutica sobre o atentado a Carlos Lacerda, no qual saíra morto o major Rubens Vaz, conseguiu imputar como mandantes Benjamim Vargas, Danton Coelho, Euvaldo Lodi e Ângelo Mendes de Morais, mas os quatro conseguiram se livrar das acusações. Citados como executores do crime foram julgados e condenados Gregório Fortunato, 25 anos de prisão; Alcino João do Nascimento e Climério Euribes de Almeida, 33 anos; e os motoristas que ajudaram na realização do atentado, José Antônio Soares, 26 anos, e Nelson Raimundo, 11. Mais uma vez a justiça brasileira deu margem a entendermos que quem tem dinheiro, influência política e bons advogados raramente vai preso neste país. No final das contas, a oposição estava eufórica e satisfeita com a chegada ao poder e, se o major Vaz tombara do seu lado, o outro lado perdera seu principal líder: elas por elas.

Centralizando sua campanha no combate à corrupção e ao comunismo e com a projeção alcançada com os discursos incendiários que escrevera e lera pelo rádio, durante anos, contra o governo de Getúlio Vargas, Carlos Lacerda conseguiu ser eleito como o mais votado deputado federal nas eleições de 3 de outubro de 1954. Mas estava exaurido física e emocionalmente ao final da eleição. Daí ter resolvido viajar com a família para passar férias na Europa.

Antes do embarque, no dia 15 de outubro, foi até o palácio São Joaquim para uma conversa com dom Helder e convenceu-o a redigir duas cartas de apresentação para que conseguisse encontrar-se, em Roma, com os monsenhores Montini e

Tardini. As cartas de dom Helder facilitaram-lhe o encontro com os secretários de Estado do Vaticano, mas a proposta que lhes apresentou de fundar no Brasil um novo Partido Democrata Cristão foi logo descartada. Segundo Dulles, além de Lacerda não obter o apoio do Vaticano para sua ideia, ainda levou um pito de monsenhor Tardini: "Não faça isso! Não misture a Igreja à inevitável corrupção dos partidos políticos".

A amizade de Lacerda passou a ser inconveniente para dom Helder depois da eleição presidencial de outubro de 1955. Lacerda apoiara os candidatos a presidente e vice da União Democrática Nacional (UDN), Juarez Távora e Milton Campos, respectivamente, que haviam sido derrotados por Juscelino Kubitschek e João Goulart, candidatos da aliança PSD-PTB (partidos criados por Getúlio Vargas). Para Lacerda, Juscelino era um candidato "personalista, oportunista, comprometido com as oligarquias, pessoalmente desonesto e um janota matreiro". Havia ainda o pretexto de Juscelino ter sido apoiado pelo ilegal Partido Comunista do Brasil (PCB), o que, na visão de Lacerda, tornava sua vitória também ilegal. Juscelino não vencera com maioria absoluta (obtivera menos de 50% dos votos), beneficiara-se de fraude eleitoral: esses eram outros argumentos utilizados por Lacerda para defender assumidamente um golpe de Estado que impedisse a posse do candidato vencedor.

Enquanto Lacerda articulava em favor do golpe, Juscelino foi conquistando os apoios de que necessitava para sua posse. Conseguiu o apoio de dois dos três candidatos que derrotara, Plínio Salgado (o ex-chefe integralista e amigo de dom Helder) e Ademar de Barros (ex-governador de São Paulo). Na área militar, Juscelino obteve o decisivo apoio do general e ministro da Guerra, Henrique Batista Dufles Teixeira Lott. O diplomata e poeta Augusto Frederico Schmidt, o assessor mais próximo de Juscelino, conseguiu que seu já influente e respeitado amigo, arcebispo auxiliar do Rio de Janeiro a partir de 1955, dom Helder Camara, tornasse público seu apoio ao novo presidente.

Para aumentar suas diferenças de opinião e posicionamento político em relação a dom Helder, Lacerda chamava Augusto Frederico Schmidt de ladrão e denunciava o envolvimento do diplomata e do deputado Armando Falcão (outro amigo de dom Helder) na exportação ilegal de areias monazíticas ricas em tório, por meio da empresa Orquima. Dom Helder também se desagradou com o comportamento de Lacerda quando este rompeu o longo relacionamento profissional e amigável que mantinha com o advogado Heráclito Fontoura Sobral Pinto, por este não concordar com a ideia do golpe contra Juscelino.

Dom Helder e Carlos Lacerda ficaram, então, declaradamente em campos opostos, naquela conturbada conjuntura política do país, que sofreria, ainda, mais um golpe militar, antes da posse de Juscelino e João Goulart. Doente, o presidente Café Filho deixa o cargo, e seu substituto legal, o deputado Carlos Luz, assume a Presidência no dia 8 de novembro de 1955. Luz era aliado de Lacerda na ideia de impedir a posse do presidente eleito.

Favorável à posse de Juscelino e ameaçado de perder o cargo de ministro da Guerra, com o apoio de vários generais, no dia 11 de novembro, o general Teixeira Lott derruba Carlos Luz e ordena a prisão de alguns membros do governo deposto. Lacerda é também ameaçado de prisão e resolve resistir com Carlos Luz e seu grupo político a bordo do cruzador Tamandaré. A intenção do grupo era chegar a São Paulo e lá instalar o governo. Mas esse plano fracassou por falta de apoio político e militar.

No Congresso, o general Teixeira Lott conseguiu rapidamente aprovar a destituição de Carlos Luz e a designação de Nereu Ramos, presidente do Senado, para assumir a presidência em um mandato "tampão", até a posse de Juscelino, em 31 de janeiro de 1956. Depois de uma negociação a bordo do Tamandaré, o presidente Nereu Ramos autorizou o desembarque dos membros do governo deposto, mas Lacerda, ameaçado de morte, precisou se asilar na embaixada de Cuba.

Com medo de ser assassinado, uma semana depois Lacerda foge para os Estados Unidos. Dom Helder recebe, então, uma carta em que Lacerda lhe explica os motivos do exílio, avalia sua vida e sua conturbada trajetória política e confessa cansaço. Como estava em dificuldades financeiras para se instalar com a família em Nova York, Lacerda recebera um cheque de 730 dólares de seu pai, Maurício de Lacerda, com quem havia rompido, por isso pedia conselhos a dom Helder, que sabia da história do seu relacionamento com o pai, sobre como deveria agir. Em outra carta a dom Helder, Lacerda resolveu condenar o apoio que o seu "querido e bom pastor" dava ao já empossado governo de Juscelino Kubitschek. O jornalista, mesmo depois da posse, continuava a defender "uma revolução para depor Juscelino" e a afirmar que "o regime do Brasil está baseado na força", em entrevistas concedidas nos Estados Unidos.

Sem que dom Helder autorizasse, uma das cartas que lhe enviara Lacerda teve seu conteúdo publicado no jornal *Tribuna da Imprensa*. Se respondera às cartas recebidas anteriormente, as respostas não chegaram até Lacerda, mas desta vez, expostas ao público as críticas que lhe dirigia o amigo, dom Helder decidiu responder-lhe em carta aberta no dia 2 de abril de 1956, na qual Juscelino era chamado de "legítimo presidente do Brasil" e, segundo a qual, Lacerda "se revelara um indivíduo cheio de ódio".

Dona Olga, mãe de Lacerda, não gostou da resposta de dom Helder e resolveu também escrever-lhe, condenando o conteúdo da carta aberta: "O senhor aproveitou o exílio do meu filho para acusá-lo de homem cheio de ódio... Então, gostaria que o senhor me respondesse o seguinte: eu, que estava afastada da Igreja, voltei a acreditar; na ocasião em que ele sofreu o atentado, o senhor diariamente ia à casa de meu filho levando a comunhão: como o senhor combina a comunhão que lhe dava com uma acusação de que é um homem cheio de ódio?". Ofendido, Lacerda publicou em seu jornal uma longa carta a dom Helder, em que avaliou toda a situação política do país e lamentou: "O senhor sabe que eu não tenho ódio a ninguém. Mas não fala dos ódios organizados contra mim".

Inutilmente, Dom Helder evitou amplificar a polêmica com Lacerda, tentando manter-se em silêncio depois da carta aberta de 2 de abril. Os dois, nos meses seguintes e por muitos anos, continuariam a ter divergências entre si. Em alguns momentos, até voltariam a trabalhar pelos mesmos projetos. Mas, de imediato, dom Helder não tinha nem tempo, nem disponibilidade para dar continuidade a esse tipo de querela. Vivia totalmente absorvido por suas atribuições como secretário-geral da CNBB, na organização de um encontro dos bispos do Nordeste que se tornaria histórico, e trabalhando para obter o apoio necessário à realização da Cruzada São Sebastião, o novo e arrojado empreendimento que o faria amado e odiado no Rio de Janeiro.

ORGANIZANDO
O CONGRESSO EUCARÍSTICO

... É preciso que o Cristo seja conhecido: é a missão própria da Igreja, não do Estado. De tipo sacral ou de tipo profano, porém, sabe uma cidade temporal cristã que deve ajudar a Igreja na breve realização desta missão.

Jacques Maritain

Apesar da separação oficial, reinam entre a Igreja e o Estado ótimas relações oficiosas. Embora não se tenha estabelecido nenhuma concordata, há todavia perfeita harmonia entre ambos os poderes. E até, segundo o texto constitucional, "colaboração recíproca em prol do bem coletivo".

Cardeal Carlos Motta

Programado para o Rio de Janeiro, em julho de 1955, no encerramento das celebrações do ano litúrgico, o XXXVI Congresso Eucarístico Internacional contaria com a presença de cardeais, bispos, sacerdotes e peregrinos do mundo inteiro. Dom Jaime não precisou pensar muito para escolher dom Helder como presidente da comissão organizadora desse megaevento religioso do mundo católico – o maior do Brasil até então.

Assumir sua organização seria uma responsabilidade temerária para dom Helder, muito menos em razão de seus inúmeros compromissos – ele sempre conseguia tempo e energia para novas tarefas, mesmo sem se desvencilhar das anteriores – e mais pela falta de infraestrutura e de recursos financeiros disponíveis na Arquidiocese do Rio de Janeiro. Mas ele aceitou o desafio, como sempre quando lhe era confiada uma nova missão por seus superiores.

Para auxiliá-lo, já contava com a equipe de colaboradoras coordenada por sua secretária Cecília Monteiro. Como sempre, Cecilinha faria o difícil trabalho de participar atentamente das reuniões, anotar todos os encaminhamentos e seus respectivos responsáveis, depois cobrar insistentemente sua implementação.

Enquanto dom Helder concebia os planos, com toda sua empolgação, era Cecilinha quem consolava e animava os desmotivados e dava assistência a quem estivesse com dificuldades nas tarefas. Dom Helder também teria a seu lado o amigo dom José Távora, que o ajudaria a coordenar a equipe e seria o responsável pela divulgação do congresso na imprensa.

Dentre as providências mais urgentes, seria preciso conseguir locais adequados para as grandes celebrações e para alojar e alimentar milhares de peregrinos que viriam de todo o país e do exterior. Também era necessária uma quantia considerável para a organização do congresso.

Considerando que a cidade do Rio, ainda capital federal, com a realização do Congresso Eucarístico, tornar-se-ia uma vitrine do país para o mundo, no entender de dom Jaime e dom Helder, nada mais razoável que os governos federal e municipal bancassem as reformas de embelezamento da cidade e as obras de infraestrutura mais custosas.

Dom Helder (à direita) com o cardeal dom Jaime de Barros Câmara em 1955.

O Rio não contava ainda com um grande local para a realização de eventos daquele porte, com o enorme afluxo de fiéis esperado, fato que constituía a maior dificuldade a ser superada. A solução do problema começou a aparecer quando um engenheiro da prefeitura, dr. Pinheiro Guedes, aventou a possibilidade de serem apressadas as obras do aterro da baía da Guanabara, onde se poderia, então, construir uma grande praça. Mas havia dois empecilhos: a prefeitura teria de decidir pelo apressamento das obras e a direção do Museu de Arte Moderna concordar com a cessão provisória do local à Igreja, pois o terreno havia anos estava prometido pelo governo. A princípio, a direção do Museu não queria nem ouvir falar no empréstimo, com medo que depois do congresso a Igreja se "esquecesse" de devolver o local e usasse de sua reconhecida influência política para não ser "lembrada". Mas dom Helder conseguiu que seu amigo Santiago Dantas convencesse a direção do Museu a não se opor ao projeto, com a promessa de devolução ao término do evento.

Desde a primeira reunião entre dom Jaime, dom Helder e Getúlio Vargas para tratar do Congresso Eucarístico, o presidente ofereceu seu apoio. Depois de dom Jaime explicar-lhe o que seria o congresso, Getúlio foi logo assumindo o compromisso de ajudar a Arquidiocese:

– Mas este será um evento de grande importância! Todo o mundo estará aqui! Minha primeira decisão será nomear um embaixador com a missão e o poder de conseguir de todos os ministérios e órgãos do governo toda a ajuda de que os senhores possam precisar, e será o general Coelho Lisboa. Os senhores já têm algum pedido a fazer?

Dom Jaime não deixou escapar a oportunidade de pedir o apressamento das obras do Aterro da Glória:

– Sim, senhor presidente, temos já um primeiro pedido a fazer. O senhor sabe que o congresso reunirá uma massa imensa. Não temos no Rio de Janeiro um local suficientemente amplo para reunir tanta gente.

– E então...? – interrompeu-o Getúlio para que deixasse de rodeios e fosse direto ao assunto.

– Então temos um sonho... A nós nos parece impossível, mas ao senhor... Existe um projeto do governo para aterrar uma parte da baía de Guanabara. Se o senhor pudesse fazer com que fosse executado rapidamente, seria magnífico. O altar que planejamos seria como um barco a vela, como uma imensa jangada...

O presidente concordou com o pedido:

– O senhor Coelho Lisboa lhes colocará em contato com os engenheiros e o trabalho poderá começar em seguida!

O tempo passava e as boas intenções do governo com a Arquidiocese não se transformavam em ações efetivas. Já era junho de 1954, faltando praticamente um ano para a realização do congresso. Exasperado com a demora, dom Helder chegou à conclusão de que precisaria convencer o presidente da República a demonstrar a vontade política necessária para que o apoio do governo fosse além de declarações oficiais e fosse vencida a inatividade do prefeito Mendes de Morais, a quem cabia a execução. Para chegar a Getúlio, contou com a ajuda de Coelho Lisboa, conseguindo rapidamente a audiência. Depois das formalidades de praxe e do contato inicial ameno, num apelo a Vargas, reproduzido pelo jornalista Marcos de Castro, dom Helder expôs com clareza o que desejava:

– Presidente, o cardeal não tem nenhuma intenção de apresentar ultimatos, coisa de que, aliás, tem horror. Mas no caso não se trata de um ultimato apresentado pelo cardeal ao presidente, mas de um ultimato apresentado pelo tempo aos dois, desde que ficou acertado que o terreno do Aterro da Glória será cedido à Igreja para a realização do congresso, e só para a realização do congresso. Acontece que há um prazo, o cardeal assumiu um compromisso e se a obra do Aterro não começar, o Congresso Eucarístico não se poderá realizar no Rio. Até aqui, transmiti-lhe o recado de que o cardeal me incumbiu. Presidente, permita apenas que eu acrescente que o cardeal considera uma vergonha tão grande ter assumido a responsabilidade de realizar o congresso em sua Arquidiocese, e depois de tanto tempo – e em cima da hora – ter de devolver essa responsabilidade ao papa, que, sem dúvida nenhuma, se julgará na obrigação de demitir-se como arcebispo do Rio de Janeiro.

O discurso de dom Helder conseguiu sensibilizar Vargas. O presidente ordenou de imediato a Coelho Lisboa que comunicasse ao prefeito Mendes de Morais seu desejo de que as obras do Aterro se iniciassem de imediato:

> – Encontre o prefeito Mendes de Morais onde ele estiver. Estamos no sábado. Diga-lhe que na segunda-feira, às sete da manhã, deverão começar as obras. O aterro tem de ser construído!

Depois disso, em tempo recorde uma quantidade imensa de terra foi retirada do morro Santo Antônio e depositada no Aterro da Glória. Exatamente onde depois seria construído o Monumento aos Pracinhas, foi montado o altar para a realização das grandes cerimônias. A Igreja não teve nenhum gasto com as obras.

Além de sua habitual boa relação com a Igreja, o presidente tinha um forte motivo para atender à solicitação da Arquidiocese do Rio. Vargas vivia em meio à crise política provocada pela campanha de Carlos Lacerda contra "o mar de lama" em que se transformara a corrupção em seu governo e precisava de apoio para resistir às pressões dos inimigos. Dois meses depois, a crise se aprofundaria, levando Vargas ao suicídio.

O apoio oficial ao congresso estimulou várias instâncias do Estado a colaborar. A Marinha, por exemplo, arcou com boa parte do trabalho de recepção e hospedagem dos peregrinos. Em conjunto, Marinha, Exército, Aeronáutica e Polícia Militar responsabilizaram-se em organizar o trânsito e as áreas de estacionamento durante os dias do evento, mobilizando mais de 2 mil soldados e fiscais.

O próximo passo de dom Helder foi conseguir o dinheiro de que a organização do evento necessitaria. E foi sua excelente relação com as famílias mais ricas da cidade que fez com que o vil, porém imprescindível metal, começasse a cair nos cofres da tesouraria do congresso. Muitas senhoras não quiseram colaborar com dinheiro, mas demonstraram seu desprendimento doando joias em prata, brilhantes, pérolas e ouro. A família Burlamáqui, dona de uma rede de restaurantes na cidade, assessorou dom Helder na resolução do problema da alimentação, colaborando na montagem de um grande entreposto de alimentos em um armazém desativado do governo. Famílias milionárias como Guinle, Matarazzo e Jafet doaram "generosos cheques".

O conde Francisco Matarazzo e os irmãos Carlos e Ricardo Jafet, além de seu sentimento humanitário, é preciso que se reconheça, tinham também motivações políticas por trás de suas doações. Os três empresários mantinham excelentes relações com o presidente, e seus negócios viviam sob a acusação de favorecimento oficial. Os Jafet haviam financiado a campanha eleitoral que levou Vargas de volta ao poder e, em compensação, Ricardo fora aquinhoado com a presidência do Banco do Brasil. No seu cargo, Ricardo Jafet liberou empréstimos astronômicos para que Samuel Wainer criasse um verdadeiro império jornalístico a serviço de Vargas. O conde Matarazzo entrava nessa transação, a pedido de Vargas, também emprestando dinheiro para Wainer praticamente sem juros e sem garantias. Bem na época em que dom Helder

ORGANIZANDO O CONGRESSO EUCARÍSTICO   185

começava a preparar o Congresso Eucarístico, a intricada teia de irregularidades administrativas e o tráfico de influências envolvendo o presidente e os empresários citados estavam sendo comprovados por uma Comissão Parlamentar de Inquérito requerida pelo deputado Armando Falcão, atendendo à solicitação do jornalista Carlos Lacerda. Mesmo assim, dom Helder achou melhor relevar e aceitar tanto o apoio de Vargas, que se revelou decisivo para o sucesso do evento, como as doações dos Jafet e do conde Matarazzo.

A maneira como dom Helder estruturou e coordenou sua equipe de auxiliares na comissão organizadora do congresso pode ser exemplificada pela escolha da chefe da tesouraria do evento. Era um sábado e a amiga Hilda Azevedo Soares, como sempre, fora buscar o bispo na Nunciatura em Santa Teresa, com seu Chevrolet 1940, placa 5999, levando-o para o almoço na casa de Cecilinha. Logo depois do almoço, Hilda levou-o ao cais do porto para esperar Aglaia Peixoto, que retornava de uma viagem à Europa. Ainda no cais, depois dos cumprimentos, dom Helder foi direto ao assunto:

– Minha filha, hoje à tarde vamos ter uma reunião na casa de Cecilinha e, se possível, eu queria que você fosse para conversarmos, porque você vai ganhar uma nova missão.

Aglaia foi para casa rever a mãe e as irmãs, tomou um banho e dirigiu-se ao local da reunião. Embora ansiosa para contar às amigas como transcorrera a viagem, Aglaia quase não teve oportunidade. Dom Helder estava com pressa em nomeá-la tesoureira do Congresso Eucarístico, missão que em "sã consciência" a moça não poderia aceitar:

– Padrezinho, como é que vou ser tesoureira se não sei nada de contabilidade?

Dom Helder sabia por que fizera a escolha. Mesmo não sendo uma especialista em contabilidade, Aglaia tinha a característica mais necessária à função: era de sua inteira confiança e, para convencê-la, usou um último argumento:

– Não se preocupe. Também já foi designado um anjo da guarda para lhe ajudar.

A proximidade entre Aglaia Peixoto e dom Helder vinha dos anos 1940, mas se estreitara para um relacionamento quase familiar desde o dia 2 de agosto de 1951, data em que falecera o pai da moça. Monsenhor Helder acabara de celebrar sua missa matinal na Escola de Enfermagem Ana Neri, quando foi avisado por Cecilinha de que o senhor Oscar Peixoto falecera naquela madrugada com uma trombose fulminante. Assim que monsenhor Helder chegou à casa da família Peixoto, a mãe de Aglaia chamou-o para uma conversa particular e lhe fez um pedido:

– Padre Helder, cuida da Aglaia pra mim. Já que ela não tem mais o pai dela aqui na terra, gostaria que o senhor cuidasse dela como um pai.

A partir desse momento, padre Helder passou a chamar a moça de "minha filha" e, de fato, ajudou-a como um pai quando o dono da casa em que a família Peixoto morava de aluguel no bairro do Leblon pediu de volta o imóvel. Dom Helder solicitou do diretor da caixa previdenciária dos funcionários da prefeitura do Rio de Janeiro a liberação de um empréstimo para Rosi, irmã de Aglaia, funcionária municipal, para que a família pudesse comprar um apartamento. Num bilhete enviado por Aglaia, dom Helder solicitou que o tal diretor, "na medida do possível, atendesse ao pedido daquela sua irmã". Já no dia seguinte, o homem ligou para dom Helder e se disse lisonjeado por ter recebido o bilhete e poder atender ao pedido. No final do telefonema, porém, lembrou-se de fazer um comentário: "Eu não sabia que o senhor tinha uma irmã tão mocinha aqui no Rio...". Padre Helder agradeceu a presteza do diretor da caixa previdenciária e explicou que Aglaia "não era sua irmã por parte de mãe e pai da Terra, mas sim por parte de mãe e pai do Céu".

O resultado do trabalho de Aglaia na tesouraria da comissão organizadora do Congresso Eucarístico demonstrou que o Padrezinho acertara na escolha. O trabalho não foi fácil. Contabilizar todo o dinheiro que entrava e saía, doações recebidas em dinheiro ou joias e os pagamentos realizados a inúmeros fornecedores de produtos ou serviços exigiu um esforço muito grande de Aglaia. A tesouraria cuidava também do recebimento das inscrições dos peregrinos e cobrava as taxas das empresas interessadas em comercializar lembranças durante o congresso: canetas, lápis, flâmulas, pratos, abridores de carta, rosários, santos e toda sorte de objetos com o logotipo do congresso ou a imagem do papa.

Durante as atividades de preparação, dom Helder ganhou uma nova colaboradora: Marina Bandeira. Trazida para a equipe por insistência de dom José Távora em contar com seu auxílio nos trabalhos de divulgação, Marina Bandeira, incentivada por Cecília Monteiro, aproximou-se aos poucos de dom Helder, refratária que era à ideia de "trabalhar com padres". Mas logo se viu dedicando todo seu tempo à organização do congresso.

Buscando evitar que as tarefas do congresso descambassem para um "ativismo meio sem perspectiva" e, assim, consumissem todas as energias de sua equipe, dom Helder chamava todos os seus colaboradores para um encontro que ocorria aos domingos, uma ou duas vezes por mês. Eram as "manhãs de reabastecimento", espécie de retiro espiritual para um grupo que variava entre vinte e trinta pessoas, "a maioria após um trabalho intenso durante toda a semana". A primeira atividade de "reabastecimento" era uma missa às oito horas, seguida de uma meditação sobre um tema do evangelho ou um assunto do congresso que estivesse preocupando o grupo.

A rotina de trabalho de dom Helder na época era proibitiva para a maioria dos mortais e, como relatou Marina Bandeira, "exigia três turnos de pessoas se revezando" para ajudá-lo, desde as seis da manhã, quando rezava a missa na Escola de Enfermagem Ana Neri, até quase onze da noite, quando voltava para casa. Logo depois da missa, era preciso que alguém secretariasse dom Helder, tamanha a quantidade de pessoas que o procuravam para pedir todo tipo de ajuda e favores: empregos, cartas de apresentação, vagas para crianças em escolas católicas... Depois da missa, ia para o palácio São Joaquim a fim de coordenar os trabalhos de preparação do congresso e seus compromissos como secretário-geral da CNBB.

No horário do almoço, saía com um grupo de auxiliares e geralmente iam ao restaurante Vila Rica, próximo ao Palácio. Na realidade, o restaurante era um "boteco melhorado" e dom Helder, seu freguês mais ilustre. A chegada do bispo era "sempre anunciada pelo grito instintivo do garçom Messias: "Sai o filé de dom Helder!". O bife era acompanhado de legumes, mas dom Helder não comia tudo e dividia-o com uma amiga. Impressionado com o apetite moderado do seu ilustre freguês, em sua homenagem o dono do restaurante chegou a colocar no cardápio o tal "Filé de dom Helder".

Por volta do meio-dia, chegava outra equipe que o auxiliava até o fim da tarde, período em que sua agenda costumava estar lotada de audiências com bispos de todo o país, que sempre que passavam pelo Rio o "visitavam antes mesmo de visitar o núncio ou o cardeal". À noite, "com frequência ainda ia fazer palestras em casas de famílias ou programas na TV". Dom Helder aceitava convites para participar de todo tipo de programa de televisão. Numa noite de quinta-feira se apresentava em "O mundo de Tônia", programa de entrevistas e variedades comandado pela atriz Tônia Carrero, em que não se eximia nem de responder "perguntas sobre a alma... feminina". Noutra semana, aparecia no "Papai sabe tudo". Na seguinte, era homenageado em "Esta é sua vida", em que, conforme o apresentador, Frias, "rememorava detalhes da vida do ilustre prelado...", iam aparecendo velhos amigos de infância e de juventude, como o jornalista João Jacques, ex-colega de seminário, Severino Sombra, na época general e deputado, seus familiares, sua professora, dona Salomé Cisne, já octogenária e moradora de uma cidadezinha do interior cearense.

Por algum tempo, no final dos anos 1950, dom Helder chegou a apresentar aos sábados, no horário nobre, 20h15, na TV Tupi, canal 6, o programa religioso "Nas trilhas de Deus". Sua desenvoltura diante das câmeras fazia com que conseguisse "manter em sua audiência tanto os cultos como os menos pretensiosos telespectadores", de acordo com um comentário do *Jornal da TV*.

Era tão grande o número de pessoas que o procuravam no palácio São Joaquim – e ele dificilmente deixava de receber alguém, sempre disponível – que, para poder trabalhar, muitas vezes ia para a casa de Cecilinha pela manhã, de onde despachava documentos e usava o telefone. À tarde, era a vez da casa de Edgar e Maria Luiza Amarante ser transformada em escritório. Almoçava com o casal e ficava trabalhando a tarde toda. Mas "ele não ficava trabalhando sem parar", de vez em quando parava para um café e uma conversa. À noite, o casal levava-o para alguma reunião ou para seu apartamento.

Não se sabe como, ainda conseguia realizar casamentos e batizados de quem lhe pedisse. Por prestígio na cidade, era símbolo de *status* ter o casamento ou o batizado de um filho celebrado por ele. Até o jornalista Roberto Marinho fez questão de tornar-se seu compadre, fazendo-o padrinho de batizado de seu filho Roberto Irineu. Para dom Helder, essa amizade com o jornalista tornou possível a utilização regular dos microfones da influente Rádio Globo no final dos anos 1950, para a apresentação do seu programa "O pão nosso de cada dia", que ficou vários anos no ar. Geralmente, dom Helder ia de manhã à Rádio Globo gravar o programa do dia, levado pela pontual e paciente Hildete no Chevrolet 1940.

Mesmo com essa rotina de muito trabalho, não se deve pensar que o cotidiano de dom Helder e seu grupo mais próximo fosse só de trabalho. Aos sábados, geralmente, almoçava na casa de Cecilinha, no Rio Comprido. A comida era feita por dona Inah, mãe de sua secretária e amiga. Depois do almoço, gostava de visitar o casal Edgar e Maria Luiza Amarante, no Jardim Botânico, onde degustava um café enquanto conversava ao som da *Sonata para violino e piano*, de Mozart, ou das *Bachianas*, de Villa-Lobos, na virtuosa interpretação de Bidu Sayão, duas das músicas de que mais gostava. À noite, se encontrava com Aglaia, em Botafogo. De uma casa para outra, deslocava-se no carro de Hilda, o famoso Chevrolet 5999. Caso não houvesse nenhuma peça de teatro – Dom Helder adorava Bibi Ferreira – ou um filme que o atraísse, um programa de que gostava era ir jantar nos restaurantes onde havia música ao vivo. As amigas faziam questão de levá-lo para ouvir Francisco José, cantor português de sucesso na noite carioca dos anos 1950, cujas canções dom Helder adorava. Quando havia um aniversário, dom Helder não disfarçava alegria, participando ativamente das brincadeiras, conversando e cantando com entusiasmo as valsinhas que lembravam sua juventude.

Nessas festinhas, às vezes cometia alguma gafe que não passava despercebida pelos amigos, como em um "Natal em família" organizado na casa de Aglaia. Dom Helder tinha ainda pouca intimidade com as duas irmãs de Aglaia e resolveu oferecer um disco de presente às três irmãs. O problema foi que iniciou a dedicatória na capa do disco escrevendo "Às Aglaias". As duas moças se ofenderam e, para se redimir, cada vez que as encontrava, por um bom tempo, dizia: "Não são 'as Aglaias', são a Rosi e a Vilma".

Conhecendo o gosto de dom Helder por uma importante intérprete da época, Elizete Cardoso, uma senhora amiga, dona Malvina Dolabela, várias vezes promoveu o encontro dos dois em sua casa. Dom Helder sabia de memória as músicas do repertório de Elizete.

Nos frequentes almoços que lhe ofereciam, as amigas esmeravam-se em driblar seu hábito de comer pouco. Dom Helder nunca foi um "amante da boa mesa" e, por isso, quem o convidava para experimentar um prato especial jamais poderia cometer a imprudência de servir-lhe uma salada como entrada. Ele comeria um pouco de salada e nada mais. Era uma verdadeira infelicidade para ele quando alguém lhe servia um prato cheio, insistindo para que se alimentasse melhor. Quando isso acontecia, olhava para o prato, olhava para a pessoa e dizia em tom afável:

– "José não vai gostar nada disso!", lembrando que seu anjo da guarda velava pelo seu ascetismo.

Alguns meses antes da realização do Congresso Eucarístico, depois de um longo período de enfermidade, faleceu dom Rosalvo Costa Rego. Em sua substituição, no dia 2 de abril de 1955, dom Jaime promoveu dom Helder a arcebispo auxiliar do Rio de Janeiro, função que exerceria até março de 1964.

O resultado de todo esforço individual e coletivo na organização do XXXVI Congresso Eucarístico Internacional foi o completo sucesso do evento. Aberto no dia 17 e encerrado no dia 24 de julho de 1955, estiveram presentes o cardeal-legado do papa, dom Aloisi Masella, dezenas de cardeais, centenas de arcebispos e bispos de todo o mundo. A dimensão alcançada pelo evento pode ser percebida em uma reportagem da revista *O Cruzeiro* sobre uma das celebrações ocorridas:

> Os peregrinos de todo o mundo, os fiéis do Rio de Janeiro e dos estados do Brasil assistiram comovidos à grande manifestação de fé católica que foi a procissão de N. S. Aparecida, Padroeira do Brasil. Muito antes da chegada da Santa à Central do Brasil, já havia povo na rua, comprimido nos cordões de isolamento. E, quando apareceu aos olhos do povo a imagem da Padroeira, sob os cuidados do cardeal-arcebispo de São Paulo, dom Carlos Carmelo Mota, de bispos, congregados marianos e centenas de peregrinos, a multidão de fiéis vibrou de entusiasmo... Apesar do policiamento rigoroso e da ação enérgica dos batedores do Corpo de Fuzileiros Navais e do Exército, havia homens, mulheres e crianças que burlavam a vigilância policial para se prostrar, de joelhos, ante a imagem da Padroeira.
>
> Durante mais de três horas desfilaram da Central para a praça do Congresso, ao longo da avenida Rio Branco, extensos cordões brancos de filhas de Maria, congregações religiosas, colégios e peregrinos... A romaria foi encerrada com tocante cerimônia na praça do Conclave, que ocupou 330 mil metros quadrados, com capacidade para suportar 250 mil pessoas sentadas e 850 mil em pé. Obra dos esforços conjugados de dom Jaime Câmara, dom Helder Camara e dom José Távora... a praça do Congresso representa um ano e seis meses de trabalho ininterrupto. Seus bancos de madeira, se dispostos em sequência longitudinal, cobririam uma extensão de 96 km, o que corresponderia a cerca de doze minutos de voo de um avião quadrimotor.

Dom José Távora teve de acompanhar pelo rádio, de uma cama de hospital, o sucesso do evento que ajudara a organizar. Nas vésperas da abertura do congresso, o bispo não suportou a tensão dos últimos preparativos e sofreu seu primeiro enfarte.

A importância do Congresso Eucarístico para a Igreja brasileira foi enorme. Na Arquidiocese do Rio de Janeiro, milhares de fiéis participaram de nada menos que 109 congressos eucarísticos paroquiais, e um número incalculável acabou sendo mobilizado pelas conferências, missas e procissões que precederam o evento. Os vigários jamais haviam presenciado em suas paróquias "tão grande movimento de confissões e comunhões de adultos". Centenas de fábricas, colégios e unidades militares foram visitadas pelas missões especiais de preparação do congresso. O estudioso católico Raimundo Caramuru de Barros, avaliando os resultados do congresso, considera que seu impacto "em escala um pouco menor atingiu todo o Brasil" e possibilitou uma inédita renovação litúrgica. Quanto à preparação do evento, de acordo com Caramuru de Barros,

> Todos, brasileiros e estrangeiros, foram unânimes em reconhecer o extraordinário sucesso obtido pelo Congresso, também em termos de organização. Por trás do monumental desempenho estava a figura de dom Helder, a quem o cardeal Jaime Câmara confiara, com plena delegação de poderes, a coordenação dos trabalhos. Dom Helder fora capaz de mobilizar todos os segmentos da população carioca, mesmo aqueles que não compartilhavam a fé católica, aproveitando com extrema habilidade a competência profissional e os dotes pessoais de inúmeros grupos sociais: profissionais liberais, operários, militares, empresários etc. Esta capacidade, sobejamente demonstrada na coordenação do Congresso, consagrou-o definitivamente como líder de estatura nacional, além de proporcionar-lhe uma penetração fora do comum na Arquidiocese do Rio de Janeiro.

"UM TAL ANGELO RONCALLI"

Podia-se ler um desafio nos duzentos mil rostos que se voltavam, nervosos, para a chaminé da Capela Sistina: "Desta vez queremos o papa". Esperavam o último sinal do dia... Pouco depois das 17 horas, quando a tensão atingia o máximo na imensa praça de São Pedro, um fio de fumaça começou a elevar-se da chaminé da Capela. Era de cor indefinível e um "oh!" de desilusão ergueu-se de duzentas mil bocas. Alguns começavam a abandonar a praça, quando a multidão percebeu que algo estava acontecendo: definia-se a cor branca da fumaça na chaminé, iluminavam-se as janelas da Capela Sistina, padres e freiras agitaram panos brancos nos balcões da Basílica. Estava claro: Habemus papam. *Uma onda de alegria inundou toda a praça e a grande multidão gritou: "Viva o papa! Viva o papa!".*

Luís Carta, revista *Manchete*, 15/11/1958

"No Brasil, você terá muitos amigos. Mas o *seu* amigo deverá ser monsenhor Camara." Esta foi uma das recomendações que dom Armando Lombardi recebeu do subsecretário de Estado do Vaticano, Giovanni Battista Montini, ao ser designado para substituir o núncio dom Carlo Chiarlo, em setembro de 1954.

Havia onze anos, dom Armando trabalhava com monsenhor Montini na Secretaria de Estado. Era responsável pelo Setor América Latina e um dos principais diplomatas da Santa Sé. No Brasil, nos dez anos em que permaneceria à frente da Nunciatura, até seu falecimento em maio de 1964, ele se tornaria um grande incentivador do processo de renovação interna da Igreja que vinha ocorrendo desde os anos finais da década de 40.

Com seu dinamismo e perspicácia política, dom Armando usaria toda sua influência na Cúria Romana no apoio à CNBB, avalizando a orientação política progressista que, aos poucos, se tornava preponderante na entidade. Com seu prestígio, ao visitar quase todas as dioceses do país, dom Armando desempenharia também o decisivo papel de neutralizador da capacidade de reação dos bispos contrários a essa nova orientação, ao mesmo tempo que implementaria uma profunda renovação na hierarquia brasileira com a nomeação de 109 bispos e 24 arcebispos, e com a criação de 16 prelazias, 48 bispados e 11 arcebispados.

A recomendação de monsenhor Montini foi seguida à risca pelo novo núncio. Dom Armando aproximou-se de dom Helder assim que chegou ao Brasil. Os dois se tornaram grandes amigos e passaram a atuar em total sintonia, compartilhando a mesma visão "sobre o Rio, o Brasil, a América Latina e o mundo", graças a uma frequente troca de "impressões sobre os acontecimentos previstos ou inesperados". Dom Helder soube aprender com o amigo a "ter sempre, mesmo nas horas mais densas e críticas, visão objetiva e sobrenatural sobre os acontecimentos humanos", e a "neles sempre descobrir os reflexos sobre a Igreja". Quando estavam no Rio de Janeiro, era sagrado um encontro semanal entre os dois, aos sábados. Dom Helder chegava à nunciatura no "querido 5999", pontualmente às onze horas.

Essa unidade de pensamento e ação entre ambos refletiu-se no processo de renovação da hierarquia brasileira comandado pelo núncio, no qual dom Helder, como conselheiro formal da Nunciatura, exerceu grande influência na escolha dos novos bispos. Descontentando alguns sacerdotes que se sentiram preteridos, dom Helder passou a ser acusado de usar de sua proximidade com o núncio para promover seus amigos e seguidores à hierarquia.

Na organização do Congresso Eucarístico Internacional, dom Armando colaborou com dom Helder articulando a vinda dos grandes dignitários católicos da época ao Rio de Janeiro, mas sua influência foi mais evidente na preparação da histórica Conferência Geral do Episcopado Latino-Americano, realizada entre 25 de julho e 4 de agosto de 1955.

O sucesso da articulação de dom Helder para a fundação da CNBB havia anos vinha sendo tentada por dom Manuel Larraín Errazuriz, bispo de Talca, no Chile, com o objetivo de organizar uma Conferência Episcopal de toda a América Latina. A autorização de Pio XII para que a entidade brasileira fosse criada já indicava que a Santa Sé estava preocupada com a Igreja latino-americana. O que se confirmou no final de 1954, quando monsenhor Montini, que acompanhava com atenção o trabalho de preparação do Congresso Eucarístico, enviou uma carta a dom Helder, por meio da Nunciatura, consultando-o sobre a possibilidade de realização de uma primeira reunião entre os bispos da América Latina:

> A preparação do Congresso Eucarístico se encontra suficientemente avançada para que se possa pensar em convocar para o Rio de Janeiro, ao final do Congresso, e como fruto dele, uma primeira assembleia latino-americana dos bispos, e que poderia ser eventualmente o início de uma Conferência Episcopal latino-americana?

Dom Helder respondeu afirmativamente e se entusiasmou com a nova empreitada. Deixando a dom José Távora a responsabilidade pela comissão organizadora do Congresso Eucarístico nos últimos meses que antecediam o evento, tratou de preparar a Conferência Geral do Episcopado Latino-Americano.

No encontro foi decidida a criação do Conselho Episcopal Latino-Americano (Celam), em razão da necessidade sentida pelos bispos do continente de que a Igreja "se adequasse melhor às condições específicas da realidade latino-americana", para que pudesse transformar sua ação pastoral em resposta aos desafios colocados pelo subdesenvolvimento econômico e social da região, muito embora, na visão da Cúria Romana, os únicos problemas da Igreja latino-americana fossem a ameaça do comunismo e a escassez do clero.

O grande artífice da criação do Celam foi dom Manuel Larraín, mas o auxílio de dom Helder não deve ser subestimado. O brasileiro contava com a experiência da criação da CNBB e uma excelente relação com o Vaticano, especialmente com a Secretaria de Estado de monsenhor Montini, e se colocou à disposição para ajudar dom Larraín, tratado por ele carinhosamente de Manuelito. Por vários anos, dom Larraín e dom Helder responderiam pela primeira e segunda vice-presidências do Celam, respectivamente. Os dois se tornariam grandes amigos e desempenhariam juntos um papel primordial na renovação da Igreja latino-americana.

Da direita para a esquerda: dom Helder, dom Larraín e o cardeal Silva Henriquez.

Ainda em 1954, dom Helder conseguiu o apoio de dom Armando para tentar organizar um encontro informal entre alguns representantes dos bispos da América Latina e da América do Norte, para que, juntos, pudessem analisar os problemas comuns da Igreja no continente. Dom Armando encaminhou dom Helder para uma conversa a respeito do assunto com monsenhor Montini. Caso Montini concordasse com a ideia, dom Helder tentaria convencer também monsenhor Tardini, o subsecretário de Estado do Vaticano para questões externas. Montini "entusiasmou-se pelo projeto" e facilitou o acesso de dom Helder ao papa Pio XII. Seria a primeira e única audiência privada entre os dois. No curto diálogo que mantiveram, dom Helder não mencionou que já conversara e recebera o aval de monsenhor Montini:

– Santo Padre, permita-me que lhe apresente uma sugestão. O senhor sabe que as Américas têm problemas comuns. Se o senhor puder então apoiar um pequeno encontro, que eu imaginaria em Washington, entre seis bispos dos Estados Unidos, seis do Canadá e seis da América Latina... E deixe-me dizer claramente que não se trataria de modo algum, para nós, bispos da América Latina, de pedir dinheiro ou padres. Não. Tratar-se-ia unicamente de começar a estudar em comum os problemas das Américas. Há entre nós, Santo Padre, na América Latina, problemas que nunca poderão ser resolvidos sem a compreensão e a colaboração efetiva de nossos irmãos da América do Norte. É necessário conseguir que os bispos americanos e canadenses tenham a coragem de tomar consciência das injustiças que esmagam o continente latino-americano e de mobilizar a força espiritual que representa a Igreja na América do Norte...

O papa aceitou a sugestão, mas condicionou seu apoio à realização do encontro à concordância de seus dois assessores diretos, Montini e Tardini:

- Quanto a mim, a ideia me agrada muito. Mas tenha a bondade de passar tanto por monsenhor Tardini como por monsenhor Montini. Se ambos estiverem de acordo, a ideia irá para frente.

Só faltava, então, convencer Tardini. Assim que dom Helder saiu da audiência com Pio XII, voltou à sala de Montini, relatou-lhe o resultado da reunião e recebeu instrução "sobre a maneira de abordar Tardini". Quando se reuniram, "monsenhor Tardini até parecia já conhecer o projeto" e animou o brasileiro dizendo-lhe que "dada a reação favorável do Santo Padre", ele poderia voltar tranquilo para o Brasil "na certeza de que a sugestão seria, pela Secretaria de Estado de Sua Santidade, levada aos bispos dos Estados Unidos, do Canadá e da América Latina".

Quem não gostou nada da proposta foram os bispos norte-americanos, que "repeliram a ideia", certos de que ao final da reunião "se trataria de pedir dinheiro". Diante dessa negativa, recordou dom Helder em uma correspondência aos seus colaboradores,

A Santa Sé autorizou a Nunciatura do Brasil a mostrar-me a resposta norte-americana e a pedir-me sugestões para a resposta latino-americana. Não vacilei. Deixei claros os verdadeiros objetivos da reunião informal. Muito mais importante que dinheiro seria a decisão de enfrentar juntos problemas que nos são comuns. Os americanos concordaram. Mas a reunião só saiu no pontificado de João XXIII, porque neste meio-tempo Pio XII faleceu.

Dom Helder ao lado do papa João XXIII.

Esse "meio-tempo" de que fala dom Helder, na realidade, chegou a mais de quatro anos, o que revela a morosidade com que fluem as ideias pelos corredores da Cúria Romana. O encontro só viria a ocorrer no pontificado de João XXIII, nos dias 2 e 3 de novembro de 1959, na Georgetown University de Washington. Da reunião participaram o presidente da CAL (Pontifícia Comissão para a América Latina, criada pelo Vaticano em abril de 1958), monsenhor Antônio Samoré e mais dezoito bispos – seis do Canadá, seis dos Estados Unidos e seis da América Latina. Entre os latino-americanos estavam dom Dario Miranda, presidente do Celam, e os dois vice-presidentes, dom Manuel Larraín e dom Helder Camara. Todos ficaram hospedados no Hotel Hilton. No primeiro dia de reunião, dom Helder arriscaria, mesmo com certo constrangimento, apresentar-se em público sem a batina:

Pela primeira vez e única em minha vida cheguei de Clergyman. Ao participar do primeiro café da manhã, enquanto estava em uma mesa com o querido Manuelito (Dom Larraín), ele e eu, sem batina, nos sentíamos com dez dedos em cada mão. Olhei em volta e vi que o hotel estava cheio de brotos, que tinham, no mesmo hotel e na mesma data, um congresso. Comentei com Larraín a lição de independência que os brotos nos davam. Fui ao quarto, vesti a batina para nunca mais tirá-la. Com ela eu iria aonde fosse preciso ir, com o desassombro com que os brotos se vestiam ou se desvestiam!

Mas constrangido mesmo dom Helder ficaria durante as reuniões. Primeiro porque não dominava o inglês e, por isso, teve de depender de intérpretes para se comunicar com os norte-americanos e, segundo, porque o representante da Santa Sé no final do encontro acabou reservando-lhe uma surpresa mais que desagradável:

Terrível é que, no último instante, valendo-se da posição de representante da Santa Sé e da circunstância de ter sido delegado apostólico em Washington, declarou [Monsenhor Samoré] que, sabendo como os norte-americanos gostam de conversas concretas, resumiu todo o encontro na proposta, logo aprovada (apesar do meu brado de aflição!):
– Um milhão de dólares por ano, durante dez anos, para ajudar a América Latina;
– ao longo dos dez anos, envio de 10% dos leigos, das religiosas e dos padres!

Dirigindo-se a monsenhor Samoré, inutilmente dom Helder ainda tentou protestar:

Mas, meu Deus! Perdoe-me Excelência, mas isso não está absolutamente dentro do espírito desta reunião...!

Além de "desolado", dom Helder ficou indignado com o "papelão" feito por monsenhor Samoré, passando por cima da pauta de discussões, que não incluía o pedido de dinheiro. Depois desse episódio, dom Helder e o presidente da CAL praticamente cortaram relações. Foi preciso que dom Armando Lombardi articulasse a interferência do papa Paulo VI, em 1964, para que terminasse o "estremecimento" entre os dois. No final das contas, a objetividade de monsenhor Samoré até que produziu um bom resultado: a hierarquia norte-americana enviou anualmente o dinheiro previsto para que a CAL aplicasse na Igreja latino-americana e, até 1968, nada menos que 3.391 padres, religiosas, irmãos e leigos norte-americanos foram designados para atuar na América Latina.

Pouco depois de ajudar dom Helder a conseguir a aprovação do Vaticano à sua proposta de reunião com os bispos norte-americanos, percebendo que o papa estava se isolando em seu trono, monsenhor Montini considerou que tinha intimidade suficiente com Pio XII para que pudesse dar-lhe uma opinião sincera:

– Santo Padre! O senhor está caindo na solidão...

A reação de Pio XII foi imediata:

– Mas eu ouço todo mundo...

Sempre muito cauteloso e diplomático, dessa vez Monsenhor Montini não percebeu que desagradara o Santo Padre e resolveu completar o raciocínio:

– Perdoe-me, Santo Padre! Ouve todo mundo, mas não escuta ninguém.

O Santo Padre não o perdoou. Segundo dom Helder, "o preço do aviso leal, dado em consciência, foi ser *promovido* a arcebispo de Milão, para ser *removido* da Secretaria de Estado". (Os destaques são do próprio dom Helder.)

Em dezembro de 1954, Giovanni Battista Montini recebeu do papa a nomeação para seu novo posto em Milão. Giorgio Montini, seu sobrinho, em entrevista concedida em fevereiro de 1964, recordou que

> quando o novo arcebispo deixou Roma, ganhava o equivalente a 150 dólares mensais e todas as suas roupas e objetos de uso pessoal cabiam numa única valise. Porém, ele não possuía tal valise e teve de tomá-la emprestada a meu pai. No dia 6 de janeiro de 1955, meu tio entrou na Arquidiocese de Milão, seu primeiro importante posto pastoral. Estava tão comovido que, quando o seu carro cruzou a linha divisória do município, pediu ao chofer que parasse, desceu, ajoelhou-se e devotamente beijou a terra da Arquidiocese onde iria servir por sete anos e meio, até ser eleito papa. Seu beijo foi tão sincero que ficou com o rosto todo sujo de lama. Chovia quando o arcebispo Montini chegou diante da majestosa Catedral de Milão. Milhares de pessoas esperavam pacientemente sob o fino chuvisco para vê-lo pela primeira vez. Monsenhor Borella, prefeito do cerimonial, veio recebê-lo com um guarda-chuva aberto. O arcebispo Montini acenou para o povo e afastou o guarda-chuva: "Se eles podem esperar na chuva, eu também posso". E ali ficou.

Encarregado pela CNBB de convidar o arcebispo Montini para uma reunião com os bispos brasileiros, dom Helder visitou o amigo no ano seguinte em Milão. Montini revelou-se um excelente anfitrião. Levou dom Helder para conhecer a catedral de Milão, o Duomo, onde estavam sepultados os corpos de Santo Ambrósio e São Carlos Borromeu. O passeio pela cidade foi interrompido para que Montini se encontrasse com as Senhoras de Ação Católica, que se reuniam na Universidade Católica. Convidado, dom Helder acompanhou o amigo à reunião e foi surpreendido quando Montini insistiu para que falasse às senhoras. O parco domínio do italiano fez com que dom Helder se dirigisse ao auditório em francês, traduzido simultaneamente por Montini, até que os dois perceberam que a maioria prescindia da tradução.

Logo depois dessa reunião, os dois foram almoçar no imponente Palácio Arquidiocesano. No caminho para a copa, onde seria servido o almoço, dom Helder passou por uma grande sala que o impressionou: uma galeria com uma centena de quadros com os retratos dos antecessores de Montini na Arquidiocese de Milão, nos primeiros tempos do cristianismo. O primeiro quadro era o de São Bernardo que, aliás, recusara o cargo. (E com razão; ao mostrar os retratos a dom Helder, o arcebispo Montini fez um comentário sinistro: "Meus antecessores, na sede episcopal de Milão, todos, sem exceção, foram martirizados. Ser bispo de Milão era sinônimo de martírio").

Depois do almoço os dois foram à capela, rezaram juntos e seguiram para o salão de visitas, para conversar formalmente sobre o motivo da visita de dom Helder. "Agora diga o que o trouxe a Milão", foi a frase com a qual o arcebispo Montini iniciou a conversa. Dom Helder, então, usou todos os argumentos que encontrou para convencer o amigo a participar como pregador em um retiro espiritual dos bispos brasileiros. Embora pudesse ter realizado o convite por carta, com sua presença em Milão, dom Helder enfatizava seu empenho em conseguir que Montini decidisse pela viagem ao Brasil. Mas nenhum argumento foi suficiente para que isso ocorresse. A perda de seu estratégico cargo de subsecretário de Estado na Cúria Romana foi interpretada por Montini como um golpe em sua carreira eclesiástica. Ocupando um cargo equivalente, dom Eugênio Pacelli credenciara-se para assumir o Sumo Pontificado em 1939, como Pio XII. Havia anos, Montini era considerado forte candidato a sucessor de Pio XII. A remoção para o arcebispado de Milão foi como "uma sombra sobre seu futuro". Mas, como ainda era considerado jovem para o papado, seria melhor resguardar-se como "um papa possível, um papa provável, um papa reservado para o futuro", como escreveu seu biógrafo Jean Guitton.

Por isso, embora comovido com o convite, arcebispo Montini achou mais conveniente recusá-lo:

– Meu amigo, diga aos bispos do Brasil que seria honra insigne e alegria profunda poder atender ao convite deles. Mas me é impossível ir...

E tentou justificar sua decisão:

– Você vai aprender, ao longo da vida, que há horas de aparecer e horas de mergulhar... E eu estou, de cheio, em hora de mergulho...

Dom Helder entendeu a negativa e respeitou as razões do amigo. Assim como o arcebispo Montini era considerado por muitos como um dos possíveis sucessores de Pio XII, contando até com um certo favoritismo por ter sido o braço direito do papa durante vários anos, havia uma lista com vários outros nomes de fortes candidatos ao trono de Pedro. Na mesma proporção com que a idade do papa avançava e sua saúde definhava, cresciam as especulações sobre quem seria o próximo Sumo Pontífice.

Além de Montini, o cardeal-arcebispo de Nova York, Francis Spelmann, era fortemente cotado em razão da hegemonia alcançada pelos Estados Unidos no Ocidente após a Segunda Guerra Mundial. O cardeal Gregório Pedro Agagianian, patriarca armênio, seria também uma boa opção caso o Colégio Cardinalício que elegeria o novo papa pretendesse fortalecer a Igreja no Oriente. A necessidade de melhorar a relação entre o Vaticano e os países de regime comunista colocava no páreo o cardeal Giacomo Lercaro, influente arcebispo que conquistara o respeito dos comunistas na Arquidiocese de Bolonha, na época o maior reduto do Partido Comunista italiano. O cardeal Eugène Tisserant, decano do Colégio Cardinalício, apesar de influente, era uma opção improvável por sua idade avançada: nascera em 1884.

Quando o Vaticano divulgou a morte de Pio XII em meados de outubro de 1958, aquela era uma notícia mais que esperada pelo mundo católico. O longo período de agonia do papa fora transformado pela imprensa num verdadeiro espetáculo. Para horror e satisfação dos fiéis católicos, o médico particular de Pio XII, dr. Galeazzi Lisi, fez questão de fotografar os últimos momentos do papa, para depois vender a alto preço as fotos à imprensa.

O Vaticano, se não aprovava esse tipo de exploração, não fez por menos ao organizar um longo velório de nove dias que levou dois milhões de fiéis em luto à Basílica de São Pedro. O general Teixeira Lott e a esposa foram os representantes do governo brasileiro nas cerimônias fúnebres ocorridas no Vaticano. No Brasil, o presidente da República encomendou uma missa em homenagem ao papa, celebrada na Igreja da Candelária pelo cardeal dom Jaime Câmara e seu auxiliar dom Helder. Além de Juscelino Kubitschek, estiveram presentes à missa todo o

Ministério, inúmeros deputados, desembargadores, diplomatas e os chefes das Forças Armadas.

No dia 25 de outubro de 1958, os cardeais que elegeriam o novo papa solenemente entraram na Capela Sistina cantando o *Veni Creator* e, em seguida, para isolar-se do mundo, o cardeal Tisserant trancou as portas da capela por dentro e um oficial do Vaticano trancou-as por fora. Três dias e onze escrutínios depois, no final da tarde de 28 de outubro, subia da chaminé da Capela Sistina a fumaça branca que anunciava a novidade esperada pelas mais de duzentas mil pessoas que aguardavam ansiosas na praça São Pedro: *Habemus papam.*

Confirmando a lenda, "todos que entraram na Capela Sistina como 'papas' saíram novamente como cardeais". O eleito foi Angelo Giuseppe Roncalli, italiano filho de camponeses, nascido na pequena aldeia de Sotto il Monte, em Bérgamo, em 25 de novembro de 1881. Tinha, portanto, 77 anos, quando surpreendeu o mundo católico tornando-se João XXIII, o 262º papa da Igreja Romana.

Dom Helder esperava um papa mais jovem, que enfrentasse "os mais modernos recursos da técnica", como as redes de televisão, para chegar às grandes multidões de católicos e não católicos. Alguém que conseguisse entender o mundo de sua época, marcado por acontecimentos históricos dramáticos, como a Cortina de Ferro, a Guerra Fria, os fenômenos do subdesenvolvimento e da superpopulação do globo, as migrações em massa, a ameaça de uma guerra nuclear e as viagens espaciais. É claro que pensava na eleição de alguém com as características de seu amigo Montini – jovem, inteligente, arrojado em suas iniciativas, ao mesmo tempo que profundamente diplomático. Mas dom Helder sabia que Pio XII não elevara seu amigo ao cardinalato propositadamente para deixá-lo fora do páreo na disputa pelo sumo pontificado.

Na tarde de 28 de novembro de 1958, dom Helder recebeu pelo rádio, um tanto decepcionado, a notícia da eleição de "um tal Angelo Roncalli, que escolhera chamar-se João XXIII. Um ancião...". Mas, poucos dias depois, entre 6 e 15 de novembro, ao participar da terceira reunião anual do Celam, em Roma, dom Helder começou a se surpreender positivamente com o novo papa. No último dia do encontro, João XXIII discursou longamente para os representantes da hierarquia da América Latina, incentivando os bispos a aprimorar sua visão sobre a realidade, para que pudessem elaborar e implementar com coragem um novo plano de ação para a Igreja no continente. Daí por diante, o "tal Angelo Roncalli" mudaria tão radicalmente as prioridades do Vaticano, que deixaria uma profunda e inconfundível marca na história da Igreja. O próprio dom Helder chegaria a "sonhar com a canonização do papa João".

CRUZADA SÃO SEBASTIÃO

– Quem não gosta do padre Helmi aqui? É menino, é homem, é mulher velha, é todo mundo: até os cachorros da gente já gostam dele: quando ele aparece no começo da rua, os bichos vão indo logo pra junto, fazendo festa...
O negro fez um silêncio, balanceou sob o sol da manhã o corpo alto e esguio e arrematou:
– O homem é de morte!
Esse padre, a quem ele chama de Helmi, é simplesmente dom Helder Camara. O nome do negro não vem muito ao caso. Mas cabe, só de bonito que é: chama-se Aguinaldo da Conceição. Trata-se de um antigo morador – e isso é o que vem ao caso – de uma favela de rés de chão e não de morro, talvez a mais miserável das cento e cinquenta favelas do Rio de Janeiro, que existe entre arranha-céus e residências de luxo, bem no começo do Leblon, a poucos passos do Jardim de Alah: a chamada República da Praia do Pinto, por cuja rua principal entrei logo ao princípio da manhã da última sexta-feira, guiado por dom Helder, para ver de perto a obra que, em favor dos favelados cariocas, vem sendo realizada pela recentemente fundada e já grandiosa Cruzada de São Sebastião.

Thiago de Mello, revista *Manchete*, 14/4/1956

Depois do sucesso alcançado pelo Congresso Eucarístico Internacional, vários políticos e jornalistas passaram a argumentar que, com a capacidade de organização demonstrada na preparação do evento e com os "gastos absurdos e pompas inoportunas" exibidos durante as cerimônias, a Igreja, "se não resolve os problemas humanos, é porque não lhe interessa solucioná-los".

Essa dura crítica, embora superestimasse descabidamente a capacidade da Igreja de resolver os problemas sociais do país, ao chegar ao conhecimento de dom Helder – o maior responsável pela exuberância do congresso –, foi tomada como uma provocação e o deixou inquieto.

Para completar a inquietude em dom Helder, era de opinião semelhante o grande dignitário católico cardeal Gerlier, de Lyon (França). Gerlier acompanhara de perto os esforços de dom Helder na preparação do congresso e chegou à conclusão de que não seria razoável que a capacidade de trabalho do brasileiro ficasse restrita à organização de megaeventos religiosos. Poucos dias antes de retornar o seu país, Gerlier fez questão de conversar com dom Helder. Depois de elogiá-lo atribuindo-lhe o êxito do congresso, o cardeal resolveu lançar-lhe um apelo:

> – Permita-me falar-lhe como um irmão, um irmão no batismo, um irmão no sacerdócio, um irmão no episcopado, um irmão em Cristo. Você não acha que é irritante todo este fausto religioso em uma cidade rodeada de favelas? Eu tenho certa prática em organização e por ter participado desse congresso devo dizer-lhe que você tem um talento excepcional de organizador. Quero que faça uma reflexão: por que, querido irmão dom Helder, não coloca todo esse seu talento de organizador que o Senhor lhe deu a serviço dos pobres? Você deve saber que o Rio de Janeiro é uma das cidades mais belas do mundo, mas é também uma das mais espantosas, porque todas essas favelas, neste quadro de beleza, são um insulto ao criador...

Firme, mas sereno, o tom do velho cardeal francês sensibilizou dom Helder, que interpretou aquelas palavras como um novo desafio a seu apostolado. Tomando nas suas as mãos do cardeal, dom Helder beijou-as e respondeu:

> – Este é um momento de virada na minha vida. O senhor poderá ver minha consagração aos pobres. Não estou convencido de possuir dotes excepcionais de organizador, mas todo o dom que o Senhor me confiou colocarei a serviço dos pobres.

Não há um censo que confirme as cifras, mas calcula-se que havia no Rio entre 400 mil e 600 mil pessoas vivendo em condições precárias, na época, em um número também estimado de 150 favelas. Dom Helder imaginou que pudesse ajudar a resolver definitivamente o problema: "Pois vamos cuidar das cento e cinquenta", comprometeu-se diante do poeta e repórter Thiago de Mello, pensando em acabar com as favelas cariocas no curto período de dez anos, a contar de 1956, para "fazer com que o Rio comemore já sem favelas o seu quarto centenário".

Os passos de dom Helder após a conversa com o cardeal Gerlier repetiram situações anteriores: conseguir a autorização de dom Jaime; conquistar o engajamento de sua equipe de colaboradores e obter o apoio governamental para a nova empreitada. De imediato, além do sinal verde de dom Jaime, dom Helder convenceu seu superior a doar toda a madeira utilizada nos bancos da praça do congresso para construção e reparo de moradias nas favelas. A equipe de leigos da Ação Católica, havia muito o auxiliando e que trabalhara com dedicação e eficiência inigualável para a realização do Congresso Eucarístico, continuava à disposição e foi convencida a ajudar em alguns jantares promovidos nas casas de Antônio Sarda, Maria Luiza e Edgar Amarante, e Raul Santana.

Café Filho, sucessor de Vargas na presidência, foi convencido pelo já influente jornalista Roberto Marinho a encontrar-se com dom Helder para tratar do assunto e também se prontificou a apoiar a iniciativa, contando que "ainda em sua gestão" fosse "urbanizada a primeira favela" (previa-se que permanecesse no cargo até janeiro de 1956).

"Com o objetivo de dar solução humana e cristã ao problema das favelas da cidade", oficialmente nasceu, assim, em 29 de outubro de 1955, a Cruzada São Sebastião.

Na prática, o trabalho da Cruzada começou já em seguida, com uma experiência piloto na favela da Praia do Pinto. Conhecida também como República do Mengo, ficava entre prédios de luxo em uma supervalorizada área do Leblon, na zona sul da cidade, e chamou a atenção dos "cruzados" porque havia pouco tempo ocorrera ali um grande incêndio. O contraste entre as condições de vida na favela e as dos moradores ricos do bairro também era claro para quem quisesse percebê-lo.

O cardeal Montini (futuro papa Paulo VI) em companhia de dom Helder e da secretaria da Cruzada São Sebastião Maria Luiza Amarante (atrás de Montini – à esquerda) em uma visita aos moradores da favela da Praia do Pinto, em junho de 1960.

Em uma "manhã de muito azul", em que "as crianças corriam tranquilas e descalças... entre os desvãos enlameados dos barracos", dom Helder acompanhou Thiago de Mello em uma visita à favela. O poeta, com seus "olhos para ver", percebeu como a manhã de muito calor, apesar de bela, fazia com que nuvens de moscas invadissem a favela e pousassem agressivas no rosto das crianças, que nem ligavam e ficavam, entre "poças de água estagnada, cheias de lixo, de mosquitos", brincando "no meio dos porcos, das cabras, dos restos, das galinhas, dos excrementos...". Sensibilizado, em seu passeio pela favela, Thiago de Mello chegou à conclusão de que

> ... fica difícil dar o nome de vida ao humano existir desses favelados, tais as condições em que moram, em que dormem, em que comem. Falta-lhes esse mínimo conforto sem o qual não é possível a própria dignidade de existir de um homem sobre a terra. As pessoas dormem amontoadas. Em muitos barracos a entrada só é possível com o corpo dobrado ao meio. Há um fedor dentro das casas.

No ousado projeto da Cruzada São Sebastião, os moradores da favela seriam transferidos para prédios de apartamentos. Mas realmente polêmica era a ideia de que os prédios fossem construídos próximos ao local de origem da favela, ali mesmo no Leblon, com seus terrenos supervalorizados no mercado imobiliário. Dom Helder e colaboradores acreditavam que seria possível "superar a luta de classes" aproximando-as, fazendo com que os pobres continuassem morando perto dos ricos, os empregados e empregadas, perto dos seus patrões. Na proposta da Cruzada deveria ocorrer o oposto do que tentou Carlos Lacerda, depois de eleito governador do estado em 1960, ao construir na periferia alguns conjuntos habitacionais para os moradores das favelas, em regiões sem urbanização e desvalorizadas, para afastá-los da zona sul.

Para evitar que, depois de ocupados, os edifícios se transformassem em favelas verticais, previsão pessimista dos adversários de seu projeto, um grupo de assistentes sociais da Cruzada, liderado pela irmã Enny Guarnieri, iniciou um programa de sensibilização dos moradores, buscando adaptá-los "às novas condições de moradia e de vida". A ideia era capacitá-los para a direção do futuro conjunto habitacional, responsabilizando-os pela manutenção dos apartamentos, edifícios e das áreas de uso coletivo, integrá-los na vida do bairro, de forma que desaparecessem "as barreiras que podem existir entre essa parcela da população e outras classes mais favorecidas", e realizar um trabalho de formação cristã com os moradores. Com os mesmos objetivos, dom Helder organizou um congresso de trabalhadores no auditório do teatro João Caetano, contando com a participação de representantes de várias favelas.

Logo nas primeiras reuniões na favela, as assistentes sociais chegaram à conclusão de que seria necessário o estabelecimento de algumas normas de conduta, a serem respeitadas pelos moradores, para que o trabalho de "reeducação" desse bons resultados. O próprio dom Helder participou das reuniões, que resultaram na elaboração e na aprovação dos "códigos de honra" para mulheres, homens e crianças. Baseados nos valores católicos e nos problemas do dia a dia dos moradores da favela, dom Helder e as assistentes sociais elaboravam os artigos de cada "código de honra" e depois os discutiam até a aprovação pelos moradores.

Assim, entre os homens nasceu a Ordem dos Cavalheiros de São Sebastião. Para participar, os membros deveriam observar dez princípios: "1) Palavra de homem é uma só; 2) Ajude seu vizinho; 3) Bater em mulher é covardia; 4) Sem exemplo não se educa; 5) Homem que é homem não bebe até perder a cabeça; 6) Jogo só futebol; 7) Difícil não é mandar nos outros: é mandar na gente; 8) Comunismo não resolve; 9) Quero meu direito, mas cumpro minha obrigação; 10) Sem Deus não somos nada". Durante a reunião de fundação da Ordem, a maior dificuldade de dom Helder foi aprovar o artigo que dizia que "bater em mulher é covardia". Mesmo com a persistente e serena defesa de dom Helder, para alguns homens, quando a mulher se metia a "valentona", "... só mesmo uma sova resolveria" o problema.

A Ordem das mulheres recebeu o nome de Legionárias de São Jorge e seus princípios se combinavam com os da Ordem dos homens, complementando-os para que se definissem os papéis masculino e feminino nas vidas familiar e comunitária. Dom Helder também ajudou a elaborar e participou da reunião que aprovou os artigos do "código de honra" das mulheres: "1) Questão fechada: casa limpa, arrumada e bonita; 2) Quando um não quer, dois não brigam; 3) Anjo de paz e não demônio de intriga; 4) Não vire a cabeça porque o marido não tem juízo; 5) Se o marido faltar, seja mãe e seja pai; 6) Educar de verdade, sem palavrão, sem grito e sem pancada; 7) Seja liga dos educadores do seu filho; 8) Não seja do contra: com jeito se vai à lua; 9) Nada mais triste do que mulher que degenera; 10) Mulher sem religião é pior que homem ateu".

Helder denominou a Ordem das crianças Pequeninos de São Cosme e Damião, e sozinho elaborou o seu "código de honra": "1) Nem covarde, nem comprador de briga; 2) Desgosto aos pais, jamais; 3) Antes só do que mal acompanhado; 4) O que suja mão é pegar no alheio; 5) Menino de bem não diz palavrão; 6) Homem não bate em mulher; é triste mulher que se mete a homem; 7) Não minta nem que o mundo se acabe; 8) Delicadeza cabe em qualquer lugar; 9) Quem não aproveita a escola se arrepende para o restante da vida; 10) Quem não reza é bicho".

Café Filho prometera a dom Helder que o Tesouro Nacional doaria 50 milhões de cruzeiros para o início das obras na Praia do Pinto, onde seriam construídos 10 edifícios com 910 apartamentos, em "ritmo acelerado, durante 24 horas do dia, sem interrupção", para atender ao prazo estipulado pelo presidente da República. Mas quando Café Filho, em 26 de outubro de 1955, enviou a mensagem solicitando a aprovação da verba, encontrou o Congresso em fim de mandato, sem tempo nem interesse em aprovar o pedido de um presidente também prestes a deixar o poder – Juscelino Kubitschek, vitorioso na eleição de 3 de outubro, assumiria a presidência em três meses.

Doente, Café Filho nem sequer conseguiu terminar seu curto mandato e, em seu lugar, assumiu o deputado Carlos Luz, por sua vez deposto pelo golpe militar comandado pelo general Teixeira Lott e substituído pelo senador Nereu Ramos. Para a Cruzada São Sebastião, o resultado desse quiproquó político foi desastroso: sua verba só seria liberada em 10 de junho de 1957, dezenove meses depois do previsto, atrasando consideravelmente o cronograma inicial. Mesmo assim, antes disso, em janeiro de 1957, algumas famílias já mudaram para o primeiro bloco de apartamentos, concluído à custa dos seguidos empréstimos conseguidos por dom Helder no Banco do Brasil, graças a seu crescente prestígio político com o presidente Juscelino.

O tesoureiro da Cruzada, engenheiro e diretor da empresa Kosmos Engenharia, Raul Santana, chegava a ficar com "cabelos brancos na época em que tinha de fazer os pagamentos nas obras, porque não havia recursos, os recursos chegavam quase que na hora". Várias vezes precisou procurar a diretoria do Banco do Brasil, em nome de dom Helder, para pedir a liberação de empréstimos emergenciais a serem pagos quando o Congresso aprovasse o pedido de verba feito pelo ex-presidente Café Filho.

Numa sexta-feira, véspera do pagamento semanal dos operários, o caixa da Cruzada estava completamente vazio. Emil Stross, um empresário amigo de dom Helder, casualmente resolveu fazer naquele dia uma visita a Raul Santana para saber como estavam as obras. A conversa entre os dois corria um tanto truncada até que Stross arriscou uma opinião:

– Raul, estou achando você com uma fisionomia... carregada, preocupada...

Foi o bastante para que Raul desabafasse:

– É... Stross, o meu problema é o seguinte: não sou mágico... Não consigo arranjar dinheiro. Tenho de pagar amanhã a folha de pagamento dos operários, mas não tenho absolutamente nada. E são duzentos contos (duzentos mil cruzeiros). Como vou chegar lá e enfrentar uma turma numa fila e dizer que não há dinheiro? Você sabe que o pobre do operário tem de ir para casa, e ele não tem nem o dinheiro da condução. Tem de levar comida. Como é que vai ser?...

Stross ouviu com atenção e resolveu ajudar:

– Olha, estou justamente com esse dinheiro aqui no bolso. Recebi e vim fazer um depósito no banco. Você querendo eu ponho a sua disposição. Você me paga assim que puder.

Foi um alívio para Raul, que aceitou na hora o empréstimo:

– Stross... muito obrigado!

Era grande a tensão do tesoureiro próximo aos dias de pagamento dos quase 400 operários, das construtoras e dos fornecedores de materiais. Dom Helder chegava a se preocupar com a saúde de Raul Santana e de Maria Luiza Amarante, secretária executiva da Cruzada, em quem recaía o ônus de centralizar a cobrança sobre o desempenho dos demais colaboradores do projeto. Pessoalmente, dom Helder não se envolvia no dia a dia da administração e, sem dúvida, entre os seus maiores méritos, além de ter iniciativas arrojadas, estava sua capacidade para se cercar de pessoas competentes e dedicadas que executavam suas ideias.

A escassez de recursos levou o departamento financeiro da Cruzada à elaboração de um "plano de autofinanciamento" para a continuidade das obras. A ideia foi conseguir do governo federal e da Marinha a doação das terras alagadiças das margens da avenida Brasil, para que fossem aterradas e urbanizadas e depois vendidas em pequenos lotes. Dom Helder achou viável o plano de sua equipe e tratou de fazer sua parte com o governo, conseguindo a doação. O que não foi lá muito difícil, com Juscelino na presidência. Dom Helder procurou o presidente no início de abril de 1956. Relatou os objetivos da Cruzada, explicou o projeto de urbanização da favela da Praia do Pinto, em andamento, e expôs as dificuldades enfrentadas. O presidente não se esquivou:

– E como posso ajudá-lo?

Era a frase que dom Helder esperava para poder continuar o discurso:

– Temos uma ideia, presidente, uma sugestão. Depois que vi a construção da praça do Congresso Eucarístico sobre o mar, dei-me conta de que se poderia fazer o mesmo em outros pontos da baía. Mas desta vez o senhor me daria autorização para vender os terrenos conquistados ao mar e, com esse dinheiro, poderíamos construir casas para os moradores das favelas.

Juscelino entusiasmou-se com a ideia e convenceu o prefeito da cidade, Francisco Negrão de Lima, o ministro da Marinha, almirante Alves Câmara, e o diretor do Serviço de Patrimônio da União, Romero Estelita, a preparar a doação dos terrenos para a Cruzada ainda em julho de 1956. Os terrenos ainda estavam alagados quando as primeiras vendas foram feitas, no início do ano seguinte, graças à credibilidade de dom Helder, do projeto da Cruzada e da Arquidiocese em meio aos empresários. Com isso, melhorou a situação financeira do empreendimento.

No total, chegaram a ser aterrados nada menos que 850 mil metros quadrados de área, e a venda dos terrenos acabou sendo, de longe, a principal fonte de receita da Cruzada São Sebastião, fornecendo quase 80% de recursos entre 1956 e 1960. O restante veio por meio de donativos, investimentos e do auxílio de 50 milhões de cruzeiros do governo federal. Os donativos de empresários só alcançaram um montante relevante para a dimensão dos projetos da Cruzada a partir da colaboração de Alfred Jurzykowski, presidente do conselho administrativo e fundador da Mercedes-Benz do Brasil, o que lhe valeu ser homenageado com o nome de uma escola construída pela Cruzada em Lins de Vasconcelos. Além de financiar a instalação de água em 13 favelas, só em 1963 Jurzykowski doou à Cruzada a importância de 65 milhões de cruzeiros.

Para as comunidades atendidas pela Cruzada, mesmo a realização de uma obra menor como a simples instalação de uma caixa-d'água, para que depois cada morador fizesse o encanamento até o próprio barraco, já representava uma melhora na qualidade de vida e era motivo de festa. No morro Santa Marta, por exemplo, até 1963 os moradores utilizavam água de poço e de duas bicas "ainda do tempo dos escravos", "as pessoas precisavam às vezes do dia inteiro para conseguir água". A Cruzada construiu, então, uma caixa d'água bem no alto do morro, e os moradores fizeram até um bolo para a inauguração, que contou com a presença de dom Helder, acompanhado da secretária Cecília Monteiro e de vários jornalistas. Na ocasião, dom Helder fez questão de visitar o barraco de Herondina Sabina, a moça que trabalhava em sua casa desde 1952, carinhosamente chamada de Heronda. Como Heronda sabia da visita, para "dar um visual" no barraco, pegou um pano e cobriu as duas poltronas que ficavam na sala e estavam rasgadas. Quando dom Helder chegou, acompanhado de dona Cecilinha, foi logo convidado a entrar:

– Entra, Padrezinho! Entra!

Ainda na porta, para começar a conversa, dom Helder perguntou:

– Heronda, você mora aqui, minha filha?
– Moro, Padrezinho. Entra. Pode sentar...

Dom Helder foi entrando e, antes de sentar-se em uma das poltronas, tirou o pano que cobria a parte rasgada. Heronda não "sabia onde colocar a cara" e ficou "morta de vergonha" do seu sofá rasgado.

Mas Heronda não ficaria no morro de Santa Marta por muito mais tempo. Logo depois desse episódio foi contemplada com um apartamento da Cruzada na Praia do Pinto. Como, além de trabalhar na casa de dom Helder, tinha ainda um emprego em uma escola, seus dois salários lhe permitiram pagar pontualmente as mensalidades do apartamento.

Mesmo assim, de vez em quando o dinheiro dos dois salários não lhe era suficiente para passar o mês ou para uma despesa extra, e ela, então, não vacilava em pedir a ajuda dos patrões. Em um carnaval, Heronda precisava de dinheiro para a folia e ninguém da casa chegava. A moça estava toda maquiada. Já pintara o cabelo com uma tinta branca e vestira a fantasia que lhe deixava as pernas totalmente de fora. De repente, apareceu dom Helder. Quando ela percebeu a presença do bispo, saiu correndo e se enrolou em um pano para esconder sua seminudez. Dom Helder notou a movimentação nervosa no apartamento e perguntou:

– Heronda, minha filha, você está aí?
– Estou, Padrezinho – respondeu Heronda, envergonhada. – É que vou sair e estou só esperando a Nairzinha chegar.
– Você está esperando a Maninha para quê?
– É que eu quero ir no carnaval e vou pedir um dinheiro emprestado a ela.

Dom Helder, então, sentou-se em uma cadeira na cozinha. Contou-lhe que fora homenageado e que recebera um prêmio em dinheiro. Em seguida, tirou um bolo de notas do bolso e separou três mil cruzeiros para dar de presente a Heronda, que recebia 400 cruzeiros mensais. A moça, contente, pegou o dinheiro, que com sobra lhe proporcionou três noites de carnaval.

O departamento de finanças da Cruzada, graças ao grande conhecimento de seus membros sobre o mercado financeiro e imobiliário da cidade, conseguiu não só realizar uma competente gestão das verbas obtidas por dom Helder, mas também multiplicou esses recursos com obras que valorizaram os terrenos. Inspirado na construção do Ceasa, em São Paulo, o departamento de finanças planejou a construção de um moderno centro de abastecimento para o Rio de Janeiro, para servir como "um ponto de atração para a venda dos terrenos circunjacentes". Assim surgiu o Centro de Abastecimento São Sebastião, na avenida Brasil, inaugurado em 1962 com 72 armazéns e 168 lojas e *boxes*, em 16.200 metros quadrados de construção.

A iniciativa trouxe grandes vantagens. Além de a construção ter sido custeada pelos próprios comerciantes de hortifrutigranjeiros e cereais, com o pagamento antecipado de seus armazéns, lojas e *boxes*, os terrenos da Cruzada que ficavam nas proximidades tiveram seus preços duplicados, e o interesse despertado entre os empresários acelerou a venda dos lotes.

Em dezembro de 1963, a Cruzada São Sebastião divulgou um balanço de suas realizações. Haviam sido construídos 910 apartamentos na Praia do Pinto e 46 no Morro Azul. Embora aliviasse a situação das famílias atendidas, a quantidade era desprezível em relação ao déficit habitacional da cidade, que desde o início da Cruzada, em 1955, praticamente dobrara, com o agravamento do êxodo de trabalhadores rurais do Nordeste do país. Embora dom Helder tivesse sonhado em erradicar as favelas da cidade, a experiência mostrou-lhe que o problema era muito mais difícil de ser resolvido do que imaginara ao ser incentivado pelo cardeal Gerlier. No planejamento da Cruzada, cada família transferida da favela para um apartamento teria seu barraco destruído, para evitar que outra família o ocupasse. O próprio dom Helder reconheceu mais tarde: a cada família transferida, chegavam várias outras, com a esperança de também receber um apartamento. Vários deputados chegaram, inclusive, a se opor ao projeto habitacional da Cruzada, porque acreditavam que incentivava o êxodo de moradores das zonas rurais para o Rio de Janeiro, com a expectativa de encontrar moradia.

A equipe da Cruzada São Sebastião resolveu, então, iniciar uma nova fase em suas atividades, com o objetivo menos oneroso de trabalhar pela "humanização e cristianização dos favelados", por considerar que o governador do recém-criado estado da Guanabara, Carlos Lacerda, já dispunha de "verbas adequadas, de plano hábil e de pessoal competente para a urbanização das favelas cariocas".

Além do mérito de ter "colocado em pauta o problema das favelas", tornando-as alvo das políticas públicas, a Cruzada São Sebastião inovou ao tentar resolver o problema das populações marginalizadas de forma global, construindo escolas com cursos regulares, supletivos, profissionalizantes e de alfabetização de adultos, além de grande número de serviços e obras essenciais como instalação de caixas-d'água em morros, redes de luz e de esgoto, farmácia e atendimento preventivo à saúde dos moradores, principalmente nos bairros de São Sebastião e Parada de Lucas, e nas favelas Chapéu Mangueira, Morro Azul, Cachoeirinha, Santa Marta, Rocinha, Cantagalo e várias outras. Nasceram nesses locais algumas formas inéditas de trabalho educativo destinado a crianças, adolescentes e mães. A formação de lideranças operárias e a auto-organização dos moradores também foram incentivadas. A Cruzada completava seu trabalho de urbanização e de humanização com o que chamava de "cristianização" dos moradores das favelas, construindo Igrejas e capelas onde passaram a ser desenvolvidas suas atividades apostólicas.

Enquanto se dedicava a efetivar o projeto da Cruzada, dom Helder sofreu um duro, embora previsível, golpe do destino: o falecimento do pai. Alguns sinais de que sua saúde definhava com a idade, seu João Camara começou a dar ainda nos anos 1940, logo depois de sua mudança de Fortaleza para junto do filho padre no Rio de Janeiro, ainda nos tempos em que a família morava no sobradinho da rua Voluntários da Pátria, em Botafogo.

Pálido, seu João descia a escadaria que ligava o andar de cima da casa à sala, sentindo fortes dores no peito e falando:

– Seja feita...

Helder conseguiu socorrê-lo no instante em que caía sem conseguir repetir a frase pela terceira vez. No pronto-socorro, ficou em coma a noite toda. No dia seguinte, recobrou os sentidos e, logo às oito da manhã, quis saber do filho padre a verdade sobre o que realmente lhe ocorrera. O filho não lhe escondeu o enfarte. O pai ouviu calado e pensativo. Logo depois, voltou a chamar Helder e perguntou-lhe satisfeito, como se já tivesse a certeza de que viveria ainda um pouco mais: "Quer dizer que esta vidinha, agora, Deus me deu de quebra?".

A "vidinha" extra de seu João foi se estendendo por vários anos e com bons momentos de satisfação, como na missa de sagração episcopal de seu filho em 1952, a que ele, na primeira fila da Igreja da Candelária, assistiu emocionado e feliz.

Inveterado "cantor de banheiro", todos os dias, no banho pouco antes do almoço, seu João cantava com voz vibrante longos trechos de óperas e operetas. Esse seu hábito demorou para ser assimilado por Heronda, a empregada da casa. Desde seu primeiro dia de trabalho, ela achou esquisita aquela música que vinha do banheiro e, caso tivesse seguido seu primeiro impulso, não teria permanecido no novo emprego. A moça lavava a louça na cozinha quando ouviu uma voz vibrante e cadenciada:

Pronto! Pronto! Pronto!
Já estou pronto e acabado
Só me faltam agora os cadeados...
Os cadeados... Os cadeados.

– Ih! Meu Deus... Quer ver que tem mocinho na casa...

Heronda achou que havia um adolescente na casa e que poderia lhe dar trabalho, engraçando-se para o seu lado. Ficou sossegada quando soube que era o respeitoso octogenário, mas jamais se acostumou com a cantoria.

Naturalmente, também ocorreram momentos de tristeza na vida de "seu" João, como a morte do filho Eduardo, de cirrose, no Rio, em 1946, e do filho mais velho, Gilberto, em junho de 1953, em Fortaleza, com câncer nos pulmões.

Um dia "seu" João percebeu que lhe falhava a visão. Constantemente via caras de monstros espreitando-o e se assustava. Dom Helder levou-o ao oculista. Ele constatou que, em vez de uma falha na visão, o problema de seu João "era a marcha da esclerose". Mesmo assim, o já octogenário João Camara Filho não quis entregar os pontos e pediu que o médico lhe conseguisse "um colírio que transformasse as máscaras de monstros em carinhas de meninas bonitas".

Seu João passou todo o dia 10 de julho de 1956 cantando. Também brincou com a neta Ana Maria (filha de Eduardo e Elisa) com quem ficara sozinho no início da noite. Quando Nair voltou do teatro, o pai assistia a televisão na sala. De repente, a filha percebeu que a cabeça do pai virara bruscamente para o lado e gritou: "Paizinho!". Dom Helder estava em um retiro espiritual na Gávea quando recebeu o telefonema da irmã comunicando-lhe a morte do pai.

"O BANCO DE DEUS"

> *A solução cristã não consiste em ficar do lado do capital ou do trabalho exclusivamente, mas em apoiar o primeiro, quando o socialismo marxista intenta destruir a propriedade privada, e em proteger o segundo contra o capitalismo de monopólio quando este reclama a prioridade do lucro sobre o direito a um salário compensador; e sempre em defender o bem comum, quando um ou outro o ameace.*

> Fulton Sheen, *Filosofias em luta*

Desde o seu início, o projeto habitacional da Cruzada São Sebastião recebeu duras críticas de Carlos Lacerda. Ainda durante o exílio em Nova York, Lacerda escreve a dom Helder, em carta publicada na *Tribuna da Imprensa*, de 26 de março de 1956, que em seu modo de ver, não há "solução para as favelas enquanto não for feita, no Brasil, a reforma agrária", chamando a atenção para a verdadeira causa do crescimento desordenado das grandes cidades: o êxodo das populações rurais provocado pela concentração da propriedade fundiária. Na carta, Lacerda condena o fato de dom Helder estar tentando ajudar a resolver o problema habitacional do Rio de Janeiro e, ao mesmo tempo, apoiando o governo de Juscelino Kubitschek, recém-empossado, que, com os partidos que lhe davam sustentação no Congresso, o PSD e o PTB, não tinha interesse em promover uma verdadeira reforma agrária, sem a qual seria impossível conter o êxodo rural. Por tudo isso, Lacerda escreve em sua carta que o Brasil vive "na ilusão de que os seus problemas fundamentais podem ser resolvidos com soluções tapa-buraco, paliativos", como o projeto da Cruzada São Sebastião.

Quando responde a Lacerda, também em carta aberta, apesar da defesa que faz do novo governo, dom Helder reconhece que para impedir o êxodo rural que leva ao crescimento das favelas, é necessário "ora enfrentar latifúndios, ora aglutinar minifúndios, ora atrair populações..., além de providências necessárias como o acesso à terra, assistência técnica, assistência financeira, armazenagem, estocamento, transporte etc.".

Sem dúvida, essa visão de dom Helder era coerente com um novo posicionamento de alguns setores da Igreja diante do problema fundiário do país. A Igreja, tradicionalmente vinculada às oligarquias latifundiárias, a partir dos anos 1950, por meio da CNBB, passa a defender a importância de uma reforma agrária no campo brasileiro.

O próprio dom Helder reconheceu que as obras da Cruzada, "por necessárias que sejam, não são mais que paliativos. A verdadeira causa das favelas não está aqui, mas sim no campo. É a miséria que empurra os trabalhadores rurais para as grandes cidades".

Mesmo assim, Lacerda não se convenceu sobre a sinceridade de propósitos de dom Helder e chegou a escrever que o arcebispo auxiliar do Rio de Janeiro colocava a questão social como prioritária em relação à religiosidade, com o objetivo maquiavélico de se promover politicamente e avançar na hierarquia da Igreja. Lacerda, com toda a sua mordacidade, comentava ainda que dom Helder "cultiva a miséria como quem cultiva seu jardim". Como consequência desse ponto de vista, assim que assumiu o governo do estado, Lacerda boicotou o quanto pôde a continuidade dos projetos da Cruzada.

Dom Helder também sofreu com a resistência ao projeto da Cruzada oferecida por um número considerável de moradores do Leblon, que preferia os favelados morando definitivamente longe de suas casas. Alguns chegaram a hostilizá-lo, ameaçando-o anonimamente por telefone e carta. Outros ligavam para a casa do "bispo das favelas" para xingá-lo com os palavrões mais "cabeludos". Mas o pior ocorreu numa noite em que dom Helder já dormia em seu apartamento, na rua Francisco de Moura, em Botafogo, antes do seu horário de vigília. Por telefone avisaram-no de que os prédios da Cruzada estavam pegando fogo. Atarantado, imediatamente saiu de batina e descalço, foi até a esquina da rua São Clemente e pegou um táxi em direção ao Leblon. Quando chegou ao local, não havia nem fumaça. O telefonema fora um trote.

Se fossem só Lacerda e alguns moradores do Leblon que pensassem dessa forma, dom Helder nem se abalaria, já acostumado tanto com a incontinência verbal de seu ex-amigo como com as atitudes preconceituosas que muitos ricos escolhem para defender seus privilégios. Mas alguns sacerdotes também fizeram duras críticas a sua atuação, deixando-o magoado. O teor dessas críticas apareceu em um estudo realizado por Betap de Rosb e publicado na Espanha, em 1974, com o título *Helder Camara, signo de contradicción*:

> Para el clero conformista, aquel nordestino es un intruso, aventurero, fracasado en su diócesis: un enigma y un peligro. Su obispo consiguió librarse de él; comprometía la diócesis con su activismo politiquero. Y misteriosamente aterrizó en Río, el sueño dorado de los nordestinos. Fue recibido en palmitas. Sus correligionários ya le tenian preparado un cargo de prestígio en el Ministério de Educación, que serviría de plataforma para introducirse en la curia y en la nunciatura.
>
> Por otra parte, sus actividades para-sacerdotales esterilizan su ministerio. Lo que él lama "pastoral entre los favelados", más que apostolado es una explotación de la miseria, sometida al impacto de la propaganda y de la publicidad hasta en el extranjero con fines lucrativos. Y, en estas prédicas pseudorreligiosas, no se recata de sustituir la teología por la sociología. Como se puede caer en ese confusionismo? Sólo hay una explicación: se formó en un seminario del interior, y del interior nordestino. Un lastre que hiere su orgullo y del que no ha conseguido desprenderse. Donde están sus doctorados en teología, en filosofia ...? Y ha llegado a arzobispo auxiliar de Río! Un caso insólito.

Não faltavam, porém, os entusiastas das obras sociais de dom Helder. Os jornalistas de *O Cruzeiro*, por exemplo, em vários artigos sobre a Cruzada, chegaram a chamá-lo "dom Helder – o São Vicente de Paulo das favelas". Em praticamente toda a imprensa era frequente a publicação de fotos, entrevistas e reportagens elogiosas sobre a Cruzada São Sebastião e seu fundador.

É provável que esse sucesso de sua iniciativa incomodasse alguns membros da Igreja. Ainda mais porque dom Helder receberia a visita de várias autoridades eclesiásticas interessadas em conhecer seu projeto de urbanização das favelas cariocas; com isso, despertava uma pontinha de ciúmes no próprio cardeal Dom Jaime. Em junho de 1960, por exemplo, viria ao Rio o arcebispo de Milão, Giovanni Battista Montini, recebido no aeroporto com honras de chefe de Estado pelo presidente Juscelino Kubitschek, pelo ministro das Relações Exteriores, Horácio Lafer, pelo então comandante do II Exército e futuro presidente, Artur da Costa e Silva, e por dom Helder, hospedando-se na Nunciatura. O núncio dom Armando facilitou de todas as maneiras o contato de dom Helder com o visitante, convidando-o já no primeiro dia da visita para o café da manhã e incumbindo-o de mostrar a cidade ao arcebispo Montini.

O roteiro dos passeios de dom Helder e dom Montini pelo Rio incluiu o Mosteiro de São Bento, a Igreja da Candelária e, é claro, a favela da Praia do Pinto com os edifícios construídos pela Cruzada São Sebastião. Tempos depois, dom Helder encontraria uma foto dos dois com alguns moradores da favela na capa de uma edição espanhola da revista *Populorum Progressio*.

Outro visitante ilustre recebido por dom Helder para conhecer o trabalho da Cruzada São Sebastião foi o bispo auxiliar de Nova York, Fulton John Sheen, na época, no auge da popularidade não só como bispo, mas também como escritor e educador. A chegada de Sheen à hierarquia norte-americana em 1951 coincidiu, não por acaso, com o início do macarthismo, cruzada anticomunista exacerbada defendida pelo senador Joseph McCarthy, que levaria o governo norte-americano a promover a perseguição de pessoas suspeitas de defender o comunismo, entre elas Charles Chaplin. A principal marca da vasta obra literária produzida pelo bispo Fulton Sheen e de seu popularíssimo programa de televisão era exatamente o combate ao comunismo.

O roteiro dos encontros e passeios realizados por Fulton Sheen foi semelhante ao que dom Helder oferecera ao arcebispo Montini. Mas já ao final da visita de três dias, dom Helder resolveu imitar o cardeal Gerlier, e, como quem não queria nada, questionou o bispo norte-americano como o fora logo após o Congresso Eucarístico, questionamento que o levara a fundar a Cruzada São Sebastião:

> – O senhor me permite uma pergunta? Depois destes três dias juntos, sinto que estamos muito próximos um do outro, que compartilhamos a mesma visão do mundo e da Igreja. Por que o senhor não aproveita seu imenso prestígio e utiliza esse instrumento milagroso que é a televisão para combater, por exemplo, o racismo? Por que não se serve dessa força que tem nas mãos para denunciar, por exemplo, as injustiças da política internacional de comércio?

A reação de Fulton Sheen nem de longe se assemelhou à resposta de dom Helder ao cardeal Gerlier. O brasileiro falou o que quis e ouviu o que não esperava:

– Meu irmão, agradeço-lhe a confiança, a coragem com que me fez essa pergunta. O senhor poderia ter guardado no íntimo esta dúvida. Vou responder-lhe e explicar-lhe com muita sinceridade. O senhor sabe que nós, os bispos dos Estados Unidos, damos juntos a cada ano um milhão de dólares à América Latina...

Dom Helder não só sabia, como fora o responsável pela realização do encontro em que o representante do Vaticano propôs a ajuda dos bispos norte-americanos à Igreja da América Latina. O tom utilizado pelo visitante ao falar demonstrava que ficara melindrado pelo questionamento. Dom Helder percebeu isso e, de forma submissa, esperou a conclusão de Fulton Sheen:

– ... Graças à televisão também posso enviar todos os anos ao Santo Padre uns 80 milhões de dólares para a Propaganda Fide. Esse dinheiro permite ao papa ajudar escolas, leprosários e hospitais no mundo inteiro. Asseguro-lhe que se amanhã, na televisão, eu passar a combater o racismo ou as injustiças da política internacional de comércio, imediatamente o dinheiro deixará de chegar a mim. Por isso, trata-se de uma opção pessoal. Prefiro que me julguem mal, como um ingênuo ou alguém que tem convicções. Aceito tudo isso conscientemente. Alguém tem de se sacrificar para realizar os trabalhos assistencialistas, enquanto outros trabalham pela mudança das estruturas. Estou feliz de que meu irmão dom Helder diga as verdades que não tenho a possibilidade de dizer. Assim, de algum modo, nos completamos...".

Dom Helder percebeu que metera os pés pelas mãos. Sensibilizado pela sinceridade do visitante, como se tentasse dissipar um certo mal-estar provocado por sua pergunta, arriscou algumas palavras de elogio a Fulton Sheen:

– O senhor aceita... Isso é pobreza, aceitar ser julgado como um ingênuo, como alguém que se aburguesa, cego diante das injustiças... E o fez por uma opção deliberada...

Assim que acabou de falar, dom Helder beijou-lhe as mãos.

A repercussão alcançada pela Cruzada São Sebastião na Igreja nacional realmente foi enorme, mas não o suficiente para que dom Helder fosse poupado de receber uma verdadeira repreensão do papa João XXIII por ter escolhido um nome tão anacrônico para sua iniciativa. Em uma das audiências privadas em que se encontraram, João XXIII deu a oportunidade para dom Helder falar sobre a Cruzada:

– Estou sabendo que você se dedica aos pobres, das... como se chamam?... das favelas.

Foi o bastante para que dom Helder, "muito orgulhoso", como reconheceu mais tarde, explicasse ao papa em que consistia a Cruzada São Sebastião. João XXIII ouviu com atenção até que decidiu interrompê-lo:

– Logo se percebe que o senhor não conhece o Oriente Médio! Se o senhor conhecesse o Oriente Médio, jamais utilizaria o termo "cruzada" para seu trabalho de libertação dos pobres! Porque, apesar do que dizem muitas vezes os historiadores, essas malditas cruzadas abriram um fosso entre nós, católicos, e os muçulmanos muito difícil de ser superado...

A quantidade de pessoas que procuravam dom Helder diariamente no palácio São Joaquim em busca de auxílio emergencial levou sua equipe a pensar em uma forma planejada e mais eficiente de atender aos pedidos. Assim nasceu a ideia da criação de uma instituição que centralizasse a obtenção de recursos e donativos dos ricos, dos organismos internacionais e do Estado, para a distribuição planejada aos mais necessitados. Uma espécie de superentidade filantrópica para manter as

"O BANCO DE DEUS" 213

entidades menores e socorrer pessoas em situação de risco. Dom Helder encampou a ideia e conseguiu de imediato que vários empresários e políticos de prestígio também se engajassem nesse novo projeto, batizado Banco da Providência.

Antigos amigos de dom Helder como Alceu Amoroso Lima, Heráclito Sobral Pinto e dona Celina Paula Machado resolveram ajudar e entraram para o conselho curador do banco, do qual faziam parte também os brigadeiros Ivan Carpenter Ferreira e Honório Koeler, o general Carlos de Paiva Chaves, o embaixador Oswaldo Aranha, os ministros Cândido Mota e Lafaiete Andrade, o ex-ministro e banqueiro Clemente Mariani, o desembargador Murta Ribeiro e ainda vários empresários, profissionais liberais e colunáveis cariocas como Eliseu Magalhães, Daniel de Carvalho, Luiz Carlos Mancini, Antonio Carlos Marinho Nunes, Antonio Ribeiro França Filho, José Leme Lopes, Celina Solberg, Nelson Mota, Carmen Hermany, Bartolo Perez, Maria Cecília Duprat, Emil Stross, Ricardo Xavier da Silveira, Maria Celeste Flores da Cunha, Bento Ribeiro Dantas, Carlos Alberto Del Castillo, Renê Carisio e João Havelange.

A ideia que norteou a criação do Banco da Providência era simples: distribuir aos mais necessitados os bens ou serviços que sobravam entre os ricos e remediados. Difícil era colocá-la em prática. Para não inibir as pequenas doações, na expectativa de que no rastro delas viessem doações maiores, a equipe que organizou o Banco da Providência usou um *slogan* que visava a despertar o sentimento de solidariedade em diferentes camadas sociais: "Ninguém é tão pobre que não tenha o que oferecer. Ninguém é tão rico que não precise de ajuda".

O lançamento do banco ocorreu nos fins de semana de outubro de 1959, quando foram montados vários postos nas zonas sul e norte e nos subúrbios, para receber as primeiras doações. Mesmo nas vésperas de sua viagem aos Estados Unidos, onde participaria da tão esperada primeira união entre bispos da América Latina com a hierarquia norte-americana, dom Helder empenhou-se muito para que o lançamento do Banco da Providência fosse um sucesso, principalmente mobilizando seus inúmeros contatos na imprensa carioca para apoiar sua nova iniciativa assistencial. Vários órgãos de imprensa ajudaram na primeira campanha do banco divulgando os postos de arrecadação de donativos e a mensagem de apelo elaborada por dom Helder na ocasião:

> O Banco da Providência é o Banco de Deus. Surge para atender a uma necessidade: congregar os corações bem formados num gigantesco esforço de ajuda mútua... Não pretende substituir obras congêneres existentes, mas, ao contrário, dar-lhes a colaboração de que necessitam, para que melhor desempenhem as suas finalidades. Numa palavra: é a prática efetiva da solidariedade humana, no que ela tem de mais nobre e cristão. Cada um colabora com o que puder – bens ou serviços. E todos podem fazer alguma coisa. Por menor que possa parecer a contribuição, ela é sempre valiosa. Será a soma da ajuda individual de cada um de nós que transformará o Banco da Providência numa grande obra assistencial. O importante é que a doação anônima do humilde homem do povo ou a do homem de negócios sejam feitas com a mesma elevação de propósito.

A ideia é boa? Então, ajude-nos. Faça um exame de consciência – e veja em que medida você pode contribuir. Pelo menos mais uma coisa além do que lhe ocorrer você poderá fazer: tornar-se um propagandista do Banco. Vamos nos ajudar mutuamente, com humildade cristã. Ninguém é tão pobre que não tenha o que oferecer. Ninguém é tão rico que não precise de ajuda.

Cada indivíduo poderia colaborar, de "acordo com suas reais possibilidades", com dinheiro, materiais de construção, móveis e objetos novos ou usados, roupas e calçados, bolsas de estudo, uniformes e material escolar e também serviços de saúde, médicos e odontológicos, cadeiras de rodas, aparelhos ortopédicos, assistência jurídica etc. Para cada tipo de doação, o banco contaria com uma divisão específica dentro da entidade – uma carteira – para administrar a entrada e a saída de recursos. Assim foram organizadas várias carteiras: de habitação e construções em geral, de móveis e utensílios, de roupas e calçados, de educação, orientação profissional e colocação, transportes, assistência jurídica e auxílios de emergência. O sucesso da iniciativa foi imediato. Alguns amigos de dom Helder, oficiais da Marinha, precisaram providenciar uma frota de caminhões para recolher a grande quantidade de doações aos depósitos do banco.

A repercussão do sucesso do lançamento do banco foi tão entusiástica que os maiores banqueiros do Rio de Janeiro, em reunião no hotel Glória, elegeram dom Helder o "banqueiro do ano" e o homenagearam com o título de sócio honorário de sua entidade representativa. No final de outubro, quando tomava o avião em direção a Washington, "pouco antes de embarcar, dom Helder Camara recebeu das mãos de uma aeromoça da Braniff um bolo comemorativo do êxito do lançamento do Banco da Providência", noticiou o jornal *Diário de Notícias*.

O presidente Juscelino Kubitschek também não faltou com o seu apoio e cedeu várias assistentes sociais designadas para o gabinete da Presidência para trabalhar a serviço do banco. Uma delas era Nair Cruz, antiga amiga de dom Helder, ainda dos tempos da pensão de sua tia Cecy Cruz, e que o acompanhava desde aquela época. Toda a estrutura de atendimento social do banco foi montada por Nair Cruz. O dr. Nelson Mota ficou responsável pela estrutura jurídica da instituição. Além, é claro, de vários outros colaboradores. Marina Araújo, outra amiga de dom Helder, que o acompanhava desde os anos 1940, ficou responsável de dar continuidade à iniciativa.

A contribuição de empresários, políticos e embaixadores de outros países no Brasil ao Banco da Providência mereceria um capítulo à parte. Como exemplos podem ser lembrados a ida do embaixador da Bélgica ao Palácio São Joaquim, onde funcionava o banco, para doar a dom Helder um cheque de 50 mil cruzeiros e os "500 fogõezinhos 'Jacaré' para serem distribuídos por dom Helder Camara aos favelados...", doados pela Esso Brasileira de Petróleo.

Com o objetivo de conseguir donativos em dinheiro para o banco, a equipe que o organizava resolveu promover uma festa para a elite da cidade, com o apoio da família Guinle, no hotel Copacabana Palace. Logo depois, com a ajuda de dona Mariazinha Guinle, passou a ser promovido no mesmo hotel um bazar de produtos de luxo. Só com o dinheiro desse bazar, de público muito restrito, o banco conseguia manter suas atividades do ano todo. Aos poucos, o bazar evoluiu para uma feira destinada a um público maior, mas ainda com a intenção de que fossem arrecadados recursos emergenciais e sem a intenção de que o evento se repetisse nos anos seguintes.

A feira organizada pela equipe do Banco da Providência era do mesmo tipo das quermesses promovidas com frequência nas igrejas e colégios da cidade. Mas o sucesso do evento levou à sua repetição no Yate Clube, na Hípica e no Parque Lage. Em 1961, o evento foi formalmente batizado Feira da Providência e ocorreu no Clube Piraquê, da Marinha, nos dias 30 de setembro e 1º de outubro. Verdadeira festa da qual dom Helder participou com muita animação, visitando as barraquinhas coloridas que representavam os estados brasileiros, conversando com os amigos e conhecidos que revia e agradecendo a "colaboração de senhoras da sociedade". Sentado entre crianças, dom Helder assistiu às apresentações de marionetes e do palhaço Carequinha e vibrou com o coral dos Pequenos Cantores da Guanabara. A feira também divertiu os adultos com um show de Bossa Nova e uma apresentação dos humoristas da Rádio Nacional.

O apoio da Marinha tornou-se tão importante para o evento que, desde o quarto ano de realização da Feira da Providência, o seu diretor-geral era um almirante. Conforme crescia, a feira passou a ser organizada na rua, ao ar livre, nas proximidades da lagoa Rodrigo de Freitas, até ser transferida para o Rio Centro, em 1978, onde ocupa anualmente um espaço de 72 mil metros quadrados, por quatro dias, e gera recursos que sustentam durante o ano todo as atividades assistenciais apoiadas pelo Banco da Providência.

Desde seu início, o Banco da Providência realizou campanhas que o tornaram referência para todo o Brasil. Um exemplo foi aquela cuja chamada era "Orós precisa de nós", quando, em 1959, rompeu-se o grande açude construído na cidade de Orós, Ceará, provocando uma enorme inundação no vale do rio Jaguaribe. Dom Helder chegou a ficar 24 horas no ar na TV-Rio, recebendo o apoio de políticos e artistas na tentativa de conseguir auxílio para as vítimas da catástrofe.

Com os recursos obtidos na feira, o Banco da Providência montou em vários locais da Grande Rio alguns centros de formação profissionalizante em mecânica, agricultura, artesanato, cozinha e costura industrial, creches e centros de atendimento para crianças e idosos em situação de risco, promovendo a distribuição de alimentos para moradores de rua e atendimento ambulatorial. O mais interessante é que, mesmo depois da partida de dom Helder para Recife, em 1964, essas atividades do Banco da Providência continuaram crescendo, graças ao trabalho persistente de sua equipe de leigos.

Um dos principais centros é a Comunidade de Emaús, que começou a ser concebida ainda em 1959, como um centro de integração social de homens adultos marginalizados. A ideia surgiu a partir da experiência bem-sucedida dos Trapeiros de Emaús, iniciativa filantrópica organizada na França pelo abade Pierre, que, quando esteve no Brasil, mostrou a dom Helder e sua equipe um filme sobre sua experiência de recolher mendigos, ladrões e alcoólatras para alimentá-los e reeducá-los no ensino de uma profissão.

O filme causou forte impacto na equipe de dom Helder, que resolveu fundar uma comunidade com o mesmo modelo. Padre Paulo Riou assumiu a coordenação do projeto, iniciado com alguns moradores de rua em um barracão da prefeitura, próximo ao Centro de Abastecimento São Sebastião. As dificuldades do início do projeto evidenciaram a necessidade de mais experiência e preparo para a realização desse tipo de trabalho. Dom Helder expôs os problemas enfrentados por padre Riou ao abade Pierre. Tempos depois, já em 1963, o abade Pierre enviou ao Brasil o engenheiro nuclear e oficial do Exército francês Jean Yves Olichon, para ajudar a estruturar o projeto da Comunidade de Emaús.

Olichon chegou ao Brasil no carnaval de 1963 e começou a trabalhar imediatamente em um barracão num terreno pantanoso em Cordovil, com alguns mendigos que remexiam o lixo do lugar. Com seu temperamento "durão", Olichon conseguiu o respeito dos seus auxiliares e dos homens que eram atendidos em Emaús e, aos poucos, foi estruturando oficinas de marcenaria e gráfica, e várias outras, pelas quais seriam realizados trabalho de reeducação e formação profissional.

Com todo esse trabalho social e religioso, não resta dúvida de que dom Helder e sua equipe de colaboradores leigos conseguiram inaugurar uma nova e mais respeitosa forma de presença da Igreja católica entre as populações marginalizadas dos grandes centros urbanos do país. No entanto, as ações sociais promovidas por intermédio da Cruzada São Sebastião e dos inúmeros projetos mantidos com os recursos obtidos pelo Banco da Providência caracterizaram-se como obras de caridade cristã, de cunho assistencialista, com vistas a melhorar as condições de vida das pessoas colocadas em situação de miséria pelas injustiças próprias da sociedade brasileira, sem, contudo, combater as causas que produziam tais injustiças, como a concentração da propriedade e da renda, a exploração do trabalho e a ação do Estado ao priorizar o emprego dos recursos públicos em obras e serviços destinados às classes média e rica da população. Dessa forma, dom Helder e sua equipe de leigos não atacavam as condições estruturais da sociedade brasileira que geravam a pobreza urbana.

Mas não se pense que as pessoas envolvidas na Cruzada e no Banco da Providência não tinham consciência dessas limitações do seu trabalho social. Usando uma metáfora militar, dom Helder explicou como achava importante que fosse realizado o trabalho assistencialista, apesar das reconhecidas limitações:

> ... se se está decidido a conquistar uma cidade, deve-se marchar sobre ela. Em nenhum momento ninguém tem o direito de esquecer que o objetivo é vencer, apoderar-se daquela cidade. Mas se durante o percurso são encontrados alguns feridos que já não podem combater e que estão em perigo de morrer por falta de cuidados e, sem risco de perder de vista o objetivo, é possível oferecer-lhes socorro, transportá-los em macas até um hospital, isso deve ser feito. Muitas vezes penso que na guerra contra a injustiça, oitenta por cento do tempo e dos esforços devem ser dedicados à mudança das estruturas e à promoção humana, mas os vinte por cento restantes devem estar disponíveis para socorrer os feridos, as vítimas da guerra...

Na mesma época em que nascia a Cruzada São Sebastião e o Banco da Providência, o mesmo dom Helder, contando com praticamente as mesmas pessoas como colaboradoras, começava também a desenvolver, por intermédio da CNBB, um tipo de intervenção política que priorizaria a luta pela transformação da sociedade e promoção da justiça.

COM OS AMIGOS NO GOVERNO

A impressão de surpresa contínua que tem acompanhado o governo de Kubitschek, não somente cumprindo, mas superando o seu plano de metas, tudo colimado pela construção de Brasília, que será inaugurada a 21 de abril do próximo ano, tem levado os inimigos do presidente a afirmar que Juscelino, na presidência da República, é um doido que deu certo.
Até mesmo os amigos mais chegados, como dom Helder Camara, não reprimem o espanto, em face da obra realizada, sob a forma de estradas, açudes, barragens, represas, usinas, que estão realmente transformando o país...
Dom Helder, ao ver Brasília, em companhia do presidente, não conteve a exclamação:
— Presidente, isto é uma loucura!
E Kubitschek, rindo:
— Mas a sua Cruzada São Sebastião não lhe fica atrás.

Josué Montello, *Diário da Tarde*, 28/7/1959

A primeira Semana Ruralista da Ação Católica Brasileira, realizada em Caxambu, Diocese de Campanha, Minas Gerais, em 1950, com a presença de sacerdotes, freiras e aproximadamente 270 professoras e 250 fazendeiros, tornou evidente que algumas mudanças importantes estavam ocorrendo na Igreja Católica brasileira.

As conclusões do encontro seriam publicadas pelo bispo local, dom Inocêncio Engelke, em forma de Carta Pastoral. Para a pesquisadora Aspásia Camargo, que escreveu sobre a questão agrária no Brasil, no encontro de Campanha "delineia-se uma visão pioneira, que prenuncia a nova Igreja" por revelar os impulsos reformistas de um novo clero, que define como "prioritária a ação social no campo, situando o campesinato não como mero apêndice de uma transformação maior, mas como o grande excluído, cerne de um problema social explosivo e inadiável e vítima de flagrantes injustiças sociais".

Realmente o documento tornado público por dom Inocêncio Engelke é expressivo a começar pelo título: "Conosco, sem nós ou contra nós se fará a reforma agrária". Mas tem ainda uma importância adicional para esta biografia porque quem o redigiu foi o então vice-assistente nacional da Ação Católica Brasileira, monsenhor Helder Camara. Chega a surpreender sua franqueza ao escrever sobre as condições de vida do trabalhador rural brasileiro:

É sabido que a situação do trabalhador rural é, em regra, infra-humana entre nós. Merecem o nome de casas os casebres em que moram? É alimento a comida de que dispõem? Pode-se chamar de roupas os trapos com que se vestem? Pode-se chamar de vida a situação em que vegetam, sem saúde, sem anseios, sem visão e sem ideias?...

Deixando-se de lado um certo preconceito urbano do autor com relação ao trabalhador rural e à vida campestre, do tipo que inspirou Monteiro Lobato a criar o seu Jeca Tatu, monsenhor Helder chegara à conclusão de que a miséria no campo, combinada com o processo de modernização acelerada pelo qual passava o país, impunha à Igreja o dever de ajudar a promover mudanças na estrutura da sociedade para que diminuíssem as injustiças. Por outro lado, se a Igreja e a Ação Católica continuassem priorizando a atuação em meio às classes média e rica, visando à formação da elite do país, o povo continuaria abandonado e, consequentemente, suscetível à mensagem revolucionária:

> Houve tempo em que o campo ficava preservado pela distância, pela falta de comunicações, pela índole conformista e rotineira dos trabalhadores rurais.
> Hoje, estradas se rasgam levando ao recesso do país a locomotiva, os automóveis e sobretudo os caminhões. Há pontos do alto sertão que pularam do século XVI para o século XX com a abertura de campos de aviação e com a possibilidade de atingir, em horas, centros civilizados que só em semanas e meses podiam ser atingidos. O jornal, o cinema e o rádio estão informando no mesmo dia e por vezes na mesma hora o que se passa no país e no mundo. Em breve será a hora da televisão. Nada mais explicável, pois, que a receptividade para as ideias mais arrojadas e revolucionárias.
> E os agitadores estão chegando ao campo. Se agirem com inteligência, nem terão necessidade de inventar coisa alguma. Bastará que comentem a realidade, que ponham a nu a situação em que vivem ou vegetam os trabalhadores rurais. Longe de nós, patrões cristãos, fazer justiça movidos pelo medo. Antecipai-vos à revolução. Fazei por espírito cristão o que vos indicam as diretrizes da Igreja.

Monsenhor Helder temia que a Igreja perdesse para os militantes comunistas e socialistas sua tradicional influência entre os trabalhadores rurais do país. "Já perdemos os trabalhadores das cidades. Não cometamos a loucura de perder, também, o operariado rural", foi o apelo lançado por ele à Ação Católica, em campanha. E se em 1950 dom Helder já pensava assim, nos anos seguintes teria motivos concretos para aumentar suas preocupações: em 1954, nascia no engenho Galileia, em Vitória de Santo Antão, Pernambuco, a primeira Liga Camponesa fundada por Francisco Julião, marcando o início de um movimento social no campo que ocuparia um importante lugar no cenário político nacional até o golpe militar de 1964.

Conforme escreveu Thomás Bruneau, "à medida que cresciam as ameaças de ligas camponesas ou de agitadores, a Igreja se tornava ativa", organizando ou participando de movimentos rurais e urbanos que também propunham mudanças estruturais para a sociedade. Antes, porém, que um número considerável de sacerdotes e leigos católicos se engajasse na busca da "transformação do mundo", como ocorreu a partir do final dos anos 50, foi preciso que, no interior da Igreja, se consolidasse a ideia segundo a qual "a mensagem de Cristo incluía a criação de uma ordem social justa", ou seja, não deveria haver uma separação entre a fé cristã e a execução de uma "missão social" que apontasse para a superação ou o alívio da miséria. Exatamente para promover essa "missão social", aos leigos caberia um papel apostólico muito mais ativo, incluindo maior responsabilidade na eclesiologia católica, a fim de que pudessem atuar com desenvoltura onde não houvesse sacerdotes em número suficiente. Thomás Bruneau ressalta o papel fundamental desempenhado pelo secretário-geral da CNBB como orientador dessas mudanças nas concepções e ações dos católicos:

> Antes da ação da Igreja na promoção da mudança social, houve a elaboração, por um grupo de bispos, de uma ideologia que justificava e urgia tal atividade. A formulação dessa ideologia resultou de um trabalho consciente de dom Helder, força propulsora que anima o setor progressista da Igreja. Ele estava consciente de que qualquer instituição, incluindo a Igreja, deve ter líderes que esbocem as linhas mestras e estabeleçam objetivos. Era ele um desses líderes, cercado de um grupo de uns dez outros bispos, duas ou três vintenas de padres, e mais ou menos o mesmo número de leigos jovens e ativos.

Como explicitaria melhor nos encontros dos Prelados da Amazônia e do vale do São Francisco de 1952, muito longe de propor o caminho da revolução social como solução para os problemas do país, dom Helder defendia a colaboração entre Igreja, sindicatos rurais e Estado para a promoção de reformas sociais de base.

Foi com essa perspectiva que dom Helder atuou como secretário-geral da CNBB, nos dois mandatos em que exerceu o cargo, entre 1952 e 1964. Nesse período, o secretariado-geral da entidade teria suas atribuições ampliadas formalmente, ganhando estabilidade, autonomia e consolidando-se como o "centro permanente e vital da CNBB", como escreveu padre Gervásio Queiroga. O órgão dirigente da entidade – a Comissão Central com seu presidente –, que a princípio estaria acima do secretariado-geral, na prática exerceria um papel secundário. A Comissão Central deveria se reunir apenas uma vez por ano, e, por isso, não tinha a agilidade suficiente para atuar no calor dos acontecimentos, como ocorria com o secretariado-geral. Quanto às atribuições do presidente, os estatutos da CNBB eram omissos e, novamente de acordo com o estudo de padre Queiroga, "ante a figura do secretário-geral, mais parecia uma honorificência que um cargo. Isto se explicava porque a direção da CNBB era da Comissão Central, enquanto que as tarefas executivas e de animação eram confiadas ao secretário-geral".

No Estatuto aprovado pela entidade em 1958, caberia a dom Helder: "a) cuidar da secretaria das assembleias e da Comissão Central; b) coordenar as atividades das comissões episcopais e dos secretariados nacionais; c) coligir informações e documentação sobre a vida da Igreja no mundo, mantendo informado a respeito o episcopado nacional; d) manter-se ao corrente das disposições civis em matéria eclesiástica, estudar as questões relativas a tais assuntos e manter informado a respeito todo o episcopado; e) providenciar a publicação do *Comunicado Mensal*, órgão oficial da CNBB; f) providenciar a preparação, inclusive material, das assembleias e reuniões da Comissão Central; g) promover a execução das resoluções emanadas

das assembleias e da Comissão Central; h) manter relações com o secretariado-geral do Conselho Episcopal Latino-Americano (Celam) e com o representante do episcopado do Brasil no dito Conselho, tendo em vista sobretudo a coordenação das atividades apostólicas na América Latina; i) manter a Nunciatura Apostólica informada de quanto possa mais vivamente interessar na atividade da CNBB; j) submeter à consideração da assembleia ordinária um relatório completo da própria atividade".

Com isso, ele concentrava em seu poder um conjunto de atribuições que efetivamente o tornavam a grande liderança do episcopado brasileiro, uma vez que era responsável pela publicação do *Comunicado Mensal* – órgão oficial da CNBB –, que mantinha os bispos informados sobre atividades da entidade; como coordenador das atividades das comissões episcopais e dos secretariados nacionais, na prática dom Helder coordenava as ações pastorais desenvolvidas nas dioceses; as funções de manter o núncio informado e de mediar a relação dos bispos com o Celam faziam com que passasse por ele o contato da Igreja internacional com a brasileira; e, por fim, o fato de dom Helder ter de executar as deliberações das assembleias e da Comissão Central faziam dele um cotidiano dinamizador da CNBB.

Dom Helder também seria o responsável pela Comissão Nacional Católica de Imigração da CNBB, criada com o incentivo do Vaticano a fim de estudar e propor soluções para o problema das migrações, e na qual contaria, desde 1954, com a ajuda especializada do padre Fernando Bastos de Ávila, que então voltava de seu doutorado sobre o assunto, realizado na Universidade de Louvain, na Bélgica.

Todas essas atribuições faziam com que exercesse, na prática, a função de mediador no relacionamento da Igreja com a imprensa, empresas, sindicatos patronais ou de trabalhadores, associações de todos os tipos, partidos políticos e órgãos do Estado. Daí a quantidade incalculável de atividades as mais variadas nas quais esteve envolvido entre 1952 e 1964.

Em 1956 e 1959, por exemplo, organizou as históricas conferências dos bispos do Nordeste – a de Campina Grande, Paraíba, e a de Natal, Rio Grande do Norte. Na preparação desses encontros, além de contar com o importante apoio de dom José Távora, dom Expedito Lopes, dom Manuel Pereira da Costa e dom Eugênio Sales, dom Helder colocou vários técnicos leigos que o assessoravam na CNBB em contato com técnicos do BNDE (Banco Nacional de Desenvolvimento Econômico), designados pelo governo para realizar estudos que subsidiassem as discussões dos bispos.

Nos dois encontros, o próprio presidente Juscelino Kubitschek esteve presente para celebrar com dom Helder verdadeiro pacto de colaboração entre Estado e Igreja. Comprometeu-se a implementar medidas como liberação de verbas para obras de infraestrutura, realização de projetos habitacionais, fomento à agroindústria, construção de hidrelétricas e modernização do porto de Recife, entre outras, visando a promover o desenvolvimento econômico e combater a miséria da região.

No final do encontro de Campina Grande, realizado entre 21 e 26 de maio de 1956, divulgou-se um comunicado no qual já surge consolidada a ideia de envolvimento da Igreja nas questões terrenas: "A ninguém cause estranheza ver-nos envolvidos com problemas de ordem material. Para o homem, unidade substancial de corpo e alma, a inter-relação entre questões materiais e questões espirituais é constante".

Mas, para maior espanto dos conservadores de dentro e de fora da instituição católica, os bispos ainda declararam a Igreja "em nenhuma vinculação com as situações injustas" e se colocaram "ao lado dos injustiçados, para cooperar com eles numa tarefa de recuperação e redenção".

Ao lado dos "injustiçados" e do governo, melhor dizendo. No início de junho de 1956, dom Helder falaria no programa "Voz do Brasil", elogiando a atuação do presidente Juscelino, que, segundo ele, "não vacilou em transformar, imediatamente, os projetos a que técnicos e bispos haviam chegado em decretos cujo alcance prático me parece indiscutível".

O desenvolvimento do Nordeste seria batizado Operação Nordeste e tornar-se-ia uma das metas do governo Kubitschek. Para poder implementar a "Operação Nordeste", o governo criaria, em 1959, a Superintendência para o Desenvolvimento do Nordeste (Sudene), colocada sob a direção do economista Celso Furtado.

No II Encontro dos Bispos do Nordeste, realizado em Natal, no discurso proferido em 24 de maio de 1959, Juscelino retribuiria o apoio episcopado às suas metas de modernização do Nordeste:

> Essa iniciativa do governo federal é devida, forçoso é proclamar, à inspiração caridosa da Igreja e ao desejo enérgico de salvar da miséria tantos valores patrícios nossos, manifestado pelos pastores espirituais do Nordeste desde o primeiro encontro de Campina Grande.

O pacto realizado entre Igreja e Estado em torno do desenvolvimento do Nordeste mostrava-se benéfico para ambas as partes. A Igreja contaria com financiamento público para desenvolver atividades apostólicas e assistenciais que a ajudariam a combater a expansão dos movimentos de esquerda na região. Também contaria com recursos do Departamento de Estado americano, que apoiava os projetos da Sudene, visando à modernização econômica do Nordeste, e como anteparo à ameaça representada pelas Ligas Camponesas, vistas como possível foco revolucionário no continente. Por outro lado, como escreveu o historiador Marco César de Araújo, as oligarquias locais sentiam seus interesses ameaçados pelo projeto do governo federal de consolidar um polo urbano-industrial na Região Nordeste, sob o controle de empresários da região Centro-Sul, e, para tentar neutralizá-las, Juscelino contaria com o importante aval da Igreja.

O amigável relacionamento entre dom Helder e o presidente Juscelino Kubitschek contribuiu para que o processo de colaboração fosse agilizado. Os dois começaram a se aproximar quando dom Helder apoiou a posse de Juscelino contra as manobras golpistas articuladas por Carlos Lacerda. O diplomata e poeta Augusto Frederico Schmidt, amigo comum de ambos, principal assessor político de Juscelino e, mesmo, autor dos mais importantes discursos do presidente, trabalhou para que florescesse a amizade que tornou dom Helder um dos conselheiros do criador de Brasília.

Mas esse círculo de amizades não terminava aí. Entre os melhores amigos de Augusto Frederico Schmidt estava o renomado advogado Sobral Pinto, que, por sua vez, era amigo de dom Helder desde que este chegara ao Rio de Janeiro, em 1936. Sobral também tinha muita amizade com o ministro da Guerra e principal suporte militar de Juscelino, o general Teixeira Lott. Próximos de Juscelino havia ainda pelo menos mais dois antigos amigos de dom Helder: o ex-integralista e deputado Santiago Dantas e o líder do governo na Câmara e depois ministro da Justiça Armando Falcão, cearense e também morador da pensão de Cecy Cruz no final dos anos 1930.

Era a geração de dom Helder ocupando o poder. O presidente, percebendo a influência de dom Helder na Igreja, compartilhando com ele os amigos e a visão desenvolvimentista, chegou a visitá-lo em seu apartamento em Botafogo para convencê-lo a ocupar o Ministério da Educação.

Juscelino aceitou a contragosto a negativa do amigo, e não seus motivos. A popularidade de dom Helder na capital federal era imensa. No Domingo de Ramos de 1958, dia 30 de março, por exemplo, ele organizou a "Tarde Sagrada", celebração que levou para as arquibancadas do Estádio do Maracanã uma multidão de 150 mil pessoas. "Bastou, para isso", escreveu Alceu Amoroso Lima em *O Cruzeiro*, "que a palavra de um homem de Deus se erguesse. E de todos os recantos da cidade, nessa tarde de Domingo de Ramos, acudiram levas e levas de homens, mulheres e crianças, de todas as condições sociais, vencendo distâncias, desafiando o calor, carregando palmas, para levantar hosanas a um Pobre de Deus, montado num burrico...". Para conseguir tal feito, dom Helder "pôs em funcionamento a maior potência publicitária do país a difundir a sua Tarde Sagrada", a rede de emissoras de rádio, jornais, revistas e a TV Tupi, de propriedade de Assis Chateaubriand, o que permitiu que outra quantidade ainda maior de pessoas acompanhasse o evento sem sair de casa. Na mesma revista, também temos uma descrição do ato religioso:

> Na tarde bonita (e sagrada) do Domingo de Ramos, 30 de março, o Maracanã era um templo de fé aberto ao céu; no seu chão de grama verde, setecentas moças, representando os sete pecados capitais, caminhavam em busca da libertação; nas arquibancadas, cerca de 150 mil pessoas rezavam pela misericórdia divina. D. Helder Camara, arcebispo auxiliar do Rio de Janeiro, o idealizador da solenidade paralitúrgica (com a colaboração da revista *O Cruzeiro*), iniciou o diálogo: "Aproximem-se os que se sentirem pecadores, sedentos de vida nova, necessitados do perdão de Deus".

A repercussão favorável das iniciativas da Cruzada São Sebastião na imprensa e a presença frequente de dom Helder em noticiários e programas jornalísticos de todo tipo faziam dele "uma noiva supercobiçada" que acrescentaria legitimidade política e até eleitoral ao governo. Tanto que, depois de sua recusa em aceitar o Ministério da Educação, o presidente voltou a convidá-lo para integrar o governo, desta vez para ocupar a prefeitura da cidade do Rio de Janeiro, então capital federal. Novamente sem sucesso. Quando os partidos que davam sustentação ao governo no Congresso, o PSD e o PTB, lançaram, em 1959, a candidatura do general Teixeira Lott para a Presidência da República, dom Helder também chegou a ser sondado para sair como candidato a vice.

No íntimo, dom Helder guardava certo trauma dos conflitos que enfrentara em sua experiência política de juventude, quando ocupara por alguns meses a Diretoria de Instrução Pública do Ceará; por isso, não se sentia propenso a aceitar esse tipo de convite. Além disso, para atrapalhar as intenções do presidente, constantemente dom Helder era acusado por seus adversários de se preocupar mais com a política e com os problemas sociais do que com a "dimensão religiosa", acusação que o desagradava e o fazia hesitar em se expor politicamente mais do que já fazia.

Diplomaticamente, dom Helder confidenciaria ao presidente que preferia continuar seu amigo e simples conselheiro, podendo falar com sinceridade o que pensava, a tornar-se seu auxiliar, com o dever da obediência. Mesmo assim o bom relacionamento entre os dois não foi abalado e às vezes se encontravam e conversavam longamente. Nessas ocasiões, os secretários do presidente, preocupados com os compromissos, tentavam alertá-lo para que interrompesse o diálogo e mais de uma vez ouviram Juscelino se negar a fazê-lo falando em tom amistoso:

– "Calma! Não estão vendo que estou me confessando?"

Quando planejava a inauguração de Brasília, logo depois de visitarem juntos, em julho de 1959, as obras da futura capital, o presidente Juscelino recorreria ao bom trânsito de dom Helder no Vaticano para tentar trazer o papa João XXIII às solenidades. A conversa com dom Helder para que aceitasse a missão e o próprio convite ao papa deveriam ser mantidos em segredo. Caso João XXIII não aceitasse o convite, a imprensa e os adversários do presidente não teriam oportunidade de aproveitar o fato para ridicularizar a iniciativa. Quando encontrou dom Helder para tratar do assunto, o presidente enfatizou o caráter confidencial do favor:

> – Preciso pedir-lhe um imenso favor. Suplico-lhe que aceite fazer uma viagem mais que oficial, mas sem nenhuma publicidade. Desejo que vá até Roma como meu embaixador extraordinário. Você terá em sua companhia outros dois embaixadores: o atual embaixador no Vaticano e um dos seus antecessores que está aqui agora. Sairá daqui com destino a Nova York, para não chamar a atenção, e, em Nova York, tomará um avião direto para Roma. O Santo Padre estará avisado e o receberá. Peço-lhe que diga oficialmente o seguinte ao papa: "O senhor presidente da República do Brasil me encarregou de dizer-lhe que, quando um filho se dispõe a inaugurar sua casa, a casa de seus sonhos, a casa de seu futuro, ainda que saiba que seu pai não poderá comparecer o convida". Diga ao papa que o Brasil vai inaugurar sua casa: Brasília. O Brasil sabe que o Santo Padre não poderá vir. No entanto, o Brasil se sente na obrigação sagrada de convidar o seu pai.

A missão era realmente importante. E dom Helder não teria nenhum inconveniente em representar o presidente do seu país diante do Sumo Pontífice para fazer um convite que, nos termos propostos por Juscelino, de antemão já isentava o convidado da obrigação de aceitá-lo. Além do mais, devia ao presidente o favor de sua intervenção pessoal pela liberação de vários empréstimos no Banco do Brasil para as obras da Cruzada São Sebastião.

> – Presidente – respondeu dom Helder –, estas palavras me parecem tão gentis, tão delicadas e tão cristãs que aceito a missão.

Dom Helder realizou a viagem como previsto no plano traçado por Juscelino. Chegou ao Vaticano para encontrar-se com o papa com as credenciais de embaixador extraordinário do Itamaraty, mas acompanhado apenas por um dos embaixadores designados por Juscelino, o representante do Brasil no Vaticano Moacir Briggs, pois o outro adoecera e não pudera viajar. O próprio João XXIII abriu-lhes a porta de sua sala e falou sorrindo:

> – Ah! Me disseram que eu ia receber um grande arcebispo, mas foi um pequeno arcebispo que veio...!

A audiência seria curta. Simpático, João XXIII foi logo dando abertura para que dom Helder falasse:

> – Bem, diga-me, como está o senhor presidente da República?
> – Muito bem, Santo Padre – respondeu-lhe o "pequeno arcebispo". – E ele encarregou ao senhor embaixador e a mim de transmitir-lhe uma mensagem que me emocionou profundamente, por isso aceitei a missão.

Dom Helder repetiu textualmente as palavras de Kubitschek. Assim que terminou, um tanto comovido, João XXIII repetiu três vezes:

> – Tenho de ir ao Brasil. Tenho de ir ao Brasil. Tenho de ir ao Brasil. Desgraçadamente, não posso ir...

E não veio. Ao cardeal dom Carlos Carmelo de Vasconcelos, acompanhado por dom Helder, coube representar a Igreja na inauguração oficial de Brasília, em 21 de abril de 1960, celebrando a missa que colocou a cidade "sob a proteção de Deus".

"VIVER É LUTAR"

Seu José sabe que o povo
precisa se organizar,
que progresso, nesta vida,
sozinho não vai achar.
Reuniu seus companheiros,
p'ra um sindicato fundar.
Um sindicato decente
mostra o caminho da gente,
p'ra justiça procurar.

Lutemos unidos todos,
sem temor e sem vaidades;
pois unidos venceremos
as nossas dificuldades.
Unidos tudo podemos,
unidos seremos fortes;
a mão de Deus ajudando,
garanto, seremos fortes.

Mutirão, segundo caderno de leitura
do Movimento de Educação de Base

A proximidade com os componentes do governo JK tornou fácil para dom Helder a defesa de algumas demandas da Igreja em relação ao Estado. Influenciar no conteúdo da famosa Lei de Diretrizes e Bases da Educação Nacional, que tramitava no Congresso desde 1948, talvez tenha sido a principal dessas demandas católicas no decorrer dos anos 50. A LDB formalizaria os objetivos e prioridades da atuação do Estado na educação e, como consequência, definiria onde seriam aplicados os recursos públicos destinados à área educacional.

A oferta de serviços educacionais continuava sendo estratégica para os interesses da Igreja no país, pelo menos por duas grandes razões: primeiro, possibilitava a formação de uma elite educada nos princípios católicos e, segundo, viabilizava, por meio das escolas confessionais, a arrecadação dos recursos públicos ou familiares destinados à escolarização das novas gerações. Para realizar esses objetivos, a Igreja controlava cerca de 60% das escolas secundárias e 30% das escolas superiores do país, em 1960.

Um grupo de educadores que desde os anos 1930 lutava pelo acesso das classes populares à escolarização propunha que constasse na LDB o dever do Estado de oferecer educação pública gratuita e com orientação laica para a maioria da população – a educação religiosa deveria ser ministrada apenas nas escolas confessionais –, destinando para isso recursos públicos exclusivamente aos estabelecimentos escolares públicos. Entre os mais ilustres e representativos defensores dessas propostas estavam os educadores Anísio Teixeira, Fernando de Azevedo e Lourenço Filho. Com a criação da Faculdade de Filosofia da Universidade de São Paulo, jovens professores como o socialista Florestan Fernandes e o liberal Roque Spencer Maciel de Barros desencadearam ampla campanha em defesa da escola pública.

Para defender os interesses das escolas particulares católicas, a Associação de Educação Católica (AEC) comandava um forte grupo de pressão para influenciar a atuação do governo e dos deputados. Gustavo Corção e Alceu Amoroso Lima fundamentavam filosoficamente a defesa do ponto de vista católico afirmando, em resumo, que a educação das novas gerações deveria ser um dever das famílias e que o Estado deveria destinar um montante de verbas para as escolas particulares que representavam as famílias.

Um dos momentos mais quentes da disputa entre os dois grupos ocorreu em março de 1958, alguns meses depois que o ministro da Educação, Clóvis Salgado, enviara ao Congresso um substitutivo ao projeto da LDB que contrariava os interesses católicos. O arcebispo de Porto Alegre, dom Vicente Scherer, identificou no novo projeto do Ministério a influência do diretor do Instituto Nacional de Estudos Pedagógicos (Inep), Anísio Teixeira – de fato, um de seus formuladores –, e liderou uma campanha do episcopado por sua demissão. Como secretário-geral da CNBB coube a dom Helder instar ao presidente a reivindicação do arcebispo gaúcho. O presidente atendeu à exigência dos bispos e exonerou o educador, mas precisou voltar atrás em razão da repercussão pública do fato, desculpou-se e chamou-o de volta para o mesmo cargo.

No Congresso, como ponta de lança de sua proposta, os católicos contavam com a estridência do deputado Carlos Lacerda, que tinha várias objeções a dom Helder, mas era amigo do cardeal dom Jaime.

Lacerda, então, apresentou um projeto da LDB que, embora não pudesse ser aceito pela maioria dos deputados, servia como referencial para as discussões. Representando a CNBB, dom Helder articulou com os deputados Armando Falcão, na época líder do governo na Câmara, e Santiago Dantas a elaboração de um projeto um pouco mais moderado do que desejavam Lacerda e dom Jaime, mas que mantinha intactos alguns interesses essenciais da Igreja: equivalência entre os diplomas das escolas particulares e públicas; educação religiosa como componente do currículo das escolas públicas; direito das escolas particulares de receber verbas públicas e presença de representantes da Igreja nos corpos de decisão do Ministério da Educação. Em 20 de dezembro de 1961, depois de aprovada na Câmara e no Senado, a Lei de Diretrizes e Bases da Educação Nacional foi assinada pelo presidente João Goulart.

Em outra oportunidade, dom Helder voltaria a lutar contra os opositores da Igreja no campo educacional, fazendo um trabalho de bastidores para que um dos seus representantes não ocupasse uma importante posição no aparelho estatal. Quando José Sette Câmara assumiu provisoriamente o governo do recém-criado estado da Guanabara, em abril de 1960, nomeado por Juscelino, teve a ideia de colocar na Secretaria de Educação um dos principais colaboradores de Anísio Teixeira na defesa da escola pública, o antropologo e educador Darcy Ribeiro. Dom Helder estava no auge de sua popularidade na cidade do Rio e de seu prestígio com o presidente, e caso fizesse vistas grossas à nomeação de Ribeiro, poderia ser acusado pela AEC, por Lacerda e por dom Jaime de não impedir que um notório adversário dos interesses da Igreja na área educacional assumisse cargo tão relevante.

Ao recordar o episódio, Darcy Ribeiro escreveu que quando dom Helder foi "consultado, pôs o dedinho em cima do meu nome e disse: – Se não é comunista, parece muito. – Me vetou". Dom Helder se oporia novamente a ele em sua tentativa de convencer Juscelino a criar a Universidade de Brasília; prossegue Darcy:

> Dom Helder voltou a procurar Juscelino em nome dos bispos, argumentando desta vez que Brasília devia ter uma universidade católica, porque a principal universidade de Washington – capital de um país protestante – seria a Universidade Católica. Acrescentou que os jesuítas se ocupariam com gosto do encargo. JK me chamou e disse que, entre os dois projetos, ele lavava as mãos. Eu, conhecendo meu conterrâneo, supus logo que já estivesse do lado de lá. Ia deixar fazer a outra universidade, desistindo da nossa, pela qual, aliás, nunca tivera muito entusiasmo... Com efeito, os jesuítas, querendo fazer em Brasília uma nova universidade católica e contando para isso com o apoio da alta hierarquia da Igreja, representavam uma força tão grande que contra ela quase nada e podia articular.

Mas desta vez Ribeiro conseguiu uma aliança com o geral dos dominicanos no Brasil, frei Mateus Rocha, prometendo criar um Instituto de Teologia Católica na futura UnB, caso a Igreja apoiasse o seu projeto. Frei Mateus Rocha gostou da ideia e conseguiu para ele o aval do secretário-geral dos dominicanos e do papa João XXIII, sustando, com isso, a articulação realizada por dom Helder em favor do projeto dos jesuítas.

Já em vigor a nova LDB, em janeiro de 1962 dom Helder foi nomeado para compor o Conselho Federal de Educação, um dos corpos de decisão do Ministério da Educação, ficando no cargo até 1964. Desde 1953, dom Helder já fazia parte de um órgão praticamente equivalente, o Conselho Nacional de Educação. Na realidade, o mais ativo representante católico no órgão era Alceu Amoroso Lima. Já dom Helder raramente comparecia às reuniões e ainda mais esporadicamente se responsabilizava por relatar algum processo. Esse absenteísmo não era injustificado. Em dois dos raros processos que relatou, dom Helder teve de dar parecer, em setembro de 1953, sobre o reconhecimento do diploma de pintor de um estudante da Universidade da Bahia; e, em fevereiro de 1957, sobre o pedido de exame de segunda época para um aluno da Escola de Serviço Social da PUC do Rio. Com certeza, suas atribuições na CNBB e na Arquidiocese do Rio eram muito mais urgentes. O único fator que justificava sua presença nesse órgão oficial era a necessidade de a Igreja contar com um representante ilustre para ocupar aquela estratégica posição.

Em um evento de que participou no Ministério da Educação e Cultura, em 1963, o Brasil já estava sob a presidência de João Goulart, e dom Helder daria mostras de que não pensava da mesma forma que os setores tradicionais da Igreja com relação aos problemas educacionais do país, fazendo uma espécie de retratação de sua atuação contrária à do educador Anísio Teixeira. O episódio foi narrado por um dos presentes na ocasião, o escritor Josué Montello:

> Solenidade pública no Ministério da Educação e Cultura para que o Conselho Federal de Educação entregue ao ministro o Plano Nacional de Educação, relativo ao período de 1963 a 1970.
> O salão está repleto de senadores, deputados, diretores, funcionários, escritores, jornalistas. Quase todos os membros do Conselho. Em redor, nas paredes, os murais de Portinari.
> O plano, na verdade, é obra de Anísio Teixeira, tido como homem de esquerda e objeto, por isso mesmo, de sucessivos pedidos ao presidente da República para que o exonere da direção-geral do Inep. Um desses pedidos, talvez o mais veemente, o mais ardoroso, partiu da ala conservadora da Igreja.
> Na solenidade, dom Helder Camara, bispo auxiliar do Rio de Janeiro e membro do Conselho Federal de Educação, pede a palavra, e louva o plano, e apoia Anísio, calidamente, desasombradamente.
> Anísio Teixeira, a dois passos de mim, ouve com emoção as palavras de dom Helder. Tem um brilho feliz nos olhos contraídos, seu rosto moreno resplandece. E eu, daí a momentos, ao cumprimentar dom Helder:
> – Sou testemunha da emoção de Anísio com o seu discurso. E dom Helder, ao pé de minha orelha:
> – Só eu sei o quanto me pareço com Anísio.

A condição de representante do episcopado brasileiro, embora levasse dom Helder a atuar de forma conservadora na defesa dos interesses corporativos da Igreja, avalizando o ensino privado e elitista oferecido nas escolas confessionais, paradoxalmente também o levou a apoiar o Movimento de Educação de Base (MEB), ligado à CNBB e financiado pelo governo federal, e que constituiu iniciativa inédita dos católicos no campo da educação popular.

Inspirado na experiência das escolas radiofônicas de Sutatenza, cidade colombiana, criadas pelo padre José Joaquim Salcedo, o bispo auxiliar de Natal, dom Eugênio Sales, com o apoio da Ação Católica Brasileira, criou a Emissora de Educação Rural de Natal para promover a educação dos trabalhadores rurais. Essa experiência foi bem-sucedida e estendeu-se a várias cidades nordestinas.

A partir de Natal, dom Eugênio Sales passou a dirigir o Secretariado de Ação Social da CNBB e com a assessoria de Marina Bandeira, que trabalhava no Palácio São Joaquim, no Rio, articulou a atuação das emissoras de rádio católicas para que promovessem o desenvolvimento do trabalho de educação de base. Logo depois, segundo Marina Bandeira, "dom Távora, já então bispo de Aracaju, propôs a criação de um novo organismo, que se ocuparia em toda a extensão da educação popular. Teve o pleno apoio do presidente Jânio Quadros, que viu esse trabalho funcionando no interior de Sergipe e se propôs a ajudar. Criou-se então o MEB, entidade patrocinada pela CNBB (inicialmente o nome era Movimento de Educação de Base da CNBB), com verbas do Ministério da Educação, segundo convênio assinado com Jânio".

Dom Helder foi com dom Távora ao Palácio da Alvorada, em Brasília, em 11 de novembro de 1960, para conversar com o presidente eleito Jânio Quadros sobre o projeto. Logo no início da conversa, ficou claro "o entusiasmo de Jânio pela ideia". Depois de receberem a confirmação de que contariam com o apoio do governo federal para o MEB, os dois bispos saíram "vibrando" do encontro.

O objetivo do MEB não era simplesmente alfabetizar o trabalhador rural, mas possibilitar uma educação integral que desenvolvesse a consciência política, social e religiosa dos participantes. Na formação dos educandos deveria ocorrer um processo de "conscientização" que começaria com a alfabetização dos adultos pela valorização do código oral e da cultura popular. Simultaneamente, os participantes passariam a interpretar a sua condição de vida como resultado das injustiças existentes na estrutura da sociedade brasileira. O passo seguinte seria a luta pela transformação da sociedade por meio da ação comunitária dos trabalhadores: "Viver é lutar", sintetizava o título de uma cartilha do MEB.

Como escreveu o professor Luís Eduardo Wanderley, que participou ativamente do MEB, foi a partir de iniciativas como essa que se redefiniu "a atuação prática dos cristãos na sociedade brasileira... Os leigos assumiram novas tarefas, trouxeram reflexões teóricas e teológicas para o interior da Igreja no Brasil e introduziram a questão política de maneira aguda, que iria reacender-se nos anos pós-1970".

Embora Jânio Quadros fosse ferrenho adversário político de Juscelino e denunciasse a existência de uma verdadeira fortuna ilegalmente depositada em bancos suíços pelo criador de Brasília, isso não era motivo para que dom Helder, conselheiro do ex-presidente, deixasse de ter uma ótima relação com o presidente que assumiu o cargo em 31 de janeiro de 1961, prometendo varrer a corrupção do governo.

A pedido de dom Távora e dom Helder, Jânio concordou em apoiar financeiramente o MEB. O presidente não se esqueceu de dom Helder quando criou um "grupo de trabalho sobre o Estatuto da Terra", em abril de 1961, nomeando-o para a comissão de notáveis que estudaria os meios para a realização de uma reforma agrária no país. Além de dom Helder, fariam parte da tal comissão, entre outros nomes, o deputado Barbosa Lima Sobrinho, o economista Inácio Rangel e o senador Milton Campos. Dom Helder agradeceu a lembrança de seu nome e aceitou a nomeação, mas como tinha muitas ocupações na CNBB, fez-se representar nos trabalhos da comissão pelo bispo dom Fernando Gomes.

No dia 25 de agosto de 1961, dom Helder estava entre os estarrecidos com a renúncia de Jânio Quadros, apenas sete meses depois que assumira a Presidência da República. Recomposto da surpresa, ele soube que os ministros militares Odylio Dennys, Sylvio Heck e Gabriel Grun Moss, com o apoio do deputado Ranieri Mazzili, que ocupava a Presidência interinamente, articulavam um golpe político para impedir que o vice-presidente João Goulart assumisse a chefia do governo. Os golpistas buscavam o apoio de outras forças políticas e já haviam conquistado o ex-presidente Juscelino para sua posição. Por sua vez, Juscelino partiu em direção a dom Helder para saber como a Igreja reagiria ao golpe. O ex-ministro da Justiça Armando Falcão foi quem telefonou para a casa de dom Helder marcando o encontro entre os dois. Quando Juscelino chegou à rua Francisco de Moura, em Botafogo, acompanhado de Falcão e mais dois assessores, já era noite. Em suas memórias, Armando Falcão resumiu aquela conversa:

> Dom Helder, extremamente amável, nos ouviu em silêncio e com atenção. Quando concluímos nossa exposição, ele bradou: "Absurdo! Isso é um movimento de cúpula, sem base! A Constituição tem de ser respeitada! O Jango é o novo presidente e os ministros militares vão ficar falando sozinhos".
> Depois, resvalou para uma crítica severa à situação geral, no Brasil e no mundo, considerando tudo torto, tudo errado. Dialético nato, profligou a miséria, atacou os ricos, arrasou o capitalismo. Nós ouvíamos tudo calados. A noite avançava e Juscelino pediu licença para retirar-se. Despedimo-nos todos cordialmente do bravo ministro de Cristo. No automóvel, não disfarçando o espanto, Juscelino desabafou: "É, está tudo perdido. Nosso dom Helder está comunizado".

Como em 1961 os golpistas não conseguiram o apoio necessário à chegada ao poder, a posição de dom Helder, favorável à presença de João Goulart na Presidência da República, foi a que prevaleceu, mas não por muito tempo...

Dom Helder e o então presidente João Goulart.

NOS BASTIDORES DO CONCÍLIO

Vale dizer que, segundo o solidarismo, a pessoa humana, por sua suprema dignidade de ser humano, tem direito às condições concretas e reais que lhe possibilitem viver dignamente, trazer à plenitude, pela educação, seus talentos diversificados, trabalhar honestamente, afirmar sem coerções seus desejos e opiniões, exercitar sua liberdade de opções, possuir, e, pela propriedade, realizar-se mais plenamente como ser humano.
O solidarismo sabe que as estruturas sociais vigentes não oferecem possibilidades reais para a realização desses direitos. Por isso, ele é essencialmente um protesto que se traduz num programa de reformas. O solidarismo não é mero moralismo. É reformismo radical.

Pe. Fernando Bastos de Ávila,
Neocapitalismo, socialismo, solidarismo

Desde a terceira reunião do Celam, em novembro de 1958, o papa João XXIII passou a incentivar a Igreja Católica latino-americana a planejar sua atuação pastoral para que se adequasse aos desafios da época. Quando ocorreu a revolução cubana, em 1º de janeiro de 1959, essa preocupação do Vaticano intensificou-se ainda mais, em razão do medo de que o fenômeno revolucionário se repetisse em outros países do continente.

No Brasil, em carta do cardeal Jaime Câmara, então presidente da CNBB, dirigida a dom Helder, em abril de 1961, aparece evidente a mesma preocupação:

Em caráter confidencial, comunico a V. Exª. Rev.ᵐᵃ estar a Santa Sé preocupada com a situação religiosa de Cuba, pelo caráter nitidamente marxista do atual governo. Não há quem não perceba o perigo de se alastrar o comunismo de Cuba para toda a América Latina.

Como secretário-geral da CNBB, dom Helder daria uma resposta efetiva aos apelos da Santa Sé e à preocupação de dom Jaime, coordenando a elaboração de um planejamento de novas formas de ação pastoral a ser desenvolvidas pela Igreja em meio ao chamado "povo de Deus".

Dom Helder articulou a participação de alguns bispos e leigos na formulação daquele que foi o primeiro plano pastoral da CNBB, o famoso Plano de Emergência, de 1962. Participaram daquele trabalho, entre novembro de 1961 e março de 1962, dom Eugênio Sales, com sua experiência na organização do Movimento de Natal, considerada até então "a única experiência existente no Brasil em termos de planejamento pastoral"; dom José Távora, já presidente do MEB, responsável pela proposição de novas formas de engajamento da Igreja na solução dos problemas sociais do país; e dom Fernando Gomes, com o seu conhecimento sobre o problema agrário. Dos assistentes nacionais da Ação Católica dom Helder conseguiria a formulação de algumas propostas para a renovação do trabalho apostólico nas paróquias, respeitando as especificidades das realidades locais de cada diocese, ou seja, divergindo do trabalho realizado até então, fortemente influenciado pelas experiências pastorais da Igreja europeia.

Em abril de 1962, o Plano de Emergência foi debatido durante a V Assembleia Ordinária da CNBB, no Rio de Janeiro, recebendo o aval do conjunto do episcopado brasileiro.

Do ponto de vista político, a maior peculiaridade daquele não era a previsível condenação ao novo regime que começava a ser implantado em Cuba, mas uma condenação das condições de miséria a que o capitalismo jogava milhões de seres humanos no Brasil. No Plano de Emergência, os bispos chegam a fazer uma autocrítica inédita: "Somos solícitos no combate ao comunismo, mas nem sempre assumimos a mesma atitude diante do capitalismo liberal. Sabemos ver a ditadura do Estado marxista, mas nem sempre sentimos a ditadura esmagadora do econômico ou do egoísmo nas estruturas atuais que esterilizam nossos esforços de cristianização".

Em outras palavras, tanto o comunismo como o capitalismo são considerados, no Plano de Emergência, ateus e, em consequência, os católicos deveriam lutar pela construção de um novo modelo de organização social, baseado na reforma do capitalismo – a chamada "terceira via" ou "solidarismo cristão".

A época era mais do que propícia a iniciativas desse tipo. Não só no Brasil, mas no mundo todo, os católicos deixavam-se influenciar por uma certa sede de renovação de sua Igreja, incentivada por algumas atitudes ousadas do papa João XXIII, como sua encíclica *Mater et Magistra*, de 15 de maio de 1961, que indicou aos católicos o dever de trabalhar pela resolução dos problemas dos países subdesenvolvidos e pela melhoria das condições de vida das comunidades rurais.

A *Mater et Magistra* foi interpretada por dom Helder e pela Comissão Central da CNBB como uma "exigência de justiça" feita pelo papa e um incentivo ao trabalho de "conscientização" realizado pelo MEB e à luta dos militantes da Ação Católica Rural pela reforma agrária.

Mas realmente inesperada foi a decisão divulgada por João XXIII no domingo, 25 de janeiro de 1959, na Basílica de São Paulo, apenas dois meses e meio depois de sua subida ao trono. Demonstrando definitivamente que não seria simplesmente um ancião no Sumo Pontificado, eleito para cumprir um "mandato tampão", até que o colégio cardinalício chegasse a um acordo sobre quem deveria comandar a Igreja Católica, João XXIII anunciou ao mundo a convocação de um Concílio Ecumênico – espécie de congresso dos bispos do mundo inteiro para atualizar ou confirmar as orientações religiosas e políticas da Igreja.

Para se ter uma ideia da importância do evento para os católicos, nos dois mil anos de história da Igreja ocorreram apenas 21 concílios desse tipo. O décimo nono encerrara-se no remoto ano de 1563, na cidade de Trento, Itália, tendo decidido pelo duro combate da Igreja aos movimentos de reforma protestante. O vigésimo terminara em 1870, na cidade do Vaticano, depois que os bispos reafirmaram a doutrina da infalibilidade do papa. Isso, portanto, antes do invento do automóvel, do telefone, do rádio, da televisão e do avião, e antes também das duas guerras mundiais e da Revolução Russa, acontecimentos que mudaram o mapa do planeta no século xx e selaram o destino de bilhões de seres humanos.

João XXIII convoca o Concílio Ecumênico na época da Guerra Fria e da corrida espacial, para se reunir pela primeira vez em outubro de 1962, preocupado que estava com o enfraquecimento da influência política do Vaticano num mundo dividido entre o poder nuclear e econômico das duas superpotências – Estados Unidos e União Soviética – e com a perda crescente de fiéis católicos praticantes na maior parte dos países onde a Igreja estava implantada.

Dom Helder começou a se preparar para o Concílio em junho de 1959, quando recebeu o documento da comissão antepreparatória do evento com a consulta aos bispos brasileiros. Conforme se aproximava a data de abertura, como os seus compromissos e a grande quantidade de pessoas que o procuravam no Palácio São Joaquim não lhe permitiam estudar os assuntos que seriam debatidos na Basílica de São Pedro, para ter um pouco de sossego, dom Helder conseguiu uma sala no Colégio Santa Úrsula, em Botafogo, cedida pelas irmãs que dirigiam o estabelecimento. Em muitas manhãs, ele se afastava de outras obrigações e ficava horas estudando sozinho, sem interrupção. Outras vezes convidava alguns colaboradores e padres mais próximos e o grupo debatia os temas conciliares.

Em junho de 1960, dom Helder seria um dos poucos bispos brasileiros nomeados para participar das comissões preparatórias do Concílio. Entre 827 membros e consultores dessas comissões, seriam nomeados apenas oito brasileiros, cinco bispos e três consultores, dentre os quais, além de dom Helder – nomeado para a Comissão dos Bispos e do Governo das Dioceses –, estavam os nomes de dom Jaime Câmara, para a Comissão Central, e dom José Távora, para o Secretariado de Imprensa e Espetáculos. Conforme escreveu padre José Oscar Beozzo, "esta escassa presença e o forte segredo imposto a todos os trabalhos preparatórios fizeram com que o Concílio, até praticamente às vésperas, não significasse nada de mais palpável, nem mesmo para os bispos. O atraso no envio dos *schema* preparatórios, fazendo com que, a dois meses da abertura do Concílio, nada estivesse ainda em mãos dos padres conciliares do Brasil, gerou apreensões e dúvidas. Estaria o Concílio já comprometido por aqueles que não o viam com bons olhos e detinham imenso poder em Roma?".

O Concílio Vaticano II teria quatro sessões de dois meses cada uma, entre 1962 e 1965. Para as quatro sessões, os representantes da Igreja brasileira viajariam em voo fretado, com as passagens pagas pelo governo federal, por ordem do presidente João Goulart. Desde 1961 passou a funcionar, no Rio de Janeiro, um secretariado da CNBB para organizar a documentação dos cerca de 130 bispos que iriam a Roma, e Aglaia Peixoto foi a pessoa escolhida por dom Helder para realizar esse trabalho.

Os bispos brasileiros chegaram a Roma no dia 7 de outubro de 1962, quatro dias antes da abertura do Concílio Vaticano II. Hospedaram-se em um prédio amplo da

Ação Católica Italiana, na via Aurélia, 481, conhecido como Domus Mariae. Logo depois de sua chegada, dom Helder foi procurado pelo bispo chileno Dom Larraín, já informado sobre a intenção da Comissão Central de indicar os nomes dos bispos que participariam das comissões de trabalho do Concílio.

A preocupação de dom Larraín encontrou ressonância em dom Helder, que chegara a Roma decepcionado com os temas de discussão elaborados previamente pela organização do evento e que não traziam, no seu entender, nenhuma proposta de renovação teológica ou pastoral. Para ele, o Concílio deveria "afirmar a necessidade de uma reforma interna da Igreja" que a credenciasse a propor soluções para os problemas contemporâneos.

Os dois amigos resolveram agir. O primeiro passo foi conseguir o apoio de alguns cardeais influentes, para que, ainda na primeira reunião geral dos padres conciliares, quando seriam eleitos os 160 membros das comissões conciliares, fosse barrada a proposta da Comissão Central, que representava os pontos de vista da poderosa e conservadora Cúria Romana. O presidente da conferência dos bispos franceses, cardeal Veuillot, e seu secretário-geral, dom Etchegaray, foram os primeiros colaboradores conquistados por dom Helder. Por sua vez, dom Larraín consegue o apoio do respeitado cardeal Silva Henriquez, de Santiago do Chile. Um "sagrado complô" prosperava.

A abertura do Concílio ocorre na quinta-feira, 11 de outubro, e, logo de saída, dom Helder vê nas solenidades o sinal de que os organizadores fariam de tudo para impedir suas "veleidades renovadoras". Ele se assusta com a "pompa excessiva e a pobreza litúrgica" das celebrações e não concorda que, "em pleno século xx, o latim seja a língua oficial do Concílio de uma Igreja viva que quer entender e ser entendida, estar presente e atuar". (Apenas na segunda sessão do Concílio, em 1963, seria permitido o uso de tradução simultânea do latim na Basílica. A obrigação de falar em latim continuou, mas cada bispo poderia escolher uma dentre cinco línguas vivas para ouvir os pronunciamentos, isso porque o cardeal Cushing, dos Estados Unidos, resolveu pagar a instalação dos aparelhos para a tradução simultânea.)

Como esperado, no sábado, 13 de outubro, logo no início da primeira assembleia na Basílica de São Pedro, o secretário-geral, dom Pericle Felice, achou que poderia indicar entre os três mil padres presentes o nome dos 160 membros das dez comissões de trabalho que elaborariam as propostas sobre os temas específicos a serem aprovados no Concílio (1º Fé e Moral; 2º Bispos e Regime das Dioceses; 3º Igrejas Orientais; 4º Disciplinas dos Sacramentos; 5º Disciplina do Clero e Povo Cristão; 6º Religiosos; 7º Missões; 8º Sagrada Liturgia; 9º Seminários, Estudos e Educação Católica; e 10º Apostolado Leigo, Imprensa e Espetáculos).

Logo em seguida, também já esperado, em razão das articulações feitas por dom Helder e dom Larraín, o cardeal Lienart, da França, mesmo sem autorização, comunica ao plenário que discordava das listas prévias elaboradas pelo secretário-geral. Mais seis cardeais se manifestam em apoio a Lienart.

Sem outra alternativa, dom Pericle Felice teve de aceitar a sugestão: "Estamos aqui para cumprir as decisões da assembleia. Os senhores, com o Santo Padre, conduzidos pelo Espírito Santo, detêm todos os poderes". Sem a vitória da lista prévia elaborada pela Cúria Romana, cai por terra a principal manobra dos conservadores para bloquear a atuação dos renovadores na primeira sessão do Concílio.

Dom Helder ficava, assim, com o caminho livre para levar adiante o trabalho de bastidores que o tornaria conhecido e respeitado pelas principais autoridades eclesiásticas da época. Durante as quatro sessões do Concílio, dom Helder não faria nenhum pronunciamento em plenário, mas realizaria um verdadeiro trabalho de "eminência parda" ao articular o que ele próprio chamava de "sagrado complô", para colocar em pauta, no Concílio, o problema da miséria no mundo e o dos países subdesenvolvidos, e incentivar um processo de reforma interna da Igreja católica.

Sobre essa sua forma de atuação no Concílio, escreveria aos amigos e colaboradores do Rio de Janeiro: "Quanto a mim, o que mais me alegra é que não aparece o que vem sendo feito pelo Concílio e pela Igreja. Não falo no plenário, não pertenço a nenhuma comissão. Bem na nossa linha, na linha profunda de nossa vocação".

Além de impedir que a Cúria indicasse os nomes de sua preferência para compor as comissões, o trabalho realizado por dom Helder e dom Larraín garantiu que a primeira assembleia conciliar aprovasse que "as diversas conferências episcopais indicariam nomes e, em contato, se procuraria chegar a um acordo". Esse mecanismo de composição das listas dos nomes para as comissões fazia com que as organizações dos bispos por país e por continente se fortalecessem como um novo e importante ator no Concílio Ecumênico.

Nos dias seguintes à primeira assembleia, dom Helder, um dos vice-presidentes do Celam, ocupou-se em articular com outro vice-presidente da entidade, dom Larraín, e com o cardeal Silva Henriquez, a indicação dos representantes latino-americanos nas dez comissões a ser eleitas na assembleia do dia 16 de outubro. Do Brasil foram eleitos cinco bispos: Scherer, D'Elboux, Sales, Rossi e Ungarelli. Dom Helder decidiu não se candidatar a nenhuma comissão, argumentando que, como trabalhara para mudar o regulamento do Concílio, não poderia deixar espaço para que os conservadores o acusassem de ter feito uma manobra para conseguir se eleger.

Dom Helder levantava-se pouco antes das seis da manhã para tomar o seu banho, isso depois de ter permanecido acordado geralmente entre duas e cinco da manhã em sua costumeira vigília de meditação e trabalho. Às sete, rezava sua missa no altar número dez, na própria Domus Mariae, em uma sala com mais 49 altares portáteis, reservados à missa diária de cada hóspede. Tomava então seu café da manhã: uvas, café com leite, pão com mel.

Dois ônibus iam buscar os padres conciliares da Domus Mariae. Já na Basílica de São Pedro, dom Helder sentava-se em uma cadeira que previamente lhe fora reservada em uma das arquibancadas da Basílica (havia cadeiras reservadas para cem bispos). Antes de começarem as discussões da assembleia, havia uma missa e uma cerimônia de entronização do Santo Evangelho.

Fora das assembleias oficiais do Concílio, todo o tempo disponível de dom Helder era utilizado em reuniões, o que tornava os seus horários de almoço e jantar bastante flexíveis e irregulares.

A fase propriamente de discussões do Concílio começou em seguida pela chamada "Sagrada Liturgia", tema de relevância prática imediata: pela liturgia, por exemplo, os fiéis católicos participam da missa com mais dinamismo ou mais passivamente. Dom Helder defendia que a estrutura dos ritos deveria tornar-se "simples, adaptada à mente dos fiéis", e que deveriam "ser evitadas as repetições inúteis e os comentários cansativos". O latim, na época ainda adotado em quase todas as celebrações, lições, catequeses, orações e cantos católicos, para dom Helder deveria ser substituído pelas línguas vivas utilizadas em cada país. Assim seria possível "aumentar a participação dos fiéis de maneira consciente", no lugar da mecânica repetição labial ou da mera representação teatral. Em suma, dom Helder achava que a missa, os rituais de batismo, crisma e casamento, por exemplo, deveriam ser mais simples e mais claros para "facilitar a participação real dos fiéis".

Para melhor fundamentar propostas polêmicas como estas, dom Helder organiza, com o apoio financeiro da Igreja francesa, uma espécie de centro de estudos, logo batizado Opus Angeli, reunindo especialistas de vários países com a tarefa de elaborar pareceres e preparar documentos a ser apresentados pelos bispos latino-americanos.

Dom Helder ia definindo para si, com o andar da carruagem, alguns objetivos pelos quais trabalharia no Concílio Vaticano II: a) com a ajuda dos especialistas do Opus Angeli, tentaria elaborar alguns textos que ajudassem na discussão das comissões "Bispos e Regime das Dioceses" e "Apostolado dos Leigos", temas para ele familiares; proporia também a criação de duas comissões especiais, uma para estudar o problema da pobreza e outra sobre o do Terceiro Mundo; b) numa outra linha de atuação, trabalharia pelo ecumenismo, tentando convencer as autoridades eclesiásticas a efetivamente se aproximar das outras religiões; e c) tentaria fazer com que fosse aprovada no Concílio uma ampla reforma do Vaticano, que enfraquecesse o poder conservador da Cúria Romana e criasse um governo colegiado da Igreja por meio das conferências episcopais.

Um mês depois de iniciado o Vaticano II, dom Helder achava que suas ideias tinham grande chance de aprovação. Chegou a escrever em uma carta que "o diabo não pode estar gostando. Não é possível que ele não trate de nos pregar uma peça".

Dom Helder imaginava que os bispos considerados renovadores ou progressistas eram a maioria e contavam com o apoio do papa. Os principais expoentes dessa corrente eram o cardeal Suenens, da Bélgica, e o cardeal Montini, ambos amigos pessoais de João XXIII.

No dia 23 de outubro, dom Helder encontrou-se com o cardeal Suenens, também um dos quatro moderadores do Concílio, e o informou das articulações informais entre os bispos progressistas. Na prática, isso era o mesmo que informar o próprio papa. Mas no diálogo entre os dois, dom Helder tentou também obter apoio para sua ideia de que fossem discutidos os problemas dos países subdesenvolvidos e da miséria nas sessões seguintes do Concílio. O cardeal ficou de pensar.

Com o cardeal Montini, dom Helder se encontraria uma semana depois. Os dois conversariam por uma hora no Vaticano. Com ele, abordaria os mesmos pontos da conversa com Suenens, mas defenderia diante do amigo a necessidade de uma aceleração nas discussões do Concílio e uma proposta ainda mais ousada: "... a união das Igrejas. Não temos o direito de deixar que o Concílio termine sem

Dom Helder na segunda sessão do Concílio Vaticano II em outubro de 1963.

uma demonstração inequívoca de nossa decisão de abrir as portas e o coração aos irmãos separados e à humanidade inteira". No final da conversa, Montini comenta: "Admiro a altura e a beleza de seus planos. O senhor só sabe pensar nas dimensões do mundo, ou melhor, da Igreja". Para dom Helder, não era pouco ouvir isso de alguém que dali a alguns meses se tornaria papa. Montini ainda fez a gentileza de mandar seu chofer deixar dom Helder na Domus Mariae.

Essas articulações informais culminaram com uma reunião na Domus Mariae, em 9 de novembro. Dom Helder escreveu sobre a ocasião: "A reunião com que eu sonhava realizou-se hoje. Estavam presentes: o Celam; o Celaf (como vocês sabem, união de toda a África); bispos asiáticos... da Índia, do Vietnã, do Japão, do Oriente Próximo, das Filipinas, da Birmânia; Estados Unidos e Canadá; da Europa: França, Alemanha, Bélgica e Holanda".

Para "quebrar o gelo" e começar a reunião, ele fez com que cada participante se apresentasse. Em seguida, propôs que fosse discutida uma maneira de "acelerar o ritmo das discussões do Concílio", uma vez que muitos dos padres conciliares estavam perdendo o interesse nas intermináveis discussões teológicas. Outra observação foi que, por falta de dinheiro, muitos bispos poderiam deixar de voltar a Roma para a segunda sessão do Concílio. As discussões foram "interessadíssimas e cordialíssimas".

Ao final da reunião, dom Helder conseguiu apoio para a criação de sua tão desejada "Comissão Conciliar para os Problemas da Pobreza e do Desenvolvimento do Mundo Subdesenvolvido". Os bispos dos países ricos, onde a Igreja contava com mais dinheiro, propuseram-se a assegurar a ida dos bispos sem dinheiro para as demais sessões do Concílio.

Ficou combinado que outras reuniões como aquela deveriam ocorrer na Domus Mariae. Dom Helder as chamaria de "Encontro Fraterno do Mundo Inteiro" e de "Ecumênico". Depois de uma segunda reunião daquelas, o próprio dom Helder comentou entusiasmado:

... Dirigi a reunião em francês e inglês (encarregava-me de traduzir para os de língua inglesa o que diziam os de língua francesa e vice-versa). O Eu (apelido com o qual chamava e era chamado por dom José Vicente Távora, em alusão à unidade entre os dois) – que sempre está comigo em tudo – tomou um susto: era a primeira vez que ele me via solto, falando inglês. O engraçado era o medo dele de que eu não fosse fiel na tradução... Mas Deus nestas horas me dá o dom das línguas. Se Deus quiser, vou aprender a falar alemão. O ecumenismo é um milagre. Não tem, a meu ver, explicação puramente humana. O Santo Padre tem conhecimento dele pelo cardeal Suenens. Ele está sob o alto patrocínio dos cardeais da Alemanha, da França, da Bélgica, da Holanda e do cardeal do Chile. O clima é católico, universal! Todos se sentem inteiramente à vontade... A própria Itália, que chegou temerosa, logo se sentiu em casa.

Os conservadores ou tradicionalistas, cada vez mais isolados, tentavam se defender recorrendo a várias manobras para desanimar os participantes do Concílio, tornando intermináveis as discussões teológicas e obstruindo as votações. Contavam, do seu lado, com a experiência dos cardeais Tardini e Ottaviani, mas não conseguiram impedir que uma série de inovações, no mesmo sentido das propostas de dom Helder, fosse introduzida na "Sagrada Liturgia". Nas discussões sobre as "origens da revelação divina", os conservadores seriam novamente derrotados. Uma revolução dentro da Igreja é o que pretendiam fazer os bispos progressistas, segundo o cardeal Ottaviani.

A julgar pelas impressões de dom Helder, ao participar das homenagens ao quarto aniversário de coroação do papa João XXIII, o velho cardeal Ottaviani tinha lá suas razões para se assustar com os chamados progressistas. Dom Helder achou um despropósito o "excesso de pompa" da celebração e voltou angustiado para a Domus Mariae:

> Aperta-me o coração ver o povo (inclusive peregrinos que vieram de longe) colocados fora da praça de São Pedro: entram os bispos e a porta se fecha. Lá dentro (tendo entrado por portas especiais e com bilhetes disputadíssimos) apenas o corpo diplomático e o patriciado romano. As três guardas pontificais em grande uniforme (ridículos, por exemplo, ao se ajoelharem na elevação com o joelho direito, enquanto com a mão esquerda fazem continência, porque com a direita sustentam a lança). ... Surge o papa em sede gestatória (cadeira, trono em que é levado nos ombros, por quatro homens), de tiara e com todo o aparato renascentista...
>
> Houve um desfile de cardeais – de cauda arrastando pela laje da Basílica – que deve ter feito um mal profundo à causa da união. Tudo aquilo contrastava com as palavras do papa, falando em *servo dos servos* [destaque de dom Helder], em pastor, em humildade. Sinto que é imposição da qual ele não se pôde livrar ainda. Ao evangelho, o diácono, no pedir-lhe a bênção, beija-lhe o pé...
>
> De novo, peço que não interpretem mal estas palavras. Não me imaginem amargo e cheio de travo. Sinto o que, no íntimo, o papa há de ter experimentado. E sonho com o dia em que o Vigário de Cristo possa ser livre de um fausto que faz o gáudio dos grã-finos e nobres, e escandaliza os pequenos e os sem-fé.

A primeira sessão do Vaticano II encerrou-se no início de dezembro de 1962 e a segunda se iniciou no finalzinho de setembro do ano seguinte. Entre uma e outra, os cardeais tiveram de resolver o grave problema da sucessão inesperada de João XXIII. Desde antes da primeira sessão, João XXIII guardava em segredo que sofria de um câncer no estômago. Chegou a ter um sério sangramento em novembro de 1962, mas resistiu e continuou a preparação de mais uma encíclica, a *Pacem in Terris*, divulgada no dia 11 de abril de 1963. Morreu no dia 3 de junho de 1963, deixando aberta a disputa pelo trono católico. Embora vários dos cogitados para o papado em 1958 continuassem no páreo em 1963, como os cardeais Spelman, Lercaro e Aggagianian, por exemplo, poucos imaginavam que outro nome que não o de Giovanni Battista Montini pudesse obter os dois terços de votos necessários à eleição. O favoritismo de Montini não se relacionava apenas ao fato de ser um notório possível continuador de João XXIII, mantendo a marcha regular do Concílio até seu final; fazia parte da maioria italiana da Igreja, mas tinha excelente trânsito entre conservadores, moderados e progressistas dos cinco continentes; e conhecia como ninguém a máquina burocrática do Vaticano. Tanto que não houve surpresa para as pessoas bem informadas de dentro e fora da Igreja quando foi anunciado, no dia 21 de junho de 1963, que 79 dos 80 cardeais presentes ao conclave haviam escolhido o cardeal Montini. Só não houve unanimidade porque o eleito dera o seu voto para o cardeal Tisserant, decano do colégio cardinalício. Até o principal líder dos conservadores, cardeal Ottaviani, trabalhara intensamente por esse resultado. O novo papa escolheu o nome de Paulo VI.

Quando soube do resultado, ao contrário de sua reação em outubro de 1958, ao ouvir pelo rádio que "um tal Angelo Roncalli" seria o novo papa, dom Helder não se conteve e chegou do Palácio São Joaquim gritando para seus amigos e colaboradores: "Montini é o novo papa! Montini é o novo papa!".

Durante as três últimas sessões do Concílio, o trabalho realizado por dom Helder continuou restrito aos bastidores. Talvez por isso tenha chamado tanto a atenção dos demais padres conciliares e da imprensa que cobria o evento. Suas posições assumidamente progressistas atraíam para si a oposição dos tradicionalistas. Ainda no início da segunda sessão, correu na Domus Mariae o boato de que na Secretaria de Estado do Vaticano havia "um dossiê, preparado por um bispo dos Estados Unidos", denunciando-o como comunista. Pela primeira vez, e do seio da própria Igreja, partia uma acusação que o acompanharia por muitos anos.

Durante a segunda sessão, ele voltaria a articular em favor de ideias altamente polêmicas. E a principal delas era a defesa da descentralização do poder de decisão no interior da Igreja, de modo a torná-la governada por órgãos colegiados formados por bispos, como a CNBB no Brasil, o Celam na América Latina e o sínodo dos bispos no Vaticano. Para os tradicionalistas, essa ideia deveria ser demoníaca, pois tornava o "Santo e infalível Padre" uma espécie de rei num regime parlamentarista: com muita honra, glória, para sempre... mas com pouquíssimo poder.

As reuniões do chamado "Ecumênico" também continuaram, sempre apadrinhadas pelo cada vez mais influente cardeal Suenens, amigo íntimo de Paulo VI. Dom Helder encontrava-se diariamente com Suenens. Os dois chegaram a combinar uma atuação conjunta para diminuir a influência da Cúria Romana sobre o Concílio. Mais que ousadamente, dom Helder chegou a lembrar Suenens que estava "fazendo falta junto ao Santo Padre um grande secretário de Estado", a quem caberia "a missão

Dom Helder com o cardeal Suenens, da Bélgica.

providencial de transformar a Cúria"... "e ajudar a instalar o governo colegiado da Igreja". Não se sabe se o brasileiro se insinuava para o estratégico cargo, ocupado pelo próprio Paulo VI, nos tempos de Pio XII. Ao ouvir a ideia do amigo, Suenens "sorriu e comentou que não é fácil apresentar uma sugestão dessas ao papa, por mais que reconheça que o problema é vital". A reticência do amigo fez com que, ao final de outubro de 1963, dom Helder escrevesse uma carta a Paulo VI expondo tais ideias.

A imprensa logo percebeu que um sacerdote pequeno e magricela se movimentava com desenvoltura entre os mais influentes dignitários católicos, mas sem o devido acompanhamento dos refletores e câmeras. A partir de então, dom Helder teve de atender a inúmeros convites para entrevistas. Falava em italiano para as televisões locais. Para as tevês da Holanda e da França, dava entrevistas em francês. Recorria ao inglês para dialogar com os norte-americanos. Logo as entrevistas, concorridíssimas, transformaram-se em palestras. No dia 7 de novembro, por exemplo, numa dessas palestras "havia umas trezentas pessoas", comentou dom Helder, "bispos (holandeses e alemães), peritos, sacerdotes e jornalistas do mundo inteiro. Espalhei-me. Deus me ajudou de maneira tangível". Dias depois, comentaria o assédio da imprensa: "Os jornalistas chegaram de todos os cantos para entrevistas: França, Suíça, Alemanha, Estados Unidos... Falo-lhes de coração aberto. Sem medo. Chegou a hora em que a Igreja tem de correr o risco da publicidade, se quiser chegar às grandes massas".

No final da segunda sessão do Vaticano II, a situação vantajosa vivida pelos progressistas durante a primeira sessão já era coisa do passado. Os conservadores haviam recomposto grande parte de sua força. Até o influente Suenens encontrava-se "em grave crise de desânimo, pois o diabo anda solto", o que fazia dom Helder rezar para "que os anjos, São Miguel à frente", espantassem da Basílica "as legiões de demônios".

DIREITA, VOLVER!

O tempo é de cuidados, companheiro.
É tempo sobretudo de vigília.
O inimigo está solto e se disfarça,
mas como usa botinas fica fácil
distinguir-lhe o tacão grosso e lustroso,
que pisa as forças claras da verdade,
e esmaga os verdes que dão vida ao chão.
Thiago de Mello

Entre o cardeal Jaime Câmara e seu arcebispo auxiliar havia uma velha amizade, nascida ainda nos anos 1940, quando da chegada daquele ao Rio de Janeiro. Dom Jaime indicou padre Helder para reorganizar o movimento de Ação Católica nacionalmente, em 1947. Em 1952, tornou-o seu bispo auxiliar e, em 1955, promoveu-o ao arcebispado. Sem o aval de dom Jaime, teria sido impossível a dom Helder organizar a peregrinação do Ano Santo, articular a fundação da CNBB e do Celam, organizar o Congresso Eucarístico Internacional, a Cruzada São Sebastião e o Banco da Providência – todas iniciativas bem-sucedidas, sem as quais dificilmente sua capacidade de liderança ter-se-ia efetivado.

Muitas vezes, dom Helder chegava fora de hora ao Palácio São Joaquim e dom Jaime fazia um funcionário servir-lhe alguma coisa para comer, preocupado com a saúde de seu auxiliar. Dom Jaime insistia para que se alimentasse melhor. Ao percebê-lo gripado, com dor de garganta, o próprio dom Jaime dava-lhe algum remédio e agasalhava-lhe o pescoço. Como os dois conviviam muito, às vezes surgiam situações inusitadas, dando margem ao conservadorismo do cardeal. Conta dom Helder:

Lembro-me de um dia em que saímos juntos num automóvel e passamos pela praia de Copacabana. Os primeiros biquínis começavam a aparecer, e eis que uma bela moça, usando um deles, atravessa à nossa frente, vindo do mar. Fiquei deslumbrado com sua beleza: a água lhe escorria dos cabelos, do rosto e dos braços. Olhei-a embevecido, mas pude notar que o meu cardeal se punha inquieto e desconfortável com meu olhar de beatitude, com meu sorriso de apreciação. Eu lhe disse, então: "Veja, meu cardeal, como é difícil julgar... Ao seguir essa moça com os olhos, juro-lhe pelo Nosso Senhor, penso que deve ser com essa mesma beleza interior e exterior que nos sentimos ao fim da missa. Ela nos permite mergulhar no Espírito de Deus e a graça escorre pelos nossos dedos, pelas nossas mãos, por todo o nosso corpo... Acho admirável o corpo humano, a obra-prima da criação. E como há beleza nele! A imagem que essa moça me trouxe, repito, foi a da alegria total que a missa nos proporciona...".

Quando dom Jaime percebeu que seu auxiliar tornara-se mais popular que ele no Rio de Janeiro, recebendo toda sorte de convites, de imediato não se incomodou e até o incentivava: "Vai! Vai! O pessoal gosta mais de você!". Com isso, os dois se complementavam: o cardeal, com seu temperamento mais introvertido, voltado mais às atividades eclesiásticas e litúrgicas, e dom Helder, mais sociável, espécie de relações públicas da Arquidiocese. Enquanto dom Helder gostava de aproximar-se das pessoas, estreitando laços de amizade ou se movimentando com desenvoltura nas celebrações populares, dom Jaime o repreendia: "Você não pode fazer isso. Um bispo da Igreja é um príncipe, e um príncipe não pode se misturar". Mas essas diferenças não chegavam a provocar desavenças entre os dois. Quando dom Helder escreveu um livro sobre "a presença de Deus", dom Jaime não só apoiou a iniciativa do auxiliar, mas também fez questão de escrever o prefácio.

Foi num dia de São Vicente de Paulo que ambos chegaram à conclusão de que suas diferenças, mais cedo ou mais tarde, os separariam. A missa seria rezada pelo cardeal e dom Helder faria um discurso de elogio ao santo. Mas dom Helder achou que deveria aproveitar a ocasião para deixar claro que, na sua opinião, havia uma missão terrena a ser realizada pelos católicos, para a promoção da justiça e a resolução dos problemas sociais: concluiu, então, seu discurso afirmando que se "São Vicente estivesse vivo, sua caridade faria com que lutasse pela justiça".

Dom Jaime entendeu que seu auxiliar deixava em segundo plano o combate ao comunismo ateu, a seu ver o principal causador dos problemas da humanidade, para priorizar a atuação social e política no combate às injustiças. A missão da Igreja, na visão de dom Jaime, seria cristianizar a sociedade, fazendo com que o governo, as organizações sociais e as pessoas orientassem sua conduta pelo catolicismo. A transformação da sociedade pela luta política não seria missão da Igreja.

Um "progressista" como dom Helder defendia a ideia da luta política dos cristãos pela criação de uma sociedade justa. O combate à ameaça comunista ocorreria pela promoção das "reformas de base", que, uma vez implementadas, diminuiriam as situações de miséria e exploração, nas quais as ideias da esquerda poderiam prosperar.

Um dos primeiros sinais de que a relação entre os dois estava próxima de se esgotar veio com a transferência de dom José Távora para Aracaju, em julho de 1960. Para dom Helder, o amigo José Távora era seu próprio alter-ego espiritual e político, por isso tratado carinhosamente pelo apelido Eu. Dom Távora sentia o mesmo pelo amigo Helder e retribuía o mesmo tratamento. Ao mencionar alguma atuação conjunta, como a ida ao Palácio da Alvorada para conseguir o apoio de Jânio Quadros ao MEB, por exemplo, os dois se referiam ao fato dizendo: "eu e o Eu fomos juntos".

Quando dom Jaime passou a trabalhar com o Vaticano pela nomeação de dom Távora para a Diocese de Aracaju, nem a amizade de dom Helder com o núncio dom Armando Lombardi e toda a sua influência como secretário-geral da CNBB foram suficientes para impedir que o cardeal conseguisse distanciá-lo geograficamente de seu braço direito. Dom Helder percebeu o alcance da ação de dom Jaime contra dom Távora: "Um dia, ele perdeu a confiança do senhor cardeal e o vimos partir para Aracaju. Claro que eu, também, estava com os dias contados...".

Em junho de 1962, o cardeal fez de dom Cândido Padim, monge da Ordem de São Bento, seu bispo auxiliar, e tratou logo de colocá-lo também à frente da Ação Católica Brasileira, como assistente nacional do movimento, dando fim à permanência de dom Helder no cargo, que já durava mais de dez anos. (Mas, por ironia do destino e para desespero do cardeal, dom Cândido Padim tornar-se-ia um dos defensores da linha progressista do episcopado brasileiro).

Ao chegar a Roma para a segunda sessão do Concílio, em setembro de 1963, dom Helder foi surpreendido pela notícia de que a Secretaria de Estado recebera um dossiê denunciando-o como comunista. Na ocasião, não deu maior atenção ao fato, pois mantinha ótimas relações com o núncio, no Brasil, com o cardeal Suenens, um dos articuladores da candidatura de Montini no conclave que o fez papa e com o próprio Paulo VI.

No Brasil, a radicalização das rivalidades políticas entre defensores e opositores das chamadas "reformas de base" do governo de João Goulart gerou um novo sinal de que dom Helder e seu grupo na CNBB não continuariam a trabalhar impunemente pelas mudanças na Igreja e na sociedade brasileira. Em fevereiro de 1964, Carlos Lacerda, então governador da Guanabara, autoriza seu secretário de segurança a apreender uma edição inteira da cartilha do MEB "Viver é lutar", que estava sendo impressa em uma gráfica da Lapa. O presidente do MEB, dom Távora, o vice-presidente, padre Hilário Pandolfo, e a secretária, Marina Bandeira, tiveram de depor na polícia, sendo tratados como criminosos. Para completar o escândalo, o jornal *O Globo*, de 28 de fevereiro de 1964, acusou padres e bispos de serem "cúmplices dos comunistas e instrumento de seus planos de subversão". Para *O Globo*, a cartilha "Viver é lutar" fazia parte do plano de "comunização do Brasil".

Lacerda reconheceu que contava com a aprovação de dom Jaime para a batida policial contra o MEB e seu secretário de segurança, coronel Gustavo Borges, foi ainda mais claro: "'Viver é Lutar' foi preparada nos porões do Palácio São Joaquim, pelos bispos cor-de-rosa que cercam dom Helder e sem o menor consentimento do cardeal".

Mas não se pode dizer que dom Jaime atuasse na sombra. Um dia o cardeal chamou dom Helder para uma conversa e foi franco:

– Filho, estou percebendo que a única maneira de seguirmos amigos é nos separando. Temos de fazer como São Paulo e São Barnabé. Procuremos, cada um por seu lado, fazer o que lhe seja possível. Teremos de nos separar.

Embora esperasse por isso, desde que dom Távora fora transferido, as palavras de dom Jaime o tocaram fundo: teria de deixar a Arquidiocese, os amigos e os colaboradores que o acompanhavam desde sua chegada em 1936. A resposta foi conformada:

– Senhor cardeal, o senhor não sabe quanto agradeço a sua franqueza. Uma coisa que me oprime é ver a falta de sinceridade entre cristãos, sacerdotes e até bispos. Essa coragem com que o senhor me diz diretamente o que pensa é algo admirável. Eu o agradeço de todo o coração e lhe concedo todo o direito de falar com o Santo Padre. Eu não criarei nenhum problema se tiver de ir a qualquer diocese.

Dom Armando Lombardi encarregou-se de fazer os contatos com o Vaticano para conseguir o melhor lugar possível para o seu amigo e conselheiro e, logo, chegou com a notícia de que provavelmente Helder iria para Salvador, onde seria nomeado administrador apostólico. Mas dom Álvaro da Silva, embora estivesse havia quarenta anos à frente da Arquidiocese de Salvador, reagiu contra essa articulação do núncio, por achar que passaria a ter uma função apenas honorífica.

Diante da demora em conseguir se ver livre de dom Helder, em fevereiro de 1964, o cardeal Câmara tornou a enviar um informe ao Vaticano, com denúncias sobre o envolvimento político de seu auxiliar. O núncio, então, avisou dom Helder de que Paulo VI "não forçaria as coisas em Salvador". Por outro lado, havia então um único posto episcopal vago no Brasil, a pequenina diocese de São Luís do Maranhão. Ou seja, o secretário-geral da CNBB seria nomeado para uma pequena e pouco influente Diocese do Nordeste, longe, portanto, do centro político do país. Só restava a dom Helder aceitar o fato.

Já ao final de fevereiro de 1964, às vésperas de uma nova viagem de dom Helder a Roma, para participar de reuniões das comissões conciliares, dom Jaime, já adoentado, ficou de cama, com distúrbios circulatórios, reumatismo e problemas nos rins. Com muita insistência, dom Helder conseguiu romper o cerco e visitá-lo. Já fora outras vezes, mas os colaboradores do cardeal, além de não deixá-lo entrar para ver o doente, nem sequer avisavam dom Jaime da visita. Depois das conversas de sempre sobre a saúde e a recuperação do doente, o cardeal, que se surpreendera com a visita de cortesia, foi quem puxou uma conversa mais grave:

– O senhor sabe que vai embora?
– Sei, cardeal – respondeu dom Helder sem empolgação.

Dom Jaime resolveu insistir no assunto:

– E o senhor sabe para onde vai?

Dom Helder sabia, mas resolveu fazer-se de desentendido:

– Na verdade, meu cardeal, nem é importante que eu saiba. Graças a Deus ganhei enorme graça de em qualquer parte me adaptar e trabalhar.

O cardeal achou que deveria completar o raciocínio:

– É para o Maranhão que o senhor vai.
– Tudo bem. Qualquer lugar estará ótimo – replicou dom Helder, preocupado em não polemizar com o doente.

A conversa se encerrou depois de alguns instantes de silêncio, quebrado por uma frase conclusiva de dom Jaime:

– Também nós já nos distanciamos tanto...

E dom Helder:

– Nos distanciamos, senhor?...

Dom Helder partiu para Roma com a certeza, ainda não confirmada oficialmente, de que seria nomeado para São Luís. Entre os dias 2 e 6 de março, participou de várias reuniões da comissão sobre "apostolado dos leigos" e voltou a manter contatos para articular a atuação do grupo "Ecumênico", principalmente com dom Larraín e com o cardeal Suenens. No sábado, 7, às 13 horas, finalmente saiu sua designação oficial para São Luís. Mas às 16h30, o núncio dom Armando Lombardi telegrafou avisando-o do falecimento inesperado do ainda jovem dom

Carlos Coelho, arcebispo de Olinda e Recife, em razão de um choque anafilático provocado por erro médico. Imediatamente, dom Armando passou a articular com o papa a transferência de dom Helder de São Luís para Recife. Em respeito à memória do prelado falecido, a nova nomeação saiu só na quinta-feira, 12 de março.

No dia anterior, dom Helder fora chamado à Congressão Consistorial (divisão da Cúria Romana responsável pelo governo das dioceses) para receber a notícia de sua nomeação. Já estava até conformado com a certeza de que deixaria o Rio de Janeiro, como demonstra uma meditação "deixada" pelo "Pe. José" na madrugada:

> *Talvez seja engano*
>
> As árvores
> que jamais perdem o viço
> que são perenemente verdes,
> olham,
> com uma ponta de inveja,
> as árvores
> que se desnudam de folhas
> e lembram esqueletos...
> Quando a primavera irrompe
> só quem foi despojado
> vibra
> com o milagre da ressurreição.
> Roma, 10 e 11/03/1964

No sábado à tarde, no apartamento cardinalício onde fora instalado pela diretora da Domus Mariae, dom Helder escreve aos amigos e colaboradores do Rio de Janeiro sobre sua nomeação:

> A Rádio Vaticana acaba de anunciar minha transferência para a Arquidiocese de Olinda e Recife (são 14h30 do sábado, 14 de março); Lilia e Yole, dom Eugênio e Pe. Marins representam os irmãos daí...
> A única sombra de sombra continua sendo pensar no abalo e na possível tristeza de vocês. Quem sabe, no entanto, se as circunstâncias tão especiais – que afastam qualquer dúvida dos mais céticos quanto à intervenção direta da providência – vão tornar mais fácil a aceitação?!...
> Não me canso de dizer a Deus que não basta que Ele dê força e alegria a mim. É a família toda que precisa de assistência especial...
> Os seminaristas brasileiros acabam de irromper quarto adentro. Cantaram, riram, conversaram, felicíssimos!
> Tiveram as primícias dos planos do *piccolo* Pastor e eu tive a sensação de defrontar-me, pela primeira vez, com meus seminaristas!

A felicidade dos seminaristas tinha seus motivos. Entre o rancoroso desejo de dom Jaime de ver seu auxiliar amassando o barro da pequenina e distante Diocese de São Luís e a decisão do papa de nomeá-lo para a Arquidiocese de Olinda e Recife, havia uma distância considerável. Recife representava uma espécie de centro político do Nordeste, capital de um estado onde o sindicalismo rural, em especial as ligas camponesas, se mostrava vigoroso e radical em sua luta pela reforma agrária. O próprio governador do estado, Miguel Arraes, era um reconhecido defensor das reformas de base.

A nomeação para Recife também podia ser interpretada como uma evidência de que o papa "aprovava sua linha de atuação". Mas faltava o próprio Paulo VI reconhecê-lo diante de dom Helder. Foi na sexta-feira, 13 de março, que ocorreu a audiência privada entre os dois. Paulo VI o recebeu de braços abertos. Abraçou-o "paternalmente dizendo três vezes 'mon très cher, très cher, très cher, Helder Camara'". Calmamente – embora "mais de cinquenta bispos e alguns cardeais" esperassem na antecâmara, com hora marcada –, Paulo VI agradeceu-lhe "em nome de Jesus Cristo sua atitude perfeita em face da transferência" e acrescentou: "Sei que lhe custará muito arrancar-se de seu Rio e que aos seus colaboradores será também penosíssimo vê-lo partir. Quero que saibam que o papa também sofreu. Mas tenham certeza de que tudo vai correr bem: quando uma criatura fica assim nas mãos de Deus, [Ele] opera maravilhas...".

Dom Helder passou também a fazer os seus agradecimentos e comentou sobre "a tranquilidade que me dá saber que o Vigário de Cristo, em pessoa, examinou, julgou, decidiu" pela nomeação para Recife. A conversa continuou com o brasileiro tecendo comentários sobre o Concílio e sobre a situação social na América Latina, detendo-se na crise política em que vivia o Brasil, até ser interrompido por Paulo VI: "Mas o Brasil inteiro entenderá o alcance de sua nomeação para Recife, a uma semana da morte de seu antecessor". Dom Helder guardou para o fim um comentário mais que elogioso ao núncio dom Armando Lombardi e, como o papa incentivava-o sorrindo, resolveu expressar seu apoio à articulação que vinha sendo feita pelo cardeal Suenens, visando à nomeação do núncio para a Secretaria de Estado: "Vossa Santidade, que tanto nos alegrou com seu discurso à Cúria Romana, talvez tenha em monsenhor Lombardi o instrumento providencial para concretizar a inadiável reforma". O papa, diplomático, nada replicou, restringindo-se a sorrir e recomendar: "Reze, reze...".

Antes de dom Helder se retirar, o papa pediu que seu fotógrafo registrasse o encontro, e logo depois se despediram carinhosamente.

No mesmo dia em que dom Helder se encontrava com Paulo VI no Vaticano, sexta-feira, 13 de março, um gigantesco comício é realizado na Central do Brasil, Rio de Janeiro, pelo governo e seus apoiadores, entre eles Leonel Brizola e Miguel Arraes, em defesa das reformas de base. A reação contra o governo se revelaria muito mais forte e articulada. Clandestinamente prosperava um complô militar contra o governo Goulart e, às claras, a ala conservadora da Igreja no Brasil, com o apoio de dom Jaime Câmara, no dia 19 de março, reúne meio milhão de pessoas em São Paulo, protestando contra o governo, na famosa Marcha da Família com Deus pela Liberdade, embora o núncio, o cardeal Mota, de São Paulo, na época presidente da CNBB, e dom Helder, que já voltara de Roma, se opusessem à manifestação.

Percebendo a gravidade da situação política, diante da articulação golpista, por volta do dia 22 de março, por telefone, dom Helder contatou logo de manhã o cardeal Carlos Carmelo Mota em São Paulo e os dois combinaram de se encontrar no Rio para uma conversa no mesmo dia – mesmo tendo medo de avião, o cardeal viajaria pela ponte aérea São Paulo-Rio. Conversaram a portas fechadas, no Palácio São Joaquim, e resolveram tentar alertar o presidente João Goulart, então no Palácio das Laranjeiras, no Rio, sobre os perigos que ameaçavam seu governo. No relato ao jornalista Marcos de Castro, dom Helder conta que "usou então o telefone privado de que dispunha..., para manifestar ao presidente João Goulart o desejo do cardeal de São Paulo e, na qualidade de presidente da CNBB, ser recebido em audiência privada com o secretário-geral da entidade... Goulart pediu, então, a dom Helder que ambos fossem almoçar com ele. Dom Helder... nesse ponto pediu licença ao presidente da República, cobriu o fone com a mão e falou com dom Carlos Carmelo do convite, manifestando sua opinião, segundo a qual o almoço não seria conveniente, mas apenas a audiência".

O cardeal achou que não havia inconveniente no almoço, desde que apenas os três estivessem presentes, inclusive sem a presença dos garçons. No almoço, "onde pouco se comeu", dom Carlos Mota e dom Helder tentavam alertar sobre o equívoco do presidente em achar que contava com o apoio dos generais para manter-se no poder. Jango, então, deu o braço a torcer:

- Mas certamente conto com os sargentos e com a CGT.
- Presidente – começou dom Helder assim que Goulart terminou a frase –, não se iluda, não existe Confederação Geral do Trabalho no Brasil... A experiência que temos, infelizmente, é de muito peleguismo, o que não conduz jamais a uma autêntica Confederação Geral do Trabalho. E quanto a sargentos, não se iluda, presidente. Ao menos no Brasil, o sargento está de tal maneira acostumado a obedecer que, se estiver com uma metralhadora na mão e um major ou um coronel der um grito, ele larga a metralhadora e bate continência.

Percebendo que o presidente não se convencia sobre a pertinência de sua análise política, dom Helder resolveu insistir abrindo o jogo:

- Presidente, vamos partir para uma ditadura militar. Os militares não vão aceitar isso. Os Estados Unidos estarão por trás, dando cobertura. Os Estados Unidos não podem permitir uma vitória da esquerda nesse país. O Brasil é chave para a América Latina inteira. Vamos ter ditadura militar no duro. E o senhor será responsável em grande parte.

Foi quando irrompeu na sala um fotógrafo previamente instruído pelo presidente e registrou os três almoçando. De acordo com o relato a Marcos de Castro, dom Helder reagiu:

- Presidente, perdoe-me, mas isto está contra todas as combinações.

Mas João Goulart deu sua "palavra de honra" de que se tratava apenas de uma fotografia tirada para seu arquivo pessoal e, num clima de cordialidade, a conversa se encerrou em seguida.

No dia 24 de março, saiu publicada no *Jornal do Brasil* a fotografia dos três almoçando no Palácio das Laranjeiras. A repercussão foi a pior possível, dando a entender que os dois principais dirigentes da CNBB estavam comprometidos com o moribundo governo de João Goulart. Assim como divulgava sua confiança em um poderoso esquema militar para defender seu governo, João Goulart tentava contrapor à repercussão das marchas oposicionistas realizadas pelas Senhoras Católicas um suposto apoio de duas importantes lideranças da Igreja brasileira. Infrutiferamente.

A conspiração militar eclode no dia 31 de março, com o deslocamento das tropas do general Olympio Mourão Filho – o mesmo que em 1937 forjara o Plano Cohen, pretexto para o golpe do Estado Novo – de Minas Gerais para o Rio de Janeiro, com o apoio militar e político oferecido pelo presidente dos Estados Unidos,

Lyndon Johnson. No dia 1º de abril o governo de Goulart já caíra e subia ao poder uma Junta Militar que iniciava a composição de um novo governo e a repressão a seus opositores. Em 15 de abril, tomava posse na Presidência da República o chefe do Estado-maior do Exército e coordenador da conspiração contra João Goulart marechal Humberto de Alencar Castelo Branco.

A Igreja devia manifestar-se diante da nova situação, e o núncio dom Armando Lombardi leva ao novo presidente o reconhecimento oficial do Vaticano. No seu programa radiofônico "A voz do pastor", o cardeal Jaime Câmara deixa claro como a ala conservadora da Igreja no Brasil reage ao golpe: "... É louvável que as valorosas Forças Armadas estejam dispostas a cumprir até o fim o seu plano de livrar a nação dos comunistas. Certamente a tarefa não será fácil. O comunismo no Brasil avançava a galope. Só restavam as Forças Armadas para impedir que caíssemos sob o jugo dos traidores. Não se trata, portanto, no presente caso, simplesmente de eliminar um ou vários homens, mas de salvar o Brasil enquanto é possível".

Além desse apoio incondicional ao golpe militar, no seio da Igreja brasileira coexistirão, ainda, outros dois tipos de posicionamento diante do governo ditatorial: um de rejeição total; e outro de "neutralidade e expectativa", "sem comprometer-se nem com vencedores, nem com vencidos", como declarou dom Eugênio Sales no início de abril de 1964. Este último será também o posicionamento de dom Helder Camara.

Nessa posição de "neutralidade", por um bom tempo dom Helder não expressaria nenhuma declaração inequívoca e frontalmente contrária ou favorável ao golpe de Estado, mantendo-se em uma posição que, se não o tornava inteiramente confiável às forças que tomaram o poder em 1º de abril, também não impedia um bom relacionamento entre as duas partes.

O primeiro encontro entre ele e um representante do comando do movimento militar que assumira o poder no país ocorre ainda no início de abril de 1964. A posse em Recife já estava marcada para 11 de abril, mas, em meio à preparação para a transferência, dada a gravidade da situação política, poucos dias antes, dom Helder e dom Eugênio conseguiram um encontro confidencial com o articulador e condutor da "revolução", marechal Castelo Branco.

Os dois bispos foram "pedir a atenção de S. Ex.ª para arbitrariedades, injustiças e violências por conta do expurgo" que estava sendo praticado pelas Forças Armadas contra as pessoas consideradas suspeitas de fazerem o jogo do comunismo. Segundo dom Helder, foi um "encontro ótimo: o general reconhece que ódio gera ódio; que não é válido apelar para um mero anticomunismo policialesco; que ideias só com ideias se combatem... Em certo momento, queixou-se contra padres que, esquecendo a evangelização, se empolgam simplesmente com obras sociais... Dom Eugênio e eu pusemos os pingos nos is...".

Apesar da farpa que lançara, Castelo Branco articulou-se espontaneamente com o general Justino Alves Bastos (do Exército do Norte) e com o governador Paulo Guerra (houve *impeachment* contra o governador Arraes, de Pernambuco, e contra o prefeito de Recife), para que os dois solenemente recepcionassem dom Helder em sua chegada a Recife.

ANOS VERMELHOS
(1964–1999)

NOITADAS EM RECIFE

Não conto gozar a minha vida; nem em gozá-la penso. Só quero torná-la grande, ainda que para isso tenha de ser o meu corpo e a minha alma a lenha desse fogo.
Só quero torná-la de toda a humanidade; ainda que para isso tenha de a perder como minha.

Fernando Pessoa

As despedidas começaram na sexta-feira, 10 de abril de 1964, em uma missa celebrada por dom Helder na igreja de São Sebastião – a última rezada por ele no Rio de Janeiro antes de assumir a Arquidiocese de Olinda e Recife. Alguns familiares e vários amigos e colaboradores estavam presentes. Já era final de tarde quando a missa se encerrou. Diante dos amigos que vieram saudá-lo, dom Helder até que tentou demonstrar-se feliz e otimista com a nova fase que se iniciaria em sua vida e apostolado. Mas ao sair, na companhia da irmã Nair, sem querer deixou que escapasse seu verdadeiro sentimento: em silêncio, pousou as mãos sobre uma parede enquanto algumas lágrimas rolavam em seu rosto.

No dia seguinte, por volta das onze da manhã, "apesar de sua saúde não andar nada boa", o cardeal Jaime Câmara foi com um motorista até o apartamento de dom Helder em Botafogo, e levou-o de carro ao aeroporto Santos Dumont. Lá, dom Helder foi surpreendido por uma multidão formada pelos moradores dos prédios construídos pela Cruzada São Sebastião, "cantando, repetidamente, sentidamente, o sambinha 'Obrigado, reverendo', composto para a ocasião":

Dom Helder
Tem a nossa gratidão
Transformou em lindo apartamento
Nosso humilde barracão
Pôs fim ao meu sofrimento
Vai morar pra sempre
Em meu coração
Lá, lá, lá...
Agradecemos comovidos ao Senhor
Por ter mandado um homem
De real valor

E tem também a nossa gratidão
O grande presidente da nação
Salve o glorioso São Sebastião

Nair, Elisa, Mardônio e a esposa Norma, e irmã Estefânia Maria, nome adotado por Maroquinha, irmã mais velha de Helder, que então vivia no Rio de Janeiro, foram os familiares mais próximos que estiveram no aeroporto para a despedida. Mas quase na hora do embarque, tia Nina, irmã de dona Adelaide, conseguiu furar o bloqueio formado pela multidão e foi beijá-lo. Dom Jaime aguentou firme durante todo o tempo em que dom Helder recebia os abraços de despedida. Na viagem para Recife vinte e quatro dos "colaboradores mais imediatos e queridos" o acompanharam. Também estava presente na comitiva o governador de Pernambuco, Paulo Guerra, imposto pelos militares no lugar de Miguel Arraes.

Os remanescentes da família Camara na época da partida de dom Helder do Rio para Recife, em abril de 1964: a irmã Estefânia Maria (Maroquinha), dom Helder, Nair e Mardônio com a filha Mirna.

Na chegada a Recife a recepção foi "triunfal". O arcebispo desembarcou ao lado do governador Paulo Guerra e foi logo recebido pelo prefeito da cidade, Augusto Lucena, pelo comandante do IV Exército, general Justino Alves Bastos, pelo brigadeiro Homero Souto e pelo almirante Dias Fernandes. Em seguida houve um desfile pela cidade, em carro aberto, com direito até a batedores. No trajeto, constantemente o povo interrompia-lhe a passagem em busca de uma bênção. Na madrugada do dia 12 de abril, em sua vigília, o próprio dom Helder avaliou que "a cidade inteira saiu à rua, para aclamar, cheia de fé, o novo arcebispo...":

Medindo a responsabilidade do que fazia, preparei uma mensagem que me parecia a exigida pelo momento. Tive o cuidado de articular-me primeiro com o secretário regional dos bispos do Nordeste, dom Eugênio Sales, a quem chamei ao Rio; mostrei a mensagem a vários amigos e sobretudo ao senhor núncio, que a aprovou 100%. Deixei-a para a imprensa, rádio e TV do Rio; enviei-a ao estrangeiro em inglês e francês;

joguei-a, em praça pública, em meu primeiro contato oficial com o povo ... O general me disse que eu trouxe a mensagem exata: enquanto as Forças Armadas realizam a tarefa necessária e penosa do expurgo, "a Igreja estava ocupando o vazio ideológico"... A reação, em geral pareceu-me boa...

No mesmo dia, na Basílica do Carmo, superlotada, um dom Helder devidamente paramentado com as mais solenes vestes episcopais, mas com um báculo de madeira emprestado de seu auxiliar, dom José Lamartine, porque não tinha um seu, tomou posse do Arcebispado de Olinda e Recife.

Dom Helder com o báculo do seu auxiliar, dom Lamartine, na posse em Recife, em abril de 1964.

Embora interpretada por estudiosos como um dos marcos iniciais da resistência da Igreja popular ao regime ditatorial, a mensagem lida pelo novo arcebispo de Recife para a multidão em frente à Matriz de Santo Antônio, no dia 11 de abril, mesmo defendendo as chamadas "reformas de base", claramente demonstrava sua aceitação do novo regime, em um apelo para que os governantes assumissem para si as propostas reformistas:

> Em nosso país todos entendem e proclamam a inadiabilidade das reformas de base. Havia, da parte de muitos, desconfiança em relação aos executantes das reformas e, sobretudo, medo da infiltração comunista. Agora que a situação mudou, não temos tempo a perder. Que venham sem demora as esperadas reformas.

Dom Helder sabia que seu posicionamento era polêmico tanto em relação à direita, no poder, como em relação à esquerda, mais próxima do cárcere, por isso declarou que "o bispo é de todos":

> Ninguém se espante me vendo com criaturas tidas como envolventes e perigosas, da esquerda ou da direita, da situação ou da oposição, antirreformistas ou reformistas, antirrevolucionárias ou revolucionárias, tidas como de boa ou de má-fé. Ninguém pretenda prender-me a um grupo, ligar-me a um partido, tendo como amigos os seus amigos e querendo que eu adote as suas inimizades.

Minha porta e meu coração estarão abertos a todos, absolutamente a todos. Cristo morreu por todos os homens: a ninguém devo excluir do diálogo fraterno.

Não se pode negar a esse pronunciamento uma grande dose de coragem, principalmente em razão da intolerância dos ocupantes do poder naquele momento histórico. E dom Helder teve a ousadia de dizer, por exemplo, que não se pode confundir "a bela e indispensável noção de ordem, fim de todo progresso humano, com contrafações suas, responsáveis pela manutenção de estruturas que todos reconhecem não poder ser mantidas". Mas não se deve esquecer que vários bem graduados representantes dos militares estavam no palanque, ao seu lado, dando-lhe retaguarda.

Por outro lado, dom Helder pretendia que sua ação pastoral na Arquidiocese de Olinda e Recife também não sofresse com censuras vindas da forte esquerda pernambucana. Seu recado era para ambas as partes, e seu desejo era de independência política para realização do pastoreio, tal como acreditava que deveria ocorrer, de acordo com as diretrizes emanadas das encíclicas sociais de João XXIII e do Concílio Vaticano II.

A presença de dezessete bispos à posse de dom Helder, inclusive com a realização de uma reunião no dia 13 da abril, na qual resultou uma declaração conjunta também defendendo a realização das reformas de base no país, se por um lado demonstrava apoio e certa unidade episcopal em torno do novo arcebispo de Recife, não deve ser superestimada em sua importância política, já que representava a minoria do episcopado brasileiro, na época já composto por cerca de duzentos prelados.

O tom da declaração dos bispos não difere do posicionamento de dom Helder em sua mensagem de posse: ao mesmo tempo em que consideram "indispensáveis e oportunas medidas de segurança nacional", pedem que "inocentes, eventualmente detidos em um primeiro momento de inevitável confusão, sejam, quanto antes, restituídos à liberdade, e que mesmo os culpados sejam livres de vexames e tratados com o respeito que merece toda criatura humana". Ou seja, para os bispos havia "culpados" que atentavam contra a "segurança nacional", mas graças à ação militar eles já não mais representavam risco à ordem social, podendo ser "tratados com o respeito que merece toda criatura humana". Não é necessária muita sagacidade para concluir que havia um apoio tácito dos bispos ligados a dom Helder à "revolução", embora com algumas restrições.

Foi esse mesmo posicionamento que prevaleceu em uma reunião da Comissão Central da CNBB, realizada entre 27 e 29 de maio de 1964, afirmado em nota por vinte e seis bispos, cardeais e arcebispos: "Atendendo à geral e ansiosa expectativa do povo brasileiro, que via a marcha acelerada do comunismo para a conquista do poder, as Forças Armadas acudiram em tempo e evitaram que se consumasse a implantação do regime bolchevista em nossa terra ... Ao rendermos graças a Deus, que atendeu às orações de milhares de brasileiros e nos livrou do perigo comunista, agradecemos aos militares que, com grave risco de suas vidas, se levantaram em nome dos supremos interesses da nação, e gratos somos a quantos concorreram para a libertar do abismo iminente".

Dom Helder conversando com o seu bispo auxiliar dom José Lamartine na assembleia da CNBB em 1964, em Roma.

Conforme escreveu Thomás Bruneau, cerca de trezentos leigos e membros do clero se encontravam na prisão, na época, e esse fato motivou a restrição feita pelos bispos ao novo regime: "... Não aceitamos e não poderemos aceitar a acusação injuriosa, generalizada ou gratuita, velada ou explícita, segundo a qual bispos, padres, fiéis ou organizações, como, por exemplo, a Ação Católica e o MEB, são comunistas ou comunizantes".

Com o tom independente de seu discurso de posse, dom Helder assumiu a Arquidiocese deixando a forte impressão de que estava acima das escaramuças entre direita e esquerda e, por essa última, foi visto como um possível protetor, em razão tanto de sua atuação política em defesa das reformas de base como de seu contumaz bom relacionamento com as autoridades civis e militares do país. Muitos que tinham familiares atingidos pela perseguição política do Exército, em Recife, logo após o golpe, interpretaram com esperança sua mensagem de posse e começaram a invadir, "aflitos", o Palácio São José de Manguinhos, residência oficial do arcebispo, pedindo por parentes prisioneiros.

Já no dia seguinte à posse, dom Helder almoçava tranquilamente com dom José Vicente Távora e, de repente, viu o Palácio invadido por uma moça acompanhada "por quatro soldados e um oficial armados de metralhadora". O arcebispo levantou-se e quis saber do que se tratava: a moça, conhecida como Viola, ia sendo presa com seu marido, Pierre, que trabalhava para o padre francês Louis Lebret, mas tiveram tempo de fugir num carro dirigido por uma amiga, Maria Antonia, em direção ao Palácio para pedir socorro a dom Helder. O carro foi seguido e barrado na entrada do Palácio. Viola, então, "sob o pretexto de dar um telefonema", entrou cercada pelos quatro soldados.

Enquanto isso, a rua se enchia de curiosos, e a imprensa local e, inclusive, a estrangeira chegaram. Calmamente, mas com firmeza, dom Helder dirigiu-se aos soldados chamando a atenção para a gravidade do ato de "invadir de metralhadora a casa do arcebispo". Telefonou em seguida para o gabinete do general Justino, que reagiu indignado e, imediatamente, enviou ao Palácio seu ajudante de ordens, coronel Bandeira, para solucionar o problema. Conta dom Helder que

> os rapazes ficaram apavorados. Queriam fugir. Tranquilizei-os, assegurando-lhes que nada lhes aconteceria... O coronel Bandeira com um gesto de mão despachou os jovens armados... Conversamos, então, fraternalmente... Às 16h30, como previsto, visita ao comando do IV Exército: pelotão formado, continências de estilo, o general, o almirante, o governador, todos os generais e oficiais do Q.G. de prontidão, à espera... Dom Lamartine e eu tivemos uma conversa esplêndida com os maiorais, conversa de bispos defendendo os humildes e as iniciativas da CNBB. Falei aos oficiais superiores. Combinações essenciais, em ambiente de grande distinção e camaradagem.

Esse clima de camaradagem entre a Arquidiocese e a cúpula militar em Recife evoluiu para uma quase atuação conjunta. O IV Exército chegou a autorizar dom Helder a trabalhar pela reabertura das associações de bairros e a dar continuidade ao trabalho social nas dioceses. A Aeronáutica, às vezes, também colaborava com passagens aéreas. A Secretaria de Segurança Pública do Estado também ajudava "com enorme boa vontade" no esclarecimento dos casos de pessoas presas "injustamente". Dom Helder retribuía o bom tratamento recebido pregando para os militares em suas datas comemorativas.

Com o comandante da 7ª Região Militar, sediada em Recife, general Antonio Carlos Muricy, a relação era quase uma "lua de mel" e dom Helder chegou a escrever em maio de 1964 que "o general Muricy está agindo como quem tem, regionalmente, a autoridade máxima e atuando como amigo de verdade. Graças a sua interferência decisiva, contornamos graves dificuldades...".

Sentindo-se à vontade com os militares, dom Helder chegou a imaginar que pudesse ajudar a converter a "revolução" em uma iniciativa democrática. Na Páscoa dos Militares, também em maio, o arcebispo faria uma "prece pela Revolução e pelo Brasil..., que corresponde aos anseios dos chefes da Revolução", defendendo a ideia de que a "Revolução não vem para cobrir reacionarismos... ou ódios partidários", mas para "demonstrar a validade da democracia; lugar para a inteligência; lugar para a justiça; lugar para o desenvolvimento". Mas o pregador não achava fácil levar essa mensagem aos militares, tanto que no final do roteiro que previamente fizera para sua prece escreveu: "Que o Espírito Santo me ilumine e conduza...".

O ponto de discórdia que logo começou a se interpor nesse bom relacionamento foram as prisões por motivação política. Os militares passaram a insistir para que dom Helder não visitasse os presos políticos e, seguidamente, eram desatendidos pelo arcebispo. Essa divergência foi o assunto mais discutido nas frequentes reuniões entre membros do comando militar e dom Helder, que insistia em interceder pelos inúmeros militantes do MEB e dos movimentos de Ação Católica presos.

Mas as reuniões também visavam evitar que ações realizadas por dom Helder desagradassem os militares. No dia 12 de julho, por exemplo, data em que foi libertado o educador Paulo Freire, dom Helder chegou a pensar em convidar o criador do eficiente método de alfabetização de adultos para auxiliá-lo no trabalho pastoral da

Arquidiocese. Para tanto, achou que precisava do aval de um "maioral": "Paulo Freire foi solto, afinal. Está com dois convites da OEA e da Unesco. Se o general Muricy me der sinal verde, vou pô-lo em contato com o que temos de melhor em catequese, sob a orientação de um teólogo de primeira, para ver como aproveitar o método para a formação cristã. O sofrimento, é a minha impressão sincera, aproximou-o em definitivo de Cristo. E o método está longe de ser apenas de mera alfabetização...".

Os problemas políticos, apesar de centralizar a atenção de dom Helder nos primeiros meses em Recife, não foram suficientes para impedir que sua atuação pastoral começasse a todo vapor. Já na manhã de 14 de abril reuniu-se com os dois vigários-gerais da Arquidiocese, dom Lamartine e monsenhor Barreto, para tomar pé da situação, ter uma visão geral das paróquias, planejar visitas pastorais, saber da situação financeira. Quando conversou sobre a Cúria, foi logo deixando claro seu objetivo: "Transformá-la de guichês para pagamento e censuras em Casa Paterna". No mesmo dia conversou com a equipe responsável pela renovação dos educandários e pediu que fossem marcadas algumas reuniões com os superiores das ordens e congregações religiosas. Teve tempo também de conversar com os padres Melo e Crespo sobre a rearticulação dos sindicatos rurais.

E isso não foi tudo. Acompanhado por uma equipe da revista O Cruzeiro, visitou um conjunto de mocambos. No final da tarde, teve uma audiência com o coronel Hélio Ibiapina, representante do general Justino, para algumas "combinações preciosas" (nas palavras do arcebispo). Ao general Justino, dom Helder solicitou uma reunião da Comissão Central da CNBB com o presidente da República. À noite ainda teve fôlego para participar de seu primeiro programa de TV em Recife – iniciando, assim, um trabalho com a imprensa local que tornaria frequente sua presença nas emissoras de televisão e rádio de Pernambuco.

Nos dias e meses seguintes o ritmo de suas atividades foi o mesmo: reuniões com o clero e com os párocos; planejamento com a equipe da Arquidiocese; encontros com os movimentos de Ação Católica, com o MEB e com as representantes das senhoras católicas; audiência com os usineiros "para combinações concretas em torno da promoção humana e cristã dos trabalhadores rurais". "Audiências, audiências, audiências...".

Não por acaso ele já contava com uma nova secretária particular – Cecília Monteiro ficaria no Rio trabalhando na CNBB – com experiência e firmeza suficientes para organizar sua tumultuada agenda.

Foi dom José Távora quem indicou Maria José Duperron Cavalcanti para secretariar dom Helder. A moça – filha de um produtor e comerciante de cocos da cidade de São José da Coroa Grande, no interior do Estado, onde chegara a ser prefeito – era bibliotecária e técnica em administração pela Universidade Federal de Pernambuco e já trabalhara como coordenadora da equipe nacional de planejamento da Federação das Bandeirantes do Brasil e como secretária de um reitor da Universidade Católica.

O principal atributo considerado por dom Távora para indicá-la como secretária do amigo não era profissional mas político: Zezita, como chamava, era de sua inteira confiança. Assim como Cecília Monteiro, também indicada a dom Helder por ele, Zezita era solteira e sem outros compromissos a impedir-lhe a total dedicação ao trabalho. Vale acrescentar outra característica de Zezita que a faria tão necessária para dom Helder quanto antipática para muitas pessoas que procuravam o arcebispo: ela sabia dizer "não". Já em seu primeiro ano de trabalho, em nome de dom Helder, Zezita recusou um número incalculável de convites para celebrações, participação em formaturas como paraninfo e por aí afora. Mas seria impossível para ela, mesmo com toda sua capacidade de organização e disponibilidade, acompanhar o ritmo do arcebispo.

Na noite de 6 de maio de 1964 dom Helder visita o poeta e dramaturgo Ariano Suassuna, com o qual combina a realização de uma Noitada de Literatura, comandada pelo próprio Suassuna, e de uma Noitada de Artes Plásticas, a ser organizada pelo artista Francisco Brennand. "A casa do Ariano, em si, já é uma delícia", comenta dom Helder. "Ele a encheu de gente moça, chispando inteligência e simpatia... Um encanto de noite. A próxima peça de Ariano será estreada no Palácio São José de Manguinhos, que a mocidade talentosa vai tomar de assalto." Assim nasceram as Noitadas do Solar de São José, ou simplesmente Noitadas, encontros para discussões filosóficas – "a cargo de Newton Sucupira" – e teológicas, apresentações teatrais, recitais de poesia e música, mostras de arte.

Dias depois foi a vez de Ariano Suassuna retribuir a visita indo ao Palácio de São José de Manguinhos. O assunto foi a escolha das pessoas a serem convidadas para participar da noitada literária que ocorreria em 22 de maio de 1964: Para dom Helder "o problema é escolher, todo mundo quer vir". Ariano foi mais objetivo e convidou para participar do evento os mais ilustres representantes da intelectualidade em Recife: João Alexandre Barbosa, professor de teoria da literatura; os poetas César Leal, Celina de Holanda Cavalcanti, Tomás Seixas, Sebastião Uchoa Leite e Débora Brennand; Hermílio Borba Filho, dramaturgo; Renato Carneiro, crítico literário; Mauro Mota, diretor do Instituto Joaquim Nabuco; e o artista plástico Francisco Brennand, encarregado de conseguir que alguns pintores substituíssem os retratos dos bispos, "horrorosos, de mau gosto", segundo dom Helder, por outros mais apresentáveis.

O evento de literatura agradou tanto que se repetiu em várias outras oportunidades. Na segunda Noitada, por exemplo, João Alexandre Barbosa fez uma exposição em torno do poema "Nudez" de Carlos Drummond de Andrade e apresentou seu método de análise literária. A discussão avançou para "o significado de Alencar, José Lins do Rego e Guimarães Rosa. De repente, paralelo entre Guimarães e Joyce... Movem-se em Camões e Dante como peixes n'água... Vão a Homero, com absoluta facilidade. Nada é dito para armar efeito, para provar erudição. Proust vem à tona quando o certo seria citá-lo. O César Leal surge, apresentando apenas oito interpretações diferentes do poema analisado. Ariano, fascinante, discute com todos a propósito de tudo... ". Questiona-se dom Helder:

> Perda de tempo? Esnobismo? Diletantismo? Imperdoável numa região subdesenvolvida, com problemas terríveis pela frente?... Pergunta-se dom Helder. Ele mesmo responde: Ai do país que deixa de ter poetas ou onde a poesia deixa de ser amada, entendida, discutida. Alegra-me ver um grupo sério, discutindo problemas limpos, sedentos de beleza. Quando se nota,

o relógio está batendo meia-noite. E não se para nem mesmo na hora dos sorvetes. Todos se sentem em casa. Não é a casa do bispo (isto é, do pai, do irmão?) Não é a casa do bispinho?...

A Noitada de Filosofia não foi menos instigante. Coordenada pelo filósofo Newton Sucupira, as discussões giraram em torno do pensamento marxista. Dom Helder achou "um encanto que, em plena Revolução, em Recife, se possa estudar Marx e o marxismo com a liberdade com que se falou". Um casal de professores norte-americanos em visita a dom Helder foi homenageado no evento. Representavam a Renco Foundation e traziam um cheque de 10 mil dólares para ajudar nas obras sociais da Arquidiocese.

Na Noitada de Teologia desagradou a dom Helder a ausência de leigos para participar das discussões. Só havia "batinas". O ponto forte foi que o padre Marcelo Carvalheira conseguiu fazer a apresentação das correntes teológicas mais discutidas na época.

No final de junho ocorreu uma Noitada dos Jovens. Perto de cinquenta moças e rapazes, ou "brotos", como dizia o anfitrião, foram ao Palácio saber o que o arcebispo queria com eles. Dom Helder explicou que queria conhecer a juventude para "evitar injustiças de julgamento" por parte dele e de seus padres, e também dela para manter a "juventude de alma". O arcebispo queria ouvir as músicas preferidas pelos jovens e não ficou frustrado: não demorou para que arrastassem a mesa da sala de jantar para um canto, ligassem a "eletrola" e caíssem na dança. Um deles, mais afoito, provocou o arcebispo: "Dom, está faltando e está sobrando, para a demonstração ser completa: faltando bebida e sobrando luz..."

No final da noitada dom Helder percebeu que

a meninada saiu tonta, sem entender como é que é possível brincar, dançar na casa do bispo ... Nos intervalos, não se continham e diziam: "pagava para ver minha mãe aqui: cairia dura de espanto". "Halligale para os brotos brotíssimos. Twist ainda interessando muito, bolero dominando, com forte expressão romântica. Creio que o disco predileto da noite (a notar pelas reações) foi "Roberta". À falta de bebida (só servi refrigerantes) fumaram a valer.

Em outra noite, ao invés de literatura, filosofia ou encontro com os jovens, o assunto foi assistência social e a fundação de um Banco da Providência em Recife, nos mesmos moldes daquele do Rio. Dom Helder contaria com a ajuda de trinta e cinco dirigentes de bancos para a fundação da nova entidade. Depois de conseguir o apoio de um grupo de assistentes sociais da Escola de Serviço Social da Arquidiocese, para ele "...foi igualmente feliz o encontro com os banqueiros. Foram mais longe que os do Rio: abrirão cadernetas em todas as agências, lançando, por conta própria, as primeiras contribuições", e ficaram de remeter aos clientes o pedido de doação de parte dos juros de seus investimentos. Dom Helder também contaria com o apoio do que chamava de "estado-maior da indústria e do comércio" – Federação das indústrias, Associação Comercial, Sindicato dos Usineiros e grandes empresas – para promover a "carteira de colocações" (empregos) do banco. Os banqueiros também se comprometeram a lançar "ações" do Banco da Providência, e dom Helder redigiu o que seria um modelo da cautela:

AÇÃO DO BANCO DA PROVIDÊNCIA
CR$ 100,00
A presente Ação de cem cruzeiros habilita:
– a ajudar carteiras como as de Colocação, Saúde, Habitação, Educação, Roupas e
Calçados, Móveis e Utensílios, Auxílios de Emergência...
– a receber bênçãos divinas nesta vida a cem por um, e o reino do céu na vida eterna.

Helder Camara
Arcebispo de Olinda e Recife.

Entre os últimos dias de julho e os primeiros de agosto de 1964, dom Helder foi ao
Rio para participar de reuniões na CNBB e preparar a viagem a Roma para a terceira sessão
do Vaticano II. Foi ocasião para rever os amigos e colaboradores que acompanhavam
por correspondência sua atuação em Recife. Na volta, já no avião, cansado, pensou em
dormir, mas não conseguiu. Viajavam ao seu lado os humoristas Carlos Alberto da
Nóbrega e Ronald Golias, que "falaram o tempo todo". A conversa deve ter sido boa
porque, embora tivessem participado de um show na noite de domingo, na segunda,
às sete e meia da manhã, os dois foram tomar café da manhã com o arcebispo.

Além das atividades de orientação do seu clero, de acompanhamento dos
movimentos de Ação Católica e do MEB, das difíceis negociações com a cúpula militar
do Estado, das Noitadas para a conquista do apoio da intelectualidade, dos projetos
de ação social, dom Helder costumava destinar várias tardes durante a semana ao
atendimento direto às pessoas que o procuravam para pedir-lhe todo tipo de ajuda.
Era comum serem atendidas mais de duzentas em uma só tarde.

Criança subnutrida nos braços da mãe aflita que se voltava para o arcebispo e
comentava: "o inocente que eu carrego no seio já teve quinze irmãozinhos... Mas doze
morreram..." Gente sem comida, sem remédio, sem casa e muita mulher abandonada
que faziam dom Helder concluir que "...homem tem muito pouca resistência ao
sofrimento moral. Não aguenta ouvir criança chorar com fome... vai, de coração
partido, com a vozinha dos inocentes nos ouvidos, mas vai porque não aguenta: se
eu ficasse, seu bispo, sangrava tudo de noite. Ao menos deixava de sofrer...".

Essa atividade quase febril em seus primeiros meses em Recife tinha no mínimo
quatro motivações. Uma era de natureza mais objetiva – ele pensava em viajar para
participar do Concílio deixando já iniciados muitos dos projetos que pretendia desenvolver posteriormente. As outras duas estavam relacionadas a seu temperamento
inquieto e afetivo. Sua inquietude interior fazia-o completamente avesso à rotina.
Mais de uma vez comentou, por exemplo, que "...a vida continua, graças a Deus, sem
risco de tédio e de rotina" e que uma de suas grandes satisfações era "...a de superar a
rotina e ver tudo nesta vida como se fosse pela primeira vez". Mas jamais falou com
tanta franqueza sobre o assunto como em uma meditação do padre José:

Sonha
sem medo,
sem limites,
sem censura,
e põe teus sonhos
a serviço

da monotonia cotidiana,
da mesmice cansativa,
da eterna fragilidade,
da mediocridade humana.

E, por último, a mais importante de todas: a imensa saudade que sentia do Rio de Janeiro, que era "empurrada sob o tapete" com o ritmo acelerado de suas atividades. O pessoal de Recife até estranhou o fato de dom Helder entrar "de cheio nos problemas locais" sem jamais mencionar as pessoas ou trabalhos realizados por ele no Rio.

Dom Helder fazia questão de que "ninguém adivinhasse" essa saudade. Mas que ele a sentia, e muito, é inegável. E era uma saudade do mesmo tipo que sentira do seu Ceará, quando chegara ao Rio, em 1936. Por isso buscou uma imediata e total integração em sua nova Arquidiocese, para esquecer "o dilaceramento sobre-humano" que lhe custara a mudança do Rio de Janeiro, ou, como ele próprio dizia, "o transplante da velha mangueira..."

Para aumentar suas dificuldades em aceitar interiormente a nova fase de sua vida, à uma da madrugada de 4 de maio de 1964, por telegrama, dom Helder recebeu a notícia da morte de seu grande amigo, o núncio dom Armando Lombardi. Foi uma triste surpresa. Dom Armando andava bem de saúde e dom Helder se empenhava, junto ao cardeal Suenens, em fazê-lo secretário de Estado de Paulo VI. Dom Armando, dom Helder e o cardeal belga até haviam almoçado juntos em Roma, no último mês de março, para conversar sobre o assunto.

Entre as causas do fulminante ataque cardíaco que causou a morte de dom Armando, segundo Raimundo Caramuru de Barros, estavam as "pressões que vinha sofrendo, como decano do corpo diplomático, nas negociações entre as representações estrangeiras e o governo brasileiro, tocante à crise política e ao respeito aos direitos humanos".

Uma grande evidência do abalo sofrido por dom Helder com a morte do amigo era seu estado de espírito no dia 10 de setembro de 1964, data em que viajaria para a terceira sessão do Concílio Ecumênico. Ele interpretou a "partida" de dom Armando como um sinal divino de que também a sua morte poderia estar próxima e por isso fazia um pequeno balanço da vida:

> Ao partir para a terceira sessão do Vaticano II ou para o Céu, tenho a alegria de verificar:
> – que me entreguei a Recife com a mesma lealdade, a mesma sinceridade e o mesmo amor com que me dei ao Rio...
> – que jamais ninguém em Recife (a não ser teu Filho que é um comigo e José que é irmão inseparável) adivinhou minha saudade...
> – que parto cheio de projetos e planos, mas de tal modo entregue em tuas mãos que se entrar nos teus planos divinos levar-me não tenho um segundo sequer de prorrogação a pedir-te;
> – que reafirmo minha fé absoluta no apostolado oculto: se me deres vida, caber-me-á dar o máximo confiando em teu auxílio; se me levares, partirei tranquilo, querendo o que tu queres, preferindo o que preferires...

Durante a terceira sessão conciliar dom Helder procurou dar continuidade ao trabalho de bastidores iniciado ainda em 1962, sempre com o apoio do cardeal

Suenens, como ponta de lança de suas principais teses para a reforma do que chamava de "lado humano da Igreja".

No decorrer dessa sessão, a CNBB realizou uma assembleia para eleger novos dirigentes. De acordo com a análise realizada por Thomás Bruneau sobre o resultado do processo eleitoral na CNBB, os bispos ligados a dom Helder esperavam sua reeleição. "Contudo", continua Bruneau, "a oposição a ele e a sua linha foi organizada pelo bispo ultraconservador de Pouso Alegre, MG, dom José D' Ângelo Neto, que reuniu os prelados das zonas mais remotas (isto é, bispos de prelazias que são, geralmente, estrangeiros), os conservadores, os moderados preocupados com o radicalismo e os que não podiam participar por causa da má saúde. Não somente foi dom Helder derrotado, como também o foram dois outros membros do grupo da CNBB, dom Fernando Gomes e dom Eugênio Sales, que tentaram salvar as eleições. O bispo eleito secretário-geral, dom José Gonçalves, era de Minas Gerais e tinha três virtudes principais: era auxiliar e íntimo do cardeal dom Jaime, o homem de sua confiança; era o tipo do burocrata nos negócios da Igreja e conhecia a língua alemã, o que era muito importante, pois os bispos alemães, por meio da Adveniat e da Misereor, deviam financiar a CNBB nos próximos cinco anos. Para presidente, o candidato do grupo da CNBB era dom Fernando Gomes, que foi derrotado por dom Agnelo Rossi, de São Paulo, conhecido por não ter definida nenhuma linha própria. Dom Fernando Gomes foi de novo derrotado para os cargos de primeiro e segundo vice-presidentes, para os quais foram eleitos dom Avelar Brandão e dom Penido".

Apesar da substituição do pessoal que dirigiria a entidade por "pessoas que não tinham uma experiência anterior na instituição" e do conservadorismo dos novos dirigentes, a assembleia ocorreu em clima de grande cordialidade entre os bispos. Dom Helder, como secretário-geral, oficialmente anunciou "sorrindo, amável, todos os resultados", mas, no íntimo, concluiu que "não adianta negar que houve uma clara vitória ideológica. Venceu a reação... Dom Fernando foi o primeiro a apresentar cumprimentos a dom Agnelo e eu o primeiro a abraçar dom José Gonçalves. O *Estadão* e o *Globo* vão comentar a derrota da esquerda episcopal... Aflige-me também a vitória do conservadorismo".

Deixando-se de lado sua "magra" vitória, "apenas por maioria simples", para o Secretariado Nacional de Ação Social, dom Helder tinha outro motivo para entristecer-se com o resultado das eleições na entidade que fundara e que dirigira por doze anos: "Não seria sincero se não reconhecesse que na hora de perder o título de secretário-geral da CNBB, a oferenda pesa! Sabia. Esperava. Era certa a substituição. Mas é a confirmação de minha partida do Rio. É uma separação a mais".

PROPONDO A REFORMA DA IGREJA

> *[Menocchio] começou denunciando a opressão dos ricos contra os pobres pelo uso de uma língua incompreensível como o latim nos tribunais: "Em minha opinião, falar latim é uma traição aos pobres. Nas discussões os homens pobres não sabem o que se está dizendo e são enganados. Se quiserem dizer quatro palavras, têm de ter um advogado". Mas esse era só um exemplo de uma exploração geral, da qual a Igreja era cúmplice e participante: "E me parece que na nossa lei o papa, os cardeais, os padres são tão grandes e ricos, que tudo pertence à Igreja e aos padres. Eles arruínam os pobres. Se têm dois campos arrendados, esses são da Igreja, de tal bispo, ou de tal cardeal".*

> Carlo Ginsburg, *O queijo e os vermes*

Dom Helder retornou de Roma em novembro de 1964. Pôde perceber, então, a saudade que sua ausência de mais de dois meses provocara em seus amigos e colaboradores de Recife, que considerava sua nova família. Na noite do dia 23, por exemplo, um grupo de uns sessenta rapazes e moças, vários violões, fizeram-lhe uma "deliciosa serenata". Segundo o homenageado até "a lua ficou encantada".

Não havia tempo a perder. No mesmo dia 23, logo depois de sua missa matinal, chegaram as assistentes sociais do Banco da Providência para apresentar o balanço das atividades nos meses de sua ausência. A tarde inteira foi dedicada a discutir um projeto ao qual dava a maior importância, a fundação do Seminário Regional do Nordeste. Eram necessárias inúmeras providências: acompanhar o ritmo da construção das instalações; obter mais recursos; conseguir junto ao governo do Estado o asfaltamento da estrada de Camaragibe e a perfuração de poços artesianos; discutir a formação espiritual, apostólica e cultural dos futuros seminaristas e por aí afora. Entre as reuniões da manhã e da tarde, vários visitantes tentaram conversar com ele. No dia seguinte, a reunião era com a Cúria para a preparação de um encontro em que o arcebispo faria uma exposição sobre o Concílio Ecumênico.

Um assunto historicamente muito polêmico para a Igreja seria também discutido naquela reunião: a distribuição das terras da Arquidiocese. Dom Helder achava que a reforma agrária em Pernambuco poderia começar pelas terras da Igreja. Para não deixar dúvidas quanto a sua intenção a seus auxiliares mais imediatos, o bispo auxiliar dom José Lamartine e os vigários-gerais monsenhor Barreto e monsenhor Osvaldo, dom Helder deu uma ordem clara: "Quero, com urgência urgentíssima, uma relação de todas as terras da Santa Igreja. Vamos marchar para uma programação que, a curtíssimo prazo, nos libere de nossos Estados pontifícios ... Na Suíça, há amigos dispostos a criar um fundo rotativo que permita aliar à entrega da terra assistência técnica, financeira, social..."

A reorganização do Palácio de São José de Manguinhos foi outro assunto que o arcebispo quis discutir com seus auxiliares logo depois de sua chegada. Um católico tradicionalista poderia até achar que dom Helder estava endemoninhado. Depois de receber inúmeros intelectuais assumidamente ateus e jovens "pernósticos" em várias "noitadas" e de pretender distribuir as terras da Igreja, o homem mandou tirar todos os tronos do Palácio arquidiocesano, ordenou uma reforma no playground para atrair a criançada e fez questão de que o portão ficasse aberto dia e noite. Esse portão ainda daria o que falar. Os funcionários do Palácio, a contragosto, o deixariam aberto por muitos meses. Mas um dia resolveram fechá-lo durante a noite, com o argumento de que "o quintal e os parapeitos se estavam enchendo de maloqueiros". Para evitar uma reprimenda nem avisaram o arcebispo, simplesmente mudaram a fechadura e fecharam o portão. Voltando tarde da noite de um programa de televisão, sem a nova chave, dom Helder não tinha como entrar no Palácio e ficou do lado de fora. Quando os funcionários perceberam, ficaram aflitos e foram correndo abrir o portão. Ainda tentaram colocar a culpa nos tais "maloqueiros", mas o arcebispo repreendeu-lhes com firmeza, lembrando que os padroeiros dos "maloqueiros" eram "São José e Nossa Senhora, que se abrigaram, à noite, onde puderam para que nascesse o Salvador do mundo...". No resto daquela noite o portão ficou aberto, mas dom Helder não teve a ingenuidade de achar que convencera seus subordinados: "...Sei que vencerá a prudência. Pesarão as estruturas. E o portão se fechará... Não é fácil ser papa! Não é fácil nem ser bispo!"

No último dia de 1964, dom Helder recebeu um presente inesperado. Já era meia-noite e meia quando um rapaz que esperava um ônibus na rua entrou no Palácio com uma criança no colo que a mãe lhe entregara com uma recomendação: "Pelo amor de Deus, entregue a dom Helder. Diga que sou uma mãe infeliz que não posso criar meu filho". Assim que terminou de falar, saiu correndo, "sem coragem de olhar a criança".

Duas irmãs que trabalhavam no Palácio "ficaram em pânico, sem coragem de guardar o menino" e, por telefone, tentavam, sem sucesso, que alguma maternidade ficasse com a criança. Ao perceber a aflição das duas, dom Helder argumentou-lhes que "como não havia lugar na hospedaria", deveria ser procurada "uma estrebaria, com um boi e um burro", novamente fazendo alusão ao nascimento de Jesus.

De tanto as irmãs insistirem, uma maternidade localizada no Derby, "como se tratava de servir ao senhor arcebispo, consentiu em guardar o sem-nome, o indesejado, por uma noite". Dois dias depois dom Helder conseguiu convencer as irmãs a cuidarem do menino, até que alguém resolvesse criá-lo. Sem outra alternativa, elas o receberam. E choveram presentes, conta dom Helder, mas "o pânico das irmãs só fez aumentar. Quando já não se aguentavam de pavor, veio um casal sem filhos (de absoluta confiança) e levou o Emanuel..."

O fato de o menino ter-lhe sido entregue pareceu a dom Helder uma mensagem divina de difícil decifração: "Que quis dizer-me Senhor? Será que entendi a mensagem?" Outra dúvida era quanto ao nome escolhido para a criança, Emanuel: "Será que adivinhei o nome da criança?", questionava-se. Certo ou errado, o nome Emanuel – que significa "Deus conosco" – até que não caiu tão mal, principalmente considerando que, caso o arcebispo tivesse seguido o impulso de dar-lhe um dos nomes que primeiro lhe vieram à cabeça, é bem provável que em toda sua vida ele jamais encontrasse um xará: "Fosse batizá-la, com a liberdade bíblica de criar nome, eu a chamaria Nordeste ou Terceiro Mundo", refletiu dom Helder, criativamente.

Aos poucos ele perceberia a necessidade de organizar melhor seu tempo, para evitar que suas energias se dispersassem infrutiferamente por toda sorte de reivindicações que lhe chegavam. Ainda no primeiro semestre de 1965 começou a dedicar suas manhãs a estudos. As tardes ficaram reservadas às inúmeras audiências com embaixadores, autoridades governamentais e eclesiásticas, militares e dirigentes de associações de todos os tipos. Nas noites ocorriam as reuniões da Arquidiocese. Para atender ao grande afluxo de pessoas que diariamente lhe pediam algum tipo de ajuda material, um voluntariado foi organizado, praticamente liberando-o. Ficava por conta de Zezita protegê-lo do "excesso de convites para abençoar casamentos, para almoços e jantares, para palestras, para paraninfo...". Como fazia muitas viagens, para não "ganhar fama de bispo turista", passou a recusar também os incontáveis convites que lhe chegavam principalmente da Europa e dos Estados Unidos.

Aliás, em 15 de junho de 1965 o arcebispo voltava de uma viagem ao Rio de Janeiro, onde participara de uma reunião da Comissão Central da CNBB, como representante da Regional Nordeste II, vinha animado com os resultados, principalmente em razão de um encontro com Castelo Branco que "deu margem para cortar pela raiz muita intrigalha", e que terminou com o presidente propondo um "entendimento direto, sem intermediários", entre ele e a Igreja. De repente soube que Recife e as cidades mais próximas haviam sido inundadas por uma cheia do rio Capibaribe e que milhares de pessoas estavam desabrigadas. Do aeroporto foi direto a um posto de atendimento às vítimas, de onde comandou ampla campanha de arrecadação de donativos pela Rádio Olinda e por uma emissora de televisão. Militares, partidos políticos, governo, maçonaria, paróquias e escolas católicas se uniram nos trabalhos de atendimento aos flagelados.

A grande mobilização em socorro às vítimas inspirou-o a tentar manter a unidade das "forças que atuaram na enchente" para realização de uma segunda fase da operação de salvamento, na qual seriam construídos e recuperados os canais da cidade, feitos novos aterros e ampliadas as redes de água, luz, esgoto e estradas, para tornar habitáveis as áreas de construção popular. A intenção era unir o poder público à iniciativa privada para resolver o problema da miséria em Olinda e Recife.

Em torno dessa ideia, dom Helder organizou o Encontro do Nordeste, no início de julho de 1965, para discutir um plano de desenvolvimento para a região elaborado pela Sudene, com mais de quinhentos participantes, entre eles governadores de vários estados do Nordeste, militares de alta patente, deputados, professores universitários, representantes dos estudantes, federações das indústrias e do comércio e entidades sindicais. Os responsáveis oficiais pelo encontro foram o empresário Renato Bezerra de Melo, da Federação das Indústrias, Murilo Guimarães, reitor da Universidade do Recife, e João de Deus, reitor da Universidade Rural, mas em várias plenárias dom Helder participou da mesa diretora dos trabalhos, auxiliado ora por um dos reitores, ora pelo general Muricy.

O presidente da República deveria falar no encerramento do encontro, mas nos últimos dias comunicou que não poderia comparecer. Em seu lugar, a comissão organizadora do evento fez questão de colocar dom Helder. Por sua vez, o arcebispo não perdeu a oportunidade de defender o engajamento de todos os participantes no combate à miséria em Olinda e Recife por um movimento de solidariedade a que chamou Operação Esperança.

Lançada em julho de 1965, já no mês seguinte a Operação Esperança estava em funcionamento, com diretoria empossada e estatutos registrados em cartório. Conforme a idealizara dom Helder, depois do atendimento às necessidades básicas de moradia e saúde, a Operação partiria para a realização de projetos de formação de mão de obra, visando "o atendimento ao direito fundamental ao trabalho". Para que fosse superado o mero assistencialismo, seria incentivada a auto-organização das comunidades em associações de moradores, por sua vez, engajadas na direção da Operação Esperança por intermédio de um Conselho de Moradores.

Entre julho e o final de agosto, dom Helder priorizou a participação em um retiro do clero arquidiocesano e a realização de visitas pastorais, principalmente porque a partir de setembro ele, de novo, se ausentaria por um longo período, para participar da quarta e última sessão do Vaticano II.

De Roma continuaria enviando cartas aos colaboradores do Rio de Janeiro com as notícias do Concílio, analisando o desenvolvimento das discussões e contando sobre sua atuação nos debates do Esquema XIII, do qual derivaria a *Gaudium et Spes* – Constituição Pastoral sobre a Igreja no Mundo Moderno –, e na Comissão "Apostolado dos Leigos". Particularmente, dom Helder chegava à IV Sessão afinadíssimo para enfrentar o duro debate que certamente ocorreria, pois participara, ainda em 1963, de várias reuniões de estudo, realizadas na casa de dona Helena Magalhães (uma das proprietárias das usinas de açúcar União), em Copacabana, juntamente com alguns importantes especialistas leigos como Alceu Amoroso Lima, Luís Alberto Gomez de Souza e Francisco Whitaker.

Suas principais preocupações durante a IV sessão foram tratadas confidencialmente com o cardeal Suenens, a quem ele chamava de padre Miguel. Os dois se encontraram no final de setembro de 1965 na luxuosa casa em que Suenens se hospedara na via Trionfale, 151, e que lhe fora emprestada pelo milionário norte-americano Peter Grace. Dom Helder estava particularmente preocupado com as manobras dos bispos conservadores para neutralizar algumas inovações importantes na Igreja em decorrência do Concílio, como a ideia de a Igreja ser governada por um colégio composto por bispos – a tal "colegialidade episcopal". O diálogo foi assim narrado por dom Helder:

> O jantar com o querido Pe. Miguel só foi presenciado por Deus e nossos anjos... Perguntou-me de início, minha impressão sobre o Sínodo dos bispos. Para efeito externo, saliento os aspectos positivos da nova instituição. Diante dele, tenho o pacto de falar como se estivesse diante do Juiz Eterno, nosso Irmão Jesus Cristo. Expliquei, então, as razões pelas quais o Sínodo me aflige e indiquei as maneiras práticas para tentar salvá-lo:
> – O Sínodo não me parece instrumento autêntico de plena colegialidade. É verdade que, em grande parte, é eleito pelos bispos... Mas a convocação é feita pelo papa quando e como bem entender; terminada cada assembleia, cessa o mandato do sinodista; o Sínodo, em essência, é apenas órgão consultivo; terá poder deliberativo em casos concretos quando o papa o decidir...
> – Para o Santo Padre (a quem amamos tanto, mas cuja timidez devemos abrandar e cuja formação diplomática temos de ajudá-lo a superar), o Sínodo pode ser um álibi perigoso... Por havê-lo criado, já parecerá menos urgente a reforma da Cúria romana (haverá supressão de alguns trabalhos redundantes. O povo terá impressão de reforma substancial, porque o Santo Ofício mudará de nome, de objetivos e, em parte, de pessoal. Mas o cardeal Roberti, que prepara a reforma, é homem timidíssimo)...
> Pe. Miguel concordou inteiramente com a análise. Tentamos, então, assentar algumas medidas urgentes para ajudar nosso Amigo e Pai, Paulo VI...

Outro assunto polêmico discutido naquele encontro foi o trabalho da comissão pontifícia que estudava o problema da "limitação da natalidade". Para dom Helder o papa continuava preso à ideia da proibição do uso de métodos contraceptivos pelos casais católicos e, no seu entender, de nada adiantava "o Santo Padre e os bispos se iludirem: nosso clero, na prática, já resolveu o assunto... Está deixando em paz os esposos e até orientando os mais escrupulosos... Por que, então, não alertar Paulo VI para o que está ocorrendo de verdade? Por mim, o bombardearia de cartas de bispos, informando lealmente: nossos padres, premidos pela realidade, já avançaram e não recuam mais...".

Mas sobre esse assunto o cardeal Suenens não se convenceu, por temer que muitos cristãos se escandalizassem com a mudança de posicionamento da Igreja: "Se a Igreja revir este ponto de doutrina, não chegará um dia a rever os demais?", questionava-se.

Dom Helder não tinha essa preocupação. Para ele o importante era tornar a Igreja apta a enfrentar os desafios do mundo contemporâneo. Só assim poderia se fortalecer. Uma boa síntese de suas inovadoras e polêmicas propostas ele apresentou no início de outubro ao industrial belga Jacques Lannoye, muito amigo e colaborador financeiro do cardeal Suenens:

> Sugestões filiais ao Santo Padre
> Em uma carta pessoal ao Santo Padre, terei a confiança de sugerir:
> 1. A propósito do Sínodo dos bispos que ele anuncie, na sessão de encerramento do Concílio:
> a) um *motu* próprio, encarregando a Assembleia Geral de eleger o papa, salvaguardando, aos atuais cardeais, o direito de participar da eleição;
> b) uma assembleia extraordinária para estudar problemas como a limitação de filhos e o celibato eclesiástico;
> c) uma assembleia especial, dedicada ao estudo da responsabilidade da Igreja diante do desenvolvimento.

2. A propósito da Cúria romana, que, também na sessão de encerramento, ele anuncie as grandes linhas de sua reforma e, sobretudo, do Santo Ofício, cujo nome e missão serão certamente mudados.

3. A propósito da promulgação do Esquema XIII:

– que dê seu apoio ao secretariado para a expansão da justiça e do desenvolvimento no mundo e que deseje este secretariado em moldes ecumênicos;

– que crie um secretariado cuja função seja de antena sensibilíssima a serviço das pessoas e dos grupos esmagados por qualquer tipo de opressão... Um secretariado que seja a consciência do mundo, acima, já se vê, de divisões de raças, credos e ideologias;

– que na linha do exemplo prático de presença da Igreja no mundo de hoje – depois das viagens, visivelmente inspiradas pela Providência, à Palestina, à Índia e à ONU –, anuncie o propósito de atravessar a Cortina de Ferro (claro que a expressão não seria usada), visitando a Polônia...

Além de pretender colocar em discussão suas propostas de eleição do papa por uma assembleia de bispos, e de estudo de temas interditos ao Vaticano, como a limitação de filhos e o celibato dos padres, dom Helder defendia ainda "a supressão dos embaixadores junto à Santa Sé, a supressão dos núncios (de vez que ele não é mais e não quer ser jamais Senhor Temporal) e o abandono do Vaticano como residência do papa (o Vaticano, na imaginação popular, é o símbolo da riqueza da Igreja como a Bastilha era o símbolo da opressão contra o povo francês) e entrega da Biblioteca, do Arquivo, do Museu e dos jardins ao povo, sob administração da Unesco".

A ideia era conseguir o apoio financeiro de Lannoye à montagem de um órgão que reunisse regularmente os participantes do grupo Ecumênico e dos especialistas do Opus Angeli para continuar discutindo essas propostas depois do Concílio. Se pensarmos que dom Helder não fazia segredo dessas ideias, apresentando-as aos bispos do Ecumênico e nas palestras que fez na Ação Católica Italiana e na Universidade Católica de Roma, torna-se mais que evidente a razão de os conservadores adversários de dom Helder o chamarem de "bispo comunista". Ele reagia contra essa acusação: "Não tenho interesse nenhum em fazer o jogo comunista. Mas também não aceito ser escudo e ponta de lança dos capitalismos".

Paralelamente à sessão do Concílio, realizava-se em Roma a VII Assembleia Extraordinária da CNBB. Além do desgosto por ver encerrados, em 1965, seus mandatos como vice-presidente e delegado do Brasil no Celam, dom Helder precisou assimilar o fato de o episcopado brasileiro eleger na assembleia os conservadores dom Avelar Brandão, como delegado do Brasil no Celam, e dom Vicente Zione, para o estratégico cargo de secretário nacional do Ministério Sacerdotal, derrotando com facilidade seus candidatos para os mesmos cargos – dom José Maria Pires e dom José Delgado. Para ele o fato de não ter sido reeleito era uma humilhação que Deus lhe impunha para testar sua humildade, mas se preocupava quanto à repercussão de sua derrota junto ao papa: "...Paulo VI há de sentir que meu prestígio, em casa, anda a zero...".

Motivo de grande satisfação para ele foi a aprovação do Plano de Pastoral de Conjunto (PPC) na reunião do dia 17 de novembro da Assembleia Geral da CNBB Dom Helder acompanhou de longe aquela reunião, pois no mesmo dia participava de uma plenária do Esquema XIII em companhia de dom Eugênio Sales.

O PPC substituía o já ultrapassado Plano de Emergência de 1962 e, conforme Barros, buscava "criar meios e condições para que a Igreja no Brasil se ajustasse à imagem de Igreja do Vaticano II", com um planejamento global de sua ação pastoral, que proporcionaria "às diferentes atividades desenvolvidas pela Igreja, em diferentes âmbitos e contextos socioeconômicos e políticos, coerência, interdependência e integração capazes de evitar a dispersão e a falta de uma visão de conjunto". Para dom Helder, o PPC representava a continuidade do trabalho que iniciara na CNBB. Por isso ele apoiou integralmente o trabalho de convencimento realizado com os bispos pelo padre Raimundo Caramuru de Barros – chamado por ele carinhosamente Abbé Barros – e que coordenara a elaboração do plano, com a assessoria do especialista em planejamento Francisco Whitaker Ferreira.

Já próximo ao encerramento do Concílio, dom Helder surpreendeu-se negativamente com a atitude do amigo Paulo VI de proibir a discussão do "problema da regulamentação dos filhos", alinhando-se ao posicionamento católico tradicionalista sobre o tema. Considerava a atitude duplamente incorreta: porque frustrava a expectativa dos casais católicos que "desejavam viver em paz com a própria consciência", recebendo aprovação ao uso de métodos contraceptivos; e porque pela imposição de sua decisão aos padres conciliares o papa negava, na prática, a colegialidade nas decisões do Vaticano II.

No dia 26 de novembro, na comissão que discutia o Esquema XIII, ocorreu a votação sobre o acatamento ou não da ordem do papa. Dom Helder não poderia ficar até o final da reunião porque tomaria um avião para a Bélgica (autorizada por Paulo VI). Antes de se retirar ocorreu a primeira votação. O brasileiro resolveu marcar sua posição contrária à imposição do papa, votando em branco (dos trinta e sete bispos presentes com direito a voto só dois votaram em branco; na reunião estavam presentes também cerca de duzentos peritos). Dom Helder escreveu, então, uma carta explicando a razão de sua saída da reunião ao cardeal Ottaviani, que dirigia os trabalhos, e outra justificando seu voto em branco: "Levantei-me, entreguei as duas cartas ao presidente e saí, de maneira dramática: quase trezentos olhos me seguindo. Nenhum sussurro na sala enorme, o que permitia que se ouvisse o rumor abafado de meus passos sobre o tapete. Abri e fechei a porta de saída. Vivi, conscientemente, o meu gesto, medindo-lhe todas as consequências, aceitas todas de antemão".

Dom Helder viajou abatido em razão da batalha em torno da regulamentação de filhos no Esquema XIII, mas fez o possível para não causar má impressão a seu principal anfitrião na Bélgica. No dia 28, o rei Baudoin fez questão de recebê-lo na sua residência real, o Palácio de Laeken, em Bruxelas. Os dois conversaram por um bom tempo, trocando amabilidades e promessas de visitas futuras. O rei estava disposto a apoiar financeiramente os programas sociais de dom Helder em Recife. Os dois se despediram como "amigos". Acompanhado por Aglaia Peixoto, que aguardara nos jardins do Palácio, ainda fez questão de visitar o funeral da rainha avó, falecida na véspera.

Nos últimos dias de Concílio, dom Helder estabeleceu contatos e costurou apoios a uma encíclica sobre o desenvolvimento dos países do Terceiro Mundo que pretendia propor ao papa. Quanto aos resultados do Vaticano II, apesar da reação dos conservadores, várias decisões lhe deixaram a sensação de que os bispos que defendiam uma Igreja "servidora e pobre" saíram vencedores do encontro. Ainda mais porque em meados de novembro várias dezenas de bispos, dom Helder entre eles, reuniram-se nas catacumbas de Santa Domitila e fizeram um pacto – o Pacto das Catacumbas – em defesa da "Igreja dos Pobres", coube a dom Helder enviar o texto desse pacto ao papa Paulo VI. Nas celebrações de encerramento do Concílio Vaticano II, o próprio Paulo VI sinalizaria sua concordância com os bispos progressistas, aparecendo na Praça de São Pedro, segundo dom Helder, "sem a Tiara, sem a Sede Gestatória, com o Báculo de sempre (a Cruz tanto mais bela quanto mais simples) e com o nosso anel... Trocou, espero em Deus que para sempre, o anel riquíssimo que usava, pelo anel-símbolo de união entre nós, bispos do mundo inteiro (em torno ao bispo de Roma), e anel-símbolo da Igreja Servidora e Pobre...".

GUERRA DE POSIÇÕES

Nem a campanha de hostilidade, nem os padres, freiras presos, nem as advertências de Roma conseguiram desviá-lo de seus propósitos. O chefe da Igreja assumiu o encargo de defender as vítimas da nova ordem pondo uma formidável organização a serviço dos perseguidos. Se a situação se revelava perigosa, mudava sua estratégia, respaldado pelos dois mil anos de prudência e conhecimento do poder. Assim evitava um confronto aberto entre os representantes de Cristo e os do general. Em algumas ocasiões dava a impressão de recuar, mas logo se percebia que era só uma manobra política de emergência. Não se desviava um mínimo de sua tarefa de amparar viúvas e órfãos, socorrer presos e substituir a justiça pela caridade, onde era necessário.

Isabel Allende, *De amor e de sombras*

O cerco começou a se fechar depois que num domingo, 29 de novembro de 1964, dom Helder fez uma palestra sobre o Concílio numa emissora de televisão do Recife. A audiência era considerável. Em sua programação, a emissora anunciara várias vezes a presença do arcebispo, num convite aos católicos. Dom Helder iniciou com os agradecimentos de praxe à emissora, mas retificou que se dirigia a todos os telespectadores e não só aos católicos, já que entendia que o Concílio interessava também aos que não tinham nenhuma religião. Os bispos, reunidos com o papa, haviam decidido por uma reforma interna da Igreja, para aprimorar seu lado humano e trabalhar pelo ecumenismo, aproximando-se das outras religiões.

Até aí, tudo bem, mas ele achou que devia defender a proximidade do papa e dos bispos em relação ao povo e deu um exemplo: "É bom que o bispo entre nas filas e escute o povo. Veja, ouça, sinta a reação do povo na hora dura em que a carne está a 1.400 cruzeiros e o feijão marchando para 500 cruzeiros... Conheça o que o povo está pensando da modificação da lei do inquilinato". A palestra continuou aludindo a outros assuntos do Concílio, entre eles o problema dos países em desenvolvimento, sufocados pelos países ricos e suas empresas multinacionais.

Logo na segunda-feira, o general Muricy, chefe da 7ª Região Militar, em nome também do IV Exército, foi manifestar ao arcebispo a "estranheza" que ele e vários de seus companheiros de armas sentiram em relação ao pronunciamento na TV: "A alocução foi tida como antirrevolucionária e subversiva". Falar daquela forma sobre o custo de vida foi visto como um "perigoso insuflamento antirrevolucionário e de indiscutível tom demagógico-esquerdista". As palavras sobre o desenvolvimento foram interpretadas como típicas de um "vermelho".

Dom Helder bem que tentou se defender, dizendo que de forma alguma sua intenção era criticar a "Revolução". Mas o general Muricy tinha outro argumento: ele "não fizera nenhum elogio à Revolução e nenhuma alusão às comemorações da véspera contra a intentona comunista de 1935...".

O encontro terminou cordialmente, os dois eram amigos, cada um cumpria o seu papel. Dom Helder não concordou com a advertência, mas também não se exaltou. A situação ficou em suspense. Ficara clara a nova postura de alguns militares em relação ao arcebispo. Por sua vez, dom Helder assume para si e para os amigos a postura que teria dali em diante: "Não pretendo cometer nenhuma imprudência. Mas não desejo, de modo algum, acovardar-me e silenciar".

Não demoraria uma nova troca de "impressões" entre um oficial e o arcebispo. No início de janeiro de 1965, dom Helder foi ao aeroporto de Recife receber o núncio dom Sebastião Baggio. O IV Exército mandou como representante o general Lira para prestar honras militares ao visitante. Dom Helder e o general Lira ficaram, então, lado a lado. Quando encontrou ocasião, em um tom grave, embora continuasse sorrindo para a multidão, o oficial passou-lhe um novo recado: "O IV Exército não reconhece ao arcebispo o direito de manifestar-se sobre política externa, ainda menos de criticar os Estados Unidos".

Nessa época chegou a Recife um convite de uma entidade francesa, a Associação dos Amigos de Teilhard de Chardin, para que dom Helder desse uma conferência sobre o filósofo jesuíta. O convite foi aceito, mais como justificativa para uma rápida visita ao Vaticano, a fim de tentar uma audiência com o papa, mas era também um excelente álibi para não celebrar a missa comemorativa do primeiro aniversário do golpe militar, em 31 de março de 1965, como era o desejo das autoridades militares da região.

A viagem ocorreu no final de março de 1965. Em Roma, dom Helder instalou-se novamente na Domus Mariae e, enquanto esperava que o papa decidisse recebê-lo, contatava amigos e autoridades políticas e religiosas, se preparava para a última sessão do Concílio Ecumênico. No dia 4 de abril, o embaixador do Brasil na Santa Sé, Henrique de Souza Gomes, foi visitá-lo antes do almoço. Queria uma conversa amigável, não oficial. Apenas pretendia alertá-lo sobre "o ninho antirrevolucionário" formado pelos brasileiros exilados políticos em Paris. O embaixador fora informado pela embaixada do Brasil na França de que os exilados tentariam explorar o nome de dom Helder com o objetivo de ganhar mais publicidade e atacar o regime ditatorial do Brasil.

O restante da conversa nos relata o próprio arcebispo: "Expliquei, não ao embaixador, mas ao amigo, as precauções que, espontaneamente, já tomara para evitar explorações: estou sendo esperado na quinta-feira, às 13 horas. Irei antes, se Deus quiser... Terei um hotel, contratado pela Associação dos Amigos de Teilhard de Chardin, como residência oficial. De fato, ninguém saberá onde vou ficar em Paris...". O fato é que várias autoridades ligadas ao governo brasileiro tratavam de fechar o cerco em torno dele, inibindo-lhe a atuação, restringindo seu raio de ação.

De volta ao Brasil, os sinais de que teria novos problemas estavam à vista nos muros de Olinda e Recife, onde apareceram, pichadas, frases como "Viva dom Helder" e "Dom Helder é o nosso líder", sempre assinadas pelo proscrito Partido Comunista Brasileiro. Dom Helder percebeu a provocação, atentando para o detalhe de que as pichações estavam quase sempre próximas dos quartéis, e evitou amplificar a fraude dispensando-lhe muita atenção. Na realidade, considerava que tinha sob controle a situação política na Arquidiocese: "Restrição mesmo só de uma ala extremada e radical. Mas restrição discretíssima, mesmo porque, além dos pequenos e humildes, tenho os industriais (que me têm como pioneiro do desenvolvimento), os comerciantes, os intelectuais e o grosso das famílias grã-finas".

A situação de dom Helder só não era insuportável porque mantinha um ótimo relacionamento com Brasília, a ponto de, no final de maio de 1965, chegar ao Palácio de Manguinhos a notícia de que o próprio presidente da República telefonara para Recife a fim de apurar a origem do boato de que os oficiais do IV Exército planejavam sua prisão.

Enquanto se mantinha inacessível aos repressores, o mesmo não se pode dizer dos militantes da JUC e do MEB e de membros do clero, constantemente perseguidos, presos e interrogados sobre suas atividades supostamente subversivas. O arcebispo achava que a saída para esse tipo de problema seria melhorar o relacionamento com os militares. Em algumas ocasiões, parecia até não haver nenhuma divergência entre as partes. Na festa do Dia do Soldado de 1965, dom Helder chegou a acanhar-se "com o excesso de atenção e de homenagens da parte do general Lira", aquele que o advertira na recepção ao núncio. O arcebispo chegou um pouco atrasado e ocupou um lugar discreto, meio escondido. Ao revistar as tropas, general Lira percebeu sua presença e "fez um escândalo", ordenando que seu ajudante de ordens o levasse ao lugar de honra no palanque.

Mesmo sob muita chuva, a tropa não interrompia o desfile e um outro general chegou a comentar, em tom sério, mas zombando do arcebispo: "Agora dom Helder vai dar um jeito de parar a chuva". O arcebispo não aceitou a provocação, mas outra foi a atitude de seu anjo da guarda: "José aceitou o desafio (sem que eu nada pedisse), como, não sei... A chuva estancou e todo o resto da parada se fez de céu azul... Houve gozação com o general, da parte do general Lira".

Na mesma ocasião, o general Muricy recebera a insígnia de Grande Oficial do Mérito Militar, o que fez com que dom Helder resolvesse pregar um "susto" nos militares. Ele tinha insígnia igual pela Marinha, Exército e Aeronáutica e compareceria devidamente condecorado na parada de 7 de setembro. No íntimo, participava a contragosto desse tipo de solenidade. Durante a festa do Dia do Soldado, por exemplo, ficou o tempo todo rezando pela "paz no mundo e pela rápida e total redemocratização do país".

O relacionamento de cooperação e camaradagem se estenderia ainda por vários meses, facilitado pela chegada do general Setúbal Portugal ao IV Exército. Setúbal era primo de Franci Portugal, grande amiga e antiga colaboradora de dom Helder. A partir daí, mais de uma vez, quando passava pelo Rio, o general recebia da prima a incumbência de levar alguma encomenda para o arcebispo. O general Portugal também tinha por ele uma grande e velha admiração, desde que em 1959, quando do estouro do açude de Orós, no Ceará, ele havia comandado a operação de salvamento das vítimas da enchente, e "mais da metade de tudo que distribuiu" para os flagelados tinha como origem a campanha "Orós precisa de nós", organizada por dom Helder no Rio.

A situação começou a mudar radicalmente na Semana Santa de 1966. No final da procissão, na sexta-feira, com a presença das "mais altas autoridades do estado", o general Muricy resolveu fazer a dom Helder um apelo de "amigo": não passava "despercebido às autoridades revolucionárias" que o arcebispo sempre descobria "uma viagem nas grandes datas da Revolução", chegara até a "haver apostas dentro do IV Exército" em torno da sua presença ou ausência nas comemorações do segundo aniversário do regime. Por via das dúvidas, mesmo sem a concordância prévia de dom Helder, já estava sendo anunciada pela televisão sua presença nas comemorações. Para convencê-lo, general Muricy chegou a pedir-lhe "desculpas por haver cancelado uma semana de estudos sobre o Nordeste" promovida pelos estudantes e na qual o arcebispo falaria na abertura: "Havia indícios seguros de ligação com Cuba. Os estudantes planejavam a rearticulação da UNE" argumentou o general.

O comentário de dom Helder a essa justificativa deve ter desagradado seu interlocutor:

> – General Muricy, até quando a "Revolução" pretende manter os jovens em estado de frustração generalizada?...

Não se conhece a resposta, mas o resultado imediato da ação do general dom Helder percebeu assim que voltou ao Palácio de Manguinhos: "A meninada me aguardava em casa feliz com a promoção (é propaganda imensa a freada que lhes deu o IV Exército)".

No sábado e no domingo, dom Helder viajou à Paraíba para fazer o discurso de boas-vindas a dom José Maria Pires, o dom Pelé, que tomava posse na Arquidiocese de João Pessoa. Causou sensação o discurso de dom José, iniciado no estilo de João XXIII: "Permitam que me apresente. Tenho 47 anos de idade. Sou filho de uma doméstica e de um carpinteiro". Logo depois da posse, entusiasmado, um padre que estava ao lado de dom Helder comentou: "O homem é tão inteligente e tão simpático que a gente nem se lembra de notar que ele é preto".

A saudação do arcebispo teve tom forte e polêmico para a época: defendia a reforma agrária e um modelo de desenvolvimento voltado para melhorar as condições de vida dos nordestinos e denunciava o "colonialismo interno" que fazia com que "brasileiros se enriquecessem à custa de brasileiros, mantidos em situação igual ou pior do que a dos antigos colonos africanos ou asiáticos".

Na madrugada, o próprio dom Helder faria um balanço de sua atuação em João Pessoa:

> ... é difícil prever a reação do discurso pelo Brasil afora. Aqui, foi um delírio. Temi que a multidão não seguisse o tema que eu vinha desenvolver. O Nordeste está maduro para entender o desenvolvimento. Tive de fugir para não roubar a noite a dom José Maria (que, no

entanto, causou a melhor das impressões). Tive de fugir para não ser linchado às avessas... Está firmado o eixo Recife-João Pessoa. O arcebispo endossou, de público, o meu discurso de ontem. Estamos perfeitamente sintonizados... Tive a impressão de que as armas se dividiram: enquanto a Marinha aplaudia, o Exército e a Aeronáutica fechavam a carranca... O governador João Agripino disse e repetiu: "Sou seu aliado. Nas horas difíceis, lembre-se disso".

Na segunda-feira, 28 de março, o general Muricy resolveu dar uma passada por Manguinhos e achou que o Palácio "lembrava a ONU", tal a quantidade de visitantes estrangeiros ao redor de dom Helder, entre eles um padre anglicano inglês e uma comissão de deputados e senadores franceses. O general insistia para que dom Helder celebrasse a missa campal em homenagem ao aniversário da "Revolução". A insistência soou ao arcebispo como um "amável *ultimatum*", colocando-o em verdadeira sinuca de bico: "Ir é horrível. Não ir é passar recibo de adversário da Revolução", pensava ele. Para pressioná-lo ainda mais, o IV Exército instruiu a Agência Nacional de notícias a cobrar-lhe uma declaração sobre a "Revolução", o que não pretendia fazer: "Se eu der a que a minha consciência me inspira, é impublicável! Que fez esta pobre Revolução em dois anos?... E como vai sair da situação que armou? Se ao menos me deixasse em paz!".

A "Revolução" e os "revolucionários" não pretendiam deixá-lo em paz. O IV Exército insistentemente divulgava por rádio e televisão a presença do arcebispo como celebrante da missa campal. Dom Helder sabia dos interesses políticos em torno da comemoração. O ministro da Guerra, general Costa e Silva, estaria presente para divulgar sua candidatura à Presidência da República, e o general Muricy pretendia lançar-se candidato ao governo de Pernambuco.

Na noite de terça-feira, vários amigos, colaboradores, padres e militantes da Ação Católica chegaram ao Palácio para insistir a dom Helder que não fosse. "Não é fácil ser bispo", concluiu ele, sem saber o que fazer para livrar-se do embaraço causado propositadamente pelos militares. Mas, atendendo aos apelos dos amigos e assessores, resolveu não comparecer. No dia 30, foi o capelão militar chefe quem levou uma carta dirigida ao general do IV Exército:

> Em consciência, acabei sentindo a impossibilidade de celebrar a missa campal de abertura dos festejos do segundo aniversário da Revolução. A cerimônia é tipicamente cívico-militar e não religiosa. E há sérias razões para nela descobrir uma indiscutível nota política. O capelão chefe celebrará a Santa Missa. Privadamente, pedirei a Deus que ilumine os chefes revolucionários, de modo a poderem corresponder, sempre mais, às graves responsabilidades que assumiram ante o País. Disponha sempre, Ex.ª, do amigo em J.C.

Dom Helder não esperava que a reação do general do IV Exército à sua decisão fosse tão dura. Pessoas de sua confiança ouviram do general frases de conteúdo inequívoco: "Vamos partir para liquidar este homem"; "Precisamos tirar esta pedra do caminho". "Já está sobrando este cavalheiro". O general Muricy, em pronunciamento na televisão, condenou a "interpretação malévola e inconcebível da mais alta autoridade eclesiástica de Pernambuco, que descobriu intenções políticas nas comemorações da Revolução". Para dom Helder, ficava claro que ocorreriam represálias.

O IV Exército divulgou nota oficial sobre o episódio no dia 1º de abril. Depois de anunciar o sucesso da comemoração, a nota lamentava a explosão, em vários pontos da cidade, de nove bombas, no dia 31 de março, insinuando que teriam alguma relação com a atitude de dom Helder de se recusar a celebrar a missa de aniversário da "Revolução".

De fato era de esperar o pior. No mesmo dia da nota do IV Exército, vários militantes do movimento estudantil, do MEB e da JUC foram presos, entre eles a irmã do padre Marcelo Carvalheira, reitor do Seminário Regional. Envolvendo-o pessoalmente, dom Helder recebe informações confidenciais de que a cúpula militar do estado o denunciara aos superiores como comunista e "pessoa não grata à Revolução". Os militares reivindicavam seu afastamento de Recife. O próprio dom Helder acaba vislumbrando a possibilidade de sua transferência, como se pode perceber por um poema escrito na vigília de 3 de abril de 1966:

> A velha árvore
> Será de novo transplantada
> quem sabe até
> para terreno distante e estranho?...
> Se és árvore
> nem pensar, pensas.
> Estás em absoluto
> nas mãos do Pai...

No frigir dos ovos, o prestígio de dom Helder no Vaticano e o desejo do governo brasileiro de não se indispor com a Igreja pesaram muito mais que a capacidade de pressão do IV Exército, o que garantiu sua permanência em Recife.

A propósito das explosões, dom Helder nem sequer sabia de onde vinham: "Não sei de onde partem os gestos insensatos, absurdos e contraproducentes de terrorismo... Tenho horror a qualquer tipo de guerra. Tenho mais que horror às guerrilhas, que me parecem essencialmente traiçoeiras e anticristãs".

Como pessoa muito bem relacionada nos círculos do poder não teria sido difícil, muito menos surpreendente, para ele celebrar a missa campal. No ano seguinte, o IV Exército já estava sob o comando do general Souza Aguiar, que voltou a convidá-lo para o mesmo tipo de solenidade. Desta vez a negativa ao convite foi justificada em sua costumeira correspondência aos amigos do Rio:

> Recife, 30-31/3/1967
> 3º aniversário da revolução brasileira. Vigília mais longa pedindo por nossa terra. O general do IV Exército esteve em nossa casa, para visitar-me e fazer-me apelo de amigo: que eu celebrasse a missa de aniversário da Revolução... Que ao menos dela participasse! Fui amavelmente firme. Intransigente. Sou pastor. Se tenho filhos que veem no movimento de 31-3/1-4 a salvação nacional, tenho outros, não menos numerosos, feridos, esmagados, de maneira injusta, por ele.
> Nem sequer neguei o meu próprio pensamento: o movimento não merece ainda o nome de revolução; impediu, em grande parte, a arrancada do desenvolvimento, pelo bom pretexto de sanear nossa moeda; sacrificou demais o povo; humilhou demais o Brasil diante dos Estados Unidos.

No balanço realizado pelo arcebispo, muito mais que seus vínculos com os "filhos" que ajudaram a instalar o regime autoritário, pesou o sofrimento dos filhos "feridos, esmagados, de maneira injusta" pelo novo regime. E que filhos eram estes? Desde que se tornara vice-assistente nacional da Ação Católica Brasileira, no final dos anos 1940, dom Helder incentivara o nascimento de movimentos leigos especializados: ACO, JUC, JEC, JOC etc. Entre 1952 e 1962, foi assistente nacional da Ação Católica. Seu mandato coincidiu, não por acaso, com um crescente engajamento desses movimentos nas lutas políticas pela transformação estrutural da sociedade brasileira.

Por conta de sua radicalização política, nos anos 1960 a JUC torna-se a principal força do movimento estudantil brasileiro. Em 1962, esse processo de radicalização culmina na fundação de um movimento livre do controle da hierarquia da Igreja, a Ação Popular (AP), criada para preparar a revolução brasileira pela mobilização popular. Na liderança da nova organização, entre outros, estão Herbert José de Souza, o Betinho, Luís Alberto Gomez de Souza, Haroldo Lima e Aldo Arantes.

Durante o governo de João Goulart, a AP teve um considerável crescimento de sua influência política não só no movimento estudantil, mas também entre operários e camponeses, principalmente do Nordeste, onde a organização atuava em meio ao Movimento de Educação de Base.

Dom Helder considerava seus "filhos espirituais" todos os militantes oriundos dos movimentos de Ação Católica, rurais ou urbanos, e os educadores do MEB, justamente os alvos principais da repressão política iniciada com o golpe de 1964. Embora mantivesse estreitos laços de amizade com vários integrantes da cúpula militar do país, desde que percebera que seus "filhos espirituais" estavam sofrendo nas prisões ou no exílio, passou a usar sua influência para protegê-los. Esse foi o principal ponto de discórdia que levou à crise de relacionamento entre ele e os generais do IV Exército.

CONFRONTOS E ENTENDIMENTOS

> *Minhas boas relações com os presos comuns da Detenção trouxe, na época da Páscoa, uma surpresa agradável e honrosa. Fui convidado por um dos detentos para assistir ao ato religioso relativo à data e que seria celebrado por D. Helder Camara, arcebispo de Olinda e Recife. Vinha acompanhando com interesse a atuação desse eclesiástico, principalmente seus pronunciamentos humanitários após o golpe de 1964. Não o conhecia pessoalmente e a Páscoa seria uma ocasião para ver essa figura, que se tornara célebre em defesa dos presos políticos torturados e assassinados nas prisões da ditadura fascista. Fui, vi e ouvi a pregação, destinada não apenas aos presos comuns, mas também aos religiosos das igrejas de Nossa Senhora do Carmo, de Santa Teresinha e de algumas outras, que formavam verdadeira multidão.*
>
> Gregório Bezerra, *Memórias*

Em abril de 1966, dom Helder realizou uma viagem de quinze dias a Itália, Bélgica e Suíça, que ajudou a esfriar os ânimos da cúpula militar de Pernambuco. Em junho, mesmo em rápida passagem por Recife, Castelo Branco fez questão de visitá-lo. Sobre esse encontro, dom Helder escreveria que "o presidente, em sua passagem-relâmpago, foi muito amável. Pela primeira vez, reencontrei o general Muricy, que não podia ter sido mais caloroso e gentil... Também, diante da atitude do presidente...".

Mas, como era de prever, não demorou muito a deflagração de novo conflito entre ele e alguns militares do Nordeste. Ainda em março de 1966, a Ação Católica Operária (ACO) realizou um encontro em Recife do qual resultou uma declaração pública sobre as péssimas condições de vida e as perseguições impostas à classe operária no Nordeste: "Há como que todo um plano em execução para destruir pessoas, pela destruição de sua dignidade e de seus direitos..."

A declaração era polêmica para a conjuntura política em que vivia o Brasil? Nem tanto. Publicado antes do conflito em torno da missa campal do segundo aniversário da "Revolução", o próprio dom Helder reconheceu que o manifesto da ACO fora "aprovado pelo general Portugal, depois de maduro exame".

Quatro meses depois, porém, quatorze bispos da Regional Nordeste II da CNBB (Alagoas, Paraíba, Pernambuco e Rio Grande do Norte) tiveram um encontro em

Recife e, para demonstrar o apoio aos movimentos de Ação Católica que andavam sendo atacados até mesmo dentro da Igreja brasileira, fizeram uma declaração avalizando o manifesto da ACO. Na declaração, havia um pronunciado tom de crítica às condições dos trabalhadores, mas também cuidado em não ferir a suscetibilidade dos militares. Por isso, dom Helder estranhou quando, em 15 de julho de 1966, "o IV Exército forçou o *Jornal do Comércio* a receber como agressão insólita e descabida a nota inocentíssima que resultou do encontro dos bispos. O jornal foi proibido de publicar a nota e forçado a agredir a Igreja...".

Se ficou surpreso por essa atitude do IV Exército, em relação à subserviência dos dois maiores jornais de Recife, dom Helder indignou-se: "Os dois grandes jornais daqui – *Jornal do Comércio* e *Diário de Pernambuco* – serão julgados com muita dureza no futuro... Acovardam-se. São uns bonecos ridículos, uns fantoches, cujos cordões um sargento maneja...". O arcebispo sentiu-se ofendido porque o *Jornal do Comércio*, além de não publicar o manifesto, em uma matéria sem assinatura criticou duramente os bispos.

Dom Helder resolveu interpelar o dono daquele jornal, Paulo Pessoa de Queiroz, proprietário também da TV Jornal do Comércio, onde o arcebispo tinha um programa chamado "Sementes de Meditação". Queiroz reconheceu que seu jornal estava seguindo ordens do IV Exército e se prontificou a retificar o editorial de crítica aos bispos, mas além de não cumprir essa promessa, criou toda sorte de dificuldades para impedir que os bispos fizessem um esclarecimento público em sua emissora de TV. Seguiu-se, então, intricada polêmica jornalística, com a publicação de cartas trocadas entre Queiroz e dom Helder em torno das exigências para que os bispos participassem de um debate na televisão (exigido pelo arcebispo como direito de resposta às acusações recebidas e que Queiroz se comprometera a levar ao ar).

Investigando os fatos, dom Helder chegou à conclusão de que quem estava criando problema para os bispos era "o general Muricy, cujo despeito pela não candidatura (ao governo do estado) está dando em terrível acirramento de radicalização". Como justificativa para sua atuação, os bispos encerravam sua declaração com uma citação de Lucas (21,28): "Reanimai-vos e levantai vossas cabeças, porque se aproxima a vossa redenção". "O IV Exército conclui daí", escreve dom Helder, "que os bispos preparam uma contrarrevolução, sintonizados com uma ordem de Cuba, transmitida por Fidel Castro".

O clima político na cidade não era favorável para serenar os ânimos. Só em 24 de julho, por exemplo, três bombas explodiram em Recife. Uma na sede da Agência Norte-Americana para o Desenvolvimento Internacional (Usaid), uma na União dos Estudantes Pernambucanos, sob o controle de "adeptos do general Muricy", e a terceira no Aeroporto, onde feriu treze pessoas e matou duas. No dia seguinte, o general Costa e Silva teria um encontro com dom Helder, articulado por Nilo Coelho, que se tornaria governador de Pernambuco em 1967, mas não compareceu, alegando "a situação excepcional em que encontrou a cidade". No Rio, o jornal *Última Hora* chegaria a publicar que o IV Exército atribuía a dom Helder a responsabilidade pelas bombas.

Em 31 de julho, o senador Pessoa de Queiroz, pai de Paulo Pessoa de Queiroz, por um emissário, fez um apelo a dom Helder para que colocasse um fim ao desentendimento com seu filho e insistiu para que o programa de esclarecimento dos bispos na TV não se realizasse. Paulo Pessoa de Queiroz reconheceu que não estava conseguindo "controlar a própria empresa", que estava "recebendo pressão direta do IV Exército". A partir daí ocorreram os entendimentos entre dom Helder e a família Queiroz que resultaram num acordo, tornado público em 7 de agosto, que cancelava a ida dos bispos à televisão, com a alegação de que o debate poderia levar a uma "radicalização político-social que não interessa à nação".

Nesse meio-tempo, no dia 6 de agosto, dom Helder é informado de que o Manifesto dos Bispos do Nordeste repercutira também na 10ª Região Militar, de Fortaleza, onde o comandante, general Itiberê Gurgel do Amaral, distribuíra duas circulares "secretas" a alguns padres cearenses, acusando-o de "agitador", de estar no "campo dos esquerdistas ligados à Ação Popular" e de criticar injustamente "o governo revolucionário". Um dos auxiliares do arcebispo, inclusive, trouxera-lhe a cópia de uma carta redigida por vários padres das dioceses cearenses protestando contra as acusações e pedindo esclarecimentos ao general. Seis dias depois, as tais circulares "secretas" seriam publicadas no primeiro caderno do *Jornal do Brasil* sob o título "Exército acusa padre Helder de agitador", ganhando repercussão nacional.

Não satisfeito com as denúncias políticas, o general incursionou também pelo terreno religioso, para acusar o arcebispo de dividir "o rebanho católico... exacerbando os conflitos de gerações, lançando os jovens contra os pais nos debates relacionados à bossa-nova, aos cabelos compridos dos homens, às vestes escandalosas e aos namorados licenciosos". As circulares desciam aos detalhes, insinuando a cumplicidade de dom Helder nos frequentes "escândalos de padres e freiras abandonando os hábitos para casar" e nos "escândalos maiores" provocados por um padre da paróquia de Espinheiro, Pernambuco, com sua barba "à moda de Fidel e correndo de lambreta com outros *playboys*...".

Ainda segundo o general, dom Helder gostava de apresentar-se "na televisão com excessos histriônicos e atitudes de vedete..." e era mais "um ideólogo político – a serviço indireto de uma causa que estava se valendo, nacional e internacionalmente, dele – que um sacerdote unicamente a serviço de sua Igreja".

Na realidade, as circulares, de número 143/66, haviam sido preparadas pelo IV Exército, mas deveriam ser distribuídas ao clero pelos chefes militares de cada região. Analisando a origem e o teor dos documentos, Thomás Bruneau concluiu "que elementos do Exército estavam tentando isolar dom Helder da instituição maior, implicando que a Igreja era pura e fiel, mas que ele e seus adeptos estavam tentando corrompê-la".

Amplificadas, as divergências do IV Exército com o arcebispo de Olinda e Recife poderiam até resultar no rompimento das relações entre Igreja e Estado no Brasil, rompimento, aliás, indesejado pelas duas partes – o jornal *O Globo*, por exemplo, chegou a tratar o conflito como uma "crise eclesiástico-militar".

Leigos, padres e bispos de várias partes do Brasil, progressistas e conservadores, imediatamente manifestaram solidariedade a dom Helder, com o intuito não só de defendê-lo das acusações, mas também de proteger sua instituição de ataques externos. Apenas um mês depois de iniciada a crise, a Igreja já contava com cerca de vinte mil assinaturas recolhidas em todo o país, em um abaixo-assinado em solidariedade a dom Helder – entre os católicos a rejeição pública ao Manifesto dos Bispos restringiu-se ao bispo conservador dom Antônio de Castro Mayer e ao leigo integrista Gustavo Corção. Para motivar ainda mais a reação católica, corria o boato de que o chanceler Juracy Magalhães teria solicitado a saída de dom Helder de Recife num encontro com Paulo VI, em 24 de julho de 1966, no Vaticano.

Mas o apoio ao arcebispo não foi apenas de membros da Igreja. Vários políticos do MDB telegrafaram manifestando-lhe solidariedade. Até da Arena chegou-lhe apoio, em nota divulgada pelo deputado governista Nelson Marchesan, do Rio Grande do Sul, considerando-o exemplo do que "existe de melhor na igreja". O candidato ao governo de São Paulo, Roberto de Abreu Sodré, apoiou publicamente o Manifesto dos Bispos e declarou que o conflito provocado pelas circulares do general Gurgel do Amaral contra dom Helder fora um "mal-entendido". Uma das mensagens veio de um ex-presidente da República:

> Eloah e eu mandamos, ilustre prelado, nossa solidariedade e respeitosas saudações. Jânio Quadros.

Até o ex-governador da Guanabara, Carlos Lacerda, antigo desafeto do arcebispo, publicou um artigo defendendo o direito dos bispos de emitirem sua opinião sobre a situação política e social do país. No meio militar, repercutiu a atitude do general Amaury Kruel ao declarar que "o incidente entre o Exército e dom Helder Camara é uma intromissão lamentável dos militares na Igreja, que procura resolver os problemas sociais daquela região".

Contra dom Helder posicionaram-se o jornal *O Estado de S. Paulo*, que publicou um editorial para criticar "sua dissimulada miopia de crítico e agitador" e, para surpresa do arcebispo, o sociólogo pernambucano Gilberto Freyre, com quem vinha mantendo uma ótima relação desde que chegara ao Recife. Em vários artigos jornalísticos, Freyre criticou-o duramente, acusando-o de ser "mais político que sacerdote", de fazer o jogo do comunismo, de utilizar-se da miséria do Nordeste para fazer demagogia e de ser contrário à "Revolução" militar de 1964. Não satisfeito, Freyre ainda o comparava ora ao nazista Goebbels, por seu passado integralista e pela habilidade com que fazia a "propaganda política" de suas ideias, ora a Kerenski, chefe do governo provisório russo em 1917, argumentando que "... há em meios estrangeiros quem sonhe com o arcebispo Helder Camara na Presidência da República do Brasil. Seria o Kerenski brasileiro..." (viabilizando a tomada do poder pelos comunistas).

Já era hábito do arcebispo não ler, e muito menos comentar, o que era publicado sobre ele na imprensa – para evitar ficar ofendido em caso de críticas, ou vaidoso em caso de elogios –, mas dado o prestígio nacional e internacional do sociólogo, seus colaboradores em Recife insistiram tanto que conseguiram convencer dom Helder a escrever uma resposta. No final, o texto com a resposta a Gilberto Freyre acabou se tornando um quase-manifesto no qual o arcebispo esclarecia aspectos essenciais do seu pensamento, rebatendo as críticas que, embora tivessem vindo à luz pela pena do sociólogo, sintetizavam as opiniões defendidas pelos setores mais à direita do cenário político nacional.

Como o confronto com a Igreja católica era tudo que o regime ditatorial, ainda em fase de consolidação, não queria, o próprio presidente da República decidiu, então, intervir, como conta o próprio arcebispo:

À noite, de volta da TV, na madrugada do dia 8 de agosto de 1966 – encontrei um cartão de Nilo Coelho (candidato a governador pela Arena e amigo íntimo do presidente Castelo Branco). Estivera aqui. Voltaria porque tinha urgência de falar comigo...
Voltou. Declarou-me que chegara de Brasília, para onde regressará hoje. Veio apenas trazer-me mensagens diretas e pessoais do presidente.
Ele mandava dizer-me que falava menos como presidente que como conterrâneo e amigo... Fazia-me, de saída, um apelo: encontrasse um meio inteligente de não haver o debate esclarecedor... Ele se transformaria no alçapão que anda procurando o IV Exército. (O Nilo procurou-me na TV, mas chegou depois de minha saída, ao saber do cancelamento do programa, correu à Western para tranquilizar o presidente...)
O presidente queria que eu soubesse que considera ato de... não inteligência (usou a palavra que começa com "b" e é ofensiva aos jumentinhos) a proibição, que ele desconhecia, de divulgar a Declaração dos Bispos do NE II. Comunicou-me, então, o baile que vai fazer:
– substituirá o general do IV: homem bom, *gentleman*. Revelou, no entanto, segundo o presidente, pulso pouco firme. É a maneira mais fácil de tirar daqui o general Aragão, que é o chefe de Estado-maior, nomeado pelo general Portugal.
– levará, para arquivo no Ministério da Guerra, o general Muricy, a quem promoverá devidamente...
– interpelará o coronel Ibiapina, transferido para Santa Catarina e cuja presença aqui poderia, em rigor, dar em cadeia...
Aproveitei e apresentei ao Nilo a carta dos padres cearenses ao general da região de lá. É bom que o Nilo vá conhecendo o clima militar daqui. Pediu-me cópia do documento.

Dom Helder visita o general Souza Aguiar, comandante do IV Exército.

Sugeri cabograma do presidente, exigindo cópia da circular sigilosa 143/66, oriunda do IV Exército e difundida entre os padres do NE e do Norte em nome das respectivas chefias militares regionais. Agradeci ao presidente a fineza da intervenção; a garantia espontânea de desmontar o dispositivo militar que se armou contra mim; o testemunho de como vê minha atuação na região como bispo da Santa Igreja...

A atitude de boa vontade em resolver a crise, demonstrada por dom Helder a Nilo Coelho, fez com que na semana seguinte, no dia 15 de agosto, Castelo Branco fosse ao Recife para encontrá-lo. Dias depois, o presidente cumpriu sua palavra, transferindo os generais Gurgel do Amaral, de Fortaleza, e Antônio Carlos Muricy, do Recife. O general Setúbal Portugal perdeu o comando do IV Exército e foi colocado na reserva. Em seu lugar foi nomeado o general Rafael de Souza Aguiar, que tomou posse em 23 de agosto. No dia 25 foi a vez do núncio dom Sebastião Baggio visitar o presidente no Palácio das Laranjeiras, no Rio, declarando, ao final do encontro, que "não existe nenhum conflito entre as autoridades do governo e a Igreja".

O saldo positivo para a Igreja foi a promessa feita por Castelo Branco de que cessariam as perseguições contra membros do clero e de que nenhum padre seria preso "sem a prévia e expressa autorização da presidência da República", conforme escreveu Márcio Moreira Alves. Por sua vez, dom Helder permaneceria à frente da Arquidiocese de Olinda e Recife, contrariando o boato de que a contrapartida da Igreja à intervenção do presidente da República no IV Exército seria sua remoção.

Dias depois de sua posse no comando do IV Exército, à qual não convidou o arcebispo, o general Souza Aguiar tomou a iniciativa de visitá-lo em Manguinhos. No dia 29, dom Helder retribuiria a visita. Assim que o arcebispo chegou ao IV Exército, o comandante chamou seus oficiais para participar do encontro. Pediu fotografias para "fixar aquele momento histórico para o IV Exército" e, olhando para dom Helder, fez um pronunciamento esclarecedor:

Estes, meu arcebispo, são meus colegas e meus comandados. Colegas de farda. Mas comandados porque o Exército tem uma só cabeça. Quem tem mais de uma cabeça é monstro...

Diante de meus comandados desejo reafirmar-lhe o que lhe disse na visita que tive a honra de fazer-lhe: não consigo entender como se possa descobrir subversão no Manifesto dos Bispos. Por que diz que há miséria no Nordeste? Deveríamos agradecer à Igreja que arrebata do comunismo – para citar uma frase feliz de v. Exª – bandeira certa de mãos erradas.

...Console-se, meu arcebispo: ontem, como hoje e como amanhã, a mediocridade não perdoa a quem vê e, sobretudo, a quem antevê... Continue, Excelência, sua ação admirável no Nordeste. Está certa a sua maneira de combater o comunismo. Está perfeita a sua maneira de ajudar o Brasil.

O final do encontro foi narrado por dom Helder: "Expliquei que não levava intenção de falar. Diante, porém, das palavras do general, sentia-me na obrigação de tecer comentários que deixassem ainda mais clara a intenção dos bispos do Nordeste e as minhas intenções pessoais. Repisei, então, minha maneira de combater o comunismo". Ao se despedirem, seguindo uma sugestão do general, os dois combinaram de se comunicar imediatamente "diante de qualquer sombra de equívoco".

Na mesma noite, apareceu a "primeira sombra de equívoco": a Agência Nacional divulgou uma nota a todo o país insinuando que dom Helder comparecera ao IV Exército para desculpar-se e "aderir à Revolução". Por volta de onze da noite, informado por amigos da imprensa da deturpação do significado de uma visita, dom Helder telefonou ao general pedindo esclarecimentos. O general informou que não fora ele a passar as informações sobre o encontro para a Agência Nacional, comprometendo-se em resolver o caso na mesma hora: "Vou imediatamente ao IV Exército. Interessa-me apurar quem é o intrigante que tenho dentro de casa". Ainda naquela noite, da sede do IV Exército, Souza Aguiar telefonou a dom Helder comunicando-lhe que já tomara as "providências para repor a verdade...".

Logo depois da posse do general Souza Aguiar, o bom entendimento entre a Arquidiocese e o IV Exército impediu que novos conflitos fossem amplificados. Por certo, de um lado, continuaram as prisões injustificadas e as proibições às manifestações estudantis e, de outro, dom Helder manteve sua posição apaziguadora, que buscava tanto tornar os militares menos intolerantes a quaisquer manifestações críticas à ditadura como evitar que os opositores ao regime praticassem ações que pudessem ser consideradas provocativas pelos militares.

Mas em algumas circunstâncias, ele próprio agia de forma a deixar escandalizadas as autoridades pernambucanas. Um exemplo disso ocorreu em sua visita à Casa de Detenção, no domingo, 9 de abril de 1967. Acompanhavam-no o governador do Estado, o presidente do Tribunal de Justiça, o secretário de Segurança Pública e o diretor da penitenciária. Para irritação maior deste último, a pregação de dom Helder na Páscoa dos Detentos, lembrou que a penitenciária, construída para 120 presos, abrigava mais de oitocentos, o que a transformava em uma "masmorra desumana", uma "vergonha para o governo".

Quase todos os presos ouviam suas palavras no pátio repleto. Concordando com o arcebispo, diante de todos, o governador Nilo Coelho comprometeu-se em construir até o ano seguinte quatro novos presídios industriais no interior do estado. Terminada a pregação, dom Helder passou a cumprimentar os presos, estendendo a mão e dirigindo algumas palavras a cada um, até chegar ao histórico militante comunista Gregório Bezerra, que, do palanque, percebera no meio da multidão.

Os dois não se conheciam pessoalmente. Dom Helder ficara chocado ao saber das humilhações que Gregório sofrera, ao ser preso, logo depois do golpe militar, conduzido pelas ruas do Recife na carroceria de um caminhão, pés e mãos algemados e pescoço amarrado. Preso no quartel de motomecanização do bairro da Casa Forte, Gregório seria torturado, com requintes de crueldade e sadismo, pelo próprio comandante daquela unidade do Exército, coronel Villoc, que ainda promoveria um novo desfile pelas ruas com o prisioneiro todo ensanguentado, açoitando-o publicamente e convidando os transeuntes a linchá-lo.

Esses acontecimentos foram narrados por Gregório Bezerra em suas memórias, nas quais registrou também seu encontro com dom Helder:

> Quando D. Helder terminou a solenidade religiosa, desceu do palanque e começou a atravessar a multidão, andando na direção em que eu me achava. Supus que viesse

cumprimentar algumas personalidades que se encontrassem perto de mim e, assim, procurei dar-lhe passagem. Ele parou bem na minha frente e disse:
– Gregório, meu amigo, eu o estava vendo, de longe, com a sua cabeça branca, e vim cumprimentá-lo. Como vai a saúde?
– Eu também estava vendo e ouvindo a sua pregação religiosa e aproveito para agradecer, em nome de meus companheiros e em meu nome pessoal, de todo o coração, os seus pronunciamentos humanitários em defesa dos presos políticos torturados e assassinados nas prisões da ditadura militar terrorista que assaltou o poder em 1964. Nós, os prisioneiros políticos, jamais esqueceremos a sua voz de protesto contra os crimes praticados pelos militares em diferentes quartéis das Forças Armadas. Muita saúde e longa vida, é o que lhe desejamos de todo coração!
Foi o que pude dizer, surpreendido e emocionado pelo honroso cumprimento. O momento era impróprio para um diálogo mais longo e despedimo-nos, emocionados.

O encontro também ficou marcado na memória do arcebispo:

Em certo momento, descobri, no meio dos presos, cabeça branca, Gregório Bezerra. Fui direto abraçá-lo. Era pagamento atrasado pelos açoites públicos que ele recebeu, dias antes da minha chegada.
Chorou de emoção o velho forte e me disse: "Se eu tivesse sido solto, minha alegria não seria muito maior do que a de receber seu abraço, Bom Pastor".

Episódios como esse despertavam o descontentamento dos militares do IV Exército. Exatamente por isso, dom Helder não descuidava de seu bom relacionamento com o poder federal. Em agosto de 1967, por exemplo, o presidente Costa e Silva instalou a capital do país por uma semana em Recife e os dois conversaram longamente, sob o olhar curioso das demais autoridades que participavam de um jantar no Palácio do governo. Dom Helder também participaria de um almoço na casa do general Souza Aguiar, em homenagem ao presidente, e de uma recepção a sua esposa. Costa e Silva retribuiria essas "gentilezas" participando da missa dominical celebrada pelo arcebispo no dia 15 de agosto.

Nessa época, já ganhava repercussão a atuação do vereador recifense Wandendolk Wanderley, da Arena, acusando o arcebispo de simpatizar com o marxismo. A propósito das críticas do vereador, dom Helder foi defendido pelo deputado Fernando Lira, do MDB, e, para despeito de seus adversários, a Assembleia Legislativa do Estado ainda o condecorou com o título de cidadão pernambucano. O título foi recebido no dia 25 de setembro de 1967, ocasião em que dom Helder proferiu um discurso denunciando novamente a situação de miséria em que se encontrava a maioria da população nordestina, a despeito dos altos índices de crescimento econômico da região. De novo foi um deus nos acuda, e os jornais pernambucanos publicaram uma avalanche de artigos condenando-o. Até os usineiros se sentiram ofendidos por dom Helder se referir à exploração dos trabalhadores da zona canavieira. O IV Exército, por sua vez, não poderia deixar escapar a oportunidade para pressioná-lo. Dois dias depois, o general Rafael de Souza Aguiar elaborou um ofício "pessoal confidencial", pedindo explicações a dom Helder. O mais curioso é que esse ofício só foi entregue no dia 2 de outubro, o que evidencia uma certa hesitação por parte do militar. Para encurtar a história, o general Souza Aguiar, apoiando-se em um trecho do discurso em que dom Helder denunciava "a acentuada ingerência de estrangeiros nos negócios e no campo militar", pede que lhe seja esclarecida essa afirmação, para que fosse desvendada "a aludida e indesejável presença em nosso campo militar de acentuada influência alienígena".

Dom Helder não se intimidou e respondeu ao ofício do general também por escrito. Embora reconhecesse que não participava dos segredos militares, recordou ao general a dependência das Forças Armadas brasileiras em relação aos Estados Unidos, sem esquecer, é claro, de condenar também o que chamava de "Império Socialista". Para não deixar dúvida sobre seu posicionamento, fez ainda um apelo ao comandante do IV Exército: "Vossa Exª não me fará a injúria de imaginar que sonho com a libertação dos Estados Unidos para ver o Brasil lançar-se na órbita da União Soviética ou da China Vermelha". Como a troca de correspondências foi confidencial, a cordialidade entre os dois missivistas acabou fazendo com que aparentemente a situação ficasse por isso mesmo.

Militares, bispos conservadores, políticos e jornalistas de direita, usineiros... a lista dos setores sociais melindrados pelos discursos do arcebispo aumentaria em 26 de janeiro de 1968. Desta vez, por um discurso pronunciado no encerramento do I Encontro das Federações de Trabalhadores Rurais, na cidade pernambucana de Carpina, sentiram-se ofendidos os magistrados. Lá pelas tantas, ao defender o acesso dos trabalhadores à justiça, dom Helder emitiu uma opinião tão polêmica quanto de senso comum: "...O governo sabe que, sobretudo no interior, a polícia não tem meios de resistir ao ricaço local, mandachuva, todo-poderoso, que controla, direta ou indiretamente, a política, a polícia, o juiz de direito e os jurados". O arcebispo, então, precisou explicar na justiça as "acusações", mas como não citara nomes se livrou da interpelação judicial. Na realidade, o episódio deixou evidente para dom Helder que vários setores estavam tentando tornar insuportável para ele a permanência em Recife e, para isso, usavam de quaisquer subterfúgios.

CONVIVENDO COM A MORTE

Ele me prometeu
que minha descendência
seria numerosa
como as areias da praia
e as estrelas do céu...
Sabe-me velho
e me pede o holocausto
do filho único.
Estou no momento exato
em que amarrei meu filho ao lenho
e vou erguer a espada
para imolá-lo.
Se entrar nos planos divinos,
apenas experimentar-me
e suspender-me o braço,
não digo
que não exultarei...
Se houver o mistério
de a suspensão não vir,
fecharei os olhos,
e imolarei
implacável e confiantemente,
o meu Isac!

Dom Helder, 23-24/8/1969

Surgida logo após o desaparecimento de dom Armando Lombardi, em maio de 1964, uma certa fixação de dom Helder na ideia da própria morte passou a acompanhá-lo de forma intermitente. O tema passou a frequentar as "meditações do padre José" como nunca, desde seus tempos de jovem padre. De vez em quando, o anjo poeta aparecia para deixar um lúgubre recado:

Quando sentires
o primeiro sinal inconfundível
de morte próxima,
não te fies em ti...
Agarra-te com a graça.
Aviva a crença
na vida eterna.
Não peças
um segundo a mais...
Fecha os olhos
e pula

no abismo de misericórdia
da compreensão divina...
(Recife, 2/3-3-1966)

Por vezes também lhe surgiam motivos concretos para esse tipo de preocupação. No dia 15 de junho de 1966, morre sua irmã mais velha, a Maroquinha, que se transformara na irmã Estefânia Maria de Fortaleza, no Rio de Janeiro. As chuvas interditavam o aeroporto de Recife e dom Helder teve de lamentar de longe seu desaparecimento.

Logo no início do mês de julho, morre o bispo chileno dom Manuel Larraín. Coincidindo com um gigantesco cansaço pelo trabalho de socorro às vítimas da enchente em Recife, que o impossibilitava até de escrever sua costumeira correspondência aos amigos, dom Helder ficou muito abalado com a "partida" daquele que considerava seu irmão no episcopado latino-americano: "Até hoje, nenhuma outra morte me lembrou de modo mais vivo e mais duradouro a proximidade de minha própria partida...".

Ainda no final de julho de 1966, morria o padre francês Louis Lebret. Os dois se aproximaram no final dos anos 1950 e dom Helder foi quem viabilizou a atuação do francês como perito no Concílio Vaticano II. Com seu vasto conhecimento econômico, na segunda sessão do Concílio, padre Lebret atuou assessorando dom Helder. Na terceira sessão, ele conseguiu incluí-lo como perito do Esquema XIII, para que defendesse a importância do engajamento da Igreja na luta pelo desenvolvimento econômico do Terceiro Mundo, em razão de suas ideias – pioneiras entre os católicos – sobre a crescente disparidade no desenvolvimento econômico entre o que chamava de "mundo desenvolvido e mundo subdesenvolvido". Quando recebeu o telegrama de Paris anunciando a morte do companheiro de tantas lutas, fez aos amigos uma pergunta que resumia seu estado de espírito: "...Lombardi, Larraín, Lebret. Medem o tríplice aviso que representam para mim estas três partidas?".

Foi exatamente ao final de uma palestra em Recife, em fins de março de 1967, defendendo as ideias que aprendera com padre Lebret, que dom Helder achou que chegara a sua vez. Falava com tanta empolgação, "com tanta alma, vindo tão de dentro", como diria, que sentiu, de repente, um forte "aperto" na altura do peito esquerdo. A palestra foi interrompida imediatamente. Já em casa, o "aperto" voltaria a ocorrer, seguido por forte dor de cabeça.

Os médicos pediram todos os exames possíveis: dois eletrocardiogramas, pressão, perto de 32 exames neurológicos, sangue, urina, fezes, radiografia do crânio e da coluna cervical. Segundo o paciente, os resultados foram "invejáveis" e o diagnóstico, tensão nervosa e estafa.

Alguns dias de descanso o restabeleceriam física, mas espiritualmente dom Helder continuaria abalado, como o demonstrou em uma poesia dedicada ao amigo dom Manuel Larraín:

Manuelito,
Penso em ti, que te foste
arrebatado em plena refrega,
quando os combates principais
ainda vão começar...
Claro que a tua lembrança

me leva a lutar em dobro
por mim e por ti.
Sabes o que mais me consola?
Afora instantes de fraqueza
em que cheguei a pedir
que me levasses contigo,
entrego-me ao Pai,
como sempre fizeste...

Sofreria, ainda, o abalo de outras três mortes ocorridas em julho de 1967. A de Alba Frota, grande amiga de juventude, a do presidente Castelo Branco, ambas no mesmo acidente aéreo, e a de Cardjin, fundador da JOC.

Por tudo isso, a ideia da própria morte tinha presença constante no imaginário de dom Helder. Então, em uma viagem à Europa, em abril de 1968, conversando com seminaristas do Colégio Eclesiástico Brasileiro de Roma sobre um movimento de "não violência" que desejava fundar, a exemplo do movimento liderado por Martin Luther King – aliás, já assassinado – nos Estados Unidos, aventou também "a hipótese de ser eliminado". Mas afirmou isso em tese, ou seja, uma vez que um movimento pacífico comece a mudar mentalidades, no sentido de torná-las favoráveis à transformação estrutural de uma sociedade, poderia despertar reações violentas, como as que levaram aos assassinatos de Gandhi e Luther King.

Uma nova celeuma jornalística envolveu-o então. Sem que soubesse, um representante da agência de notícias France-Presse assistira à reunião com os seminaristas brasileiros e publicou como dele a seguinte declaração: "Minha eliminação é mais fácil do que se imagina e pode ser que esta minha visita a Roma seja a última". O jornal francês *Le Monde* e o inglês *Times* aproveitaram a ocasião para destacar, em seu noticiário, uma suposta ameaça de morte de usineiros pernambucanos a dom Helder.

No Brasil, a repercussão do noticiário foi a pior possível. Novamente o arcebispo de Olinda e Recife era colocado no centro do noticiário nacional dos principais jornais do país. Até o influente Roberto Marinho utilizou um editorial de seu *O Globo*, em 27 de abril de 1968, para um apelo a seu compadre (padrinho de seu filho Roberto Irineu):

> Parece-me – e anseio que esta minha palavra ecoe como um apelo na grande alma de padre Helder – que lhe tem faltado, nestes dias, o senso de medida, que só engrandeceria sua nobre missão, sem em nada diminuir-lhe a atualidade. Mesmo desejando sinceramente a aceleração do processo de participação social no desenvolvimento econômico, não podemos acreditar que dom Helder pretenda, como suas últimas declarações parecem preconizar, incitar o povo ao desespero improdutivo ou a uma revolta cujo fruto, se vitoriosa, seria perdido para os piores inimigos de nossas tradições, de nosso espírito de família e afinal da própria Igreja. As reformas que deseja devem ser conquistadas dentro do regime democrático.

A revista *Fatos e Fotos*, para dar outro exemplo, reproduziu a repercussão jornalística que ocorria na Europa sobre a ameaça de morte e, ao lado de uma foto do rosto de dom Helder que cobria toda a capa da edição de 9 de maio de 1968, perguntava: "Quem quer matar este homem?".

Quando voltou, dom Helder teve de gastar muita saliva e paciência para dar a sua versão sobre o noticiário aos inúmeros jornalistas que o procuraram.

Ainda no mês de maio, o arcebispo voltaria a ser o centro das atenções da imprensa. Desta vez, o *Jornal do Comércio* revela, em primeira mão, que a Delegacia de Ordem Política e Social (Dops) do Recife o fichara como "agitador" político. Mas isso não era nada perto da polêmica que ocorreria por vários meses, a partir de junho, envolvendo um dos seus colaboradores.

Um dos professores do Instituto de Teologia do Recife (Iter) – recém-fundado por dom Helder –, o padre belga Joseph Comblin, elaborara um texto para subsidiar as discussões em torno de um documento do Celam a ser debatido pelos bispos latino-americanos no histórico encontro da entidade ocorrido em agosto de 1968, na cidade colombiana de Medellín. Não é que o aguerrido vereador arenista Wandenkolk Wanderley conseguiu cópia do texto e prometeu divulgá-lo à imprensa, alegando o caráter subversivo do documento?

Comblin foi apresentado em vários jornais do país, e em especial em *O Globo*, como a eminência parda da Arquidiocese de Olinda e Recife e uma ameaça à segurança nacional. Por sugestão de padre Marcelo Carvalheira, dom Helder antecipou-se ao vereador e distribuiu à imprensa "o texto combliniano". Mas um outro seu desafeto no Recife, o advogado Adigo Maranhão, ainda tentou a imputação criminal de Comblin, visando à sua extradição. Embora as acusações não tenham levado imediatamente ao desfecho desejado pelos detratores, em março de 1972, quando voltava de uma viagem à Europa, por ordem governamental, padre Comblin foi proibido de desembarcar no Brasil.

Na II Conferência do Episcopado Latino-Americano, ocorrida entre 24 de agosto e 6 de setembro de 1968, na Colômbia, a participação de dom Helder não seria tão importante como o fora durante as sessões do Concílio. Seu crescente isolamento no interior da Igreja brasileira fizera-o ficar apenas na quarta colocação entre os candidatos escolhidos na IX Assembleia Geral da CNBB para representar o episcopado nacional na Colômbia. Em avaliação do padre José Oscar Beozzo, "o perfil da delegação brasileira refletia a composição do episcopado, mas também a conjuntura que vivia o país e a Igreja, com forte predomínio das posições moderadas e mesmo conservadoras, depois de doze anos (1952-1964) de hegemonia do grupo nordestino capitaneado por dom Helder Camara. O golpe militar de 1964 fechara o espaço do grupo mais progressista".

Paradoxalmente a essa representação brasileira conservadora, o encontro de Medellín, sob orientação direta de Paulo VI, reafirmaria várias teses do Vaticano II e da encíclica *Populorum Progressio*, de 1967, como, por exemplo, a ideia de uma Igreja inserida na busca de soluções para os problemas sociais do continente, abrindo espaço, assim, à consolidação das nascentes Comunidades Eclesiais de Base, orientadas por uma teologia voltada para a "libertação do Povo de Deus".

Havia uns dois anos, dom Helder pensava em criar um "movimento de não violência", em escalas nacional e internacional, que formasse uma opinião pública mundial favorável, sem distinção de credos religiosos, para lutar pacificamente por mudanças estruturais e pelo cumprimento da Declaração Universal dos Direitos do Homem, da ONU.

Para o Brasil, dom Helder teve, inclusive, a intuição de fundar um partido político alternativo aos dois existentes, MDB e Arena, insatisfeito que estava com o fato de que, embora os jovens e os trabalhadores mais politizados o recebessem com empolgação em todo o Brasil, nas inúmeras conferências que proferia, esse entusiasmo não se traduzia "em medidas práticas".

Um esboço do que seria esse novo partido foi redigido em novembro de 1967. Nome e sigla foram escolhidos: "Partido do Desenvolvimento Integral (PDI)". Seus objetivos doutrinários girariam em torno do "desenvolvimento integral do homem e desenvolvimento solidário dos povos", tendo como modelo a encíclica *Populorum Progressio*, sem a esta aludir oficialmente. As bandeiras políticas imediatas seriam: "bater-se pela eleição direta do presidente da República; exigir a aplicação concreta e imediata da reforma agrária; tentar a reformulação da Lei nº 4.390, de 29 de agosto de 1964, que regula a entrada e saída de capitais estrangeiros; lutar por uma autêntica integração nacional e continental".

Para articular a fundação do PDI, dom Helder imaginou um encontro "seletíssimo", a ocorrer em 27 de novembro ou 1º de dezembro de 1967, no Rio de Janeiro. Alceu Amoroso Lima organizaria a reunião convidando "o que houvesse de melhor no MDB, na Arena e fora da militância partidária". Depois disso, o arcebispo não mais apareceria, segundo suas palavras: "Se chegássemos a um acordo, eu sumiria do mapa". Em sua avaliação, dom Helder acreditava contar com colaboradores em número suficiente para atender à legislação partidária do país: "Salvo engano, teremos folgadamente, no país inteiro, os cem mil necessários para o registro como partido. Teremos, do MDB e da Arena, os setenta melhores parlamentares. O perigo será o adesismo indiscriminado. O próprio governo seria capaz de julgar-se no direito e na obrigação de entrar. Aqui vem um ponto importantíssimo. O PDI não se recusa a admitir que as pessoas se convertam. Não duvida da graça de Deus. Mas tem o direito e a obrigação de estabelecer exigências de entrada que sejam teste de coragem, sinceridade e aceitação dos pontos essenciais".

Essa iniciativa de fundar um partido político não prosperaria, como se sabe, nem sequer seria noticiada pela imprensa, e dom Helder demoraria ainda algum tempo para perceber que naquela conjuntura política só poderiam mesmo existir os dois partidos criados pela ditadura e apelidados jocosamente como o do "sim" – o MDB – e o do "sim, senhor!" – a Arena.

Quanto ao número de congressistas que poderiam ingressar no PDI é possível que dom Helder não tenha se enganado, pois em julho de 1968, nada menos que 118 deputados e senadores, entre os quais 31 da Arena, manifestaram-se publicamente em seu apoio contra a onda de acusações que estava sendo publicada em vários órgãos de imprensa. Num momento em que o regime tendia para um fechamento ainda maior, tornava-se muito expressiva essa manifestação dos parlamentares e demonstrava o respeito com que era visto o arcebispo de Olinda e Recife.

Nem PDI, nem Pressão Moral Libertadora. Em Medellín, dom Helder passa a chamar o movimento que pretendia criar de Ação Justiça e Paz (AJP), inspirado no nome da Pontifícia Comissão Justiça e Paz do Vaticano. O encontro da hierarquia latino-americana foi, então, utilizado por ele para conseguir alguns apoios essenciais ao lançamento da AJP. O primeiro deles foi o do próprio papa, conseguido por uma articulação com monsenhor Giovanni Benelli – na época, o principal auxiliar de Paulo VI – e que teve uma importância adicional para dom Helder, porque a TFP aproveitara a visita de Paulo VI à Colômbia para entregar-lhe um abaixo-assinado com aproximadamente 1 milhão e 600 mil assinaturas de pessoas contrárias ao arcebispo de Olinda e Recife.

Mesmo contando com o apoio de um número expressivo de leigos, padres e bispos nordestinos, o momento político do país e de Pernambuco não permitiria que o movimento Ação Justiça e Paz, lançado em 2 de outubro de 1968, decolasse, a despeito de seu conteúdo bastante moderado, principalmente se o compararmos aos movimentos guerrilheiros que nasceram na mesma época em quase todos os países da América Latina. Aliás, o nome Ação, Justiça e Paz, em si, já resumia o programa e os meios de luta a ser utilizados pelo novo movimento: lutar pela justiça visando à diminuição das situações de miséria e opressão, mas sem descuidar da manutenção da paz, ou seja, sem recorrer ao meio muito em voga na época que era a luta armada.

No final daquele mês, os ataques ao arcebispo extrapolaram o noticiário jornalístico. Na madrugada do dia 24, quatro homens mascarados atiraram contra o muro da Igreja das Fronteiras – nos fundos da qual dom Helder morava desde janeiro, depois de mudar-se do Palácio São José de Manguinhos, na tentativa de viver com o desprendimento material próprio de sua "opção pela Igreja servidora e pobre". Ele se encontrava no Rio de Janeiro e os autores do atentado, segundo o *Diário de Pernambuco*, eram membros de uma organização terrorista que se autointitulava Comando de Caça aos Comunistas (CCC). Quatro dias depois, um novo ataque a tiros atinge a Igreja das Fronteiras. Dessa vez o atentado ocorreu no final da manhã, deixando clara a atitude de simples intimidação, pois novamente o arcebispo não se encontrava em casa. Por algum tempo, a Igreja passou, então, a ser protegida por policiais.

Não sabiam os terroristas que atos de intimidação seriam contraproducentes se visassem a atingir dom Helder. O arcebispo assumia publicamente seu desapego à vida terrena e, quando alguém mencionava possíveis ameaças de assassinato, ele lembrava sempre o significado de seu lema episcopal – *In Manus Tuas*. Além do mais, para alguém que defendia a luta pela justiça por movimentos político-sociais de não violência, seria uma honra morrer como os líderes religiosos Mahatma Gandhi e Martin Luther King. Com tudo isso, sua atitude de não entrar em pânico diante de possíveis atentados ou ameaças de morte fazia com que aumentasse a mística que já existia no Brasil e no exterior em torno de seu nome e de sua coragem.

O surpreendente é que, com toda a perseguição política contra a Igreja em todo o Brasil, não só na sua Arquidiocese, na sequência da decretação do Ato Institucional nº 5, o AI-5, de sexta-feira, 13 de dezembro de 1968, dom Helder avaliou que a chamada "revolução dentro da revolução", que instituía formalmente uma inédita concentração de poderes no país, dando ao regime o poder de cassar mandatos parlamentares, suspender direitos políticos dos cidadãos, decretar o estado de sítio e o confisco de bens entre outras medidas, visava "ao combate à corrupção" e atender às "exigências das reformas de estrutura".

No início de 1969, dom Helder achava que, a princípio, não se devia rejeitar nem apoiar o AI-5 e que "grande serviço prestaria a AJP (Ação, Justiça e Paz) ao país e ao continente, se obtivesse, de todos os seus integrantes, quebra de preconceitos antimilitaristas (todo preconceito é fraqueza intelectual, ou primarismo cultural...) e especializasse alguns de seus membros, os mais qualificados, de modo a conquistarem o direito de rever, com militares-chave, conceitos básicos para a marcha do desenvolvimento e da paz, como os de segurança nacional e ordem social". Para evitar confronto com as leis ditatoriais, propunha que os membros da AJP abandonassem provisoriamente a ação política direta e se dedicassem a estudar, que evitassem reuniões e concentrações, pois, em seu entender, "há tempo de aparecer e tempo de mergulhar; há tempo de agir e tempo de estudar".

Na base dessa enorme boa vontade para com a ditadura, em um momento de fechamento ainda maior do regime, estava o fato de que dom Helder ainda mantinha ótimos canais de comunicação com vários militares. Uma semana depois de decretado o AI-5, por exemplo, o arcebispo encontrou-se com o general Malan, substituto de Souza Aguiar no comando do IV Exército, e os dois tiveram uma "conversa séria, mas cordialíssima", na qual combinaram tentar "superar ou minimizar todos os incidentes que pudessem ser superados". Entretanto, já na semana seguinte, no dia 27 de dezembro, dom Helder recebe a informação de que o mesmo general interpelara o consultor jurídico da 7ª Região Militar para saber "como enquadrar na Lei de Segurança o arcebispo de Olinda e Recife e o de João Pessoa", sendo aconselhado, porém, dada a gravidade do assunto, a conversar antes com o presidente da República.

Dom Helder não só não foi enquadrado na Lei de Segurança Nacional, como também continuou dando apoio a manifestações estudantis e lançando manifestos contra a cassação de estudantes oposicionistas. É claro que voltou a sofrer novas represálias. Na madrugada do dia 28 de abril de 1969, a sede do Secretariado Arquidiocesano e da Cúria foi metralhada e a polícia "não descobriu" os autores do atentado. No mesmo dia, no final da noite, o estudante Cândido Pinto de Melo, presidente da União dos Estudantes de Pernambuco, foi atingido na espinha por alguns disparos, segundo dom Helder, de autoria de membros do CCC, fatos que o levaram novamente a vislumbrar o próprio assassinato ou prisão.

Como nenhuma dessas hipóteses ocorreu, no início de maio dom Helder passa a acreditar em uma nova hipótese: "Confirma-se a informação de que a política, a meu respeito, será providenciar novos disparos contra a casa e um atentado pessoal, com ordem expressa de não me atingir... Depois, pressão junto ao senhor Núncio, informando que não têm condições de dar garantia de vida ao arcebispo, se ele permanecer em Recife...".

Dom Helder errou novamente em suas previsões. As próximas e fatais retaliações visariam a atingi-lo indiretamente. Seria assassinado o padre Antônio Henrique Pereira Neto, de 28 anos. Quando o ordenara, no Natal de 1965, na Igreja da Torre, o arcebispo recebeu o neossacerdote como o filho consanguíneo que jamais teria: "A impressão de ser pai deve ser muito próxima do sentimento que experimento numa ordenação sacerdotal ou numa sagração episcopal. Claro que sei que o poder vem do Pai, por Jesus Cristo. Mas que me sinto pai é fora de dúvida".

A notícia da morte desse seu filho chegou-lhe às 13h30 de 27 de maio de 1969. Dom Helder encontrou o corpo no necrotério de Santo Amaro com "três balas na cabeça, uma punhalada na garganta, sinais evidentes de que fora amarrado pelos braços e pelo pescoço, e arrastado...". A corajosa nota divulgada pela Arquidiocese no mesmo dia, e ignorada pela imprensa, assim resumiu o acontecimento trágico:

1. Cumprimos o pesaroso dever de comunicar o bárbaro trucidamento de Pe. Antônio Henrique Pereira Neto, cometido na noite de ontem, 26 do corrente, nesta cidade do Recife.
2. Com 28 anos de idade e três anos e meio de sacerdote, Pe. Henrique dedicou a vida ao apostolado da juventude, trabalhando, sobretudo, com universitários. Até às 22h30 de ontem, segundo o testemunho de um grupo de casais, esteve reunido, em Paranamirim, com pais e filhos, na tentativa, que lhe era tão cara, de aproximar gerações.
3. O que há de particularmente grave no presente crime, além dos requintes de perversidade de que se revestiu (a vítima, entre outras sevícias, foi amarrada, enforcada, arrastada e recebeu três tiros na cabeça), é a certeza prática de que o atentado brutal se prende a uma série preestabelecida de ameaças e avisos.
4. Houve, primeiro, ameaças escritas em edifícios, acompanhadas, por vezes, de disparos de armas de fogo. O Palácio de Manguinhos recebeu numerosas inscrições. O Giriquiti foi alvejado. A residência do arcebispo, na Igreja das Fronteiras, alvejada e pichada.
5. Vieram, depois, ameaças telefônicas, com o anúncio de que já estavam escolhidas as próximas vítimas. A primeira foi o estudante Cândido Pinto de Melo, quartanista de Engenharia, presidente da União de Estudantes de Pernambuco. Acha-se inutilizado, com a medula secionada. A seguinte foi um jovem sacerdote, cujo crime exclusivo consistiu em exercer apostolado entre os estudantes.
6. Como cristãos e, a exemplo de Cristo e do protomártir S. Estevam, pedimos a Deus perdão para os assassinos, repetindo a palavra do mestre: "Eles não sabem o que fazem". Mas julgamo-nos no direito e no dever de erguer um clamor para que, ao menos, não prossiga o trabalho sinistro deste novo esquadrão da morte.
   Que o holocausto de Pe. Antônio Henrique obtenha de Deus a graça da continuação do trabalho pelo qual doou a vida e a conversão de seus algozes.
   Recife, 27 de maio de 1969
   † Helder, arcebispo de Olinda e Recife
   † José Lamartine, bispo auxiliar e vigário-geral
   Monsenhor Arnaldo Cabral, vigário episcopal
   Monsenhor Isnaldo Fonseca, vigário episcopal
   Monsenhor Ernani Pinheiro, vigário episcopal

O enterro ocorreu no dia seguinte. Mesmo com um forte esquema de segurança montado pelo Exército contra possíveis manifestações de protesto, e sem nenhuma divulgação do ocorrido pela imprensa, milhares de pessoas participaram das cerimônias fúnebres, comandadas pelo arcebispo, e da caminhada de dez quilômetros pela cidade, até o cemitério, sob escolta policial. As despedidas ao padre Henrique foram silenciosas. Atendendo a um apelo de dom Helder, do cemitério os presentes voltaram para casa agitando lenços brancos no ar. Não ocorreram pronunciamentos em homenagem ao morto, todos sabiam que "se houvesse discursos no local da morte de Pe. Henrique ou no cemitério, o cacetete desceria pra valer...".

CENSURADO PELO PODER ECLESIÁSTICO

> *A leitura doutrinária da revelação de verdades absolutas mascara o real conflito subjacente à Igreja: o poder de uns sobre outros. Alguns detêm o poder de decidir sobre a verdade, dar-lhe uma formulação única, definir o caminho necessário para a eternidade. Decretam absoluta sua verdade. E a impõem aos outros. Por isso o discurso do outro é um discurso impossível. Deve ser silenciado, perseguido, estrangulado. Daí se entende o rigor da Inquisição. O que está em jogo, realmente, é o poder do corpo clerical, que não tolera nenhum concorrente ou nenhum confronto. Ele quer se manter como o único. É ele que se entende como absoluto e terminal, não a verdade e a revelação, pois estas, por serem realidades divinas, são sempre abertas e passíveis de novas achegas e novas leituras, sem jamais esgotar sua riqueza interior.*

> Leonardo Boff

Pode até parecer absurdo, em se tratando de um hierarca católico de vida pregressa mais que conhecida, como era o caso de dom Helder, mas ele não foi poupado da obrigação de alguns insólitos esclarecimentos: que não era comunista, nem marxista, muito menos subversivo, e não apoiava movimentos guerrilheiros da América Latina; mesmo responsável por uma Arquidiocese nordestina, quando houve a invasão da Tchecoslováquia pelas tropas russas, em 1968, teve de sair a público para declarar seu posicionamento contrário à atuação do regime soviético; às vésperas da decretação do AI-5, em dezembro de 1968, o arcebispo foi aos jornais para desmentir o boato de que contava com 40 mil soldados à sua disposição, para a deflagração de um movimento armado contra o governo militar do país; depois de um discurso na cidade de Manchester, em abril de 1969, teve um enorme trabalho para desmentir a acusação feita por vários jornais do Brasil e do exterior de que recomendara à juventude que seguisse o exemplo dos Beatles e usasse drogas entorpecentes.

Enquanto pacientemente esclarecia essas acusações plantadas na imprensa com o intuito de desmoralizá-lo perante a opinião pública, dom Helder não se abalava. Para ele, pesaroso mesmo era suportar as desconfianças que partiam da Igreja brasileira e do Vaticano.

Logo que chegou ao Recife, dom Helder intercedera às autoridades militares para que soltassem alguns pastores protestantes, presos ao lado de vários militantes da Ação Católica Operária. Essa atuação viabilizou um excelente relacionamento com várias denominações protestantes. Mas não entendeu assim o famoso Tribunal do Santo Ofício, que, em dezembro de 1964, enviou-lhe uma carta acusando-o de ir a uma Igreja Presbiteriana, no Recife, onde, supostamente, teria feito "elogios aos protestantes" e condenado "os exageros dos católicos na devoção aos santos e à Virgem Santíssima".

As acusações do Santo Ofício não paravam por aí: "três ou quatro vezes por semana, vai à televisão, onde, com palavras e atitudes, escandaliza os fiéis: a) afirmando comprazer-se em ver os namorados nas ruas e praças e que, um dia, eles irão à igreja para casar-se; b) apresentando o exemplo de um pai de família que entregou a chave da casa ao filho que completou 18 anos; c) afirmando a honestidade dos bailes e permitindo que os jovens dançassem, à noite, na própria casa episcopal".

A resposta de dom Helder, embora submissa, foi firme. O arcebispo fez os esclarecimentos cobrados, enumerou as várias iniciativas que vinha desenvolvendo na Arquidiocese de Olinda e Recife, mas lastimou "que o Santo Ofício gaste tempo em examinar acusações tão ingênuas". Não se pode, porém, minimizar o impacto daquelas acusações. Ao final de sua resposta, dom Helder declara: "Com meus 55 anos de idade, meus 33 anos de sacerdote, meus 12 anos de bispo e meus 9 anos de arcebispo, estou causando apreensões ao Santo Ofício. Pedi ao Menino Deus: que eu morra antes de causar uma apreensão justificada à Santa Sé...".

Não fosse o arcebispo tão bem relacionado no Vaticano, provavelmente teria sido aberto contra ele um processo de perseguição por parte da Sagrada Congregação do Santo Ofício, de desfecho imprevisível. Naquele momento, o prefeito da velha e tenebrosa congregação inquisitorial era o ultraconservador cardeal Alfredo Ottaviani, e a interpelação a dom Helder pode ser interpretada como uma tentativa de intimidação, pois o arcebispo articulava com várias autoridades eclesiásticas nada menos do que a extinção do Santo Ofício, como uma das medidas de reforma da Cúria Romana que propunha fossem implementadas por Paulo VI. (Ao final do Vaticano II, a Congregação do Santo Ofício teria seu nome mudado para Congregação para a Doutrina da Fé, mas, paradoxalmente, não mudaria muito seus métodos de repressão, como ficou patente no processo movido contra o teólogo franciscano Leonardo Boff, nos anos 1980).

O vínculo entre dom Helder e Paulo VI continuava forte. Os dois se encontravam de tempos em tempos para trocas de impressões. Num desses encontros, em 22 de abril de 1966, portanto pouco depois do conflito com os militares em torno da celebração da missa campal pelo segundo aniversário do golpe militar, Paulo VI excedeu-se nas amabilidades ao visitante, chegando a comentar: "Qualquer ato seu, qualquer palavra sua tem ressonância mundial. É mais importante para as imprensas europeia e norte-americana saber o que você pensa do que conhecer o pensamento de qualquer cardeal, mesmo norte-americano. Digo isto não porque tenha o mais leve receio de seu pensamento ou de sua atuação. Graças a Deus, nos conhecemos há tanto tempo... Lembra-se de nosso primeiro encontro? Você cresceu por dentro, mas continua humilde como o quase-seminarista que encontrei em 1950... Seu sorriso e seu olhar não envelhecem. A criança continua viva dentro de você... Aproveite esta fama. Sem deixar de ser o pastor de Olinda e Recife – e graças a Deus você tem alma de Pastor – lembre-se de que não há, na Igreja, muitos cuja voz seja ouvida como a sua".

Em seguida, Paulo VI quis saber como o amigo estava sendo tratado pelo governo brasileiro. Dom Helder aproveitou para explicar o episódio da missa campal e comentou que recebera várias ameaças de que seria removido de Recife. O papa concordou com a atitude de dom Helder em não celebrar a missa e, logo depois do comentário sobre a possível remoção, sorriu e "afirmou textualmente: 'Esta pobre Revolução não resolveu e não resolverá os problemas fundamentais do País. Falta-lhe envergadura para tanto'".

Quase ao final da conversa, o papa sondou o visitante sobre uma possível nomeação sua como cardeal. Segundo dom Helder, Paulo VI "aproveitou para indagar – e isto é secretíssimo – se eu não achava que o Brasil estava sem cardeais. Mostrou conhecimento perfeito sobre a situação e a saúde dos quatro. Perguntou como quem sonda (como quem deseja saber como seria recebido ou se seria recusada uma eventual nomeação): 'Não lhe parece que o Colégio Cardinalício do Brasil está precisando urgentemente de reforço?'. Claro que não houve nenhuma promessa, nenhum compromisso".

Apesar de tudo isso, em setembro de 1966 seria a vez da Sagrada Congregação dos Negócios Eclesiásticos Extraordinários, vinculada à Secretaria de Estado do próprio Paulo VI, enviar uma carta a dom Helder condenando várias passagens do texto que pretendia apresentar em um encontro em Mar del Plata, Argentina, entre os bispos latino-americanos. A Congregação argumentava que "mal acabava de compor-se um grave desentendimento entre o governo e o Movimento de Educação de Base" e dom Helder voltava a defender uma educação popular "conscientizadora" que superasse a "mera alfabetização, mesmo que completada com um simulacro de voto".

O Vaticano visava a evitar novos confrontos com o governo brasileiro e, por isso, alertava o arcebispo: "É recente a acusação das autoridades federais a eclesiásticos e a leigos católicos de unir-se à oposição, que imputa ao governo o abuso de poder e, em particular, a limitação dos direitos civis. Parece que se deva evitar quanto possa reacender tais danosos atritos, durante os quais a pessoa do Ex.ᵐᵒ arcebispo de Recife várias vezes esteve em causa".

Quanto a uma proposta a ser apresentada por dom Helder para que "o Celam suplique ao Santo Padre, Peregrino da Paz, que haja por bem convocar uma Assembleia Extraordinária do Sínodo dos Bispos...", o comentário da Congregação foi inequívoco: "Tratando-se de ato de exclusiva competência do Sumo Pontífice é conveniente não interferir e não dar sugestões, especialmente públicas".

Mais que simples recomendações, o Vaticano cobrava maior moderação por parte de dom Helder, tanto em assuntos de natureza política como em assuntos internos da Igreja. Deve-se recordar que essa carta ao arcebispo foi enviada pouco depois de dois encontros entre o chanceler brasileiro Juracy Magalhães e o papa Paulo VI (em 24 de julho e 13 de setembro de 1966).

Dom Helder ficava confuso com as atitudes paradoxais do Vaticano. Enquanto Paulo VI o afagava, como voltou a ocorrer em vários encontros privados nos anos seguintes, seus auxiliares diretos tentavam enquadrá-lo, obrigando-o, por exemplo, a pedir permissão ao conservador dom Avelar Brandão, presidente do Celam, para falar no encontro da entidade que ocorreu na cidade paraguaia de Assunção, em 1967. Não se pode nem sequer alegar que o Vaticano pudesse estar mal informado sobre a atuação de dom Helder, já que entre 1964 e 1970 vários foram os colaboradores próximos de Paulo VI a visitar a Arquidiocese de Recife, entre os quais o influente monsenhor Carlo Colombo (amigo pessoal e teólogo do papa) e monsenhor Toniolo Ferrari, da Comissão Pontifícia de Meios de Comunicação Social, além do também muito amigo de dom Helder, cardeal Suenens, que ficou vários dias em Recife, hospedado no Palácio Arquidiocesano.

Quando o papa divulgou a encíclica *Populorum Progressio*, em 1967, dom Helder interpretou-a como um incentivo à sua atuação social e política pelas mudanças estruturais na sociedade brasileira e nas relações de exploração dos países pobres pelos ricos; com base naquela encíclica, iniciaria uma nova fase de pregação em suas conferências no Brasil e no exterior. Porém, se achava que agia e falava com o endosso da Santa Sé, enganava-se.

O Vaticano logo voltou a tentar enquadrá-lo, como nos demonstra uma carta do principal auxiliar do papa, Giovanni Benelli, enviada logo depois do assassinato de padre Henrique, em resposta a um pedido de esclarecimento do brasileiro sobre a posição da Santa Sé em relação às suas viagens para conferências no exterior. Benelli recomendava que se ativesse mais à atuação dentro de sua Arquidiocese, evitando as viagens internacionais e, quando em viagem, antes de pronunciar-se publicamente, buscasse o aval da autoridade eclesiástica local. Eis o teor da correspondência oficial:

Secretaria de Estado
N.136378
Vaticano, 4 de junho de 1969.
Monsenhor
Acaba de chegar-me sua carta de 13 de maio e é muito de coração que lhe agradeço os esclarecimentos que o senhor me traz sobre suas conferências no estrangeiro, ao mesmo tempo em que reafirma sua intenção de servir à Igreja, segundo a vontade do Santo Padre.
Sei que são de seu agrado as relações francas e fraternas que o senhor timbra em manter com a Santa Sé. Por minha vez, conhecendo as dificuldades que suas tomadas de posição podem suscitar fora de sua Diocese, confirmo-lhe o desejo da Santa Sé de vê-lo sempre consultar, antes de suas conferências, a autoridade eclesiástica local (ordinário do lugar, representante da Santa Sé) a respeito do conteúdo e da oportunidade de suas intervenções. Quanto à Diocese do Recife, cuja pesada responsabilidade lhe cabe, o senhor conhece melhor do que eu o imenso campo de apostolado que se abre sem cessar a seu pastor,

para a formação do clero, dos seminaristas, dos militantes leigos, de todo o povo cristão, dado que o aprofundamento da fé deve seguir passo a passo com o engajamento social. Para este trabalho pastoral, em colaboração com seus colegas de episcopado brasileiro, faço questão de assegurar-lhe meus votos mais calorosos e minha fervorosa oração. Queira crer, monsenhor, nos sentimentos que me inspiram minha fiel amizade e meu respeitoso devotamento em N.S.

† Giovanni Benelli

A amizade com Paulo vi não foi suficiente para poupar dom Helder da crítica – implícita na carta – de que se esquecia de suas obrigações pastorais para dedicar-se prioritariamente ao trabalho social. Ao ler a carta, sua primeira reação foi dramática: "Tive a sensação angustiante de uma facada no coração". Para ele, era muito significativo o fato de ser monsenhor Giovanni Benelli a lhe manifestar restrições à sua atuação fora da Arquidiocese de Recife. Havia muitos anos, monsenhor Benelli era amigo íntimo de Giovanni Montini. Auxiliara o futuro papa na Secretaria de Estado do Vaticano, nos tempos de Pio xii, onde dom Helder o conheceu. Depois atuou por algum tempo como auditor da Nunciatura no Brasil, justo na época em que dom Armando Lombardi era o núncio e dom Helder, seu conselheiro, e os três se reuniam frequentemente. Mais tarde, dom Helder o reencontraria na Secretaria de Estado, chamado pelo amigo que se tornara papa, "com um poder imenso... Era o verdadeiro secretário de Estado. Entre Rio e Roma, esteve em Paris como representante da Santa Sé junto aos organismos internacionais católicos", época em que se tornou amigo do auxiliar da Arquidiocese de Recife, dom José Lamartine, e de Marina Bandeira.

Por tudo isso, para dom Helder não poderia ser minimizada a importância de uma censura da parte dele. O sentimento de tristeza e humilhação fez com que o arcebispo se lembrasse daquele dia de Santa Marta, ainda em seus tempos de seminário, no Ceará, quando lhe ordenaram que encerrasse a polêmica jornalística com a professora Edith Braga, naquele já distante ano de 1929.

> Tal como no dia de Santa Marta, fugi para rezar. E de novo pedi à Mãe querida que me serenasse. Pedi total visão sobrenatural ao Espírito Santo. Pensei concretamente em José. Venceu a Graça. Devo, inclusive, reconhecer que a pastoral tem avançado, mas, pessoalmente, posso dar-me muito mais a ela. Vou tomar ao pé da letra as indicações da Santa Sé... Voltou a paz. Voltou a alegria. Ri de mim: no íntimo, eu pensava, talvez, que a Santa Sé voltasse atrás.

No seio da Igreja brasileira, a situação também se mostraria desfavorável aos posicionamentos de dom Helder. Além de perceber o crescente isolamento do grupo de bispos que o apoiavam na cnbb, a partir de 1964, na primeira assembleia geral da entidade após o Concílio, na cidade de Aparecida, entre 6 e 10 de maio de 1967, nas palavras de Bruneau, o arcebispo do Recife "apresentou uma declaração sobre a 'Populorum Progressio e o Brasil' muito pouco discutida e sem qualquer repercussão pública; além disso, não conseguiu acrescentar à agenda um item sobre a redistribuição de terras da Igreja".

Publicamente, a primeira condenação feita por um membro do clero a dom Helder foi a do arcebispo de Diamantina, dom Geraldo Proença Sigaud, já conhecido por suas posições integristas e pela vinculação ao movimento de extrema direita Tradição, Família e Propriedade, fundado em 1960. Com o apoio de mais doze bispos, em julho de 1968, dom Sigaud envia uma carta ao presidente Costa e Silva para expressar sua solidariedade ao governo contra os ataques de alguns bispos brasileiros simpatizantes de Marx e do comunismo. Embora não tenha citado o nome de dom Helder na carta, em uma entrevista coletiva que concedeu (publicada no *Jornal do Brasil*, de 24/7/1968), dom Sigaud acusou-o de fazer parte de uma minoria subversiva e esquerdista dentro do clero brasileiro. No dia 2 de fevereiro de 1969, o próprio fundador da TFP, dr. Plínio Correia de Oliveira, num artigo de *O Estado de S. Paulo*, denunciaria que, durante uma conferência nos Estados Unidos, "o arcebispo vermelho" teria aberto "as portas da América e do mundo ao comunismo".

Esses ataques foram discutidos numa reunião da Comissão Central da CNBB, em fevereiro de 1969, e tomados como base para um verdadeiro interrogatório feito ao arcebispo de Recife, coordenado pelo presidente da entidade, cardeal Agnelo Rossi, com a presença de dom Alberto Ramos, dom Aloísio Lorscheider e dom José de Castro Pinto. Dom Helder respondeu às acusações de que seu mentor intelectual era o padre Joseph Comblin; de que manipulava o núncio, a CNBB e o presidente da entidade; fomentava "choques entre grupos da CNBB".

Várias outras acusações de dom Sigaud assim foram sintetizadas por dom Agnelo para que dom Helder se pronunciasse a respeito: "Não se sabe quem lhe financia as viagens ao Exterior, durante as quais faz política e jamais evangelho; assume posições ridículas, por incompetência socioeconômica; proclamou a Tchecoslováquia modelo para o Brasil e para a América Latina; pediu a reintegração de Cuba e a aceitação da China Vermelha na ONU; afirmou que ser socialista é condição indispensável para ser bom cristão; ataca os ricos, não dialoga com os mesmos, embora viva com eles e à custa deles; em Olinda e Recife, não só a pastoral anda a zero, mas no próprio campo social o arcebispo nada faz; como teste da má-fé com que age para com os militares, o arcebispo seria incapaz de aceitar uma palestra na Escola Superior de Guerra".

O interrogado ouviu todos os questionamentos e não perdeu a calma. Antes de começar a falar, ainda brincou agradecendo o "amável IPM" (Inquérito Policial Militar), porque o ajudava a preparar-se para outros possíveis interrogatórios "menos amáveis e mais duros". De fato, não havia nenhuma acusação que pudesse ficar sem uma boa resposta. Padre Comblin era mesmo seu grande amigo, auxiliava-o como teólogo e sociólogo, mas nem por isso dom Helder deixava de ter opiniões próprias: "Quem me conhece fica rindo da segurança de informações de quem nele descobre o meu mentor e cabeça pensante", argumentou. Não havia muito o que dizer sobre a suposta manipulação que fazia do núncio, da CNBB e de seus dirigentes. Dom Helder reagiu contra a "insanidade" dessas acusações, lembrando outra ainda mais absurda, segundo a qual teria cedido um hidravião para que um padre organizasse uma guerrilha na Amazônia.

Quanto às suas viagens internacionais, esclareceu que os financiadores eram as entidades que o convidavam; seus discursos baseavam-se em estudos realizados por técnicos de sua confiança; e jamais defendera que se copiasse quaisquer modelos de organização social na América Latina.

Sua defesa da integração da China à ONU e sua proposta de fim do bloqueio econômico dos Estados Unidos a Cuba baseavam-se em sugestões que recebera do Catholic Inter-American Cooperation Program (Cicop) e do Bureau Latino-Americano da Conferência dos Bispos dos Estados Unidos, e haviam sido defendidas em uma palestra que dera em Nova York, em janeiro de 1969, porque acreditava na democracia e achava que "quanto mais persistirem o bloqueio econômico e a excomunhão continental, mais fortemente atuará o mito das guerrilhas e de Che Guevara".

Por fim, afirmou que aceitaria dar uma palestra na Escola Superior de Guerra se tivesse liberdade plena para falar e ser ouvido. A reunião terminou em um clima bastante cordial, porém, não antes que o secretário-geral da entidade, dom Aloísio Lorscheider, lhe pedisse "que o mantivesse informado quanto a viagens ao exterior", pois era "importante para a CNBB conhecer os móveis das viagens". Por sua vez, dom Helder prometeu cancelar quaisquer "compromissos no estrangeiro, sempre que a presidência da CNBB julgasse preferível".

A "FAMÍLIA MECEJANENSE"

Por falso evangelismo, acredita-se muitas vezes honrar o cristianismo reduzindo-o a qualquer doce filantropia. É não compreender nada de seus "mistérios", não ver nele a mais realista e a mais cósmica das fés e das esperanças. Uma grande família, o Reino de Deus? Sim, em certo sentido. Mas, num outro sentido, também uma prodigiosa operação biológica: a da Encarnação redentora.

Teilhard de Chardin, *O fenômeno humano*

Num momento histórico em que a Igreja como um todo demonstrava certa abertura doutrinária como efeito do Vaticano II, confirmada pela encíclica *Populorum Progressio* (de 1967), dom Helder, que durante o Concílio ficara conhecido pelas principais autoridades eclesiásticas e leigas do catolicismo como um dos principais articuladores das transformações propostas para a Igreja, ainda em 1964 começou a receber convites para participar de reuniões, encontros e conferências em todo o mundo, numa quantidade impossível de ser atendida plenamente. Começaria, assim, a trajetória do arcebispo de Olinda e Recife como prestigiado conferencista internacional.

Logo se anunciaria um problema: enquanto por todo o mundo o discurso renovador de dom Helder tornava-se extraordinariamente bem recebido por hierarcas e leigos católicos progressistas, embebidos pelo "espírito do Vaticano II", e por estudantes, trabalhadores e militante de esquerda, no Brasil esse mesmo discurso era visto com preocupação pelas autoridades militares e por uma hierarquia temerosa de melindrar seu bom relacionamento com os detentores do poder temporal. Ainda mais porque em seus pronunciamentos, dom Helder não se restringia aos assuntos de natureza religiosa e abordava a ampla problemática política, social e econômica do mundo contemporâneo. Ele próprio afirmava na época que sua missão era ajudar a humanidade na busca do "desenvolvimento integral", que envolvia um trabalho simultâneo em vários *fronts*:

a) *front* pessoal: conscientizar os seres humanos para que combatessem "a presença permanente e insidiosa do egoísmo" em si mesmos;

b) *front* local (na Diocese, na cidade e no estado): "Viriam colocações sobre o esforço de promoção humana, de conscientização das massas, a ajudar para que se tornem povo", a exemplo do trabalho que tentava realizar por meio da Operação Esperança;

c) *front* regional: dadas as especificidades da região Nordeste, seu trabalho seria convencer a sociedade civil e as autoridades governamentais sobre a importância de uma "planificação global para a região, a exemplo do que era tentado pela Sudene, porém evitando o que chamava "desvirtuamento do órgão", que o levava a promover o crescimento econômico – "tornando os pobres mais pobres e os ricos mais ricos" – e não um desenvolvimento com justiça;

d) *front* nacional: a luta seria por mudanças estruturais, por intermédio da promoção das reformas de base e pela integração entre as várias regiões do país;

e) *front* continental: "pronunciamentos sobre o desenvolvimento e ação da América Latina, sem imperialismos externos nem internos", e a busca de uma relação de amizade e igualdade com os Estados Unidos;

f) *front* do Terceiro Mundo: alertar a humanidade sobre suas responsabilidades diante da miséria e da opressão existentes na América e na Ásia;

g) *front* internacional: denunciar os imperialismos capitalistas e socialistas, responsabilizando-os pelas injustiças no Terceiro Mundo, em razão das relações de exploração existentes no comércio internacional.

Suas conferências nos auditórios dos cinco continentes visariam à "mobilização simultânea de milhões e milhões de pessoas que, no mundo inteiro, amam a paz e têm sede, por vezes inconsciente, da verdade, do belo e do bem", para "levar o mundo a uma civilização harmônica e solidária".

Em fevereiro de 1960, dom Helder realizou uma síntese do que chamava "principais campos de ação" no mundo contemporâneo:

1. De preferência em escala continental, o desenvolvimento harmônico e solidário procura mobilizar forças como:
   a) as universidades;
   b) a publicidade;
   c) líderes espirituais;
   d) patrões e jovens patrões; trabalhadores e jovens trabalhadores;
   e) políticos.

2. A cada uma dessas forças é confiada uma missão especial, com ângulos próprios conforme se trate de país desenvolvido ou subdesenvolvido;

3. Às universidades se confia o encargo:
   a) nos países desenvolvidos:
   – de aprofundar o problema do desenvolvimento, tentando equacionar a questão complexa da reforma, em profundidade, da política internacional de comércio;
   b) nos países subdesenvolvidos:
   – de aprofundar o problema do desenvolvimento, tentando equacionar questões complexas como as do colonialismo interno, das inflações anormais e da maturidade política.

4. À publicidade se confia o encargo:
   a) nos países desenvolvidos:
   – de promover reportagens objetivas, no Terceiro Mundo, tendentes a provar que as ajudas recebidas dos países ricos são anuladas pelas perdas dos preços vis impostos às matérias-primas locais;

b) nos países subdesenvolvidos:
– de fazer sentir a necessidade e a urgência de completar a independência política pela independência econômica.

5. Aos líderes espirituais se confia o encargo:
a) nos países desenvolvidos:
– de levar à convicção de que não haverá paz sem justiça e de que desenvolvimento é o novo nome da paz;
b) nos países subdesenvolvidos:
– de ter presente que Deus não entrega aos pastores apenas a alma, e sim criaturas humanas, com alma e corpo;
– de ter como dever pastoral, da maior importância e gravidade, lutar para que as criaturas humanas que se acham em nível infra-humano atinjam, quanto antes, o nível humano.

6. A patrões e jovens patrões, a trabalhadores e jovens trabalhadores se confia o encargo:
a) nos países desenvolvidos:
– de velar para que os trustes não sejam confundidos com iniciativas privadas e não se tornem mais poderosos que o próprio Estado;
– de velar para que a automação se faça com previsão de atendimentos aos que ficam marginalizados pelo progresso;
b) nos países subdesenvolvidos:
– de velar pela superação do colonialismo interno e das manifestações diversas e por vezes sutis do neocolonialismo;
– de tentar obter que o desenvolvimento preveja, em seus orçamentos normais, o atendimento humano às vítimas que ele mesmo criar.

7. A políticos escolhidos suprapartidariamente e na base do interesse pelo bem comum se confia o encargo:
a) nos países desenvolvidos:
– de estudar leis em que as relações com os países subdesenvolvidos, em vez de serem postas em termos de ajuda, sejam apresentadas em termos de justiça;
– de estudar a maneira prática de estender ao comércio com os países subdesenvolvidos as leis antitrustes;
b) nos países subdesenvolvidos:
– de estudar leis que defendam o trabalhador rural do colonialismo interno e defendam o país do neocolonialismo exterior.

Para que essas ideias não ficassem apenas no papel, dom Helder defendia a organização de grupos de militantes em cada um dos cinco "campos de ação" que buscassem cumprir esse programa: as "minorias atuantes", que tempos depois denominaria "minorias abrahâmicas", e sua primeira tarefa seria a deflagração de um movimento de opinião pública mundial favorável ao "desenvolvimento harmônico e solidário".

Dom Helder era o primeiro a reconhecer que seu pensamento social, político e econômico nada tinha de original ou de exclusivamente seu. Na realidade, ele se satisfazia em tornar-se instrumento para a difusão de ideias que considerava válidas. Sua visão sobre a importância do desenvolvimento econômico como único caminho para a superação das injustiças, por exemplo, era uma clara influência do pensamento da Comissão Econômica para a América Latina (Cepal), recebida desde meados dos anos 1950, quando contou com a colaboração dos técnicos que assessoravam o presidente Juscelino Kubitschek nos dois encontros dos bispos do Nordeste (1956 e 1959) e que, em 1959, fundariam a Sudene. Marcante sobre o pensamento econômico e social de dom Helder foi a influência de Celso Furtado – os dois se tornariam grandes amigos – que via o desenvolvimento como um "instrumento de humanização do capitalismo" e "também o melhor caminho para a neutralização dos movimentos de esquerda e socialistas, tais como as ligas camponesas", conforme escreveu Marco César de Araújo.

Quando dom Helder afirma que "não haverá paz sem justiça e que o desenvolvimento é o novo nome da paz", está totalmente dentro da linha de pensamento de Furtado, segundo a qual "como o desenvolvimento promoveria o bem-estar, naturalmente estaria assegurada a ordem social, cujo desdobramento político, no mundo ocidental, é a democracia". O próprio arcebispo assumia essa influência: "Minha posição consiste em considerar o desenvolvimento o problema nº 1 do continente. Problema humano ao qual a Igreja não pode, de modo algum, ser insensível. Nosso problema de paz social. Ou nos desenvolvemos, ou, então, o continente se ensanguentará. Aí, sim, virá o comunismo".

Era comum dom Helder enviar seus discursos e projetos para uma melhor fundamentação teórica da Cepal, contando, para isso, com a ajuda de Antônio Baltar, funcionário do organismo, que considerava "meu conselheiro e meu mestre em assuntos econômicos", e que atuava como elo entre ele e o economista Raul Prebisch, coordenador do organismo.

Aliás, com a ajuda de Baltar, dom Helder chegou a preparar o esboço de um livro que seria publicado pela editora Sheldon & Sons, de Nova York, mas que acabou não saindo, com o título *Conversão dos USA*, visando ao lançamento de um movimento de opinião pública nos Estados Unidos favorável à promoção do desenvolvimento dos países do Terceiro Mundo, como meio de manutenção da paz e da liberdade.

Outra fonte em que bebia o arcebispo era o pensamento do filósofo, paleontologista e teólogo francês Pierre Teilhard de Chardin, jesuíta falecido em 1955, a quem não conhecera pessoalmente. Dom Helder aprendeu nos livros de Teilhard de Chardin uma nova visão de mundo, que considerava este não como um lugar do qual o cristão deva fugir, mas para o qual deve olhar e amar. Seguindo o filósofo jesuíta, ele passou a considerar o homem como "cocriador", responsável por completar a criação divina.

O respeito de dom Helder pela ciência, considerando-a compatível com o catolicismo, também foi aprendido de Chardin. E isso foi fundamental para que ele não chegasse diante dos mais diferentes auditórios compostos de jovens, trabalhadores e empresários, com uma visão negativista sobre os avanços do conhecimento e da técnica. Assim passou a ver a pesquisa científica como um meio para o homem chegar ao "coração da matéria" e, portanto, como uma aliada do homem, no seu caminho evolutivo rumo a uma "super-humanidade" em que existiria "a máxima abertura para a pessoa humana", e seria possível o seu encontro com o "Cristo alfa e ômega, princípio e fim".

Leitor atento e voraz desde a sua juventude, dom Helder adquiriu uma cultura livresca vastíssima, sem a exclusão das teorias consideradas heréticas pelo catolicismo oficial, como o freudismo e o marxismo. Apesar disso, é possível identificar três componentes essenciais nas concepções filosóficas, políticas, sociais e econômicas que defendia: o pensamento filosófico e teológico de Teilhard de Chardin o conciliara com o conhecimento científico; as concepções cepalinas fundamentavam suas propostas econômicas para a superação das injustiças dentro dos países do Terceiro Mundo e nas relações destes com os países desenvolvidos; do ponto de vista político, a obra madura de Jacques Maritain, desde o final dos anos 1930, dera o grande impulso que faltava para a conversão de seu pensamento autoritário integralista numa visão de mundo democrática e pluralista, ao mesmo tempo que cristã-católica.

Só mesmo o clima de polarização ideológica e de intolerância à diversidade de pensamento existente no Brasil, a partir do golpe militar, pode explicar por que as propostas de dom Helder em suas conferências, baseadas, fundamentalmente, nessas três fontes, eram rotuladas de comunistas. Aliás, no seio da Igreja, o setor integrista se aproveitaria das acusações da direita política contra dom Helder para também rotular de comunistas suas propostas de reforma da Cúria Romana e de atualização da doutrina e da estrutura da Igreja.

Da esquerda para a direita: Aglaia Peixoto, irmã Augusta, dom Helder e sua secretária particular Cecília Goulart Monteiro.

Isso tudo chegava ao grande público na forma de artigos, livros, sermões e conferências, com o apoio de uma dedicada equipe de assessoria de sua total confiança, reunida ao longo de quase três décadas, desde sua chegada ao Rio de Janeiro, em 1936, e que o auxiliara no Secretariado Nacional da Ação Católica Brasileira, na CNBB, no Congresso Eucarístico Internacional, na Cruzada São Sebastião e no Banco da Providência. Composta quase só de mulheres, por ter como origem os movimentos femininos de Ação Católica, era formada por: Cecília Goulart Monteiro, líder da equipe de colaboradores, era secretária de dom Helder e funcionária da CNBB; Nair Cruz de Oliveira, assistente social; Marina Araújo, diretora do Banco da Providência do Rio, responsável pelas traduções para o inglês; Aglaia Peixoto, datilógrafa oficial da equipe e funcionária da CNBB, e suas irmãs, Wilma e Rosy, bibliotecárias; Marina Bandeira, membro da Comissão Nacional de Justiça e Paz; Vera Jacoud, química; o casal Edgar e Maria Luiza Amarante, ele, engenheiro da Light e professor universitário, ela, secretária da Cruzada São Sebastião; Franci Portugal, bibliotecária; Terezita de La Peña, funcionária pública; Cecília Arraes, dona-de-casa; Odete Azevedo Soares, assistente social; Hilda Azevedo Soares, especialista em cinema; Lenita Duarte, dona-de-casa; Leida Félix de Souza, especialista em cinema; Jeanne Mary Clair Poucheu (Janete), professora de francês e responsável pelas traduções para o francês; Ruth Chagas e Maria Helena Loureiro, assistentes sociais do Banco da Providência; e, ainda, Carlina Gomes e Nilza Homem.

A algumas delas dom Helder só se dirigia usando apelidos. Ele próprio se atribuía o apelido de Frei Francisco, em alusão ao santo de sua maior devoção, além dos outros dois apelidos de que também gostava, "Padrezinho" e "Bispinho". O apelido de Cecília Monteiro era derivado do seu. Se ele era o Frei Francisco, ela só poderia ser Frei Leão, o fiel companheiro do santo de Assis e "responsável pela sua santificação nesse mundo". Maria Luíza Amarante era a "Madaminha", em razão tanto de seu porte como de seus modos aristocráticos. Vera se tornava "Veroska"; Nair, "Nairzinha"; Leida era a "Leidinha"; Hilda, a "Hildete" e assim por diante, com exceção de Aglaia, que continuava chamando "minha filha".

De Recife ou de qualquer local onde se encontrasse, dom Helder se correspondia regularmente com esse grupo no Rio de Janeiro. Esse hábito nasceu em outubro de 1962, quando participava da primeira sessão do Concílio e sentiu a necessidade de manter-se em contato com seus colaboradores no Rio de Janeiro. Como nessa época várias dessas amigas trabalhavam com ele no Palácio São Joaquim, para não enviar as cartas no nome de uma só pessoa, ele as remetia à "Família do São Joaquim", na forma de "circulares", escritas durante as vigílias, com informações e solicitações dirigidas ao grupo.

Quando foi transferido para Recife, as circulares se transformaram numa forma de dar continuidade à amizade que unia o grupo e às atividades de assessoramento que cada um prestava a ele. Por meio dessas cartas, escritas de próprio punho por dom Helder com sua tradicional caneta Parker – ele não sabia datilografar –, por mais de duas décadas o pessoal do Rio receberia notícias detalhadas sobre suas atividades pastorais, apostólicas e sociais, sobre sua vida pessoal, as "meditações do padre José" e, é claro, sobre os problemas políticos que enfrentava. Mas, desde essa época, o nome da família foi mudado por dom Helder para "Família Mecejanense", nome tirado da pequena cidade de Mecejana, no litoral cearense, como símbolo de um lugar belo, onde as pessoas pudessem viver felizes, "em harmonia com o Criador". Conforme foram se estreitando os laços com os amigos e colaboradores de Recife, dom Helder passou também a considerá-los membros da "Família Mecejanense", porém distinguindo geograficamente os dois grupos, como "ramo de Recife" e "ramo do Rio de Janeiro".

Mas as circulares dirigidas exclusivamente ao ramo carioca continuaram. Duas ou três vezes por semana dava um jeito de encontrar um portador de sua confiança que as levasse de Recife para o Rio de Janeiro e as entregasse em mãos a Cecilinha ou Aglaia, pois se fossem enviadas pelos correios, havia grande possibilidade de serem violadas pela polícia política a serviço da ditadura. Quando não encontrava ninguém, Dom Helder mesmo ia até o aeroporto nos horários de voo para o Rio e ficava esperando aparecer um conhecido que pudesse levar o envelope. Ao chegar ao Rio, essa pessoa telefonava para uma das duas pedindo que fosse pegar a correspondência nos mais remotos pontos da cidade. Geralmente quem ia era Wilma, em seu Dauphine branco.

Quando tinha assuntos particulares para tratar com suas assessoras, como um pedido especial ou um conselho para ajudar na resolução de algum problema pessoal, com as circulares dom Helder enviava bilhetes ou cartas em envelopes menores fechados com o nome dos destinatários. Assim que chegava o envelope de Recife, cada membro da "família" corria para pegar o seu envelope pessoal, que às vezes continha apenas um pequeno bilhete com três ou quatro linhas de palavras de incentivo e elogios carinhosos.

Embora menos frequentemente, ocorria de a pessoa encarregada de levar a correspondência não conseguir entregá-la. Uma dessas ocasiões assim foi comentada por ele: "Domingo, Carlos Maciel levou, daqui, um envelope com três circulares e bilhetes pessoais para quem me havia escrito... Dias depois, voltou com o envelope, alegando que o telefone tocou e ninguém atendeu... Perdoem a demora de notícias".

Em novembro de 1969, ocorreu um estranho quase extravio da correspondência. Viajando com destino a São Paulo, um padre que levava o envelope a pedido de dom Helder, ao chegar ao aeroporto do Rio, não teve tempo de esperar que alguém fosse buscá-lo e o deixou com o despachante da Cruzeiro. Logo depois, um funcionário da empresa telefonou para a casa de Aglaia avisando para que fosse retirar a "encomenda". Aglaia foi, mas, ao abrir o envelope maior e retirar um menor que continha um bilhete para ela, percebeu uma letra diferente da do arcebispo. Achou estranho. Nos outros envelopinhos para Cecilinha e Maria Luiza foi notado o mesmo problema. A conclusão foi que alguém violara os envelopes menores e, depois, substituíra-os por outros, escrevendo o nome do destinatário. Ou seja, falsificaram os envelopes para dissimular a violação. Aglaia recorda que esse acontecimento gerou medo no grupo, pois "naquele tempo não se sabia o que podia acontecer".

Esse medo era mais que justificado. Um dos principais colaboradores de dom Helder em Recife, padre Marcelo Carvalheira, que fora reitor do Seminário Regional, acabara de ser preso na igreja da Piedade, em Porto Alegre, com o pároco, padre Manoel Valiente. Padre Marcelo – que seria sagrado bispo em 1975 e, em janeiro de 1996, substituiria dom José Maria Pires como arcebispo de João Pessoa – estava no Sul do país para um curso de extensão universitária promovido pela CNBB no Seminário dos padres jesuítas em São Leopoldo. Nos fins de semana prestava serviço religioso na paróquia de Piedade. Lá foi preso, acusado de ligações com frei Betto, já preso desde 9 de novembro, também no Sul, sob a suspeita de estar envolvido com a Aliança Libertadora Nacional (ANL) (movimento guerrilheiro fundado por Carlos Marighela, que fora assassinado em 4 de novembro de 1969, num cerco policial em São Paulo).

Com frei Betto, padre Marcelo seria transferido para o Dops de São Paulo, ainda em novembro de 1969 e, ao ser interrogado pelo delegado Ivahir de Freitas Garcia, perceberia que seu inquiridor já estava de posse de cartas a ele escritas por dom Helder. A polícia apreendera as cartas durante a revista na casa de padre Marcelo em Recife. Eram cartas "líricas e relativas à pastoral", segundo dom Marcelo, e, por isso mesmo, a polícia negou-se a permitir que as lesse, pois nelas nada havia que o incriminasse ou dom Helder. Frei Betto, em seu livro *Batismo de sangue*, narrou alguns momentos do interrogatório de padre Marcelo:

> – Estamos admirados pela aceitação que o senhor tem na Igreja [começou o interrogatório o delegado do Dops, dirigindo-se ao padre Marcelo Carvalheira]. Cardeais e bispos vêm visitá-lo. Mas que direito tem o senhor de dizer o que acontece aqui dentro? Fique sabendo de uma vez por todas: contra o senhor não temos literatura, temos fatos!
> Esmurrou a mesa e fez a primeira pergunta:
> – Quem é frei Leão? – berrava a voz estridente do interrogador.
> – Não conheço nenhum frei Leão, delegado.
> – E isto aqui, o senhor conhece? – retrucou o policial, exibindo um maço de cartas de dom Helder.
> Só então padre Marcelo lembrou-se de que "frei Leão" era o apelido que dom Helder dera à sua secretária na CNBB, Cecília Monteiro, mais conhecida como Cecilinha. Considerava-a tão importante na conferência episcopal quanto frei Leão o fora nos primórdios da comunidade franciscana. Mas o sacerdote pernambucano nada disse ao delegado que, irritado, passou a outra pergunta:
> – O que significa Aglae?
> O prisioneiro ignorava por completo o significado dessa estranha sigla.
> – Não seria Agência Latino-Americana de Esquerda? – sugeriu o delegado.
> A "sigla" fora tirada das cartas do arcebispo de Olinda e Recife. Aglae (na verdade, Aglaia), grande amiga de dom Helder, era funcionária da CNBB. O mistério, todavia, permaneceu para o Dops.

Ao contrário da maioria dos demais presos políticos que passaram pelo Dops e foram barbaramente torturados, incluindo um grupo de frades dominicanos, as ligações de padre Marcelo com a cúpula da Igreja no Brasil intimidaram os policiais, poupando-o de seus "métodos de interrogatório", possibilitando que saísse fisicamente ileso da prisão.

Desde que soubera da prisão do amigo, dom Helder acompanhou o caso de perto. Mas como já estava sob suspeita, a polícia política, que acusava padre Marcelo de estar no Sul para promover a subversão, prendeu-o para atingir o arcebispo. Dom Helder pediu a dom Vicente Scherer, arcebispo de Porto Alegre, que interferisse no caso. O cardeal Scherer juntou-se a outros prelados – dom Avelar Brandão, arcebispo de Salvador e presidente do Celam, dom Agnelo Rossi, arcebispo de São Paulo e presidente da CNBB, e mais dom Eugênio Sales e dom José Maria Pires, estes de inteira confiança de dom Helder, visitaram padre Marcelo na prisão e insistiram às autoridades militares para que fosse libertado. Como o Dops nada conseguiu descobrir que comprovasse uma "suposta conexão CNBB – Dom Helder – monsenhor Marcelo – Carlos Marighela", em 30 de dezembro, depois de 51 dias na prisão, padre Marcelo foi solto.

Quanto ao fato de algumas de suas cartas terem sido apreendidas pela polícia, dom Helder tinha consciência do perigo que isso significava para seus amigos do Rio, tanto que os aconselhou: "Não se aflijam se houver curiosidade, busca e apreensões em torno das circulares à Família Mecejanense. A mão de Deus está conosco. Sofrimento é normal na vida humana. Perseguição é normalíssima na vida cristã...". Mas apesar do risco verdadeiro, seus colaboradores do Rio não sofreram nenhum tipo de perseguição ou ameaça por parte do regime, ao contrário do que vinha ocorrendo com vários dos colaboradores de dom Helder no Recife.

Aglaia era quem datilografava as cartas com carbono e passava as cópias para que Wilma as distribuísse aos demais membros da "Família".

Sempre que dom Helder dava uma conferência no Brasil ou no exterior, levava o conteúdo por escrito. Exatamente para evitar algo que, mesmo com esse cuidado, ocorreria muitas vezes: a deturpação de suas palavras. Escrito, seu discurso podia ser divulgado sem depender de uma versão que pudesse alterá-lo.

A trajetória de cada texto, até sua forma final, envolvia primeiro um esboço enviado ao pessoal do Rio de Janeiro, que o lia, fazia emendas, fundamentava-o com informações teóricas e indicadores estatísticos, procurava substituir termos que pudessem ser considerados subversivos pela censura e fazia a tradução para o francês e/ou para o inglês. Terminado esse trabalho técnico, o grupo devolvia o texto a dom Helder para que este desse o seu parecer sobre as alterações realizadas. Frequentemente concordava com as mudanças, mas nem sempre, e nesse caso ele justificava o porquê. De qualquer forma, depois desse parecer, o texto voltava novamente ao Rio para ser datilografado e, se houvesse necessidade, reproduzido em mimeógrafo. De posse do texto em sua versão final, dom Helder enviava-o com antecedência para conhecimento e aprovação por parte da autoridade eclesiástica do local em que daria a conferência, conforme exigia o Vaticano.

O arcebispo confiava tanto no trabalho de seu pessoal, que era comum retomar o texto final já na hora da conferência. Mas numa ocasião, esse seu hábito provocou a maior correria. Ele daria duas palestras em Belo Horizonte. A primeira seria num estádio de futebol, como paraninfo de uma formatura. Ao passar pelo Rio em uma escala do voo, assim que pegou as duas cópias dos textos de cada palestra que faria, guardou-as na valise e continuou conversando. Logo depois prosseguiu viagem. Em Belo Horizonte, como de praxe, deixou uma cópia de cada palestra no Palácio Arquidiocesano para serem lidas pelo bispo local, dom João. Ao chegar ao estádio, quase na hora de falar, puxou da valise o texto do seu discurso. Só então percebeu que ficara com as cópias erradas, tendo deixado com dom João as duas cópias da palestra que daria naquele momento. Foi preciso que o roteiro da cerimônia fosse alterado, para que um padre que o acompanhava fosse buscar o texto certo.

Ocasiões especiais para os encontros da "Família Mecejanense" eram as visitas de dom Helder ao Rio para alguma reunião da CNBB ou de passagem para o exterior, já que Recife não contava com aeroporto internacional. Quase todos os membros do grupo iam recebê-lo, ficando com ele até a hora da partida. Geralmente chegava às onze da manhã, passava a tarde com as amigas e, depois do jantar, o pessoal levava-o ao aeroporto em comitiva. Enquanto o avião não chegava, ficavam conversando no saguão.

"QUAISQUER QUE SEJAM AS CONSEQUÊNCIAS"

As pessoas de boa fé estranham uma pobreza que faz o mais delirante e suntuário turismo. A princípio, dom Helder explicou: "São os amigos". Todo mundo ficou imaginando que o amigo mais pobre do arcebispo seria um Onassis, um Rockefeller, uma General Electric etc. etc. Mas os desconfiados, que sempre os há, viram o óbvio, isto é, que são organizações esquerdistas; radicais, que pagam suas passagens e suas estadas. Vem o , apresenta uma lista das organizações. Exibe, radiante: "Aí está". Meu Deus, o que é que prova uma lista? O que realmente prova é o tom, o caráter político e, sobretudo, radical de seus pronunciamentos. Ele não diz uma palavra que não convenha, que não faça o jogo deslavado das esquerdas mais ferozes...

Nelson Rodrigues, *O Globo*, 17/9/1970

No início de 1970, dom Helder já era reconhecido como uma liderança da luta em defesa dos direitos humanos e da manutenção da paz mundial. Tanto que era considerado forte candidato ao Nobel da Paz. O próprio consultor do Comitê Nobel, Jakob Sverdrup, argumentara em seu relatório "que a sua mensagem de não violência, na América Latina de hoje, pode ser considerada como tendo importância para a conservação da paz, porque representa uma alternativa realística ao aumento do terrorismo e dos movimentos guerrilheiros. Ele possui prestígio e importância, o que faz com que a sua mensagem seja ouvida, tanto no Brasil como fora do território nacional". Em 17 de maio de 1970, o jornal norte-americano *Sunday Times* chegou a mencioná-lo como "o homem de maior influência na América Latina, depois de Fidel Castro", segundo o mesmo consultor, que lembrou, ainda, que dom Helder representava a "grande e importante corrente dentro da Igreja Católica" do continente.

Não era muito diferente a opinião sobre ele do embaixador dos Estados Unidos no Brasil, Charles Burke Elbrick. Sequestrado no dia 4 de setembro de 1969 por um grupo da Ação Libertadora Nacional (ALN), do qual fazia parte Fernando Gabeira, ainda no cativeiro Elbrick declararia que dom Helder seria o candidato de sua preferência à Presidência do Brasil, como uma "alternativa civil" à ditadura militar, pois "não era comunista e poderia, com um reformismo aceitável, deter uma revolução comunista no maior país da América Latina", conforme relatou o jornalista Luís Mir no livro *A revolução impossível*. Detalhe: em 22 de agosto do mesmo ano, portanto, doze dias antes do sequestro, o embaixador visitara dom Helder em Recife e os dois conversaram por "quase uma hora".

Desde 1964, dom Helder já realizara dezenas de conferências pelo mundo afora e defendera seus pontos de vista diante de monarcas como o rei Baudoin, da Bélgica, e chefes de Estado como o presidente chileno Eduardo Frei, para lembrar apenas dois exemplos entre vários. No Brasil, já publicara seu livro *Revolução dentro da paz* – uma coletânea de alguns dos seus principais pronunciamentos organizada por assessores do Rio de Janeiro e publicada pela editora Sabiá, graças à insistência dos editores Rubem Braga e Fernando Sabino –, que imediatamente começaria a ser traduzido e publicado em várias línguas e países. Seu segundo livro, *Terceiro Mundo defraudado*, saíra simultaneamente em francês e italiano em 1968 e, em 1969, a Universidade de Saint Louis (EUA) concedera-lhe o título de *Doutor Honoris Causa* em Letras.

Apesar desse crescente prestígio internacional, em 1969 – ano em que vários de seus colaboradores foram ameaçados pela repressão política e um morto brutalmente – tornara-se difícil o seu acesso à TV, ao rádio, aos jornais e revistas brasileiros, em razão do acirramento da censura do governo à imprensa. Para completar o cerco, a Secretaria de Estado do Vaticano expressara formalmente o descontentamento com pronunciamentos fora de Recife.

Por tudo isso, o novo ano começaria para dom Helder sob o signo da incerteza. Ele não sabia o que esperar de 1970: "Incompreensão de Roma? Incompreensão no Brasil, de volta? Prisão? Holocausto? Morte natural (desembarque, partida)?".

É certo que de todos os problemas que enfrentava, mais angustiante era a falta do apoio de seu amigo Paulo VI: "Quando tenho a impressão de que Roma não me entende ou não me aprova, sinto a terra faltar debaixo dos pés. Como Te entendo, Cristo, exclamando na cruz: "Meu Pai, meu Pai, por que me abandonaste?!".

Desde a carta de monsenhor Benelli, dom Helder passou a recusar todos os convites para viajar ao exterior. Mas o redator-chefe da importante revista francesa *Informations Catholiques Internationales*, José De Broucker, confidente de dom Helder, ficou sabendo do verdadeiro motivo por trás da atitude do amigo e publicou uma nota afirmando que, além das censuras do governo autoritário no Brasil, o arcebispo de Recife sofria também censuras do Vaticano.

Pressionada pela repercussão da notícia, a Secretaria de Estado contra-atacou em dois flancos: desmentiu publicamente as censuras ao arcebispo e insistiu para que voltasse a aceitar os convites. Dom Helder, então, aproveitou uma viagem em que fez conferências no Canadá, Estados Unidos e Suíça, já agendadas antes da quase-proibição, para passar em Roma e conversar diretamente com Paulo VI. Esse encontro aconteceu no dia 26 de janeiro de 1970. Num clima de muita cordialidade, os dois combinaram que dom Helder poderia realizar até quatro viagens internacionais por ano, desde que continuasse a pedir o consentimento prévio da autoridade eclesiás-

"QUAISQUER QUE SEJAM AS CONSEQUÊNCIAS" 317

tica do local visitado e se ausentasse da Arquidiocese por um período máximo de dois meses por ano, correspondentes a suas férias. Dom Helder também conseguiu a aprovação de Paulo VI ao lançamento do movimento Ação, Justiça e Paz para o plano mundial, inclusive porque a conjuntura política praticamente inviabilizara que o movimento prosperasse no Brasil.

Ainda como sinais de seu crescente prestígio internacional, no primeiro semestre de 1970, dom Helder recebe, no Recife, a visita de Ralph David Abernathy, pastor batista norte-americano sucessor do líder pacifista Martin Luther King, e os dois lançam uma nota em defesa das lutas pela justiça por métodos pacíficos; na França é lançado um novo livro seu, divulgando as ideias do movimento Ação, Justiça e Paz, ganhando, no mesmo ano, traduções para o espanhol, alemão, norueguês, chinês e, no ano seguinte, para o italiano e o português (por uma editora de Portugal).

A viagem internacional seguinte ocorreu em maio e teve um roteiro que incluiu passagens pela Áustria – onde ele assumiu o cargo de diretor do Instituto de Viena para o Desenvolvimento, tendo como colegas Bruno Dreisger, primeiro-ministro austríaco, e Willy Brandt, primeiro-ministro da Alemanha Ocidental – e Bélgica, onde recebeu o título de *Doutor Honoris Causa* em teologia pela Universidade de Louvain, em cerimônia assistida pelo amigo cardeal Suenens; encontrou-se com estudantes, deu uma palestra no Palácio do Congresso, em Bruxelas, para uma sala "transbordante" de pessoas, encontrou-se com representantes da Comunidade Europeia, deu inúmeras e longas entrevistas para a imprensa belga e almoçou com o rei e a rainha, seguindo depois para a França.

Dom Helder chegou à França, em 24 de maio, falou em Orleans e Lyon e tinha uma palestra marcada para o dia 26, em Paris, prevista para ocorrer em um auditório com capacidade para 2.500 pessoas, mas uma hora depois de iniciada a venda dos ingressos, na manhã do dia 25, a entidade organizadora, o Centro Católico de Intelectuais Franceses, mudou-a para o Palácio dos Esportes, onde caberiam aproximadamente 10 mil pessoas. O evento estava sendo promovido também por outras três entidades, o Movimento Pax Christi, a Confederação de Protestantismo Francês e o Comitê Católico contra a Fome.

"A responsabilidade da França diante da Revolução" era o título da palestra que preparara, pensando em discutir sobre a validade das bandeiras que animaram a Revolução Francesa de 1789 – liberdade, igualdade e fraternidade –, quase duzentos anos depois, mas na casa do cardeal François Marty, arcebispo de Paris, um grupo de umas 25 pessoas, várias autoridades eclesiásticas e leigas, cobraram-lhe uma palestra com um outro conteúdo, que falasse "a verdade sobre o Brasil daquele momento" e denunciasse as torturas que "sabiam existir" no Brasil.

Para convencê-lo, usaram o argumento de que ou ele "fazia aquela denúncia publicamente aos franceses, ou perderia a força moral para denunciar as injustiças e os absurdos que se passam nos outros países". Dom Helder conhecia pessoalmente alguns casos de pessoas torturadas pelo Dops de Recife e, inclusive, denunciara-os por um ofício enviado ao governador do estado, em agosto de

1969, e no *Boletim Arquidiocesano*, mas não falara ainda aberta e concretamente sobre o tema fora do país.

Por outro lado, a lógica do raciocínio dos organizadores de sua palestra era, sem dúvida, irrefutável, como escreveu o jornalista Marcos de Castro, segundo o qual "dom Helder também compreendeu assim. E teve de deixar de lado a conferência que preparara e falar de improviso no Palácio dos Esportes, naquela noite com sua capacidade de lotação superesgotada: além das 10 mil pessoas que completam essa capacidade, outras 10 mil – segundo todos os jornais e revistas de Paris, na ocasião – ficaram do lado de fora, paradas na porta ou percorrendo as cercanias do ginásio em busca de um ingresso que não mais existia ou de outra maneira qualquer de entrar. As fotografias testemunham a superlotação. A *Informations Catholiques Internationales*, de 15 de junho seguinte, em que dom Helder ocupa o noticiário principal (capa, editorial e mais oito páginas), tenta uma explicação sumária para o fato, buscando as razões pelas quais 'esse homem miúdo, com forte sotaque estrangeiro e que só diz coisas simples, consegue hoje movimentar multidões na maioria dos países do mundo...'.

Assim que entrou no Palácio, dom Helder foi beijado no rosto por uma jovem que o presenteou com uma rosa vermelha. Logo depois, por alguns instantes o arcebispo conseguiu se desvencilhar do público e dos organizadores e, em um canto dos bastidores, ajoelhou-se e rezou: "Por Cristo, com Cristo e em Cristo, entrego ao Pai toda honra e toda glória!. E ofereço minha vida pela paz no mundo, paz verdadeira, baseada na justiça e no amor. Entrego-me à Mãe querida, Rainha dos Anjos e Rainha da Paz...'.

Segurando em uma das mãos a rosa vermelha que recebera de presente na entrada, dom Helder introduziu o tema de sua palestra, explicou o título – "Quaisquer que sejam as consequências", que prenunciava sua intenção polêmica – e passou a contar dois exemplos concretos e comprovados de pessoas torturadas: o do estudante Luís Medeiros de Oliveira e o do padre dominicano Tito de Alencar:

> Um dia, no entanto, li nos jornais da cidade que um desses estudantes tinha se atirado pela janela do prédio da polícia. Imediatamente, fui ao hospital, com meu bispo auxiliar. Então, nós dois, junto com o médico, junto com a polícia que estava lá, vimos o ferido, os membros quebrados. Perguntei-lhe: "O que aconteceu?" Então Luís Medeiros respondeu-me: "Ah! dom Helder! Eu sofri torturas terríveis e no momento em que descobri que elas iam recomeçar, eu preferi me jogar pela janela..." – Quando saí, um médico – atenção para esses detalhes – disse-me: "Dom Helder, o senhor me conhece, o senhor conhece minha mulher e os meus filhos, infelizmente o senhor não poderá utilizar o meu nome, porque eu preciso desse trabalho aqui. Mas eu tenho uma sugestão: vá ao governador. O governador também é médico, procure trazê-lo aqui. Para o governador, as portas do hospital se abrirão. E, como ele é médico, será fácil ele examinar o doente". E meu interlocutor aconselhou-me a chamar a atenção do médico governador sobre dois pontos: "Peça-lhe para ver se o doente ainda tem todas as suas unhas e se seus testículos não foram esmagados".

Eis o segundo exemplo: trata-se de um padre dominicano de 24 anos, de São Paulo, Tito de Alencar. Ele fora preso e a polícia queria lhe fazer denunciar alguns nomes. Como não poderia ou não queria, eles começaram a torturá-lo. Mais tarde, seu provincial trouxe-me uma carta que Tito escrevera, na qual descrevia algumas das torturas que tinha sofrido. Por exemplo, o "pau-de-arara". Vejam o que ele diz na sua carta, que eu tenho aqui:
"Pendurado, nu, as mãos e os pés amarrados, eu recebi choques elétricos, provenientes de pilhas secas, na sola dos pés e na cabeça".
Mais além, ele descreve uma outra tortura: a "cadeira do dragão". É uma cadeira com fios e placas metálicas. "Ligados numa corrente elétrica, esses fios e placas metálicas enviavam-me choques nas mãos, nos pés, nas orelhas e na cabeça".
Ele fala ainda de uma tortura que eu não direi habitual, mas que também não é rara: ele foi convidado a abrir a boca, "para receber a santa hóstia". Colocaram, então, dentro de sua boca um fio elétrico. Ele descreve também o "corredor polonês". Filas de policiais que lhe batem, uns após outros. Finalmente, totalmente deprimido, esse jovem dominicano tentou o suicídio (que acabaria cometendo em 1974, no sul da França). E foi depois de ter-se recuperado que escreveu essa carta.
Esses exemplos, meus amigos, não são casos isolados. Eles são, antes, a regra no que concerne aos presos políticos...

A palestra continuou com explicações sobre a conjuntura política no Brasil, relatos sobre os movimentos de luta armada contra o regime e sua costumeira defesa dos métodos pacíficos de luta política pelo desenvolvimento econômico-social e pela democracia. Assim que terminou, o cardeal Marty, que o ouvira da primeira fila, correu para cumprimentá-lo, já prevendo as consequências da palestra: "Pastor da cabeça aos pés. Pastor na explicação e nas respostas. Aconteça o que acontecer, estará sofrendo como Pastor. Direi isto ao Santo Padre". Na saída do estádio, a multidão começou a cantar o hino da liberdade de Martin Luther King, numa versão francesa. Dom Helder, então, não se conteve e começou a chorar...

Na realidade, por mais que tenha argumentado que sua palestra ocorreu de improviso, em razão dos apelos para que denunciasse a prática de tortura contra presos políticos no Brasil, tudo indica que ele se preparara com antecedência para realizar tais denúncias. Houve até um vazamento de informações quanto ao conteúdo do discurso, pois no mesmo dia da palestra (26 de maio, ou seja, numa edição preparada no dia anterior), o jornal *O Estado de S. Paulo* noticiou que ele faria as tais denúncias. Essa hipótese é confirmada por uma declaração feita pelo próprio arcebispo no dia anterior: "... estou consciente de que a 26 de maio – amanhã! – viverei um dia marcante em minha vida".

Essa previsão confirmou-se totalmente. Jamais qualquer autoridade eclesiástica sofrera, no Brasil, até então, uma campanha tão persistente e agressiva visando à sua desmoralização perante a opinião pública como a que ocorreu nos meses seguintes. Contra dom Helder saíram alguns dos principais órgãos de imprensa do país, como o jornal *O Globo* e a TV Globo, *O Jornal*, a revista *O Cruzeiro*, a Cadeia Associada de TV e o jornal *O Estado de S. Paulo*.

Depois de criticá-lo duramente em vários editoriais e de considerar suas declarações como parte da sua "campanha eleitoral para conseguir o Prêmio Nobel da Paz", já no dia 28 de maio o *Estadão* publicou um texto, na seção "A Pedido", atribuído ao padre Álvaro Negromonte, falecido em setembro de 1964, e que teria sido encontrado, após a sua morte, entre os seus escritos, onde aparece uma série de denúncias contra a personalidade e os trabalhos realizados por dom Helder. O texto foi reproduzido numa coletânea de artigos jornalísticos publicados contra o arcebispo, organizada por Marcos Cirano: em síntese, nela dom Helder é acusado de personalista, oportunista, carreirista, corrupto e perdulário, pois "pertenceu a todos os movimentos que o podiam projetar, enquanto eles tiveram projeção", como o movimento integralista; se insinuava como sendo da confiança de dom Jaime e dos núncios Chiarlo e Lombardi, com o intuito de "atingir o episcopado" e de nomear bispos de sua confiança "principalmente do Nordeste" e que "lhe obedecem como súditos"; "cerca-se de quem se lhe submete sem discrepância, por isso trabalha quase exclusivamente com senhoras. Foge dos que têm personalidade e que não lhe obedecem cegamente"; e por último, segundo o texto, "desbarata os dinheiros que recebe e dos quais jamais prestou contas a ninguém. Desvia as verbas para fins estranhos e não tem mãos a medir nos gastos, embora seja pessoalmente pobre (a fim de poder colher com isso novas glórias)".

Mas isso era apenas o começo. Gustavo Corção, Gilberto Freyre, Nelson Rodrigues, David Nasser, Salomão Jorge, um mais mordaz que o outro, fariam uma campanha de execração pública contra dom Helder, utilizando todos os tratamentos pejorativos que conheciam para condená-lo. No estudo que realizou sobre "a imprensa e o arcebispo Vermelho", Sebastião Antonio Ferrarini compilou "a ladainha de qualificativos" tão utilizados contra ele:

> ... líder da insubordinação, irrequieto prelado, *condottiere*, apóstolo da libertação do homem novo, caráter totalitário, aprendiz de ditador, incorrigível agitador, antístite bolchevista, perigoso esquerdista, perigoso purpurado, contumaz agitador, líder comuno-nacionalista, subversivo dignitário, arcebispo da subversão, bispo vermelho, opiáceo revolucionário, perigosíssimo energúmeno, Fidel Castro de batina, guerrilheiro eclesiástico, bispo totalitário, exaltado reformador, o pacifista, advogado do Terceiro Mundo, antropófago, pai da mentira, melífluo arcebispo, herdeiro espiritual de Antônio Conselheiro, vocação perdida de filósofo especulativo, fogoso fascista, antístite dialogante, padre de passeata, grande demagogo, famoso antístite, o democrata, incorrigível prelado, ícaro da batina, *globeflyer*, gnomo de batina, fuxiqueiro ardiloso, fogoso prelado, arcebispo extravagante, *arcebeatle* Camara, arcebispo itinerante, cinematógrafo prelado, gralha tagarela, catavento, boneco falante, líder anarco-esquerdista do clero, embaixador itinerante da Igreja Católica, corifeu tonsurado dos padres de batina, moderno saduceu, novo Jônatas, doutor angelical, místico arcebispo, corruptor das consciências, carbonário incendiário, improvisado revolucionário, sereia verde, futuro Torquemada, labioso prelado, contumaz difamador, cabo de esquerda, Rasputim do Recife e Olinda, comunista sino-cubano, carcará vermelho, Dener do figurino do ódio, relações públicas da miséria, rabi encarnado de Olinda, D. Sardinha às avessas, pombo-correio das esquerdas, arcanjo do ódio, político de meia-tigela, figura controvertida,

"QUAISQUER QUE SEJAM AS CONSEQUÊNCIAS" 321

prelado voador, Jânio Quadros eclesiástico, grande comediante, o *poverello* do Recife, novo Tomás de Aquino da filosofia católica, notabilíssimo hierarca, megalômano, pastor de cobras, caixeiro-viajante da difamação, Kerenski, arcebispo de Moscou, garanhão da desordem social, príncipe da Igreja cubana, romeiro do ódio ao Brasil, pastor de almas penadas, padre turbulento, falso profeta, tartufo de sotaina.

As peças seguintes na campanha movida contra o arcebispo de Olinda e Recife seriam ainda mais escabrosas. Na noite de segunda-feira, 24 de agosto, em pleno horário nobre da televisão, a Rede Globo interrompeu sua novela de maior audiência, "Irmãos Coragem", para que o repórter Amaral Neto apresentasse, em cadeia nacional, uma edição extra de seu programa de reportagens. "Amaral Neto conversa com um jovem", escreveu dom Helder numa nota de esclarecimento público, "que se identifica como oficial do Exército; e afirma ter sido torturado e, inclusive, suspenso em uma cruz; e declara que as torturas lhes foram infligidas pelo Exército Brasileiro, como exercício de antiguerrilhas. O entrevistador faz, então, declarações gravíssimas: diz que várias revistas estrangeiras divulgaram a fotografia do oficial torturado, como prova de que há torturas em nosso país e afirma que eu fiz o mesmo. Como prova, exibiu montagem fotográfica em que apareço paramentado para a missa e apontando na direção do oficial amarrado na cruz". Como não haveria espaço nos meios de comunicação para que pudesse ser realizada a sua defesa, o governo colegiado da Arquidiocese mandou distribuir 100 mil panfletos com a nota escrita por dom Helder, exigindo da TV Jornal do Comércio, retransmissora da Globo em recife, o direito de resposta.

Diante das acusações de que suas viagens eram pagas com dinheiro dos assaltos a bancos praticados pelos movimentos de guerrilha urbana, de Fidel Castro e de Mao Tse-Tung, e de que estava a serviço do "comunismo internacional" para denegrir a imagem do Brasil no exterior, dom Helder redigiu uma longa carta aberta aos seus principais detratores, prestando contas de suas últimas viagens, com as entidades que o convidaram e que financiaram suas passagens e estadas.

Atacá-lo passou a ser uma credencial que simbolizava o apoio irrestrito ao governo militar – então presidido com mão de ferro pelo general Garrastazu Médici, que deu carta branca ao aparelho repressor –, a tal ponto que, quando vagou a embaixada do Brasil em Washington no final de 1970, em razão da morte do embaixador Mozart Gurgel Valente, o diplomata Afonso Arinos escreveria que o senador Mem de Sá (do Rio Grande do Sul) tentava se recomendar para o cargo com "declarações subservientes" ao governo e insultando dom Helder.

Censurados, mesmo que quisessem, nem os meios de comunicação poderiam tomar a defesa do arcebispo. No início de setembro de 1970, uma ordem oficial começa a chegar às redações dos órgãos de imprensa de todo o país, enviada pela Polícia Federal, com uma mensagem clara: "De ordem do sr. ministro da Justiça (Alfredo Buzaid), ficam proibidas quaisquer manifestações, na imprensa falada, escrita e televisada, contra ou a favor de dom Helder Camara. Tal proibição é extensiva aos horários de televisão reservados à propaganda política". O interessante é que o telegrama era apenas mostrado aos diretores dos órgãos de imprensa e, em seguida, guardado pelo policial que o portava.

Ilustrativo de como o governo atuava foi a censura imposta à revista *Manchete*, logo depois da publicação de uma foto de dom Helder de "braços abertos, sorrindo, preparando-se para abraçar duas crianças". Marcos de Castro trabalhava na revista e escreveu que "no dia seguinte ou dois dias depois da publicação, um dos diretores da empresa, Murilo Melo Filho, foi chamado ao Ministério do Exército... Quando Murilo voltou, rodeado pelos redatores, contou que estivera reunido numa sala com alguns coronéis... Dom Helder ocupara realmente boa parte da conversa, explicou Murilo, contando que um dos coronéis, o da cabeceira da mesa, encerrou o assunto assim: "Olha, doutor, desse arcebispozinho comunista a revista não deve publicar mais nada, hein! Nem contra!".

Por certo, o governo brasileiro chegara à conclusão de que até as difamações acabavam projetando uma imagem de perseguido pelo regime, o que o credenciava ainda mais para o Nobel da Paz.

Mas ainda continuariam na imprensa os ataques a dom Helder, feitos por um ou outro ilustre defensor do regime, como Nelson Rodrigues, por exemplo, em suas "Confissões", em *O Globo*. Em outubro de 1970 seria a vez do governador de São Paulo de acusá-lo de viajar a serviço do comunismo. O presidente da CNBB até pediu que Sodré apresentasse as provas da acusação, recebendo como resposta uma relação de livros e artigos de imprensa. Quando dom Helder tentou se contrapor às afirmações do governador, teve sua resposta censurada pelo governo federal, o mesmo acontecendo com o vice-governador de São Paulo, Hilário Torloni, que havia rompido com Abreu Sodré e foi impedido de levar ao ar um vídeo em que fazia a defesa de dom Helder.

A imprensa estrangeira, porém, continuava dando grande espaço para dom Helder realizar sua defesa. Mas, em setembro, o arcebispo desconfiou da irritante insistência com que televisões, rádios, jornais e revistas da Europa e dos Estados Unidos o procuravam e perguntou a um jornalista do *The New York Times* qual a razão de tão grande assédio. A resposta do jornalista foi franca e até surpreendente: a instrução que recebera de seu editor era para que aparelhasse o jornal para a eventualidade de dom Helder ser agraciado com o Nobel da Paz ou de sua "eliminação".

Ainda no final de setembro, ficou sabendo que o regime contava com um aliado contra ele dentro do episcopado. Tratava-se do velho e persistente dom Sigaud, que dessa vez escrevera ao bispo de Munster, na Alemanha, denunciando "a verdade sobre dom Helder Camara", tentando, com isso, levar os bispos alemães a retirarem seu apoio à candidatura do brasileiro ao Nobel, argumentando que "as consequências que a condecoração do arcebispo de Recife acarretarão podem tornar-se catastróficas para a Igreja no Brasil...". O resultado concreto alcançado por dom Sigaud foi que, mesmo inscrito para falar num Congresso Católico em Trier, os bispos alemães estavam tão fechados com dom Helder que o cardeal de Munique, Juilusz Döpfner, cortou-lhe a inscrição.

Em represália, dom Sigaud mandou mimeografar e distribuir sua carta. Não sabia ele que passava por um desgaste desnecessário, pois muito mais competente e decisiva estava sendo a atuação do embaixador brasileiro em Oslo, Jaime de Souza-Gomes, que articulava com alguns empresários noruegueses a inviabilização da candidatura de dom Helder ao Comitê do Parlamento da Noruega responsável pela atribuição do Prêmio Nobel.

Como o embaixador Souza-Gomes não agia por conta própria, evidencia-se como o governo brasileiro tentava impedir a premiação do arcebispo. Uma hipótese que justificaria tamanha rejeição dos militares, além das suas denúncias contra o regime, era a possibilidade de que eles não tivessem gostado nem um pouco de saber que o embaixador dos Estados Unidos no Brasil, em 1969, chegara a defender a tese de que o arcebispo seria o candidato da sua preferência para ocupar a presidência do Brasil, como uma "alternativa civil" ao regime militar, a ser articulada pelos Estados Unidos. (Segundo Luís Mir, a fita em que o embaixador Charles Elbrick gravara a entrevista com essa declaração foi parar em poder do Exército, após o fim do sequestro, "e mesmo contendo declarações em caráter privado, não anulava sua condição de representante dos Estados Unidos. Sua remoção foi pedida").

A hipótese de dom Helder tornar-se presidente do Brasil também foi utilizada pela embaixada brasileira em Oslo para convencer os conservadores membros do Comitê do Parlamento da Noruega responsável pela atribuição do Prêmio Nobel a indeferirem a premiação do arcebispo de Recife. Seria uma forma de não contribuírem para que seu prestígio crescesse ainda mais, o que poderia levá-lo ao poder, com uma plataforma de governo reformista que tornaria incerto o futuro dos investimentos estrangeiros no Brasil – entre eles, os de empresários noruegueses –, a exemplo do que ocorria no Chile, governado pelo socialista Salvador Allende. Real ou totalmente fantasiosa, essa hipótese serviu para ajudar a vencer o favoritismo de dom Helder ao Prêmio Nobel.

O regime autoritário no Brasil, porém, não chegou ao ponto de executar contra o arcebispo de Recife um plano que o capitão Sérgio Miranda de Carvalho atribuiu ao brigadeiro João Paulo Burnier, segundo o qual, se "...pretendia, entre outras coisas... lançar, de um avião para a morte no mar, dom Helder Camara...", conforme escreveu o jornalista Jânio de Freitas.

O RISCO DA RESISTÊNCIA

O melhor método é o seguinte: partir do geral para o particular, do especial para o singular. [...] É bom que o acusado ignore a especificidade do que o acusam. Deve-se chegar a isso por uma retrospectiva constante, perguntando sobre os motivos da própria acusação, a fim de levar o acusado a confessar ou a se lembrar do seu crime, se é que esqueceu...

... Existem pessoas com o espírito tão fraco, que confessam tudo com o mínimo de tortura, mesmo se não cometeram nada. Outras são tão obstinadas que não abrem a boca, independentemente das torturas que sofrerem...

Manual dos inquisidores, escrito por
Nicolau Eymerich em 1376. Revisto e ampliado por
Francisco de La Peña em 1578

O título escolhido para a palestra no Palácio dos Esportes, em Paris, no dia 26 de maio de 1970 – "Quaisquer que sejam as consequências" – indica claramente que dom Helder já previa a forte reação que viria após a denúncia do uso de torturas nos interrogatórios de presos políticos no Brasil. Para convencê-lo de que não poderia deixar de realizar um pronunciamento de denúncia, o grupo que o acompanhava até ponderou que quanto mais "consequências" no Brasil – "Inquérito Policial Militar, perda de direitos civis, proibição de viajar, prisão" –, maior o ganho em publicidade e prestígio para o movimento Ação, Justiça e Paz.

Porém, uma coisa era prever as tais "consequências", outra, muito diferente, seria vivê-las nos meses e anos seguintes. Ainda em 1970, mesmo sem prisão, proibição de viajar ou IPM, após a "tempestade" de ataques que sofrera por parte de alguns jornalistas e órgãos de imprensa, mais a proibição de sua defesa, dom Helder passa a viver momentos de crise e incerteza quanto à "vocação de profeta" que atribuía a si mesmo: "Continuo a cumprir, rigorosamente, todos os compromissos. Ninguém está percebendo o que se passa por dentro", escreveria. Abalara-o profundamente a proibição de acesso aos jornais e revistas, rádio e TV, justo quando era apontado como inimigo do Brasil e exposto à execração pública. Para agredi-lo ainda mais, seus inimigos no Recife chegaram a pintar uma bandeira brasileira em uma parede lateral da igreja das Fronteiras com um aviso embaixo: "Brasil, ame-o ou deixe-o!".

Em seu íntimo, pesavam várias dúvidas: se sua atuação não fazia "mais mal à Igreja do que bem"; se não era melhor deixar sem respostas as cartas e os convites do exterior, para que pudesse "mergulhar na Arquidiocese, especialmente na evangelização, tendo cuidado extremo nas aplicações do evangelho, para evitar incursões exageradas na política"; se não deveria ser mais Pastor e menos Profeta.

Dom Helder se perguntava até que ponto não andava "extremamente humana, unilateral e apaixonada" a divulgação que fazia da "mensagem", em vez de estar "impregnada de sobrenatural, ampla e serena". Sentia que corria "o risco de atribuir a Deus o que não passava de visão pessoal e desabafo" e, por isso, pensava até em preparar-se para o silêncio e para a morte. Aliás, a ideia da morte voltou a ocupar importante lugar em suas reflexões no dia 3 de abril de 1970, precisamente às três e meia da manhã, durante sua vigília, quando recebeu por telefone a notícia da morte de dom José Vicente Távora – o "Eu" – o amigo com quem tinha "pacto de unidade com Cristo".

Apesar da intensa pregação internacional, sua prioridade "absoluta", era o trabalho na Arquidiocese, por mais que seus adversários, dentro e fora da Igreja, desmerecessem a importância que dava à ação pastoral. Desde 1969, ele insistia na consolidação de um movimento de "evangelização conscientizadora" a que chamaria Encontro de Irmãos. Os agentes pastorais da Arquidiocese animavam o nascimento de "pequenos grupos moradores das áreas populares para se discutir o Evangelho e debater os problemas da comunidade. Esses grupos acabavam liderando os outros habitantes das comunidades no sentido de encontrar soluções para os problemas do dia a dia, pela implantação de pequenos projetos".

Era o nascimento das Comunidades Eclesiais de Base na Arquidiocese de Olinda e Recife. Para o arcebispo, as CEBs representavam uma "esperança viva de renovação das estruturas da Igreja", semeadas dentro das "cidades desumanas" para promover a humanização por meio de uma religiosidade que contribua para a "libertação social" das camadas populares.

Dom Helder orientava os "animadores" das comunidades de base para que ficassem atentos às ameaças representadas tanto pela "extrema direita, que pretende esmagá-las, a pretexto do perigo de serem instrumentalizadas pelos marxistas-leninistas", como pela "tentativa que existe e existirá de serem efetivamente instrumentalizadas pela extrema esquerda". Para tanto, insistia para que em cada encontro da comunidade fosse garantido, "à custa de qualquer sacrifício, espaço de tempo para a oração e o estudo" e que fosse incentivada a auto-organização política das comunidades a fim de lutarem por seus direitos, mas "sem cair no ódio e na tentação da violência armada".

Também fundamental para ele era que os "pobres se encarregassem de evangelizar os pobres", com independência em relação aos agentes pastorais oriundos das camadas médias e dominantes da população. Na concepção do arcebispo de Olinda e Recife, cada "meio social" ou segmento da população deveria ter os seus próprios evangelizadores, o que evitaria uma espécie de "colonialismo" das camadas mais bem posicionadas na estrutura social sobre as camadas exploradas, pelo qual, ao promover a evangelização, disseminassem também seus valores e preconceitos burgueses ou de classe média.

Para o cientista social Gustavo do Passo Castro, um dos assessores de dom Helder para os movimentos de evangelização, o arcebispo passava essas concepções por uma constante repetição dos princípios que considerava mais importantes. Frases do tipo "o pobre deve acreditar no pobre" eram pedagógica e conscientemente "marretadas" nos boletins da Arquidiocese e em suas falas nas reuniões de que participava. Por isso, seus adversários o acusavam de pregar o ódio de classe, fazendo com que os pobres se revoltassem contra os ricos.

O trabalho nas comunidades de base era complementado pela Operação Esperança e pelo Banco da Providência, iniciativas nascidas em seus primeiros anos na Arquidiocese de Recife e que continuavam a ser prestigiadas por ele. Em 1971, porém, a Operação Esperança passaria a promover assentamentos rurais, por intermédio da compra dos engenhos Ipiranga, no Cabo, e Taquari, em Sirinhaém, na zona canavieira do estado, com recursos recebidos de duas entidades europeias – a Misereor (alemã) e a Adveniat (holandesa).

Em fevereiro de 1974, como resposta à sua não premiação com o Nobel da Paz nos quatro anos em que a candidatura fora proposta, algumas entidades da Noruega, Suécia, Dinamarca e Finlândia e outras da Alemanha, Holanda e Bélgica o agraciaram com dois Prêmios Populares da Paz, entregues em Oslo e Frankfurt, que juntos somaram 300 mil dólares. O dinheiro foi utilizado na compra de um terceiro engenho, de 810 hectares, no município de Amaraji.

No decorrer de cada ano litúrgico, dom Helder reservava tempo para pregar nos retiros de seu clero e visitar as paróquias, onde fazia questão de celebrar missas. Também celebrava muitos casamentos, batizados e enterros. Quando podia, ajudava na elaboração do boletim semanal da Arquidiocese e participava das festas das comunidades. Ao caminhar por bairros pobres de Recife, entrava tranquilamente nas casas para visitar conhecidos.

No plano nacional, participava regularmente das assembleias gerais da CNBB e de várias reuniões com os bispos. De vez em quando, conseguia dar uma escapada dos compromissos oficiais e visitava seus familiares no Rio – Nairzinha, Elisa e, embora mais raramente, o irmão Mardônio. Também continuava extremamente ligado ao pessoal da "Família Mecejanense", não só pelas circulares que se mantinham quase diárias, mas também pessoalmente, mesmo a distância, acompanhando a vida pessoal de cada um, ouvindo os problemas e aconselhando.

E também recebendo conselhos. Principalmente para cuidar melhor da saúde. É certo que mesmo com sua alimentação bastante frugal, pesava ideais 60 kg, para 1,60 m de altura. Poucos cabelos e um rosto com muitas rugas não significavam muita coisa. Mas embora suas atividades cotidianas continuassem intensas, já se tornara evidente que seus mais de 60 anos lhe pesavam.

Alguns problemas de saúde o incomodavam, como vermelhidão quase total no olho esquerdo, que por vezes voltava, talvez pelo excesso de esforço da visão durante as vigílias. Outro problema era o cansaço depois de uma série de visitas às paróquias: "As visitas pastorais vêm sendo maravilhosas, mas, de fato, cansativas. Chego em casa de língua de fora". A audição também não ajudava. De vez em quando ficava surdo, depois voltava a ouvir quase normalmente, "mas como se falassem baixinho ou da sala vizinha"; continuava também a ouvir ruídos contínuos, como se tivesse um búzio em cada ouvido: o marulho do mar, e "...em certos instantes, uns mil grilinhos cantando: é a esclerose que chega. A irmã esclerose, mensageira e relações públicas da velhice", reconhecia.

Já tinha também os problemas de varizes que o incomodariam pelo restante da vida. Às vezes ficava com coágulos negros próximos aos joelhos. O médico lancetava e fazia com que ficasse três ou quatro dias com as pernas para cima, enfaixadas. Para alguém de sua idade, dom Helder provocava esse tipo de problema. Diariamente caminhava a pé os três quilômetros que separam a Igreja das Fronteiras do Palácio de Manguinhos, onde chegava por volta das nove horas, depois de celebrar missa às seis e atender algumas pessoas que precisavam de sua ajuda e tomar seu café da manhã. No final da tarde, assim que saía do palácio, passava num boteco da rua das Crioulas e comia um sanduíche de pão com queijo ou mortadela e bebia uma coca-cola. De volta para casa, sempre a pé, era comum pessoas que passavam de carro parar e oferecer-lhe carona. Ele aceitava como se não fosse um homem tão visado pelos seus adversários. O pior é que nem aceitava discutir com seus colaboradores o problema de sua segurança pessoal, repetidamente alegando que um dos homens mais protegidos do mundo – o presidente John Kennedy, dos Estados Unidos – fora assassinado em 1963, de nada valendo seu esquema de segurança.

Quem cuidava do dia a dia administrativo e coordenava diretamente a Cúria, os setores pastorais e os secretariados era o bispo auxiliar dom José Lamartine Soares, dezoito anos mais novo que o arcebispo. Dom Helder o considerava "um irmão". E não era para menos. Com todas as atribulações pelas quais passava, principalmente de ordem política e provocadas pelo regime ditatorial, uma opinião compartilhada por vários de seus colaboradores é a de que era um "péssimo administrador" e só foi um grande arcebispo de Olinda e Recife porque contava com um grande auxiliar. Os cuidados que tinha com a parte administrativa e financeira da Arquidiocese não desciam aos detalhes, e por isso dependia da dedicação e da lealdade de dom Lamartine.

Nessa época, os cofres da Arquidiocese eram constantemente recheados com ofertas de entidades estrangeiras para "as obras de Dom Helder". Um exemplo desse tipo de "graça material" veio em julho de 1973, quando a Congrégation des Soeurs de l'Enfant Jésus enviou 89 mil dólares, imediatamente passados aos cuidados do auxiliar dom Lamartine.

Os problemas da Arquidiocese eram também tratados pelo governo colegiado, que, além de dom Helder e dom Lamartine, contava com dois vigários episcopais (para as religiosas e para os leigos), o pró-vigário geral para o clero, o coordenador do conselho presbiteral e o coordenador das atividades pastorais. Mas havia ainda um núcleo de colaboradores ligados diretamente a ele, que não necessariamente faziam parte da estrutura formal da Arquidiocese. Era o chamado "ramo recifense da Família Mecejanense", que nos primeiros anos da década de 1970 era formado por Anita Paes Barreto, que às vezes cedia a casa para as reuniões do grupo, Zezita, a secretária particular, dom Lamartine, os padres Marcelo, Humberto e Ernani, e os leigos João Francisco, Egídio Ferreira Lima e Marcos Freire, este deputado e, posteriormente, senador pelo MDB.

O RISCO DA RESISTÊNCIA   329

Entretanto, o principal problema enfrentado em quase todos os trabalhos pastorais e apostólicos da Arquidiocese era o clima opressivo sentido pelos católicos mais engajados. Depois do assassinato de padre Henrique, os militantes leigos e colaboradores de dom Helder perceberam concretamente o que poderia ocorrer de ruim a cada um, e o arcebispo, reduzido ao silêncio pela censura e ignorado pelos governos municipal, estadual e federal, pouco poderia fazer para evitar as atrocidades, além de enviar as notícias de perseguições sofridas para publicação no estrangeiro. É claro que essa cobertura da imprensa internacional ajudava, mas não garantia a liberdade nem a integridade de ninguém.

Ainda mais porque a Polícia Federal e o IV Exército nem disfarçavam o acompanhamento ostensivo das atividades do arcebispo e de seus colaboradores. Agiam, inclusive, instruídos pelo Ministério da Justiça. Em julho de 1971, dom Helder nada pôde fazer para impedir um injustificado mandato de busca e apreensão da Secretaria de Ordem Política e Social do Departamento Federal de Segurança contra o prédio que abrigava a sede da Cúria Arquidiocesana e da Regional Nordeste II da CNBB, na rua Giriquiti. Por várias horas, os agentes federais "viraram e reviraram a livraria e a biblioteca", para encontrar apenas um Manifesto da Ação Católica Operária de 1967.

Em junho de 1973, esse mesmo local voltaria a ser invadido, mas desta vez "os policiais prenderam todos os que se encontravam no prédio, inclusive o bispo auxiliar dom José Lamartine Soares; fizeram arrombar a sala de mecanografia; desligaram todos os telefones e apreenderam cópias do discurso proferido por dom Helder na Assembleia Legislativa de Pernambuco". Outro pretexto para a ação policial foi novamente um manifesto dos bispos do Nordeste – "Ouvi os clamores do meu povo" –, lançado em maio de 1973, sob a liderança de dom Helder, no qual o modelo econômico capitalista do Brasil era condenado, para, a seguir, ser apontada uma alternativa: "A classe dominada não tem outra saída para se libertar senão por meio da longa e difícil caminhada, já em curso, em favor da propriedade social dos meios de produção".

O cerco ao arcebispo era tão ostensivo que um embaixador estrangeiro só poderia visitá-lo na Igreja das Fronteiras se acompanhado por policiais. Por ocasião de uma visita do embaixador da Áustria, em dezembro de 1972, nada menos que seis policiais do Dops o acompanharam durante todo o tempo em que conversou com o arcebispo. O embaixador oficialmente fora convidá-lo para ir a Viena, mas os dois ficaram conversando por um bom tempo. Dom Helder ainda aproveitava para prolongar as respostas das perguntas que lhe eram feitas, tentando informar melhor os policiais. No final do encontro, quando todos já estavam na calçada, o embaixador usou o pretexto de pedir-lhe uma dedicatória para um livro e voltou desacompanhado "para dizer da sua revolta com a presença ostensiva dos investigadores e para insistir na minha ida a Viena", contou dom Helder. Foi também em 1972 que padre Joseph Comblin, seu colaborador, foi proibido de desembarcar no Brasil depois de uma viagem à Europa.

Além de invasões para "buscas e apreensões" de documentos e do controle direto exercido sobre as atividades da Arquidiocese, a polícia também prendia sem qualquer justificativa ou mandato oficial para tanto. Em maio de 1972, quatro militantes da ACO foram sequestrados e detidos por vários dias pela polícia.

Em janeiro de 1973, ocorreria o sequestro de João Francisco da Silva, um dos principais assessores da Arquidiocese para o movimento das comunidades de base. Mesmo com sua esposa no sétimo mês de gravidez, "quatro homens à paisana e que recusaram identificar-se entraram lar adentro, de metralhadora na mão, exigindo, aos gritos, as armas (que não havia no local) e os documentos". De imediato, dom Helder não conseguiu descobrir para onde fora levado seu colaborador. Para irritação dos militares, a notícia do sequestro foi divulgada até pela BBC de Londres. Depois de muita insistência por parte da esposa de João Francisco, um major do IV Exército reconheceu que a prisão fora realizada por uma "entidade idônea" e que o preso não seria torturado. O mesmo major reconheceu também que João Francisco não era "terrorista" nem pertencia a nenhum partido ou organização de esquerda. Havia sido preso "porque prega uma doutrina muito avançada e radical", alegou. Quinze dias após a captura, João Francisco seria solto depois de passar por intermináveis interrogatórios e várias sessões de tortura.

No segundo semestre de 1973, uma verdadeira "guerra de nervos" foi promovida contra dom Helder e seus colaboradores. Em julho, o arcebispo recebeu a notícia de que estava sendo preparada sua expatriação por parte do governo federal. Em agosto, o seu banimento era tão previsto por ele que, ao partir para uma viagem aos Estados Unidos e à Europa, pensou em deixar um manifesto esclarecendo seus pontos de vista e chegou a cogitar da "escolha do país onde ficar provisoriamente confinado", tendo inclusive recebido convites de Pierre Trudeau, primeiro-ministro do Canadá, e de Indira Gandhi, da Índia.

Nas noites de 6 a 9 de agosto, em outro exemplo que ilustra o clima em que vivia dom Helder, seu telefone tocava de quinze em quinze minutos. Quando atendia, ninguém respondia. O arcebispo nem sequer podia desligar o aparelho, pois era possível que "no meio dos chamados fantasmas viesse um SOS de alguém precisando do Pai".

A secretária Zezita também sofreria tentativas de intimidação, tendo por duas vezes o carro que dirigia fechado por um outro ocupado por vários homens. Mas das duas vezes, ela conseguiu escapar do cerco e, em alta velocidade, chegar até sua casa.

Nada menos que oito de seus colaboradores seriam sequestrados nessa época. Questionados, os órgãos policiais e militares não assumiam as prisões. O arcebispo tentou, então, encontrá-los por outras vias.

Desde 1970, estava em funcionamento uma Comissão Bipartite, formada por representantes da cúpula militar e do poder eclesiástico no Brasil, que se reuniam sigilosamente para discutir "casos de violação dos direitos humanos e o fim do cerceamento da liberdade de expressão e da perseguição política". Do lado militar, o principal articulador da Bipartite era o general Antônio Carlos Muricy, antigo conhecido de dom Helder, e do lado da Igreja participavam vários de seus amigos, como dom Eugênio Sales, dom Aloísio e dom Ivo Lorscheider e dom Fernando Gomes.

Depois de acionar seus amigos que participavam da Bipartite, como os militares de Recife insistiam em não reconhecer que tinham os desaparecidos sob seu poder, dom Helder enviou um ofício ao IV Exército, em 4 de outubro de 1973, afirmando ao comandante que estava "autorizado... pelo secretário-geral da CNBB, dom Ivo Lorscheider, a informar a V. Ex.ª que o Ex.mo sr. general Antônio Carlos de Andrade Muricy, membro da Comissão Bipartite, transmitiu à presidência da CNBB a informação de que Antonio Vieira Santos e Benedito José Pereira se acham no Recife, em dependências do IV Exército. V.Ex.ª há de compreender que nos sintamos, com as famílias dos detidos, no direito e no dever de solicitar as desejadas informações, em busca das quais andamos desde 25/7/1973". Assim como os dois prisioneiros apontados no ofício, dom Helder achava que os outros "desaparecidos" também estavam lá. E, de fato, estavam, pois em dezembro todos foram libertados e retornaram a suas atividades na Arquidiocese, sem que nada tivesse sido comprovado contra eles.

Parecia evidente que os militares buscavam atingi-lo com a prisão e a tortura de seus colaboradores. Um dos objetivos imediatos era forçar sua renúncia ao governo da Arquidiocese. Em setembro de 1973, um grupo de leigos chegara, inclusive, a procurá-lo para sugerir-lhe a renúncia, alegando que sua vocação era de Profeta e não de Pastor. Porém, enquanto o Profeta vivia "imune, podendo viajar ao estrangeiro, ter carreira triunfal", deixava os seus colaboradores "em sobressalto, quando não diretamente presos, torturados e até liquidados". A conclusão do grupo era que dom Helder fosse para onde bem entendesse, profetizasse ainda mais "desabridamente", mas sem arrastar os outros para o precipício. Ao discutir o tema com o seu governo colegiado, o arcebispo percebeu que o pequeno grupo de leigos falava por si, sem representatividade na Arquidiocese, e talvez como porta-voz dos seus maiores adversários.

Em longa carta dirigida à "Família Mecejanense" do Rio, em 23 de novembro de 1973, dom Helder resumiu as perseguições sofridas por seus colaboradores no segundo semestre de 1973:

> É difícil escrever com serenidade e com a indispensável perspectiva histórica sobre acontecimentos graves, na hora em que eles se passam. Mas se na hora não fica o registro, perde-se muito do sabor, do colorido, da vivência dos acontecimentos... Seria injusto afirmar que tortura em preso político é criação do golpe de Estado de 1º de abril de 1964. Mas parece fora de dúvida que jamais tiveram período tão largo de torturas para presos políticos, torturas atingindo números tão altos, torturas chegando a requintes dignos dos piores dias da famigerada Inquisição. Ao que se diz, houve, da parte de grupos militares, oferecimento ao presidente da República para liquidação do terrorismo no Brasil, com a condição de nem o presidente interferir.
>
> O que choca, antes de tudo, é a clandestinidade. Não se sabe quem prende, por que prende, onde prende... Há casos em que a vítima é arrancada de casa (p. ex., dr. Paulo Dantas, médico dedicadíssimo da área de Coelhos, sobrinho de Dom Fernando Gomes) ou do trabalho (p. ex., dr. João Regis, colaborador de Paulo Dantas e não menos dedicado à Operação Esperança em Coelhos). O comum é o rapto.
>
> Chegam viaturas, de tipo variado (Variantes, Corcéis, Jipes, Opalas...), mas sempre de chapa fria. Embora se afirme que os integrantes destas polícias paralelas vêm do sul e mudam de três em três meses, alguns se tornam conhecidos: é o Louro, é o Gordo. Em geral, são agigantados e terrivelmente mal-encarados.

Costumam apresentar-se como da "Polícia Federal" e mostram de maneira rápida, e de longe, carteiras que podem inclusive ser frias. Mas, regra geral, nem é possível pensar em discutir com eles: infundem terror.

Quando se dá o rapto – quer de quem vem marchando a pé ou rodando de carro –, a vítima é convidada a não estrilar, é informada de que está presa e é convidada a entrar na viatura que está ao lado.

É, então, que recebe o célebre capuz e é jogada para o fundo do carro.

Há, então, a farsa de rodar, rodar, rodar para que não se saiba que se está entrando em dependência do próprio quartel do IV Exército.

Só quando a vítima já está na cela é que pode tirar o capuz. O costume é deixá-la despida ou com um mínimo de roupa e isto não só porque não há muda, mas a pretexto de evitar que a vítima se enforque...

As primeiras horas costumam ser de total mistério: ninguém para acusar, ou interrogar, ou ouvir... Quando começam os interrogatórios, costumam ser precedidos por torturas pesadas. E vem o aviso: se colaborar, se falar (isto é, se disser o que eles querem que seja dito), as torturas somem. Em caso contrário, vão crescendo, chegando, não raro, à morte.

As torturas mais comuns:

– choques nas mãos e nos pés; nos órgãos genitais e no ânus; no seio (para as senhoras e moças) e na língua. De vez em quando com água para doer mais;

– murros, tapas, pontapés, sobretudo no ventre, no peito, e, no caso de homens, no órgão genital;

– é comum ser amarrado de braços para cima. Em casos especiais, a vítima fica suspensa, amarrada em uma grade, mãos e pés...

– como se está sempre de capuz, há ameaças e simulacros de fuzilamentos;

– há casos em que o cano do revólver é introduzido no ânus, com ameaça de disparo;

– passar 36 horas sem comer nem beber é pena de que poucos escapam;

– quando se trata de senhoras ou moças, as ameaças de brutalidades sexuais são a arma preferida para fazer falar. Não raro, as ameaças se concretizam. As jovens, logo que podem falar com a família, pedem, por precaução, pílulas anticoncepcionais;

– é rotina perguntar, perguntar, perguntar, sem cansaço e sem fim. Depois, fazer escrever sobre tudo e sobre todos;

– os palavrões mais insultuosos são a linguagem comum. Os interrogatórios traduzem ódio contra a Igreja do Vaticano II e de Medellín, ódio contra bispos, padres e leigos "progressistas"...

– funcionam, amplamente, intrigas: afirmação de desinteresse total e abandono por parte da Igreja, da família e de amigos...

Altas horas da madrugada, o carcereiro entra com o capuz preto e as algemas. Já se sabe que alguém vai ser levado para a tortura. Nestas horas, o único sustento é a prece. Normalmente, os presos rezam quatro vezes por dia (em geral, liderados por um monitor de evangelização; em alguns casos, por um pastor evangélico). Rezam ou cantam salmos. Leem profetas e passagens do Novo Testamento sobre perseguições e prisões. Na hora em que um colega sai para ser torturado, os demais ficam o tempo todo de joelhos, em oração aflitíssima. Nestas preces se unem não só católicos e evangélicos. Raro é o humanista ateu que não acaba aderindo.

Parece fora de dúvida que a busca é de elementos subversivos especialmente ligados à A.P. Parecem convictos de que o Movimento de Evangelização e a Operação Esperança são frentes legais, que me permitem abrigar elementos altamente comprometidos e subversivos...

E até hoje não foi possível, ao governo, provar vinculação atual de nenhum dos nossos com movimentos de esquerda, em geral, e com a A.P., em particular...

DIALOGANDO COM O MARXISMO

> *Tenho em dom Helder um irmão radical. Há 20 anos percorremos o mesmo caminho, assim como o abade Pierre. E cada um de nós tem visões muito diferentes, mas coincidimos no essencial. No momento sou muçulmano, mas mesmo assim fui convidado em Madri para fazer uma longa meditação para 540 religiosas e 90 teólogos católicos sobre a descoberta de Deus, a procura de Deus, a busca de Deus. Dom Helder Camara deveria estar lá, pois tanto quanto eu é movido pela esperança. O meu encontro com ele é o encontro de uma vida. Especialmente agora quando me convenço de que é preciso passar da filosofia do ser para a filosofia do ato. Precisamos transformar o mundo.*

Roger Garaudy

Sofrendo no Brasil com a repressão a seus colaboradores, no exterior seu prestígio chegava à estratosfera. Multiplicavam-se os prêmios, distinções e doutorados *honoris causa* concedidos pelas mais prestigiosas organizações e universidades do mundo. Seus livros ganhavam contínuas traduções em muitas línguas. Multiplicavam-se os estudos sobre sua obra.

Entre os cerca de oitenta convites, em média, anuais, dom Helder escolhia tantos quantos pudessem ser atendidos em apenas três ou quatro viagens, mesmo que o roteiro e o número das atividades se tornassem proibitivos para um sexagenário. O que o ajudava a realizar esse tipo de apostolado pelo mundo era o fato de poder contar com a ajuda de pessoas que faziam de tudo para que nada lhe faltasse nas viagens. Na França, contava com a amizade e a dedicação do jornalista José de Broucker, principal responsável pela excelente acolhida do arcebispo por parte da imprensa francesa, e quem articulou a publicação da maior parte dos livros de dom Helder naquele país. Sempre que ia falar a Paris, José de Broucker o recebia no aeroporto e o hospedava. O jornalista também o levava em seu próprio carro, de cidade em cidade, a conferências pelo interior da França.

Na Bélgica era recebido por Maria Terèse Nopere e Margarida Moyano. Mas lá morava também a família de padre Joseph Comblin e mais de uma vez dom Helder visitou-o depois de sua expulsão do Brasil em 1972. Na Holanda, contava com a amizade de seu compadre Francisco Mooren, engenheiro holandês que morara no

Brasil nos anos 1950, e que, então, trabalhava em entidades católicas naquele país. Mooren fazia questão de sempre hospedá-lo em sua casa e tinha tanta admiração pelo bispo que, além de fazê-lo padrinho de sua filha, batizou a menina com o nome de Gabriela Helder Camara Mooren. Foi ele quem organizou a campanha com as entidades católicas e a imprensa europeia visando a influenciar o Comitê Nobel do Parlamento da Noruega a conceder o Nobel da Paz ao brasileiro.

Comum era seu coração ficar em "festa" pelos resultados alcançados nas peregrinações pelo mundo, mas seu corpo ficava exausto com as mudanças de temperatura, fusos horários, alimentos, línguas, greves de aeronautas, mudanças de avião, encontros com autoridades eclesiásticas, entrevistas coletivas que concedia em inglês, francês e italiano, sessões intermináveis de autógrafos, auditórios superlotados e públicos os mais variados: prelados, estudantes, empresários, diretores de multinacionais, trabalhadores, exilados políticos brasileiros e latino-americanos sedentos por mensagens de conforto e esperança.

Porém, já em 1970, dom Helder percebera que as palestras destinadas a um grande número de pessoas tinham um efeito concreto muito questionável. Passada a forte impressão provocada no auditório pelo discurso vigoroso e empolgante, cada qual voltava a seus afazeres e reduzia-se a quase nada a verdadeira eficácia de sua mensagem em defesa da luta por justiça pela não violência ativa. Por isso, imaginou que pudesse produzir melhores resultados priorizando o atendimento a convites de pequenos grupos que se prontificassem a levar à prática sua mensagem.

Seu papel seria utilizar o prestígio internacional para articular os vários grupos ou pessoas que atuavam de forma independente em cada país, sem distinção de credos religiosos, em um movimento aberto, não centralizado, mas coordenado mundialmente. O primeiro passo seria identificar as "pessoas-chave", capazes de desempenhar localmente o papel internacional realizado por ele. Identificadas, regularmente lhes seria enviada uma circular escrita pelo arcebispo, mas lida, alterada e traduzida para vários idiomas pela "Família Mecejanense" do Rio, para que reproduzisse as mensagens em sua área de influência.

Assim dom Helder pretendia que nascesse o movimento das Minorias Abraâmicas, destinadas a lutar como o jovem Davi contra o gigante Golias, para enfrentar "as estruturas de opressão, que esmagam mais de dois terços da humanidade", por uma "pressão moral libertadora".

O nome Minorias Abraâmicas fora escolhido como tentativa de universalização do movimento, graças ao apelo do nome de Abraão nas culturas judaica, judaico-cristã e islamita. "Que minorias são estas?", peguntava dom Helder na primeira circular em que tentava articular o novo movimento, para responder que "não há nenhum país, nenhuma raça, nenhuma religião, nenhum grupo humano que não tenha, em seu seio, algumas pessoas decididas a trabalhar para vencer, de modo pacífico, mas corajoso, as injustiças que, cada vez mais, tornam a vida desumana e irrespirável". Cada um deveria manter sua própria orientação política, ideológica e religiosa, e os próprios líderes e métodos de luta, no combate a todas as formas de colonialismo, mas principalmente o neocolonialismo promovido pelas macroempresas multinacionais.

Um verdadeiro manifesto desse movimento foi publicado com o sugestivo título "Uni-vos, minorias abraâmicas", no livro *O deserto é fértil*, de 1971, lançado na França e que ganhou depois inúmeras traduções. Porém, depois de enviar as duas primeiras circulares para as pessoas com quem mantinha contato na América Latina, Estados Unidos, Europa, Japão e Austrália, dom Helder precisou fazer um balanço nada animador de sua tentativa: "Reação da base: nenhuma... Nem tive ânimo de preparar a terceira circular, de tal modo senti que a iniciativa era prematura e que o caminho não fora descoberto". Apesar disso, continuaria tentando articular as "minorias abraâmicas" e, para tanto, passaria a priorizar em suas viagens aqueles locais onde pudesse realizar encontros mais demorados e ter um contato mais intenso com esses grupos.

Na véspera de completar 65 anos, em 6 de fevereiro de 1974, dom Helder encontrava-se em Davos, Suíça, onde faria uma palestra no IV Fórum Europeu de Empresários. Ele chegara à cidade no dia anterior e, como de costume, passou o dia dando entrevistas à imprensa e autografando seus livros para diretores de multinacionais presentes ao Fórum. É claro que aqueles homens circunspectos e ciosos de seus negócios sempre descobriam uma desculpa para o pedido de autógrafo: "é o melhor presente que eu posso levar para o meu filho, que é seu fã", ou "se eu voltar sem seu autógrafo, minha filha me engole", ou, ainda, "minha esposa admira muito o senhor". Os empresários fizeram questão de conversar "mais fraternalmente" com ele em dois almoços que lhe foram oferecidos.

Dom Helder fala no Fórum Econômico Mundial de Davos, Suíça, em fevereiro de 1974.

Ao começar a falar, na manhã do dia 6, dom Helder ficou atento à reação de seus espectadores. Percebeu que um pequeno grupo aderira a sua pregação, mas que um outro se mantinha bastante reservado e um terceiro nem escondia sua rejeição à mensagem.

O conteúdo da palestra dá a indicação de como andava seu pensamento econômico, político e social na época, e de como já discutia abertamente a globalização econômica mundial e suas principais consequências sociais. Começou se desculpando por ter de levantar interrogações "talvez desagradáveis" aos ouvidos de empresários, lembrando que pretendia falar em nome dos dois terços da "humanidade que sofrem as consequências da fome e da miséria". Passou, então, a discorrer sobre o que considerava "aspectos positivos e apaixonantes das transnacionais", como responsáveis pela "produção em escala planetária", e não mais restrita às fronteiras de cada país:

> Hoje, com a eletrônica, a automação, a energia nuclear, transportes ultrarrápidos, meios instantâneos de comunicação social e a ajuda da cibernética, a escala de produção é, naturalmente, planetária. É impraticável e antieconômico utilizar forças tão poderosas para uma produção local ou nacional: recursos tão amplos induzem à produção em âmbito mundial. O que vem sendo conseguido na linha dos sintéticos ultrapassa, não raro, o velho sonho dos alquimistas; criam-se, teoricamente, perspectivas inesperadas e ultrarrevolucionárias, como a possibilidade de atender, efetivamente, às necessidades básicas da humanidade, mesmo levando em conta a tão explorada tese da explosão demográfica.

No tópico seguinte, dom Helder salientou as consequências do processo de crescimento e internacionalização das grandes empresas:

> – as empresas tornam-se tão gigantescas que, em teoria, em certos países, tendem a democratizar-se, passando às mãos de mais de um milhão de acionistas;
> – a internacionalização das empresas dá a impressão de que elas criam o espírito de cidadania mundial, superam velhos antagonismos nacionais, pré-anunciam economia e paz, em âmbito mundial;
> – à primeira vista, se pode perguntar se ainda é lícito falar em divisão e antagonismo entre capitalismo e socialismo, quando, de uma parte, praticamente desaparece a distância entre empresa privada e empresa pública, e de outra parte, as multinacionais invadem, tranquilamente, fronteiras socialistas que pareciam intransponíveis...

Deu corda para o seleto auditório e logo começou a puxá-la, levantando algumas questões:

> Quando modernas empresas – cujas produções se diversificam ao máximo e cujo raio de ação cobre praticamente a Terra inteira – apresentam, em alguns países, mais de um milhão de acionistas, isto significa mesmo democratização destas empresas? Ou será verdade que, ao menos por enquanto, a democratização é de todo aparente, pois elas continuam dominadas por grupos reduzidíssimos?
> ...Quando uma empresa multinacional se transplanta de um país industrializado para um produtor de matérias-primas, a tendência não é a procura de paraísos para investimentos, por serem os salários muito baixos – comparados com os dos países ricos – e por não ser possível nenhuma contestação, devido à presença de governos fortes, de ditaduras? Se essa alegação tiver alguma base de verdade, será, então, possível admitir que as empresas transnacionais são despidas de interesse pela condição humana, e que têm como exclusiva finalidade a maximização do lucro, pouco importando o custo humano da operação?

...Estas palavras, ditas aqui, no Fórum Europeu de Empresários, significam a esperança de ver as transnacionais transformarem em realidade tudo o que nelas, hoje, é miragem enganadora. Minhas palavras representam a esperança de que os homens, meus Irmãos, entendam:
– a inutilidade e o absurdo das guerras, revelados como nunca pela lição do Vietnã;
– o desperdício anti-humano da fabricação de material bélico;
– o suicídio, a longo prazo, da humanidade, como resultado da ganância, dos lucros excessivos;
– a inconsistência dos pressupostos do eterno crescimento econômico, enunciados pela sociedade do desperdício;
– a bomba-relógio que significa a indiferença pela qualidade de vida de todas e cada uma das pessoas humanas, para que muito poucos possam ter muito lucro.

Na hora do debate, houve empresários que disfarçaram o constrangimento afirmando que gostaram da franqueza do arcebispo: "... ah, se todos os que divergem de nós tivessem a confiança de vir discutir diretamente conosco...!". Um empresário afirmaria que os responsáveis pelo colonialismo das empresas transnacionais, nos países do Terceiro Mundo, eram os grupos privilegiados locais, que se aliam às multinacionais como "abutres, sedentos e famintos de lucro, a qualquer preço...". Também apareciam provocações bem-humoradas: "Gosto de sua colocação, de que não se sente estrangeiro em país nenhum do mundo. Por que negar às multinacionais direito igual?".

O combate foi proporcional às verdades que dissera: "...Gosto de sua franqueza. Mas fiquei pensando: como seria bom que ele tivesse coragem semelhante para enfrentar o governo incrível que tem...".

Desta vez o questionamento feriu os brios de dom Helder, que reagiu imediatamente, embora com a costumeira afabilidade: "Depois do debate, terei o prazer de oferecer-lhe a tradução alemã do manifesto dos Bispos do Nordeste 'Eu ouvi os clamores do meu povo'". Imediatamente outro empresário saiu em seu socorro: "Tenho aqui um exemplar à sua disposição".

Houve ainda uma última tentativa de encostá-lo à parede: "O senhor já lembrou a Paulo VI que a maior multinacional do mundo é a Igreja Católica Apostólica Romana?".

A resposta a essa questão com certeza surpreendeu muitos dos ouvintes. Calmamente, dom Helder contou sobre sua velha amizade com Paulo VI e sobre as inúmeras vezes que já haviam se encontrado privadamente, para depois explicar algumas medidas que já propusera ao amigo, como a sugestão para que o papa fechasse o Banco do Vaticano, o Banco Católico de Vêneto, o Banco de Roma e o Banco do Espírito Santo, em um gesto que simbolizaria a liberdade da Igreja ante as "engrenagens do dinheiro"; e, como sinal de que o papa não pretendia ser o dono de um poder temporal, sugeriu que Paulo VI recolhesse todos os núncios apostólicos espalhados pelo mundo como embaixadores do Vaticano. No final da palestra, a sensação de dom Helder era a de que "Daniel" fora à cova dos leões... "e o Senhor o salvara".

Ainda em fevereiro de 1974, dom Helder viajaria à Noruega, onde teria fortes motivos para esquecer as farpas recebidas dos empresários em Davos. No dia 10, no salão nobre da prefeitura de Oslo, o prefeito e o bispo católico da cidade, diante de

1.500 convidados, entregaram a ele o Prêmio Popular da Paz, em uma cerimônia transmitida pela Eurovisão para trinta países. Uma senadora e um bispo luterano lastimaram "o sentido partidário" da decisão do Comitê do Prêmio Nobel da Paz, ao não agraciá-lo, embora acreditassem que o Prêmio Popular da Paz fosse uma demonstração de apoio ao arcebispo que provavelmente seria levada em consideração pelo Comitê Nobel em 1974, para, finalmente, premiá-lo. É claro que a previsão não se realizou. No dia seguinte, dom Helder receberia outro prêmio da Paz, desta vez em Frankfurt, com a mesma pompa.

A reação de dom Helder diante do assédio por parte da imprensa e do público no estrangeiro, e diante do apoio das mais respeitadas entidades ligadas a diferentes religiões, foi discutida por ele com uma pessoa que passava pelo mesmo tipo de "problema" – madre Teresa, de Calcutá, na Índia. Os dois se encontraram no XLI Congresso Eucarístico Internacional, celebrado na Filadélfia, Estados Unidos, no dia 2 de agosto de 1976. Como já se conheciam de lerem um sobre o outro, e por fotos e imagens televisivas, ao se verem, casualmente, abraçaram-se comovidos, sem que ninguém os apresentasse. Durante o congresso, ficaram sentados em cadeiras vizinhas, para enorme "diversão" de fotógrafos, cinegrafistas e participantes do evento. Incomodada com o assédio, nos bastidores de um programa de entrevistas em que os dois participariam na televisão, madre Teresa comentou:

> – Ah, dom Helder! Não me acostumo às luzes da televisão. Um dia você me ajudou dizendo como você se protege quando chega a um auditório muito grande... e você sabe que vai haver aplausos, você diz que lembramos de que somos um com Cristo desde o batismo. Mas Cristo se apaga tanto dentro de nós, então você diz que fala baixinho a Cristo: 'Senhor, é a tua entrada triunfal em Jerusalém, eu serei o teu jumentinho', então entra e tal, feliz da vida... Isso tem me ajudado muito, só que eu não tenho coragem de dizer que sou teu jumentinho, eu digo assim: 'Serei tua burra velha'".

Terminou de falar e começou a rir (provavelmente com o riso discreto que convinha a alguém como ela, considerada santa pelas outras pessoas). Dom Helder, então, propôs que os dois fizessem uma oração. Faltavam poucos instantes para o início do programa.

> – Madre, vamos fazer uma oração: Senhor Jesus, nós temos a felicidade e a responsabilidade de acreditar que somos um contigo desde o batismo. Mas somos sempre nós que aparecemos. Tu te escondes tanto, Senhor Jesus, e como esta carcaça é uma parede de pedra, como nós somos opacos! Agora que vamos ser vistos por milhões, que a graça divina nos torne transparentes de tal modo que quem nos olhar, em vez de ver madre Teresa e dom Helder, contemple Jesus Cristo.

Quanto a seu atualizado discurso sobre as tendências de desenvolvimento do capitalismo mundial nos anos 70, é preciso lembrar que em 1973 ele leu no original, em inglês, um livro que acabara de ser lançado e que lhe fora emprestado por Marina Bandeira: *Future schock*, de Alvin Toffler. Leu também algumas obras do economista John Kenneth Galbraith e relatórios escritos por Raul Prebisch para a Cepal e o Banco Interamericano de Desenvolvimento. Outro texto que lhe causara forte impressão foi o do cientista social Hélio Jaguaribe, confrontando vários relatórios sobre o desenvolvimento econômico da América Latina.

Um amigo de dom Helder que o municiava com informações econômicas atualizadas era Tibor Mendes, na época secretário da Conferência das Nações Unidas para o Comércio e o Desenvolvimento (UNCTAD). Como ele citasse muito a UNCTAD em suas palestras, às vezes acabava parecendo um relações públicas do organismo. Tibor costumava dizer-lhe que estava satisfeitíssimo com o trabalho que realizava, pois, após cada rodada de palestras do arcebispo, recebia dúzias de cartas pedindo documentação complementar. Mas essas leituras, por si só, não o conduziriam a uma crítica do capitalismo e da atuação das transnacionais. Havia, ainda, um outro componente no seu pensamento, que, propositalmente e por motivos óbvios, era pouco explicitado. Desde os anos 1960, ele se aproximara lenta e gradualmente de algumas teses do pensamento marxista, principalmente no que diz respeito à condenação da exploração dos trabalhadores como fenômeno intrínseco à produção capitalista. Forte impressão causou-lhe o livro *Marxismo*, do cônego Juvenal Arduinis, que para dom Helder "tem o dom de expor, de modo objetivo e honesto, mas tornando inteligíveis, noções difíceis... como a alienação e a mais-valia (pontos nevrálgicos na crítica de Marx ao capitalismo)".

Embora jamais assimilasse o materialismo marxista, principalmente quanto a duas de suas implicações mais polêmicas – o ateísmo e a violência revolucionária contra a sociedade burguesa –, dom Helder chegaria a flertar com o socialismo e os militantes socialistas, considerados respeitosamente por ele como "humanistas ateus". Em seu caminho de aproximação e de perda de preconceitos com relação ao marxismo, um momento importante ficou registrado em uma poesia em homenagem a padre Lebret, cujo livro *Economia e humanismo* considerou uma "invenção maravilhosa":

Lebret, meu Almirante,
quais as grandes surpresas
que o desembarque te trouxe?
Já sei
qual a primeira:
foste condecorado
pelo próprio Cristo
pela invenção maravilhosa
de *Economia e humanismo*.
Em lugar
de negar o econômico,
de combatê-lo,
o reduziste
ou o elevaste
à medida humana...
Que estás dizendo?...
Verdade?
Quem te condecorou
em nome do Cristo
foi Karl Marx,
levado ao céu
pela crítica ao capital

e pela defesa do trabalhador?!...
E a incompreensão face à fé?
A culpa foi dos cristãos
que encontrou em volta
e lhe deram visão errada
de Cristo e do cristianismo?...
Fabuloso, meu Velho.
Vejo, feliz,
que o céu
e as medidas do Pai
estão muito acima
do estreito anticomunismo
que a fraqueza humana
– e o egoísmo humano –
inventou...

Padre Lebret, de branco, e dom Helder, à direita.

Ao conseguir realizar a crítica ao capitalismo, dom Helder pôde perceber as limitações intrínsecas ao conceito de "desenvolvimento". Chegou, então, à conclusão de que o desenvolvimento econômico capitalista não traria a superação da miséria, que, ao contrário, tende a aumentar com o desemprego provocado pelos avanços tecnológicos necessários ao crescimento das empresas. Foi assim que deixou em segundo plano a "mística do desenvolvimento" que tanto defendera até finais dos anos 60, colocando em seu lugar a busca da "libertação". Para ele, "o desenvolvimento recebido do alto, pré-fabricado sem participação do povo na criatividade e nas opções pode ser tudo, menos desenvolvimento". O verdadeiro desenvolvimento seria resultado da libertação dos seres humanos de todas as formas de opressão e exploração. Mas, para isso, a evangelização e a educação do povo deveriam ser "libertadoras", visando a sua "conscientização" quanto às estruturas que o oprimem e o exploram.

Nesse ponto, dom Helder estava também sendo influenciado pela *Pedagogia do oprimido* do educador Paulo Freire, livro que leu em 1971 e que considerou "de alcance decisivo para se obter a medida adequada de conscientização, evitando que o oprimido de hoje se transforme no opressor de amanhã". Vivendo no exílio por força das circunstâncias políticas do país, Paulo Freire já era visto por dom Helder "como embaixador especial de nosso gênio e de nossa cultura", como escreveu em carta à revista *Visão*, em setembro de 1971, indicando o educador para o título de "Homem de Visão", daquele ano.

Paulo Freire mantinha pelo arcebispo a mesma admiração de que era alvo e escreveu-lhe agradecendo a indicação de seu nome à revista *Visão*. Conforme relatou Freire em uma entrevista concedida ao professor Celso de Rui Beisiegel, os dois haviam se tornado amigos nos anos 1960, quando se aproximaram por intermédio da professora Anita Paes Barreto e das assistentes sociais Lourdes de Moraes, Dolores Coelho e Hebe Gonçalves, amigas de ambos e colaboradoras das obras sociais de dom Helder em Recife.

A poesia dedicada a padre Lebret é de 24 de julho de 1966. Quase um ano depois, em 29 de maio de 1967, num congresso em torno da encíclica *Pacem in Terris*, em Genebra, dom Helder se encontra com o intelectual marxista Roger Garaudy. A iniciativa foi do brasileiro, que já lera um ou dois livros do francês, utilizando-se de um pequeno bilhete entregue a Garaudy por uma recepcionista: "Aguardo-o em frente à cantina. Helder Camara".

Garaudy estranhou aquele recado em "um papel amassado, com letra de criança", mas resolveu atender ao convite. Esperando "encontrar um arcebispo em cetim violeta, com crucifixo de ouro", surpreendeu-se com o "minúsculo padre de interior com sua batina desbotada, velho rosto todo amarfanhado e sua pobre cruz". Os dois se mantiveram em contato por mais três ou quatro dias, um descobrindo afinidades com o pensamento do outro, até que dom Helder propôs um pacto: "Dentro do socialismo ele (Garaudy) trabalharia para provar que não existe vinculação necessária entre religião e força alienada e alienante, como não existe entre socialismo e materialismo dialético".

Para dom Helder, a religião não deveria ser encarada como necessariamente alienada e alienante, "um ópio do povo", assim como via a possibilidade de defesa da socialização da sociedade por alguém não necessariamente materialista. A tarefa que lhe caberia, nesse pacto, seria trabalhar dentro do catolicismo para acabar com a censura em torno da expressão "socialismo". O próprio dom Helder explica: "Assim como – que vergonha! – já foi proibido a um cristão aderir à democracia ou à República, ainda hoje, oficialmente, é proibido a um cristão proclamar-se socialista, porque para a Cúria romana socialismo tem ligação necessária e direta com o materialismo".

Cada um a seu modo tentou levar adiante o inédito pacto entre um arcebispo cristão e um intelectual marxista engajado. Mantiveram uma intermitente correspondência e cada um lia o que o outro publicava. Dom Helder chegou a presentear Paulo VI com um livro que ganhara com uma dedicatória de Garaudy. Mas a época conspirava contra esse tipo de aliança. A polarização ideológica dos anos de ditadura levou dom Helder a um quase ostracismo político no Brasil, e no seio da Igreja brasileira, a neutralização de sua capacidade de influência não seria menor.

Contra a abertura para a religiosidade proposta por Garaudy aos marxistas franceses, ocorreria uma reação do aparelho partidário a que pertencia, culminando com sua expulsão do Partido Comunista Francês, em fevereiro de 1970. Depois disso, Garaudy converteu-se ao cristianismo e, nos anos 1980, tornou-se muçulmano.

Independentemente dos efeitos reais que tenha produzido, o pacto celebrado com Garaudy demonstra como dom Helder conseguia dialogar com um representante do pensamento marxista. E, se ele, porventura, teve alguma influência na conversão do francês para o cristianismo nos anos posteriores à sua expulsão do PCF, por certo também recebia alguma influência. O fato é que em outubro de 1974, dom Helder surpreendeu muita gente com uma palestra que realizou na Universidade de Chicago, partindo da pergunta: "O que faria São Tomás de Aquino diante de Karl Marx?".

O ponto central da palestra foi a sugestão à Universidade de Chicago, para que comemorasse o sétimo centenário de São Tomás de Aquino fazendo com o pensamento de Karl Marx o mesmo que São Tomás fizera com o de Aristóteles. Assim como o autor da *Suma teológica* "redescobriu valores cristãos" na filosofia de Aristóteles, dom Helder, embora afirmasse que "em teoria e na prática o marxismo parece intrinsecamente antirreligioso e anticristão", reconhecia que "há verdades a redescobrir e a valorizar no marxismo...":

> Entre outros numerosos pontos do sistema de Marx que os elaboradores das novas Sumas haverão, certamente, de incorporar como verdades cristãs que se ignoram, impossível esquecer um aspecto essencial do marxismo: a análise das relações de produção, que geram as classes, as tensões, a exploração, a revolta, a luta de classes, as ideologias, as superestruturas. Aliás, quando Marx levanta a utopia de uma sociedade sem classes, confraternizada e feliz, os cristãos não devem espantar-se, pois o profeta Isaías vai ainda mais longe do que ele, antevendo as armas se transformando em arados, e o leão e o cordeiro comendo juntos, como irmãos...

Dom Helder recebe o título de *Doutor Honoris Causa* da Universidade de Harvard, em 13 de junho de 1974.

"A MALDIÇÃO REVOGADA"

Há dez anos, quem visse dom Helder Camara entrando num prédio público podia estar certo: ia depor em algum IPM. Da mesma forma, quem visse um grupo de militares fardados entrando no Palácio de Manguinhos, sede da Arquidiocese de Olinda e Recife, podia garantir: foram buscar o bispo. Pois bem: na semana passada, um mês depois de ter oferecido um coquetel a um grupo de convidados que incluía oficiais do comando do IV Exército, dom Helder Camara, o bispo de quem o regime do AI-5 não queria que a imprensa falasse "nem contra nem a favor", sentou-se ao lado do governador Marco Antonio Maciel numa longa sessão de duas horas no Instituto Frei Caneca de Estudos Sociais, órgão ligado ao governo de Pernambuco. Lá, sem depor, falou e foi aplaudido por quatrocentas pessoas. Sem constrangimento algum, também Marco Maciel bateu palmas.

Veja, 17 de setembro de 1980

Em 15 de março de 1974, o general Ernesto Geisel assume a presidência, deixando dom Helder otimista quanto à possibilidade de redemocratização do país. Alguns juscelinistas, janistas, democratas-cristãos ocupariam vários ministérios, e a maior esperança do arcebispo era de que seu amigo Armando Falcão, escolhido para o Ministério da Justiça, o mesmo cargo que ocupara no governo Kubitschek, tivesse "a habilidade necessária de preparar a volta da democracia", com o fim da censura, das polícias paralelas e das torturas. E não era só ele a alimentar essa enorme expectativa com o novo governo. Em carta ao arcebispo, padre Comblin, expulso do país em 1972, dizia-se convicto de que poderia retornar ao Brasil, "por ser amigo íntimo de um íntimo do presidente".

Outro motivo estava no fato de que as negociações informais entre a Igreja brasileira e o novo governo se iniciaram antes mesmo da posse. Dom Paulo Evaristo Arns e o presidente da CNBB, dom Aloísio Lorscheider, encontraram-se duas vezes cada um com aquele que seria o "superministro" de Geisel, o chefe da Casa Civil, general Golberi do Couto e Silva. Numa dessas reuniões, segundo dom Helder, Golberi reconheceu à Igreja "o direito e o dever de falar, defendendo os direitos do homem, batendo-se pela justiça como caminho para a paz. Espontaneamente, citou o nome do arcebispo de Olinda e Recife, achando um absurdo que não lhe seja reconhecido o direito e o dever de falar, dentro do Brasil, como fala no exterior".

Ainda de acordo com dom Helder, "ficou claro que entendimento mesmo é com a Casa Civil. No entanto, o general Golbery manifestou o desejo de que continuassem os encontros da Comissão Bipartite, embora não tenha ela nenhum poder de decisão", argumentando que "o general Muricy ficaria triste se as reuniões acabassem e é interessante ir trocando ideias".

Mas logo dom Helder perceberia que a abertura prometida pelo governo não ocorreria no ritmo esperado. Sua mensagem matinal na Rádio Olinda "Um olhar sobre a cidade", que ia ao ar de segunda a sábado, vivia sendo monitorada pelo SNI e pelo Dops, que, por vezes, requisitavam as fitas para exame. Em janeiro de 1977, contra a vontade de dom Helder, mas cedendo a pressões externas que visavam a diminuir a audiência do programa, a rádio antecipou o horário do arcebispo em meia hora, passando a transmiti-lo às 6h25 da manhã.

A primeira manifestação oficial de censura do Ministério da Justiça do governo Geisel a dom Helder ocorreria em julho de 1975, logo depois de o editor Fernando Gasparian publicar, na revista *Cadernos de Opinião*, o texto da palestra do arcebispo na Universidade de Chicago, em outubro de 1974: "O que faria São Tomás de Aquino diante de Karl Marx?". A revista trazia também artigos de Fernando Henrique Cardoso, Theodor Adorno, Lúcia Tosi, Sérgio Cabral, entrevistas com Sartre e García Márquez e a transcrição de um debate entre Celso Furtado e Fernando Henrique.

Mas o problema mesmo era com o texto de dom Helder, pois ainda estava em vigor a proibição oficial a qualquer manifestação pública do arcebispo pela imprensa, com exceção de seu programa de evangelização na Rádio Olinda. O ministro Armando Falcão, com base no AI-5, ordena então que a revista seja proibida de circular. Não era a primeira vez que isso acontecia. Em julho de 1972, o Dops proibiu que a revista *Polítika* publicasse uma entrevista com o arcebispo. Acatando o parecer do consultor jurídico do ministério, Hélio Fonseca, Falcão também ordenou que fosse aberto um "inquérito policial para a apuração de propaganda subversiva, a ser oportunamente submetido à Justiça militar". No início de 1978, porém, o Superior Tribunal Militar "não acha subversão em conferência feita por dom Helder e encerra o caso contra o editor Fernando Gasparian".

A certeza de que o processo de liberalização ainda caminharia por linhas tortuosas chegou não só para dom Helder, mas para todos os interessados na democratização do país, em outubro de 1975, quando o jornalista Wladimir Herzog foi encontrado morto em uma cela do II Exército, em São Paulo. O cardeal dom Paulo Evaristo Arns organizou culto ecumênico com a participação de rabinos e pastores evangélicos num dia em que a Catedral da Sé ficou superlotada, apesar do cerco policial que impediu muitas pessoas de chegar ao local.

Dom Helder, várias vezes socorrido em momentos difíceis pelos amigos dom Aloísio, dom Ivo, dom Eugênio e dom Paulo, partiu de Recife imediatamente para São Paulo, para participar de uma celebração que ficaria em sua memória como a "mais bela manifestação de não violência de que participei em nosso país". O clima político desaconselhava seu gesto de solidariedade. A situação era tão tensa que assim que desembarcou em São Paulo, ainda no aeroporto, um senhor desconhecido saudou-o de braços abertos e o aconselhou a "nem passar por perto da Praça da Sé", exatamente o local para onde se dirigiria, logo depois, em companhia de dom Paulo.

Se, por um lado, se conformara com a censura por parte do Regime como uma humilhação que "o Pai" lhe impunha para conter sua "vaidade", por outro, ficara enfastiado com a quantidade de polêmicas geradas por declarações suas, e, pelos dois motivos, não gostou muito quando José De Broucker apresentou-lhe o projeto de um novo livro a ser elaborando com base em entrevistas gravadas com ele em Recife, com relatos autobiográficos e comentários sobre os acontecimentos políticos e religiosos que vivenciara. O amigo De Broucker insistiu: já tinha contrato com a importante Editions du Seuil, da França.

Dom Helder acabou concordando e, no final de 1975 e início de 1976, gravou as dezoito horas de entrevistas que se transformariam no *Les conversions d'un évêque*, lançado em 10 de junho de 1977, oportunidade em que as Editions du Seuil promoveram um debate entre dom Helder e o dissidente soviético Leonid Plyutch, transmitido pela TV francesa. Aliás, segundo o jornalista Lenildo Tabosa Pessoa, contumaz detrator do arcebispo, no debate o brasileiro "perdera para o russo", pois quando dom Helder afirmou que era censurado no Brasil, Plyutch "perguntou se após fazer tal declaração, dom Helder poderia voltar a seu país; como dom Helder respondeu que sim, o russo retrucou: 'Então, que mais você quer?'".

Quando recebeu o texto editado por De Broucker, as dúvidas do início do projeto aumentaram ainda mais. Achou o livro "impublicável", pelos temas polêmicos que discutia e por achar que magoaria várias pessoas que citara nas entrevistas.

José de Broucker (no canto esquerdo), o jornalista francês responsável pela publicação de vários livros de dom Helder na Europa. Ao centro, de óculos, está o bispo dom Marcelo Carvalheira, considerado por dom Helder como continuador de sua obra. Foto de 1976.

Dom Helder exigiu, como de costume com os livros que publicava, que os originais passassem pelo crivo de Alceu Amoroso Lima, a quem considerava um "supremo árbitro" para esse tipo de assunto. Alceu recomendou a publicação e deixou dom Helder sem condições de impedi-la. Mas convencido o arcebispo não ficou, tanto que inviabilizou a publicação do livro no Brasil, apesar da insistência de colaboradores muito próximos, como o cientista social Gustavo Castro, que se oferece para fazer a tradução para o português.

É fácil entender essa resistência de dom Helder em publicar um livro que alimentaria mais polêmicas em torno dele. A falta das liberdades democráticas e as vítimas produzidas pelo terrorismo estatal no Brasil havia anos eram presenciadas pessoalmente por dom Helder: censura à manifestação de seu pensamento pela imprensa, o assassinato do padre Antônio Henrique, a prisão de vários de seus colaboradores mais próximos. Em certos momentos, ele nem conseguia impedir que a tristeza e o pessimismo o abatessem. Então, rezava e pedia perdão pelo que considerava fraqueza de sua parte.

Recuperado o ânimo, seu desejo era acalentar as pessoas que o ouviam com mensagens de esperança. Foi esse o sentido da frase "Quanto mais negra é a noite, mais carrega em si a madrugada" usada por Divane Carvalho, da sucursal do *Jornal do Brasil*, em Recife, como título de uma longa entrevista publicada em 24 de abril de 1977, que marcou oficialmente o fim da censura a dom Helder.

Não por acaso, o *Jornal do Brasil* ousou testar os limites do processo de abrandamento da censura sobre a imprensa que então se iniciava. Conforme escreveu Marcos Cirano, dom Basílio Penido, abade do Mosteiro de São Bento em Olinda, desde a década de 1960 era "confessor dos proprietários do jornal e sempre interferiu junto a eles em favor de dom Helder". Nas duas páginas dedicadas à entrevista no caderno especial de domingo, o arcebispo avalia sua trajetória política desde sua participação no movimento integralista até os problemas enfrentados com os governos posteriores ao golpe de 1964. Analisa a situação da Igreja latino-americana, fala sobre suas viagens, sobre a censura que sofria e sobre as torturas contra os adversários do regime. Com certeza, dom Helder não mudara seu enfoque sobre a realidade política brasileira, desde que, no final dos anos 1960, passara a denunciar os crimes contra os direitos humanos praticados no Brasil. Se a entrevista foi publicada na íntegra, como era a exigência de dom Helder para concedê-la a Divane Carvalho, era porque começara, de fato, o longo período de transição democrática que levaria à eleição de Tancredo Neves e José Sarney pelo colégio eleitoral, em janeiro de 1985, muito embora o fechamento do Congresso Nacional e o famoso "Pacote de Abril" de 1977 expressassem a relutância do governo militar quanto ao processo de abertura.

Depois de publicada a entrevista pelo *Jornal do Brasil*, aos poucos vários outros jornais e revistas também passaram a noticiar as atividades de dom Helder no Brasil e no exterior. A revista *O Cruzeiro*, a mesma que cedera suas páginas para a campanha de David Nasser contra ele em 1970, dedicou-lhe quatro páginas de sua edição de 7 de janeiro de 1978 sob o título "Dom Helder: ataque e defesa no fim do silêncio". No mesmo ano, em abril, seria a vez da revista masculina *Status*: "Dom Helder, o arcebispo proibido: eu faria o jogo do comunismo se continuasse a usar a Igreja como o ópio do povo"; em junho, o jornal *Folha de S. Paulo* publicaria uma longa entrevista de dom Helder no suplemento dominical "Folhetim", com o título "Não é hora de descansar"; e em setembro, a revista *Veja* publicou "A eternidade começa aqui", entrevista ao repórter José Maria Andrade.

Ainda na revista *Veja*, em abril de 1979, saiu publicado um documento do Ministério da Justiça com informações "dos órgãos de segurança do governo" sobre sua atuação política supostamente "subversiva"; na edição de 17 de setembro de 1980, no artigo "A maldição revogada", a revista chamou a atenção dos leitores com o subtítulo: "Dom Helder Camara faz palestra a convite do PDS, abraça o governador de Pernambuco e é aos poucos assimilado pela abertura política".

Seu retomo à televisão ocorreria em setembro de 1981 no programa "Etcétera", do cartunista Ziraldo, na rede Bandeirantes. Ziraldo era um antigo amigo de dom Helder. Ajudara na elaboração das cartilhas do MEB, nos anos 60, e desde a primeira Feira da Providência, em 1961, no Clube Piraquê, Rio de Janeiro, era ele quem sempre fazia os cartazes. O programa de Ziraldo com dom Helder teve grande repercussão na imprensa. Segundo matéria do *Jornal do Brasil*, compilada por Ferrarini, os anos que ficara sem aparecer na "televisão brasileira não deixaram dom Helder destreinado. A fluência, o ritmo, a gesticulação, a simplicidade ao abordar assuntos complexos, que ele torna compreensíveis a todos, comprovam que o arcebispo de Recife e Olinda é dos que melhor partido sabem tirar de sua aparição no vídeo...".

Ele afirmaria ao final do programa: "Não seria sincero... se não reconhecesse que tinha uma certa nostalgia... A TV nos torna íntimos dos lares...". Nos anos seguintes, dom Helder voltaria a aparecer em vários programas transmitidos nacionalmente, como no "Canal Livre", da Rede Bandeirantes, e no "Conexão Nacional", da Rede Manchete, entre outros.

Mas o colunista do *Jornal da Tarde* Lenildo Tabosa Pessoa não gostou do que viu. Ainda de acordo com o estudo de Ferrarini, Tabosa Pessoa teria feito o seguinte comentário: "Não se pode dizer que a entrevista tenha sido útil e instrutiva. Quando, no fim, o arcebispo pousou para um humilde *close* de despedida, o canal 13 anunciou a próxima atração: o filme *O máximo da vigarice*. Muitos telespectadores, entretanto, desligaram seus aparelhos, certos de terem acabado de assisti-lo".

A liberalização política iniciada no governo Geisel tornou possível ao regime ditatorial conviver com o ressurgimento dos movimentos sociais no país. Mas, enquanto no eixo Rio-São Paulo o clima político desencorajava a ação do aparelho repressivo, em Recife os órgãos de segurança persistem em produzir novas vítimas. Em maio de 1977, o padre Lawrence Rosebaugh e o missionário Thomaz Michael Capuano, ambos norte-americanos e que viviam entre os moradores de rua do Recife, foram presos e torturados. Para tristeza dos responsáveis pela prisão dos dois, o caso ganhou destaque na imprensa mundial quando Rosalyn Carter, esposa do presidente norte-americano Jimmy Carter, visitou o Recife em junho do mesmo ano e ouviu dos dois religiosos o relato das torturas que haviam sofrido.

Era a segunda vez que o aparato repressivo em Recife envolvia-se em confusão com cidadãos norte-americanos. "A primeira foi a prisão e tortura em Recife de um ex-missionário metodista, um americano que abandonara o serviço de sua Igreja e se instalara no Brasil como correspondente da *Time* e da Associated Press. Seus inquisidores aparentemente achavam que ele era responsável por reportagens divulgadas no exterior favoráveis a dom Helder Camara, um dos principais críticos do governo militar", escreveu Thomas Skidmore no seu livro *Brasil: de Castelo a Tancredo*. Por insistência do embaixador norte-americano John Crimmins, o governo federal ordenou que o relutante iv Exército soltasse Morris, mas isso não impediu que o caso também ganhasse as páginas dos principais jornais dos Estados Unidos em novembro de 1974.

Para apurar esses e outros casos de desrespeito aos direitos humanos, Marina Bandeira e Cândido Mendes, da Comissão Nacional Justiça e Paz, incentivaram dom Helder a criar também em sua Arquidiocese uma Comissão Justiça e Paz. Essa comissão ainda dava seus primeiros passos, sob a direção dos intelectuais Antônio de Paula Montenegro e Fernando Gonçalves, quando, em maio de 1978, foi preso e torturado o estudante Edval Nunes da Silva. Conhecido como Cajá, o estudante fazia parte de uma organização ilegal da esquerda e dizia-se membro da Comissão Justiça e Paz. Na oportunidade, dom Helder acionou todos os seus contatos dentro e fora do Brasil para conseguir a libertação dele.

Em 1980, a "linha dura" do regime em Recife ainda resistia à abertura política. Os muros da igreja das Fronteiras foram novamente pichados em junho daquele ano com frases contra dom Helder. Por telefone também chegaram ao arcebispo e aos membros da Comissão Justiça e Paz várias ameaças de morte. O padre Reginaldo Veloso, pároco do Morro da Conceição, que já fora sequestrado pela polícia no início dos anos 70, voltou a ser preso pela Polícia Federal em fevereiro de 1982. A alegação era uma ofensa que teria feito ao stf, no hino "Vito, Vito, Vitória...", que compusera em homenagem ao padre italiano Vito Miracapilo, expulso do Brasil em outubro de 1980.

"Onze juízes/um tribunal/onze, o supremo coito venal/onze, a vergonha/ nacional/pisam o direito/celebram o mal" foi a estrofe da letra da música do padre Reginaldo que ofendera o Supremo, segundo o *Jornal do Brasil*. Ao depor como testemunha de defesa do padre Reginaldo na Auditoria Militar, dom Helder mostrar-se-ia indignado com o processo, instaurado em pleno governo do general João Batista Figueiredo, que assumira a Presidência prometendo transformar o país em uma democracia. Um trecho do depoimento do arcebispo foi publicado pelo jornal *Tribuna da Imprensa*:

> Não me sentiria bem se não lhes dissesse que me aflige a segurança nacional como valor supremo; não vejo como um delito de opinião atente contra a segurança nacional. Tenho a impressão de que há fatos concretos que a põem em risco – uma bomba que explode, um sargento que morre, um capitão ferido, e vem um grupo que assume o atentado e se

dispõe a dizer que vai combater a canalha comunista infiltrada nas camarilhas do Planalto, conforme a nota publicada pelos jornais do Comando Delta. [Dom Helder referia-se às explosões ocorridas no Rio-centro, em 30/4/1981, de autoria de dois oficiais do Exército.] Isso sim é que é contra a segurança nacional. Agora, o pensamento como o do padre Reginaldo não é contra a Segurança Nacional e nós estamos aqui perdendo tempo e dinheiro com esse processo. Me perdoem se estou extrapolando, querendo ensinar o sentido de segurança nacional aos militares. É o mesmo que ensinar missa ao vigário.

Em outubro de 1977, dom Helder iria a Atenas para falar sobre o assunto político mais importante no Brasil, naquele momento. Sua conferência faria parte do colóquio internacional "O Futuro da Democracia", promovido pela Rádio France, em Atenas. Além dele, a lista dos convidados incluía nomes ilustres como Willy Brandt, ex-chanceler da Alemanha, Edward Heath, ex-primeiro-ministro inglês, Luís Echeverria, ex-presidente do México, Mario Soares, primeiro-ministro de Portugal, Olof Palme, ex-primeiro-ministro da Suécia, e Giovanni Agnelli, presidente da Fiat, entre outros.

Embora sua participação no evento não tenha se diferenciado de tantas outras – várias vezes foi interrompido pelos aplausos da plateia –, algo que soube por telefone, de Zezita, que ficara em Recife, deixou-o muito abalado: falecera no Rio a sua colaboradora e primeira secretária particular Cecília Goulart Monteiro, líder da "Família Mecejanense" de lá e que trabalhava na CNBB desde a fundação da entidade. Como dom Helder, Cecilinha faria 69 anos em fevereiro de 1978, mas foi atropelada por um táxi na rua do Russel, em frente ao hotel Glória, no Rio de Janeiro, no dia 5 de outubro de 1977.

Em 7 de março de 1975, dom Helder recebe o título *Honoris Causa* pela Universidade de Sorbonne.

O arcebispo só a chamava de "frei Leão", pois como o companheiro de São Francisco de Assis sua atribuição na Terra seria – segundo dom Helder – "velar pela santificação" de frei Francisco.

Durante sua rápida passagem pelo Rio nos primeiros dias de outubro, em escala do voo que o levaria a Atenas, dom Helder manteve longa conversa com "frei Leão", na qual a amiga chegara a pressentir a própria morte, deixando, inclusive, um "verdadeiro testamento espiritual" sob sua responsabilidade.

Depois da morte de Cecilinha, ele ficou quase três meses sem escrever circulares à "Família Mecejanense", embora continuasse com suas vigílias diariamente. Quando, já no último dia de 1977, voltou a escrever, reconheceu:

> É curioso: desde o primeiro segundo, foi total a aceitação da vontade do Pai; firmíssima a decisão de unir-me ainda mais à nossa família (símbolo da Grande Família Humana); claríssima a convicção de que um dos instrumentos fundamentais da união da Família são as Circulares, mas, concretamente, cadê ânimo de escrever!?.

A MORTE DE PAULO VI

Foi-nos dada a regra que nos força a nunca nos deter. "Sede perfeitos como o vosso Pai celeste é perfeito". A nossa moral é dura. Obriga o espírito e o coração a elevarem-se, a estenderem-se. Devemos sempre recear baixar o ideal. O diálogo não consiste em ceder àquele que tem menos. Fazer-se tudo a todos não é renunciar ao todo para ser todos... Nós, que estamos no centro, temos o dever mortificante, pesado e doce de ser dignos desta situação central, focal. Isto exige em particular que não confundamos nunca com as exigências divinas obrigações humanas, como faziam os judeus fariseus ao tempo do Senhor, ou ainda os primeiros discípulos judaizantes, ao tempo de São Paulo.

Paulo vi em *Diálogos com Paulo vi*, Jean Guitton

Entre o papa Paulo vi e dom Helder Camara, havia muito mais que uma grande amizade: havia a poderosa Cúria Romana. Depois da carta que recebeu do "número dois" da Secretaria de Estado do Vaticano, Giovanni Benelli, em 1969, expressando o descontentamento da Santa Sé com sua peregrinação internacional, dom Helder esteve com Paulo vi em uma audiência privada, em janeiro de 1970, e recebeu clara demonstração de confiança e respeito do Sumo Pontífice ao ser autorizado a continuar com as viagens e conferências pelo mundo.

No mesmo ano em que recebeu essa autorização de Paulo vi, nada menos do que cinco advertências lhe chegaram para que moderasse o conteúdo de seus pronunciamentos, priorizasse a atuação dentro da Arquidiocese de Recife e evitasse as viagens internacionais – quatro enviadas pela Secretaria de Estado e uma pela Sagrada Congregação para os Bispos.

Foi essa a razão de uma nova audiência privada com o papa, em 2 de maio de 1971. Ainda dessa vez Paulo vi não o surpreenderia:

– Dom Helder, você tem minha confiança plena. Esteja tranquilo. Esteja tranquilo.

– Mas, Santo Padre, e se amanhã eu recomeçar a peregrinação exatamente dentro dos termos combinados em janeiro de 1970, não recomeçarão as advertências?

– Dom Helder, o Senhor lhe reservou uma clara e evidente missão. Se é lícito falar de profetismo é fora de dúvida neste caso. Pessoalmente posso imaginar o bem que traz sua peregrinação pelo bem que suas visitas me fazem. Tenho certeza de que você prega justiça e amor, dentro dos ensinamentos da Igreja e tendo meditado cada palavra nas vigílias...

Estas abençoadas vigílias! Sinto-me também na obrigação de lembrá-lo que, cada vez mais, no Ocidente e até no Oriente, entre católicos, não católicos e até ateus, sobretudo entre a juventude, cada viagem sua, cada conferência, cada entrevista tem ressonância mundial. Mas eu tenho confiança! Tenho confiança. Encontro sempre o mesmo dom Helder de minha visita ao Rio, de sua visita a Milão, das cartas que não esqueço! Sua humildade e seu espírito de fé são o solo da missão que Deus lhe confia. Quantas viagens? Que viagens? Só dom Helder, na Terra, será o juiz dos convites a aceitar.

O visitante acompanhava emocionado as palavras de Paulo VI. Demonstrava assentimento a cada afirmação. Antes de terminar de falar, porém, o papa manifestou um sonho que tinha a respeito dele:

– Como o mundo todo olha para o Recife e tudo o que se faz no Recife repercute no mundo inteiro. Gostaria que o Recife fosse modelo para todas as dioceses do Brasil e do mundo!

Desejava que dom Helder restringisse sua atuação a Recife? A diplomacia utilizada por Paulo VI para descrever seu "sonho" não permite uma resposta afirmativa. Por via das dúvidas, dom Helder achou que devia contar-lhe um pouco sobre o Movimento de Evangelização, o Movimento de Jovens e a Operação Esperança promovidos em sua Arquidiocese.

Assim que terminou de falar, Paulo VI pediu-lhe que escrevesse uma carta, assim que pudesse, narrando o seu pensamento sobre o Segundo Sínodo dos Bispos. Dom Helder concordou com o pedido, mas levantou uma dúvida:

– Posso estar seguro de que a carta chegará até o Santo Padre enviando-a pela Secretaria de Estado?

A dúvida procedia. Tanto que o papa recomendou:

– Escreva por fora "carta pessoal de dom Helder", e ninguém abrirá!

A conversa continuou nesse clima, deixando dom Helder com a certeza de que podia enviar o telegrama com o mesmo conteúdo de sempre para os seus colaboradores do Rio e de Recife: "Audiência magnífica...".

Assim que pôde, enviou de Recife a carta pessoal solicitada pelo papa. "Carta pessoal e reservada", remetida de acordo com as instruções dadas por Paulo VI, mas interceptada pelo secretário de Estado, cardeal Jean Villot, que se encarregou de respondê-la oficialmente expressando sua discordância com relação ao conteúdo e dando uma repreensão "discreta e amável" em dom Helder.

O episódio deixou claro que quem criava problemas para dom Helder na Secretaria de Estado não era monsenhor Giovanni Benelli, mas o próprio secretário de Estado do papa. Aliás, o cardeal Suenens chegou a comentar com dom Helder que presenciara por quatro ou cinco vezes monsenhor Benelli fazendo a defesa do arcebispo.

Em setembro de 1971, dom Helder teria a certeza de que seu prestígio no Vaticano estava em queda livre. Ele mesmo narrou um acontecimento que consideraria uma das maiores humilhações de sua vida:

"Abriu-se em Roma o Sínodo dos Bispos, tendo como um dos dois temas fundamentais a justiça no mundo. Ora, não só não fui eleito por meus irmãos no episcopado para um de seus quatro representantes, mas, o que incomparavelmente é mais grave e mais expressivo, não fui escolhido pelo Santo Padre". Naquele momento, para ele só havia uma conclusão a ser tirada: "Ficou patente diante do mundo que o Santo Padre não concorda com a linha de minhas pregações sobre justiça e amor como caminho da paz. Isto vindo do papa, vocês sabem que peso tem para mim. Aceito plenamente. Não posso é fugir de tirar minhas conclusões. Depois deste atestado público e notório, em ocasião soleníssima e excepcional! (inclusive com o agravante da carta que me foi pedida), tenho ainda o direito de andar peregrinando?".

Depois de esfriar a cabeça, dom Helder preferiu considerar que Paulo VI mantinha o mesmo posicionamento expresso nas audiências privadas, entre os dois, favorável às suas conferências internacionais. Tomando-se essa consideração como uma premissa, dela derivaria uma conclusão lógica: a rejeição da Santa Sé a dom Helder deveria ser atribuída à Cúria Romana. E ele optou por essa conclusão, tanto que em setembro do ano seguinte, 1972, escreveria: "Aflige-me ver o desgaste do papa, depois de o termos quase divinizado. Aflige-me ver como a Cúria Romana o manipula...". Depois de muito insistir, dom Helder conseguiu uma nova audiência privada com Paulo VI no dia 10 de novembro de 1972. Seria numa sexta-feira o vigésimo encontro pessoal entre os dois.

Logo na entrada o papa se demonstrou "fisicamente mais bem disposto, mais distendido, menos angustiado", e acolheu o visitante com "o carinho de sempre". Enquanto o abraçava, 'prolongadamente, como a um irmão', dizia:

— Don Heldér, Don Heldér, quelle joie de vous rencontrer!

Com o papa Paulo VI em Roma.

A conversa foi inteiramente amigável, confirmando a hipótese de que era a Cúria que se interpunha no relacionamento entre os dois. Ainda mais porque Paulo VI recebeu com tanta felicidade os livros que lhe foram presenteados na ocasião – *Espiral da violência* e *O deserto é fértil* – que dom Helder teve certeza de que não os recebera antes, apesar de dois exemplares terem sido enviados na mesma remessa oficial da carta interceptada pelo secretário de Estado, cardeal Villot.

Para retribuir o presente, Paulo VI deu a dom Helder uma "cruz em que Pedro e Paulo aparecem juntos", comentando: "Guarde-a na sua mesa de trabalho. Quero que ela seja a minha presença viva a seu lado, a cada instante". Sorrindo, ainda frisou: "Pedro e Paulo...".

Em 1974, dom Helder participou do Terceiro Sínodo dos Bispos como delegado do episcopado brasileiro, mas qual não foi sua surpresa, quando esperava uma resposta oficial do prefeito da Sagrada Congregação para os Bispos, cardeal Sebastião Baggio, ao pedido que lhe fizera para avaliar sua atuação no Sínodo, e o ex-núncio no Brasil, extemporaneamente, expressou-lhe em uma carta o receio de que suas viagens internacionais fossem instrumentalizadas "para finalidades alheias" aos seus propósitos – leia-se: manipuladas pelos movimentos e governos de esquerda – e o risco de que sua palavra "ditada por sincera convicção e ardente zelo apostólico possa criar, no auditório, esperanças que, não se podendo realizar com presteza, se convertam em novas frustrações".

Considerando mais importante a autorização direta do papa para que continuasse a viajar, dom Helder relevou os dois avisos e não alterou sua agenda de viagens.

Mas seus problemas no Vaticano não se restringiriam à interceptação de suas cartas ao papa pela Cúria Romana e às discordâncias quanto às viagens internacionais. Em outubro de 1977, dom Helder esteve em Roma de passagem, em uma viagem a Atenas, e, mesmo insistindo muito para conseguir uma audiência privada com Paulo VI, não foi atendido. Era a segunda vez que isso ocorria. Estranhou o fato, mas aceitou-o. No final de 1977, porém, um amigo de sua inteira confiança avisou-lhe que "o Santo Padre... queixou-se, de novo, amavelmente", de que dom Helder passara por Roma e não o procurara: era a prova que faltava de que o seu "pedido insistente de audiência não chegou a ele". Mas o recado de Paulo VI não terminava aí. Nas palavras de dom Helder: "No meio de expressões de amizade e até de carinho, mandou-me, no entanto, pedir que eu acabasse com as viagens ao exterior...".

Dom Helder resolveu escrever uma carta ao papa, expressando seu desejo de acatar qualquer decisão que fosse tomada, mas "abrindo seu coração" para explicar as razões que o levavam a pretender continuar viajando, e para tanto solicitava novamente a concordância de Paulo VI:

> ... como não há proporção entre as mensagens que levo e as multidões entusiastas que afluem, aplaudem delirantemente, antes, no meio e no fim, talvez seja um sinal de um certo carisma para este tipo de apostolado... Como explicar os convites que chegam sempre mais numerosos, do Norte e do Sul, de Leste e de Oeste? Quem sabe, nesta época em que sempre mais numerosos cristãos procuram o Cristo, sem passar pela Igreja ins-

titucional que lhes causa tristeza, é interessante para a Igreja institucional que apareça alguém, recebido como carismático, como profeta, mas que permanece absolutamente fiel à Santa Madre Igreja!?... É verdade que minha maneira de defendê-la consiste em insistir que sua divindade está no Fundador, o Cristo; que Ela está entregue à nossa fraqueza humana... Mas, graças à Graça divina, embora entregue à nossa fraqueza, a Igreja continua do Cristo e, na hora exata, o Espírito de Deus, quando vê que nossa franqueza de novo a meteu em engrenagens das quais não tem meios ou coragem de arrancá-la, se encarrega de livrar a Igreja do Cristo, que sai nua e coberta de sangue, mas mais bela do que nunca. Mas, Santo Padre, agora que Lhe abri meu coração e pensei alto em Sua presença, seja qual for Sua decisão final, espero que a Graça Divina me fará aceitá-la, não só por fora, mas por dentro...

Para garantir que a carta chegasse a Paulo VI dom Helder enviou cópias ao cardeal Benelli e ao núncio no Brasil. Mesmo assim, até o início de janeiro de 1978, não recebera nenhuma resposta.

Diante da insistência do governador da Califórnia (EUA) para que fosse participar de uma celebração, com o aval do bispo de Sacramento, acabou aceitando o convite, embora ainda não tivesse recebido a autorização. Dom Helder só percebeu que entrara em contradição com o desejo que sempre expressara de ser totalmente obediente ao Sumo Pontífice quando recebeu um telefonema de Maria Luiza Amarante. Sua já antiga colaboradora "não escondeu sua perplexidade ante a aceitação do convite". Depois disso, conta dom Helder,

degringolei. Durante uma semana, andei baratinado. Não acertava com os trabalhos... A saúde ficou abalada, a ponto de chegar a vômitos prolongados e desagradáveis... Falta de ânimo absoluto para preparar a mensagem para os Estados Unidos. Enquanto isso, irmã Catarina e Zezita se preocupavam, tentavam remédios. Acabaram chamando o meu querido médico, dr. Cyro. Quando ele entrou, fui dizendo logo: com sua chegada, torna-se evidente para mim que tudo o que venho sentindo é exclusivamente psíquico... Médico para mim é confidente... Confiei-lhe o recado do Santo Padre. Minha resposta aos americanos. A perplexidade de uma pessoa querida, a quem muito prezo. Ao reconhecer a verdadeira causa do que vinha ocorrendo, senti-me curado.

Como já empenhara sua palavra de que faria a conferência na Califórnia, no dia 12 de janeiro de 1978, não teve outro jeito senão ir, apesar do enorme peso na consciência que não deixou de sentir. No final do mês soube por outro amigo, desta vez alguém de dentro do Vaticano, que o melhor a fazer era não esperar resposta alguma à sua carta ao papa, pois tanto o "sim" como o "não" seriam respostas "comprometedoras". Mas para um "bom entendedor", como dom Helder, a ausência da resposta já devia ser interpretada como um corte nas viagens internacionais, pois o silêncio era a linguagem pela qual os assessores diretos de Sua Santidade melhor expressavam seus pontos de vista. O problema era justificar as oitenta negativas aos convites para 1978. Angustiado com sua situação, o arcebispo cogitou até o "gesto espetacular" de demitir-se da Arquidiocese, "por falta de merecer a confiança" do Vaticano, mas acabou achando que seria uma atitude de "falta de simplicidade" de sua parte e falta de humildade para simplesmente "obedecer sem mais carta ou telefonema a quem quer que seja".

Repercutiram mal as negativas de dom Helder a todos aqueles convites. Ainda mais porque todos sabiam da razão verdadeira, o que provocou um verdadeiro bombardeio de telegramas de protesto enviados do mundo inteiro, principalmente de entidades e órgãos de imprensa católicos, à Cúria Romana. Esta, por sua vez, divulgou uma nota às agências de notícia afirmando não haver nenhuma proibição quanto às viagens internacionais de dom Helder, "mas sim preocupação do Vaticano quanto à Pastoral de Olinda e Recife, vítima de constantes viagens do arcebispo ao estrangeiro".

Em maio, o núncio no Brasil, sob instrução de Roma, passou a insistir para que ele voltasse a viajar, mas que passasse antes por Roma para conversar com o Santo Padre.

Chegou a Roma no domingo, 11 de junho de 1978, e encontrou em festa o Seminário Brasileiro onde se hospedaria. Só mesmo a saudade que sentiam do Brasil pode explicar o entusiasmo com o qual os seminaristas brasileiros em Roma comemoraram o magro resultado de um a zero da seleção de Cláudio Coutinho contra a Áustria, na Copa do Mundo da Argentina.

A audiência com Paulo VI estava marcada para o dia 15 de junho, quinta-feira, às nove e quinze da manhã. Os dias que antecederam esse encontro foram utilizados em encontros com os todo-poderosos da Cúria. Dom Helder esteve na Congregação para a Doutrina da Fé; na Congregação para o Clero, onde conversou com o prefeito, cardeal Joseph Wrigth; e na Congregação para os Bispos, onde encontrou o cardeal Sebastião Baggio. O encontro com o último, apesar de cordial, deu-lhe a impressão de que a audiência com Paulo VI, pela primeira vez, também seria difícil. O cardeal Baggio não escondeu suas fortes divergências dos posicionamentos de dom Helder. Nem as conferências episcopais, das quais o brasileiro era um dos pioneiros no mundo, escaparam da ira do cardeal: "A rigor, elas não existem. Na Igreja de Cristo, autoridade só existe nos bispos e em Pedro, nos bispos com Pedro".

No dia e horário combinados, lá estava dom Helder no estúdio do papa, para ser recebido por mais de meia hora, por um ancião bastante comovido:

– Mon cher Don Heldér... Mon cher Don Heldér – repetia Paulo VI sem se cansar.

Em certo momento, conta dom Helder, ele disse, sempre em francês: "Diga em português aquela palavra belíssima, intraduzível, que vocês têm em português: *J'avais nostalgie de vous rencontrer, de vous voir*". Eu disse: "Eu estava com saudade de você". Ele ficou feliz e repetia: "Saudade!... Saudade! Era exatamente isto que eu sentia".

Um tanto constrangido, Paulo VI continuou:

– *J'ai une explication à vous donner.*

Antes que concluísse seu raciocínio, dom Helder interrompeu-o:

– Não, Santo Padre. O senhor não me deve explicação nenhuma.

Mas o papa insistiu:

A MORTE DE PAULO VI 357

– Claro que eu devo! Não quero que haja a menor dúvida sobre a minha aprovação às suas viagens. Abençoo-as. Eu as sigo, como posso. E o que me dá tranquilidade sobre elas é que dom Helder se tornou um personagem internacional, um dos grandes vultos da Igreja e da Humanidade, mas, graças a Deus, continua o mesmo dom Helder! Guarde esta palavra que lhe digo da parte de Deus: sua força é sua humildade e seu coração que só sabe amar, é incapaz de odiar. Continue! Continue! Você tem uma missão a cumprir: pregar a justiça e o amor, como caminho para a paz.

O diálogo continuou em um tom bastante comovido. A pedido, dom Helder contou sobre as atividades pastorais em Olinda e Recife e, enquanto falava, o papa acompanhava-o com bastante interesse.

Quando voltou a falar, depois de incentivar o visitante, Paulo VI lembrou o desaparecimento trágico de seu amigo Aldo Moro, ex-ministro italiano e presidente do Partido Democrata Cristão, poucos meses antes sequestrado e morto pelas Brigadas Vermelhas. Ao final, Paulo VI presenteou-o com um cálice e um cibório de seu uso pessoal. Entrou um fotógrafo e registrou o encontro para o arquivo do papa. Este, emocionado, não largava a mão de dom Helder. A porta já fora aberta pelos auxiliares de Paulo VI, cuja presença servia para enfatizar ao visitante o momento de ir embora, mas o papa ainda fez questão de dizer na frente de todos:

– Quando vier a Roma, com bilhete ou sem bilhete, venha me ver. Empurre esta porta. Estarei aqui para abraçá-lo.

A recomendação de Paulo VI seria desnecessária. Seu estado de saúde era muito frágil. O assassinato de Aldo Moro muito o abalara emocional e fisicamente, um câncer na próstata era séria ameaça. No domingo, 6 de agosto de 1978, às 14 horas, no intervalo das filmagens de que participava para uma série da televisão francesa sobre Cristo, dom Helder almoçava na companhia dos jornalistas José De Broucker e Roger Bourgeon, na casa de campo deste, em Orgerus, a cinquenta quilômetros de Paris, quando, num tom circunspecto, interrompeu por alguns instantes a refeição e disse aos amigos:

– Sinto que o Santo Padre vai partir durante esta minha viagem. Certamente, o Encontro de Puebla terá de ser adiado e eu precisarei submeter ao novo papa o esquema de minhas viagens internacionais...

Às três da tarde, uma hora depois de iniciado o almoço em Orgerus, a televisão informou que o papa sofrera uma crise do coração. Ninguém mais saiu da frente do televisor. Às quatro foi noticiado que Paulo VI recebera a Unção dos Enfermos. Dom Helder, então, virou-se para De Broucker e Bourgeon e comentou:

– Quando a Cúria Romana informa que um papa recebeu a Unção dos Enfermos é porque a situação é mais do que grave...

Os três, mais a esposa de Bourgeon, ficaram esperando novas notícias, mas nas quatro horas seguintes a televisão francesa não voltaria a dar informações sobre o estado de saúde do papa. Às sete e meia da noite, porém, o filho de Bourgeon, também jornalista e que fazia um dos jornais da televisão, telefonou dando a notícia da morte de Paulo VI.

Após a notícia, o primeiro pensamento de dom Helder foi dar ação de graças pela partida do amigo. No seu entender,

Paulo VI foi poupado da humilhação de ficar sem controle, dominado pelos anos e pela esclerose. Deus o levou na hora exata!... Agora, ele está em nossa Casa da Eternidade, com o Pai, a quem Ele sempre tanto amou; com o Filho, de quem foi, por excelência, o Vigário (isto é, aquele que faz as vezes, aquele que representa), com o Espírito Santo, cuja atuação tangível (lembrada ao vivo na audiência de despedida, a 15 de junho p.p.) fez com que ele enchesse os olhos de lágrimas de alegria... Com Nossa Senhora, que foi tendo um lugar, sempre maior, no coração e na mente do querido monsenhor Montini... Com São Paulo e São Pedro. Com todos os Anjos e Santos! Com o papa João!... *Te Deum Laudamus! Magnificat!*

A SUCESSÃO

A realidade é que a nomeação de novos bispos tornou-se um assunto espinhoso na vida da Igreja do Brasil. Atribui-se ao cardeal Sebastião Baggio, por muitos anos núncio no Brasil e depois prefeito da Congregação dos Bispos, a seguinte boutade: "Roma poderia ainda enganar-se na nomeação de um ou outro bispo, mas não erraria na escolha dos arcebispos".
Queria exprimir com isto que as escolhas recairiam cuidadosamente sobre candidatos que pudessem implementar determinada linha desejada por Roma...

Pe. José Oscar Beozzo,
A Igreja do Brasil:
de João XXIII a João Paulo II...

A eleição de Albino Luciani, 66 anos, patriarca de Veneza, como sucessor de Paulo VI, repetiu em dom Helder o mesmo sentimento de surpresa experimentado por ocasião da escolha de Angelo Roncalli, em 1958. Só que em 26 de agosto de 1978, ele não ficaria tão apreensivo como ficara vinte anos antes. João Paulo I, para dom Helder, fora um "sopro direto do Espírito de Deus", para que um ultraconservador não subisse ao trono de Pedro; por isso ficou entusiasmado: "A Igreja eleger papa o filho de uma doméstica e de um pedreiro!", exultava. "O filho de um socialista! Um menino que passou fome! Um bispo que gostava de andar de bicicleta! Em dois tempos conquistou o mundo. Seu sorriso de criança, sua total descontração, um papa-gente, de carne e osso! Uma delícia a entrevista com os jornalistas! Um encanto de simplicidade como foi contando segredos do Conclave, inclusive que o voto dele fora para o nosso querido dom Aloísio Lorscheider!".

Trinta e três dias depois de eleito, porém, João Paulo I morre, oficialmente vítima de um ataque cardíaco. Estava novamente aberta a disputa entre os cardeais conservadores, contrários às inovações do Vaticano II, e os considerados progressistas. A disputa terminou em 16 de outubro, quando Karol Wojtyla foi eleito. João Paulo II foi o nome escolhido pelo novo papa, em homenagem a João XXIII, Paulo VI e a João Paulo I. Entre os principais articuladores da candidatura do papa polonês estavam vários cardeais amigos íntimos de dom Helder: Roy, do Canadá; Suenens, da Bélgica; Marty, da França, e os brasileiros Arns e Lorscheider. No entanto, o arcebispo de Recife se manteve tão afastado das articulações de bastidores entre os cardeais, que considerou a eleição de Wojtyla "surpresa ainda maior que a eleição de Albino Luciani".

Mais que surpreso, dom Helder ficou assustado com o fato de o novo papa ser originário de um país onde o catolicismo era extremamente conservador, provavelmente como uma forma de resistência dos católicos à dominação soviética. Exatamente em virtude desse conservadorismo, ele jamais aceitara convites para falar na Polônia, "com receio de criar problemas" para a Igreja de lá.

Assim que soube da eleição de João Paulo II, dom Helder deixou em suspenso a resposta aos convites internacionais, esperando que em uma audiência privada com o papa fosse decidido um novo esquema para sua peregrinação internacional. O encontro dos dois ocorreu logo no início de dezembro de 1978, quando dom Helder esteve de passagem por Roma em direção à Bélgica, onde se encontraria com o cardeal Suenens e daria uma série de palestras sobre os 30 anos da Declaração Universal dos Direitos Humanos. Foi uma reunião rápida em que o papa se mostrou muito atencioso com o brasileiro e decidiu manter o mesmo esquema de viagens autorizado por Paulo VI: umas quatro ou cinco viagens internacionais por ano, desde que o seu tempo de ausência da Arquidiocese não ultrapassasse os dois meses de férias a que tinha direito. Era a segunda vez que o papa se encontrava com um bispo considerado progressista – o primeiro fora o mexicano dom Mendez Arceu – e ainda estava tentando descobrir qual a melhor maneira de se relacionar com aquela ala da Igreja. Para dom Helder, ainda era cedo para ser avaliado o rumo do pontificado de João Paulo II, mas ele tinha esperança de que o novo papa aprofundasse as reformas da Igreja, na linha do Concílio Vaticano II.

Essa esperança o animou a participar da III Conferência Geral do Episcopado Latino-americano, em Puebla, no México, de 27 de janeiro a 13 de fevereiro de 1979. Dom Helder fora um dos organizadores do primeiro encontro desse tipo, ocorrido logo após o Congresso Eucarístico Internacional do Rio de Janeiro, em 1955. Participara também do segundo, em 1968, em Medellín, quando as conclusões do Vaticano II foram oficialmente incorporadas pelo episcopado latino-americano, impulsionando a nascente Teologia da Libertação, proposta pelo teólogo peruano Gustavo Gutierres, com sua ênfase na importância das Comunidades Eclesiais de Base. Para dom Helder, tratava-se, então, de aprofundar em Puebla o sentido proposto para a Igreja em Medellín.

Mas as decisões do encontro caberiam a um episcopado jovem, de acordo com as possibilidades abertas pela orientação do ainda desconhecido João Paulo II. Este, por sua vez, na abertura da conferência, faria a proeza de ler um discurso cujos termos acabariam sendo interpretados como encorajadores tanto pelos bispos conservadores como pelos adeptos da Teologia da Libertação.

A geração de dom Helder já estava praticamente fora de combate. Os remanescentes da conferência realizada no Rio, em 1955, em Puebla se contavam nos dedos: dom Helder, o cardeal Miguel Dario Miranda, ex-presidente do Celam já aposentado e quase cego, os cardeais Aramburu, de Buenos Aires, e Otávio Beras, de Santo Domingo, e alguns outros. Note-se que desses quatro apenas ele não fora elevado ao cardinalato.

Sua atuação praticamente repetiria o trabalho do Concílio, quase sempre nos bastidores. Várias vezes se encontrou com um grupo de teólogos estranhamente proibidos de entrar no Seminário Palafox, onde se reuniam os bispos, para levar-lhes solicitações e buscar ajuda para a elaboração dos documentos a serem discutidos em plenário. Entre esses teólogos se encontravam Leonardo Boff, Clodovis Boff, Joseph Comblin e Gustavo Gutierres. Dom Helder também deu algumas escapadas do encontro para conversar com o amigo dominicano frei Betto, que pretendia escrever um livro relatando as discussões de Puebla.

Quando percebeu que era necessário agir para conter o avanço dos conservadores, dom Helder inscreveu-se para participar do grupo "Evangelização e Promoção Humana", no qual ocorreria a discussão sobre "educação libertadora e Teologia da Libertação". Logo na primeira reunião, foi encarregado de redigir um texto para ser discutido e aprovado pelo grupo, em parceria com ninguém menos que monsenhor Alfonso Lopez Trujillo, o arcebispo colombiano, secretário-geral do Celam e um dos mais ferrenhos adversários da Teologia da Libertação. Dom Helder elaborou um texto inicial, incorporou sugestões de dom Cândido Padim e recebeu a aprovação do presidente do Celam, dom Aloísio Lorscheider, antes de discuti-lo com monsenhor Lopez Trujillo. Mas por algum motivo insondável o arcebispo colombiano, que também preparara um texto, fez toda sorte de concessões e aprovou o texto de dom Helder na íntegra. Dom Helder ficou desconfiado da inesperada flexibilidade de Lopez Trujillo, mas como não sabia o que poderia estar ocorrendo, lembrou-se apenas de uma frase que o deixara pensativo, dita por uma "alta autoridade" do Vaticano em sua última passagem por Roma: "Eu sei que, em Puebla, é você quem vai vencer...".

Dom Luciano Mendes de Almeida, a convite, participava da discussão com dom Helder e monsenhor Lopez Trujillo, e achou que os textos dos dois poderiam ser fundidos sem prejuízo das teses essenciais defendidas pelos progressistas. O resultado de tudo isso deixou nele "a certeza de que longe de sair condenação à Teologia da Libertação e à Educação Libertadora", em Puebla seria confirmada e ampliada "o que disse sobre elas Medellín". E essa foi a avaliação final da conferência feita por dom Helder.

Como o seminário em que ficavam os bispos era fechado como uma fortaleza, guardado dia e noite pela "Segurança Nacional" do México, os quase 2.600 jornalistas que cobriam o evento ficavam sem saber o que realmente estava acontecendo, desorientados pelas "piedosas mentiras" sobre o encontro, divulgadas pelo Serviço Oficial de Imprensa. A dificuldade dos bispos de se relacionar com o exterior era tal que o bispo e educador Ivan Ilitch, para se encontrar com dom Helder, acionou Zezita, que ficara em Recife, mas mesmo assim não conseguiu.

Só mesmo com muita persistência, e graças à ajuda de Aglaia e Jeannete, que viajaram para secretariá-lo em Puebla, dom Helder conseguiu romper o cerco de "proteção" aos bispos e passou a atender aos inúmeros pedidos de entrevista que lhe chegavam. Ainda mais porque durante a conferência, no dia 7 de fevereiro, completou 70 anos, tornando-se alvo das atenções dos demais bispos e dos jornalistas. Num domingo visitando uma paróquia, foi cercado por manifestantes de um grupo autodenominado "Cristianismo, Sim! Comunismo, não!", que incluíra o nome em um telegrama enviado ao papa com os nomes de vários bispos para serem afastados da Igreja. Mas ao ataque desse grupo sobrepunham-se as expressivas manifestações de carinho, principalmente porque seus livros *O deserto é fértil* e *Espiral da violência* haviam sido muito difundidos no México. Além disso, havia uma foto sua na *Bíblia da América Latina*, como ilustração do livro do profeta Isaías.

De volta a sua pequena casa nos fundos da Igreja das Fronteiras, em Recife, imediatamente dom Helder retoma suas atividades cotidianas. Vigília a partir das duas horas, sempre com a ajuda do despertador e dedicada a orações, preparação dos primeiros esboços de seus pronunciamentos e das respostas às cartas dos amigos íntimos espalhados pelo mundo. Nessa época, as circulares à "Família Mecejanense" do Rio se tornaram menos frequentes.

Às vezes passavam várias semanas sem que sentisse ânimo para escrever aos seus antigos colaboradores (que, porém, continuavam acompanhando suas atividades e o assessorando), certamente como um reflexo do abalo que lhe causara a morte recente de algumas pessoas por quem tinha grande afeto – a de sua secretária Cecília Monteiro, as das amigas Helena Magalhães e Nair Cruz (sua primeira grande amiga quando da chegada ao Rio de Janeiro, em 1936, e que o acompanhou durante toda a vida) e a de Giovanni Batista Montini, cuja importância para a carreira eclesiástica de dom Helder não pode ser minimizada.

No início de maio de 1982, ocorreria a morte de sua cunhada Elisa, a esposa de Eduardo, falecido em 1946, e que morava no apartamento da família em Botafogo, com Nairzinha, contando sempre com a ajuda da empregada Herondina, já considerada da família. Nessa ocasião, ele lembraria uma frase que seu pai costumava repetir na velhice: "Chega um instante em que já temos mais gente do lado de lá do que do lado de cá".

A missa era rezada pontualmente às seis, para pouco mais de uma dezena de fiéis e para as irmãs da Escola de Enfermagem, ao lado da igreja. Menos de meia hora depois, a missa termina e dom Helder vai encontrar-se com pessoas que o esperam para pedir-lhe um pouco de atenção em uma conversa rápida, algum dinheiro para a comida do dia ou para um remédio, ou simplesmente um café da manhã, que sua enfermeira, irmã Catarina, ajuda a servir. Assim que consegue, volta para casa e toma seu café da manhã – café preto, de vez em quando um pouco de leite, algumas bolachas e um pedaço de queijo. Por volta das oito e meia, algum colaborador aparece para levá-lo ao Palácio Arquidiocesano, e se ninguém chega, como a idade e as varizes não lhe permitem mais caminhar os três quilômetros que separam a igreja das Fronteiras do Palácio de Manguinhos, vai de táxi, pois, por opção, continua sem carro e motorista à sua disposição.

A manhã de trabalho começa com a preparação do programa "Um olhar sobre a cidade" a ser gravado para posterior transmissão pela Rádio Olinda, de segunda a sábado, das 6h55 às 7h. Despacha com sua secretária Zezita, atende a telefonemas e conversa com os colaboradores que atuam na Operação Esperança e no Banco da Providência e com seu bispo auxiliar, dom Lamartine, responsável pela administração e pelo acompanhamento direto das atividades pastorais da Arquidiocese. Seu almoço geralmente é servido por volta do meio-dia. Uma sopinha rala ou um mingau de maizena, queijo e suco de fruta, sempre em pequena quantidade.

Volta Zezita para novos encaminhamentos até às duas horas, quando, entre outras atividades, são discutidas as respostas às inúmeras correspondências recebidas do Brasil e do exterior. Daí por diante, até o fim da tarde, dom Helder recebe as dezenas de pessoas que diariamente o procuram. Depois, quando está com a agenda livre, algum amigo o leva de volta para casa, onde faz outra refeição não menos frugal, caso contrário continua a trabalhar até altas horas da noite, em reuniões com o movimento de evangelização da Arquidiocese, visita às paróquias ou a algum amigo.

No dia 7 de julho de 1980, dom Helder interrompeu essa rotina para receber no aeroporto Sua Santidade, o papa João Paulo II. "A visita do papa, que premiou dom Helder com o mais caloroso dos abraços que distribuiu no Brasil, foi uma espécie

Dom Helder abraça o papa João Paulo II na visita deste a Recife em 1980.

de passaporte para a reabilitação pública do arcebispo de Olinda e Recife", segundo a revista *Veja*. Além do abraço, mais de uma vez João Paulo II saudou publicamente dom Helder, como "Irmão dos pobres. Meu irmão".

O seu Jubileu Sacerdotal, comemorado em 1981, em Fortaleza e Recife, tornou público o reconhecimento da importância de sua trajetória religiosa e política para o país, expresso por fiéis católicos, autoridades governamentais e eclesiásticas. A comemoração em Fortaleza, no dia 15 de agosto, pela manhã, reuniu a dom Helder os outros oito companheiros de seminário que haviam sido ordenados com ele no já quase remoto ano de 1931, para também celebrar os 50 anos de sacerdócio. Já velhinhos, estavam lá Francisco José de Oliveira, Demétrio de Lima, Antônio Nepomuceno, José Gaspar, Antônio Bezerra de Menezes, Luiz Braga da Rocha, Pedro Alves Ferreira e Helder Camara, que dirigiu a cerimônia acompanhado pelos cardeais Lorscheider e Arns.

Num almoço depois da missa, no mesmo Seminário da Prainha onde estudaram, os nove relembraram os tempos de internato. No dia seguinte, dessa vez à tarde e em Recife, houve uma nova celebração, dirigida por um dom Helder vestido com as mesmas vestes utilizadas pelo papa em sua passagem por Recife, no ginásio de esportes Geraldão, com a presença de aproximadamente 20 mil fiéis. Dom Luciano Mendes de Almeida, secretário-geral da CNBB, representou oficialmente a hierarquia do país e o papa João Paulo II, que enviou saudação a dom Helder escrita de próprio punho. Também estavam lá outros 29 bispos e quase trezentos sacerdotes, além de um bispo anglicano. Do lado do poder temporal estavam o governador Marco Maciel, o prefeito de Recife Gustavo Krause e os oposicionistas Miguel Arraes e Marcos Freire. Na homilia, o arcebispo de João Pessoa, dom José Maria Pires, o dom Pelé, fez um emocionado balanço do caminho percorrido pelo homenageado. Lembrou a fase integralista do jovem padre Helder Camara, no Ceará, e sua fase de intimidade com os poderosos, no Rio de Janeiro, até que deu uma virada em sua vida e

> ... foi se aproximando do povo, deixou de procurar os grandes para obter ajuda deles e levá-la aos pobres. Passou a animar os pobres a se unirem para exigir por direito o que antes se lhes dava (ou se lhes negava) como esmola. Sua voz ultrapassou as fronteiras nacionais e continentais. Foi até as metrópoles da América do Norte e da Europa para denunciar o colonialismo das grandes nações contra as mais pobres e menos desenvolvidas. Dentro dos horizontes brasileiros, não se cansou de bradar contra o colonialismo interno que mantém na miséria regiões inteiras de densa população como o nosso Nordeste. Mais que qualquer outro bispo, dom Helder lutou na CNBB e em Medellín para que a Igreja se dessolidarizasse do poder e deixasse de ser um dos aliados do sistema opressor.
>
> Estas atitudes evangélicas e patrióticas lhe custaram um preço elevado – representado por incompreensões, perseguições, calúnias. Execrado pelo sistema que lhe cassou a palavra: os meios de comunicação foram proibidos de divulgar sua voz e de transmitir seu pensamento ou mesmo de declinar seu nome. Perseguido pelos partidários do sistema: escreviam horrores contra ele e lhe negavam o direito de se defender. Visto com restrições mesmo em setores da Igreja, doeu-lhe tudo aquilo que se afirmou a indicar

reservas de Roma, do Santo Padre. De Paulo VI, no entanto, em palavras, gestos e até em pequenos presentes – como o Missal para celebrar nas viagens –, teve a comprovação de uma certeza firmada em quase trinta anos de conhecimento: de que o dom Helder que mostrava as favelas do Rio a monsenhor Montini era o mesmo que levava a Paulo VI a visão do mundo de hoje e das suas exigências de justiça.

De qualquer forma, dom Helder sofreu muito com todas as censuras, calúnias e perseguições de que estava sendo vítima... Ficou claro que o que Deus queria de seu padre Helder era que ele encarnasse na vida o Sacrifício da Cruz que celebrava no altar. Para assumir a causa dos pobres, não deveria contar com os aplausos dos poderes que eram interpelados por sua pregação. Talvez por isso seus admiradores sonharam com distinções de que tanto desejaram vê-lo revestido. Não sabiam, certamente, que o dia 7 de julho de 1980 reservava a dom Helder o momento daqueles dois grandes abraços de João de Deus no aeroporto do Recife e no Joana Bezerra e o maior dos títulos que ele jamais recebeu:

"Irmão dos pobres e meu Irmão!".

Faltavam ainda três anos para dom Helder completar 75 anos e requerer ao papa sua aposentadoria da Arquidiocese de Olinda e Recife. Mesmo assim, no mesmo dia da festa de comemoração dos seus 50 anos de sacerdócio, em 16 de agosto de 1981, o *Jornal do Brasil* publicou uma matéria de Divane Carvalho sobre o processo sucessório na Arquidiocese. O núncio dom Carmine Rocco, segundo o JB, cogitava enviar a Recife o conservador padre MacDowel, reitor da PUC do Rio, nomeando-o "bispo auxiliar, com direito à sucessão, visando a afastar do cargo o moderado dom José Lamartine Soares, atual auxiliar e fiel amigo de dom Helder". O preferido pelo próprio arcebispo para sucedê-lo, segundo o jornal, era dom Marcelo Carvalheira, auxiliar de dom José Maria Pires em João Pessoa. Contra a realização do desejo de dom Helder, porém, estaria o conservador prefeito da Congregação para os Bispos do Vaticano cardeal Baggio, que aproveitaria a oportunidade para tirar da influência dos progressistas uma arquidiocese tão importante.

Em público, dom Helder não se manifestava sobre o assunto, preferindo, aparentemente, deixá-lo "nas mãos do Espírito Santo", mas este, por sua vez, havia muito já delegara o poder de nomear bispos oficialmente ao papa, e, na prática, a um entendimento entre as nunciaturas apostólicas e a Congregação para os Bispos do Vaticano. No íntimo, porém, tinha para si que dom Marcelo Carvalheira era seu continuador e, inclusive, só o chamava pelo apelido de João Evangelista. Mas isso não queria dizer que o preferia como seu sucessor na Arquidiocese, pois se sentia comprometido com o leal e competente dom Lamartine, bispo auxiliar desde antes de sua chegada.

Chegou a pensar até em indicar dom Lamartine para ser seu bispo coadjutor, com direito à sucessão, e expôs isso ao governo colegiado da Arquidiocese em uma reunião realizada em janeiro de 1977, ou seja, sete anos antes de sua aposentadoria, argumentando na ocasião: "Para mim, o meu sucessor. Claro que nenhum de nós é completo, é perfeito. Mas, em consciência, pesando, medindo e contando, acho que é o mais indicado". Mas essa ideia sofreu oposição tanto do governo colegiado da Arquidiocese de Recife como da Congregação para os Bispos do Vaticano.

Percebendo que dificilmente a Cúria Romana deixaria que escolhesse seu sucessor, os amigos dom Marcelo Carvalheira, dom Paulo Evaristo Arns – a quem dom Helder chamava carinhosamente "meu sobrinho" – e dom José Maria Pires trataram de convencê-lo a abandonar a ideia de aposentar-se aos 70 anos de idade (completaria essa idade em 1979), que vinha defendendo desde os tempos do Concílio. Como ainda relutava em aguardar para aposentar-se na idade oficial de 75 anos, estabelecida exatamente no Concílio, foi preciso que os cardeais Marty e Suenens lhe fizessem um apelo para que continuasse na ativa até 1984, se a saúde lhe permitisse.

Conforme a data de sua aposentadoria se aproximava, cresciam as especulações sobre o nome do sucessor. Porém, à medida que se foi explicitando reconhecida a orientação dada por João Paulo II ao seu pontificado, foram sendo descartados os candidatos considerados progressistas ou simpatizantes da Teologia da Libertação. Com isso, dom Marcelo Carvalheira, dom Ivo Lorscheider e dom José Maria Pires ficaram logo fora do páreo. Ele ainda chegou a enviar ao Vaticano uma lista com os nomes de dom Lamartine, dom Marcelo e dom Luciano Mendes de Almeida, mas evitou ao máximo que sua atitude fosse interpretada como pressão sobre o Vaticano para eleger o seu sucessor.

Em 1982 e 1983, dom Helder voltou a se encontrar particularmente com o papa em Roma, mas fez questão de não mencionar o assunto, ficando apenas na troca de gentilezas de ambas as partes. Os dois almoçaram juntos no dia 20 de abril de 1982, terça-feira, por volta de uma da tarde. Pelo carinho com que o brasileiro foi recebido, nem dava para se supor que o papa decidiria a sucessão em Olinda e Recife de modo a comprometer o futuro da maior parte das atividades iniciadas ou apoiadas por dom Helder em seus vinte anos à frente da Arquidiocese.

Por três vezes, o papa pediu a dom Helder que repetisse o "Hino a João de Deus" cantado exaustivamente pelos fiéis católicos nas ruas do Brasil durante sua visita ao país em 1980. Enquanto o arcebispo cantava, João Paulo II tentava acompanhá-lo fazendo uma segunda voz. "Houve palavras e gestos dele que fico sem coragem de repetir", escreveu dom Helder. "Na entrada e na saída, quando beijei sua mão, ele segurou a minha mão e a beijou... Ao despedir-se, beijou quatro vezes, comovido, a minha cabeça... Falou durante o almoço: 'Disse no Recife que você é irmão dos pobres. É! É! É! Este é o seu carisma. Mas quero que seja, de verdade, meu irmão... Secreto, secretíssimo'. Ao rezar, depois do almoço, disse: 'Pai, muito obrigado por haver na Igreja filhos seus como madre Teresa e dom Helder. Que sempre mais eles sejam testemunhos vivos do Evangelho.'"

Dom Helder já enviara a João Paulo II a carta que formalizava sua renúncia da Arquidiocese, conforme previa o Código de Direito Canônico, quando recebeu as homenagens pelos seus 75 anos de idade, completados em 7 de fevereiro de 1984. Seus colaboradores do Rio e de Recife fizeram uma grande festa na Igreja das Fronteiras, por onde também passaram para cumprimentá-lo o governador do estado Roberto Magalhães e o prefeito de Recife Joaquim Francisco Cavalcanti.

Ainda maior foi a festa de comemoração dos vinte anos do arcebispo à frente da Arquidiocese de Olinda e Recife, no dia 22 de abril do mesmo ano, com a presença de cerca de 30 mil fiéis no estádio do Sport Clube Recife, na ilha do Retiro. Como se vivia em plena campanha por eleições diretas para presidente da República – campanha, aliás, apoiada por dom Helder –, por pouco o ato de homenagem ao arcebispo não se tornou um comício da campanha pelas "Diretas, Já!". Foi preciso que o organizador da festa, monsenhor Isnaldo Fonseca, insistisse muito para que os manifestantes parassem de gritar palavras de ordem e baixassem suas faixas de reivindicação de eleições diretas durante a missa, argumentando que "todos desejavam eleições diretas, mas que o momento era dedicado à homenagem a dom Helder". As faixas foram então baixadas e somente erguidas ao final da missa, três horas depois. Dom Helder, ao fim da solenidade, disse que todos os cristãos deviam estar envolvidos no "esforço para mudar as estruturas sociais injustas que mantêm o Nordeste na miséria", noticiou o jornal *O Globo* do dia seguinte.

Faltava o lance final no xadrez de sua sucessão. O Vaticano deveria nomear o novo arcebispo de Olinda e Recife e o fez mais de um ano depois do pedido de renúncia de dom Helder, optando pelo bispo de Paracatu, Minas Gerais, o pouco conhecido e conservador dom José Cardoso Sobrinho, lançando por terra a esperança de dom Helder de ser sucedido por dom José Lamartine. Este foi nomeado para a Arquidiocese de Maceió, mas não chegaria a assumir o novo posto, caindo gravemente doente e falecendo pouco depois, no dia 18 de agosto de 1985.

Quase no final de sua última mensagem como arcebispo, antes de passar o báculo a seu sucessor, no dia 15 de julho de 1985, dom Helder fez um apelo a seu rebanho: "Nesta hora de despedida, com os agradecimentos pela acolhida generosa de vinte um anos, faço ao meu povo de Olinda e Recife mais um apelo fraterno: ajudem o mais possível dom José Cardoso a preparar nossa Arquidiocese para festejar, em quinze anos, o ano 2000 – dois mil anos do nascimento de Nosso Senhor Jesus Cristo". Dom José Cardoso retribuiu a gentileza lembrando em seu pronunciamento que os nomes de dom Sebastião Leme e dom Helder Camara, seus antecessores no cargo, faziam com que pensasse "como deve ser querida de Deus a Diocese que tais bispos mereceu... São nomes que nos humilham, mas são esperanças que nos alentam".

Depois de sua posse, ao comentar a afirmação de uma repórter de que seria um conservador, dom José Cardoso desconversou: "A senhora foi quem afirmou. Eu diria, como já tive oportunidade de dizer, que é sem dúvida impossível definir um estilo de trabalho numa palavra". O jeito era esperar para ver...

"O BOM COMBATE"

Quanto a mim, já sirvo de libação: e o tempo da minha partida se aproxima. Combati o bom combate, terminei a minha carreira, guardei a fé. Já não me resta senão receber a coroa da justiça que naquele dia me dará o Senhor, justo juiz, e não somente a mim, mas a todos aqueles que aguardam com amor a sua vinda.

São Paulo, Segunda Epístola a Timóteo, 4, 6-8

A abertura democrática que se anunciava no Brasil no início dos anos 80 fazia com que dom Helder deixasse de ser "considerado um leproso" do qual muita gente "desviava o rosto para não vê-lo". Começam a aparecer artigos elogiosos a ele até mesmo nos jornais *O Globo* e *O Estado de S. Paulo*. Um exemplo muito ilustrativo dessa mudança de posicionamento em relação a ele verificada em alguns órgãos da chamada grande imprensa foi o Prêmio Mahatma Gandhi, oferecido a ele pela TV Globo de São Paulo, em 31 de dezembro de 1982. Com isso, alguns representantes do conservadorismo político no país davam a entender que o velho arcebispo já não lhes representava mais uma ameaça, se é que, porventura, algum dia tivesse sido, de fato, o "demônio" que os jornais e revistas favoráveis ao regime ditatorial tanto exorcizaram.

Em matéria publicada pela revista *Veja* em setembro de 1980, três de seus adversários mais ácidos demonstraram essa mudança no tratamento que lhe dirigiam: Wandenkolk Wanderley declarou: "Não tenho mais nada contra ele"; Gilberto Freyre fez sua avaliação sobre a conturbada trajetória do arcebispo: "Tudo leva a crer que o ministro de Deus está superando o frustrado ministro de Estado". "Com a vinda do papa ao Brasil, eu diria que Cristo baixou em dom Helder e ele percebeu a absoluta ignomínia de sua experiência política. Dom Helder, hoje, é um outro dom Helder, e ele mostra que é um homem que não apodreceu, que não aceitou o próprio suicídio moral", declarou Nelson Rodrigues. Claro que para eles era dom Helder quem havia mudado, como se tivesse passado por uma nova conversão. Como sempre, mais feroz que os outros três, o antigo jornalista de *O Cruzeiro*, David Nasser, mantinha ressalvas quanto às convicções do arcebispo: "Dom Helder, para mim, é uma incógnita. Teve um passado fascista e agora parece defender posições democráticas. A gente não sabe se ele é um humilde mistificador ou se Deus operou um milagre em dom Helder. Eu sou muito desconfiado com essas coisas".

Na noite de 4 de março de 1982, com um auditório lotado e a presença do seu "sobrinho" Cardeal Arns, a PUC de São Paulo lhe entrega o primeiro doutorado *Honoris Causa* que recebeu no Brasil. Dois meses depois, a Universidade Santa Úrsula, do Rio, onde padre Helder lecionara nos anos 1940, também lhe concede o título de *Doutor Honoris Causa*, sendo seguida, posteriormente, por outras doze importantes universidades públicas e privadas do país.

Na Igreja brasileira, os bons relacionamentos de dom Helder de forma alguma se restringiam aos hierarcas considerados progressistas. No dia seguinte ao doutorado na PUC, em São Paulo, ele falou no teatro Castro Alves, em Salvador, a convite de dom Avelar Brandão Vilela.

Com outro expoente do conservadorismo católico no Brasil, o cardeal Eugênio Sales, do Rio, seu relacionamento não poderia ser melhor. O estilo mais "durão" de dom Eugênio, para dom Helder era exemplo de que o amigo era uma daquelas "crianças grandes que precisam de carinho...", pois, segundo ele, "os homens secos são famintos de afeto". Quando dom Helder vivia sendo perseguido, várias vezes dom Eugênio manifestou-se publicamente em sua solidariedade. Ele retribuía essa solidariedade respeitando-o e se submetendo à sua autoridade cardinalícia. Sempre que ia ao Rio para falar em um retiro espiritual ou em uma reunião mais formal com os amigos, antes pedia permissão a dom Eugênio, a quem chamava carinhosamente de "Patriarca". Dom Eugênio retribuía o tratamento chamando-o sempre pelo apelido de "Magro".

Quando dom Eugênio tomou posse como arcebispo do Rio de Janeiro, em 24 de abril de 1971, dom Helder fez questão de não comparecer à celebração, para demonstrar seu descontentamento com a atitude de vários dos seus "melhores sacerdotes e leigos", que haviam assinado uma lista manifestando-se contrários ao método de escolha do novo arcebispo utilizado pelo Vaticano. Por trás da lista, havia, é claro, o desejo de que dom Helder retornasse ao Rio de Janeiro. Os íntimos do arcebispo de Recife imaginavam que ele fosse o sucessor natural de dom Jaime Câmara. Até a "maninha" Nair Camara, mesmo sabendo que seu irmão era totalmente favorável à ida de dom Eugênio para o Rio, enquanto assistia à missa de posse, várias vezes não resistiu à emoção e chorou ao se perguntar: "Ah, meu Deus, por que não é o Padrezinho que está tomando posse?". Dom Eugênio chegou a enviar ao papa uma carta argumentando contra sua indicação para o Rio, mas Paulo VI exigiu que aceitasse o novo posto. Naquela época, dom Helder não escondia de ninguém que estava mais que satisfeito com sua ida para Recife: "Como me parece evidente que o Pai me trouxe pela mão para Recife!... Como me parece claro que a vinda para cá mudou completamente o rumo de minha vida, levando-me para o plano internacional!".

Politicamente, dom Helder sabia da notória ligação de dom Eugênio Sales com as autoridades do mesmo regime militar que o colocara no ostracismo, mas isso não era considerado motivo para que houvesse um rompimento entre os dois, principalmente porque o arcebispo de Recife assumia a responsabilidade de ter sido ele um dos grandes incentivadores dessa intimidade entre representantes das cúpulas da Igreja católica brasileira e do Estado. Conversando sobre esse espinhoso assunto com dom Helder, em certa ocasião dom Eugênio chegou a dizer-lhe:

"Estou onde você estava, onde você nos colocou". Dom Helder reconheceria isso em uma autocrítica:

... um dos graves pecados de omissão de minha vida (melhor diria, de falta de visão) eu o cometi, sobretudo, ao longo dos meus doze anos de secretário-geral da CNBB (mas claro que bem antes da CNBB já o vinha cometendo): estava convicto de que, no Brasil, vivíamos a situação ideal quanto às relações entre Igreja e Estado: sem religião oficial e sem concordata, havia respeito mútuo e leal colaboração entre Estado e Igreja.

Agi, amplamente, dentro dessa perspectiva. Ajudei a firmá-la no meio de nossos bispos. É a posição exata de dom Vicente Scherer, de meu Patriarca e de tantos outros...

Hoje, quando me veem em posição diferente, eles não entendem e chegam a pensar que, após 1964, posto de lado pelas ligações com a situação anterior, caí em frustração...

Fosse quem fosse o presidente da República, minha posição, após o Concílio, mudaria. Como não perceber que a posição antiga levava, facilmente, a não perceber e, portanto, a não denunciar injustiças gravíssimas?... Tantas vezes tenho repetido e não me cansarei de fazê-lo: preocupados em ajudar a manter a ordem social, nem parecíamos perceber que se trata antes de uma desordem estratificada. Na prática, servíamos de suporte a estruturas de escravidão, e, com melhores intenções, pregávamos religião-ópio para o povo, vivíamos religião alienada e alienante.

No exterior, o arcebispo de Recife continuaria sendo, nos anos 1980 e 1990, alvo de seguidas premiações por sua atuação pela paz mundial: prêmio Artesãos da Paz, na Itália, em 1982; Niwano Peace Prize, em 1983, no Japão; Roma-Brasília Cidade da Paz, concedido pela prefeitura de Roma em 1986; Christopher Award for 1987, "o mais prestigioso dos prêmios dos Estados Unidos para livros religiosos", recebido em 1987; Paul VI – Teacher of Peace Award concedido pela Pax Christ, em 1992, nos Estados Unidos, entre vários outros.

Em março de 1996, foi premiado pela ONU, que considerou "a atuação do arcebispo com a população pobre do Recife exemplar, tanto que Camara, além de ter recebido o prêmio, é presidente de honra do Encontro Internacional do Recife sobre Pobreza Urbana", noticiaria o jornal *Folha de S. Paulo*.

De universidades dos Estados Unidos e do Canadá receberia mais títulos de *Doutor Honoris Causa*. Mas então dom Helder teria um novo meio para sensibilizar os auditórios com sua mensagem: a *Sinfonia dos dois mundos*. O texto da sinfonia fora escrito por ele e a música era do padre suíço Pierre Kaelin. Os dois haviam se conhecido ainda nos tempos do Concílio, na Domus Mariae, quando Kaelin ficou sabendo que sua sinfonia *Oratório*, sobre São Francisco de Assis, era uma espécie de hino oficial do grupo formado por dom Helder e seus colaboradores. Sempre que havia um aniversário ou encontro de confraternização, a "Família Mecejanense" colocava como fundo musical o disco com a sinfonia de Kaelin. Até que o músico resolveu fazer uma sinfonia utilizando as mensagens de dom Helder em sua pregação pelo mundo, que ficou pronta em 1980, quando foi gravada na França com o título *La symphonie des deux mondes*. A adaptação do texto escrito por dom Helder para o francês foi feita por Emile Gardaz. Na gravação original, dom Helder tem o papel de narrador. Há ainda um coro sinfônico, um coro de crianças e solistas, um homem (John Littleton) e uma mulher (Mannick), acompanhados por uma orquestra com setenta músicos do Collegium Musicum, de Genebra.

Assim que ficou pronta, dom Helder apresentou-a em Friburgo, Genebra e Zurique, na Suíça. Logo depois ocorreram várias apresentações na França e na Itália. Essas apresentações deixaram-no empolgado com um novo campo que se abria a seu apostolado: "Depois da experiência da Suíça, o que se passou na França e na Itália confirmou-me na convicção da ajuda poderosa que a música pode trazer para a marcha das ideias".

Além da experiência com a música, dom Helder arriscou uma incursão pelo mundo da dança. Depois de ser procurado várias vezes pelo coreógrafo francês Maurice Béjart, ainda sem se conhecerem pessoalmente, no início de 1983 dom Helder enviou-lhe o texto "Robô, com quem tu dançarás?", para servir como argumento para um balé. Nasceu desse texto a *Missa para o tempo futuro*. Sua primeira temporada de apresentação ocorreu em dezembro do mesmo ano, em Paris, com a participação de quarenta bailarinos da companhia de Béjart, em uma coreografia que expressava a proposta de dom Helder de humanização, ou "amorização" como dizia, do emprego das altas tecnologias no mundo do trabalho.

Aposentado em 15 de julho de 1985, dom Helder decidiu continuar morando em Recife, onde passou a se dedicar a uma fundação que criara em 1984, as Obras de Frei Francisco, voltada à manutenção do acervo reunido ao longo de sua carreira e a desenvolver iniciativas de "promoção humana". Demonstrando que não pretendia abandonar as atividades apostólicas, na vigília do dia 20 do mesmo mês, depois de deixar o arcebispado e tornar-se arcebispo emérito de Olinda e Recife, dom Helder já se encontrava em Aparecida, São Paulo, participando do XI Congresso Eucarístico Nacional, de onde escreveu sua primeira circular após a aposentadoria dirigida à "Família Mecejanense", demonstrando várias preocupações suas naquele momento: o estado de saúde de seu ex-auxiliar dom Lamartine; suas atividades futuras; o problema agrário do país; uma mudança que desejava nos velhos métodos de nomeação dos bispos (e que estavam na raiz do problema de saúde de dom Lamartine); e também o assédio que sofria por parte dos fiéis:

1. Em pleno XI Congresso Eucarístico Nacional
A lembrança mais forte – naturalmente – é a de dom Lamartine. Peço que o Espírito Santo o ajude a continuar dando a todos nós o exemplo admirável que vem dando...
Aqui, tenho recebido acolhida carinhosíssima dos irmãos bispos, sacerdotes e leigos. Posso dizer o mesmo dos meios de comunicação social. A minha fala aos jovens acabou sendo em Aparecida, na Praça do Congresso, juntamente com a do querido sobrinho, o cardeal D. Paulo, sempre mais carinhoso e mais amigo...
2. Pessoalmente, tenho meditado muito sobre mudanças minhas, como emérito:
– urgência de abrir espaço para estudar, melhorando o nível de minhas mensagens, dentro e fora do país...
– urgência de dividir melhor o trabalho em volta de mim, pois diante de Deus não posso permitir que Zeza continue no ritmo que a está esmagando...
– urgência de solução para os nossos pobres problemáticos...
– urgência de completar a formulação da OFF (Obras de Frei Francisco)...
– urgência de introduzir, afinal, descanso na vida de trabalho: atenção para gravações sempre adiadas; oração e arejamento mental.
3. Sem criar pânico entre os irmãos bispos os tenho alertado para o alto preço que teremos de pagar pelo apoio a uma autêntica reforma agrária...

Já há claros sintomas em todo o país de que a intimidação vai ser fortíssima e de que ainda teremos muitas vidas sacrificadas.

4. Falei com o legado do Santo Padre e com o sr. núncio a respeito da urgência de humanizar o processo de eleição, promoção, transferência e aposentadoria de bispos... Tanto o cardeal Baggio como o núncio dom Carlo Furno estão abalados com o que está acontecendo a dom Lamartine. E se comovem com o exemplo extraordinário, inesquecível, que está dando a todos nós...

5. Estou fugindo na tarde de hoje para São Paulo. Ficarei, se Deus quiser, com os frades Capuchinhos. Vou, em parte, com receio de que, amanhã, falte lugar no ônibus que parte de Aparecida...

Mas vou, sobretudo, porque o avança-avança para beija-mão e beija-rosto e beija-roupa e autógrafos já está perturbando o Congresso... Quanto mais tento fugir, quanto mais discreto procuro ser, mais a multidão aumenta...

Graças a Deus, os bispos são testemunhas de como procuro escapar...

É grave quando recebemos muita louvação. O Evangelho diz: "Assim brilhem as obras de vocês diante dos homens, de modo a que glorifiquem o Pai que está no Céu!". Somos tão pouco transparentes! Somos tão opacos.

Meu consolo é poder dizer na Santa Missa: Em Cristo, com Cristo, por Cristo! A vós, Pai, todo-poderoso, toda honra e toda glória pelos séculos dos séculos!

Nos dias seguintes, ainda no mês de julho, dom Helder fez sua primeira viagem internacional das dezenas que realizaria após sua aposentadoria. Foi para Munique e Frankfurt, na Alemanha, e depois para Bruxelas. Numa de suas vigílias em Munique, escreveu sobre a verdadeira intenção que animaria sua vida daí por diante: "Assim como me preparei para a aposentadoria (e graças a Deus está dando tão certo), já comecei sem alarde, sem ninguém notar, aproveitar as viagens para ir preparando a Grande Viagem!".

Os tempos eram de Nova República e, aos olhos de seus antigos detratores, dom Helder não era mais o "arcebispo Vermelho, mensageiro do ódio e da luta de classes, pombo-correio do comunismo internacional". Era agora o "mensageiro da paz", autor da *Sinfonia dos dois mundos*, executada em plena Quinta da Boa Vista, Rio de Janeiro, na tarde de domingo, 22 de setembro de 1985, numa promoção do jornal *O Globo*. A sinfonia foi interpretada pela Orquestra Sinfônica Brasileira, pelo Coral das Meninas Cantoras de Petrópolis, pelo barítono Carmo Barbosa e pela cantora Fafá de Belém, sob a regência do maestro Isaac Karabtchevsky. Como de costume, dom Helder foi o narrador. No dia seguinte, o mesmo *O Globo*, ponta de lança da campanha contra dom Helder na imprensa, em 1970, publicou sobre o espetáculo: "Algumas vezes as palavras de dom Helder eram interrompidas por aplausos como se povo e pastor estivessem mantendo um diálogo direto... 'Mais negra é a noite, mais brilhante é a aurora', diz um certo trecho do último movimento da *Sinfonia dos dois mundos*, e todos que ali estavam certamente saíram acreditando nestas palavras. Segundo dom Helder, a sua obra convida o homem a refletir e termina com um canto de fé e esperança. E foi assim que às seis e meia da tarde, sem chuva, o Rio aplaudiu e se emocionou com a *Sinfonia dos dois mundos*".

No "apoteótico" final do espetáculo, "com fogos de artifício cobrindo o céu por trás do imenso palco de 800 metros quadrados", dom Helder recebeu flores do "diretor redator chefe de *O Globo*", Roberto Marinho, e do cardeal Eugênio Sales, e retribuiu o presente abraçando o seu velho compadre e seu amigo Patriarca.

Nos anos seguintes, dom Helder receberia inúmeras homenagens. Tornar-se-ia cidadão benemérito de dezenas de cidades brasileiras e paraninfo de outras tantas turmas de formandos de universidades por todo o país.

Ao completar 80 anos, o governador do Ceará Tasso Jereissati chamou-o de "Profeta do Terceiro Mundo", em discurso na festa de aniversário que organizou para ele em fevereiro de 1989, na cidade de Canindé, no interior do estado. No Recife, no dia 12 de fevereiro, houve uma missa na igreja da Sé de Olinda, onde foi lida uma carta enviada pelo papa João Paulo II com uma saudação a dom Helder; estiveram presentes dezessete bispos nordestinos, o bispo Jean Debu, auxiliar de Bruxelas, e uma equipe de jornalistas europeus. A homilia mais uma vez ficou por conta do amigo dom José Maria Pires.

No Rio de Janeiro, uma missa foi celebrada pelo cardeal Sales, em 14 de fevereiro de 1989, na catedral, com a presença de mais 6 bispos, dezenas de sacerdotes e 4 mil fiéis. Num almoço no Clube Piraquê, 350 pessoas foram homenageá-lo, entre elas dona Mariazinha Guinle, patronesse do bazar beneficente no Copacabana Palace que deu origem à Feira da Providência, dona Leda Collor de Mello (mãe do ex-presidente), o economista Celso Furtado e os jornalistas Barbosa Lima Sobrinho e Walter Poyares, este representando Roberto Marinho, além, é claro, dos membros da "Família Mecejanense" e dos irmãos, Mardônio e Nair.

Da Holanda veio para a festa no Rio seu compadre Francisco Mooren, que trouxe consigo a filha Gabriela Helder Camara Mooren, afilhada de dom Helder. Quem fez o discurso de homenagem ao aniversariante foi o cartunista Ziraldo: "Você, dom Helder, é um símbolo do meu tempo. Vá ter fé assim na China. Deus deve ser um grande gozador, fez a mim mineiro, ao senhor cearense, colocou no Brasil muitas Odetes e muitas Fátimas [personagens da novela "Vale Tudo", da Rede Globo] – gente querendo levar vantagem em tudo –, mas daqui a dois mil anos o Brasil será conhecido como o país de um povo de cor mais escurinha, baixinho, mas um grande povo".

Dom Helder dá a mão para Aglaia Peixoto na sua chegada ao Rio de Janeiro para as comemorações dos 80 anos, em fevereiro de 1989.

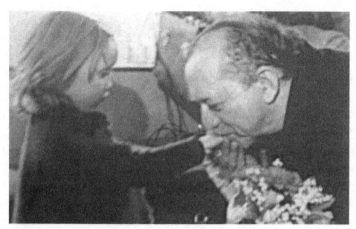
Dom Helder com a afilhada Gabriela Helder Camara Mooren, filha de Francisco Mooren.

Na Câmara dos Deputados de Brasília, discursos em sua homenagem mobilizaram deputados de várias siglas: Plínio de Arruda Sampaio, do PT de São Paulo; Cristina Tavares, do PSDB, e Ricardo Fiúza, do PFL, ambos de Pernambuco; Victor Faccioni, do PDS do Rio Grande do Sul. Detestado ou venerado em toda a sua carreira eclesiástica, dom Helder chegou perto de alcançar a unanimidade na velhice.

Chegamos para entrevistá-lo numa segunda-feira, 12 de dezembro de 1995, no início da tarde. Dom Helder nos esperava sentado atrás de sua mesa de trabalho, na sala da pequena casa em que morou desde 1968 no fundo da igreja das Fronteiras, em Recife. Vestia uma batina branca e trazia no peito sua velha cruz de madeira – presente do padre Marcelo Carvalheira ainda nos tempos do Concílio Vaticano II, para simbolizar seu engajamento em favor dos oprimidos, em substituição à cruz de bronze que ganhara de dona Margarida Campos Heitor e banhada a ouro, por exigência do arcebispo auxiliar do Rio, dom Rosalvo Costa Rego, quando de sua sagração episcopal, no já distante ano de 1952.

Era um primeiro contato. Conversamos por alguns minutos e o velho arcebispo quis nos mostrar o presépio que fora montado em sua igreja. Caminhou vagarosamente a nossa frente e, com dificuldade, curvou-se para retirar o manto que cobria a imagem do Menino Jesus na manjedoura. Contava-nos a história daquele pequeno presépio quando foi interrompido por uma das funcionárias das Obras de Frei Francisco, para apresentá-lo a três turistas uruguaios que faziam questão de conhecê-lo. Antes de deixar-nos, porém, insistiu para que a imagem do Menino Jesus fosse novamente coberta. Despedimo-nos e subimos para o primeiro andar, onde faríamos uma primeira consulta do material existente no acervo do centro de documentação das Obras de Frei Francisco.

Voltamos no dia seguinte às onze horas. Dessa vez, resolvemos gravar uma entrevista. Mesmo precavidos por Luís Tenderini – um de seus colaboradores mais próximos – de que teríamos dificuldade para fazer a entrevista se insistíssemos para que falasse sobre si mesmo, resolvemos tentar tirar dele algumas reminiscências de infância, oitenta anos atrás. Pretendíamos que nos contasse sobre sua relação com a mãe, Adelaide, as conversas com o pai, João Camara, e as pescarias com o irmão Mardônio no estreito córrego Pageú, que cortava o terreno do sobrado em que sua família morava, próximo ao centro de Fortaleza... Suas aulas na escola de dona Salomé...

– Basta de mim, sobre mim... – reagiu serenamente, mas de forma incisiva, e continuou:
– Eu não sou importante. O importante é o Pai.

Convictos da importância do depoimento do sujeito cuja vida e ação nos tomariam três bons anos de pesquisa e elaboração do texto final, resolvemos insistir.

– Mas, dom Helder, nós precisamos que o senhor nos ajude a recuperar as circunstâncias e os acontecimentos decisivos que podem dar pistas para uma visão de conjunto sobre sua vida, sua religiosidade e sua ação política. As pessoas querem saber sobre o senhor.

Muito atento enquanto ouvia, assim que pôde reagiu na defesa do seu direito ao silêncio. Um direito de que não abria mão, principalmente se fosse para comentar sobre dois assuntos: sua vida pessoal e o destino que o seu sucessor na Arquidiocese tinha dado a quase todas as atividades pastorais iniciadas e apoiadas por ele em seus 21 anos como arcebispo de Olinda e Recife. "Desde o início de sua aposentadoria, dom Helder está completamente silente" explicou-nos em outra entrevista seu assessor, Gustavo de Passo Castro. Em uma das primeiras reuniões com sua equipe, ainda em 1985, dom Helder teria dito: "A partir de agora, ele é quem fala".

Esse silêncio ele manteve mesmo diante das mais polêmicas atitudes de seu sucessor. Desde que assumiu a Arquidiocese de Olinda e Recife em julho de 1985, "dom José Cardoso Sobrinho, recebido com todo carinho pelo velho arcebispo e por seus auxiliares... dedicou-se a desmantelar todo o trabalho anterior, entrando em conflito com as pastorais da terra, da juventude nos meios populares, expulsando-as da sede da regional da CNBB; com o Instituto Teológico de Recife (Iter) e com o Seminário Regional Nordeste II (Serene II), fechados a seu pedido; com a Comissão Justiça e Paz, por ele dissolvida; com vigários, com lavradores e com o povo do morro da Conceição, paróquia de padre Reginaldo Veloso, por ele suspenso das ordens", sintetizou padre Beozzo.

Muito amigo do padre Reginaldo, dom Helder não quis pronunciar-se quando um repórter perguntou-lhe o que achava da suspensão do sacerdote imposta pelo arcebispo dom José Cardoso em 1990. Sua reação, porém, foi muito mais significativa que qualquer resposta oral: dom Helder começou a chorar.

– As pessoas se enganam pensando que eu tenho maravilhas... Eu não sou este maravilhoso. Sou uma criatura humana, um padre, um bispo. Não cabe a mim estar me preocupando comigo. Estão entendendo? Eu me preocupar comigo. Ah! Para tudo! Para tudo! O que estão dizendo de mim? Ah, não, não, não... Oh, sim, sim, sim... Deixo nas mãos de Deus.
– Suas preocupações hoje quais são? – tentamos continuar a conversa por outro caminho.
– Preparar-me para a "grande viagem". Deus sabe o quanto ainda me falta. Não tenho ilusões. Eu sei a média de vida das pessoas e sei os anos que tenho. Nasci em 1909. É fácil fazer a conta e ver que estou com quase 100 anos. Não é? A "grande viagem" é uma maravilha, mas exige... De forma que não posso ficar preocupado comigo, comigo, comigo. Isso já é perder tempo. Temos de pensar nos outros. Agora os amigos estão querendo que me preocupe comigo. Entendem? Os amigos acham que sou eu que me conheço. Ah! Eu sou suspeito. Mas o que eu puder dizer a vocês, eu direi de todo o coração. Não vou fazer mistério dizendo que tal coisa eu não posso contar porque é secreta demais.

Conversamos quase uma hora, até o meio-dia, quando Raimundo Viana, outro colaborador, nos avisou que era o momento de encerrar a entrevista para evitar que ele se cansasse.

De fato, dom Helder já expressava um certo cansaço quando nos despedimos. Sua dificuldade para caminhar obrigava-o a celebrar sua missa diária sentado diante da mesa da sala, auxiliado por um de seus colaboradores. Uma vez por semana, ele rezava a missa na Igreja, assistido por outro sacerdote. Seus horários nesse período eram menos rígidos do que no passado e dependiam mais de sua disposição de momento. Para preparar sua alimentação, dom Helder contava com a mesma irmã Catarina que havia tantos anos o acompanhava como amiga e enfermeira. Durante a noite, sempre um enfermeiro dormia em sua casa para ajudá-lo a tomar os remédios e a fazer sua higiene pessoal.

Suas atividades intelectuais também acabaram sendo prejudicadas por seus problemas de saúde. Desde que se aposentara, dom Helder prescindia escrever um livro sobre a vida de seu auxiliar dom Lamartine, mas o texto não saía. Em 1990, sua secretária Maria José Duperron Cavalcanti – a Zezita – montou uma equipe para auxiliá-lo na elaboração de textos e pronunciamentos. O livro sobre dom Lamartine acabou sendo redigido por um de seus assessores, o médico Francisco de Alencar. Outra assessora, Maria do Carmo, também trabalhou na catalogação das mais de sete mil "meditações do padre José", escritas por ele ao longo de sua vida e que permanecem inéditas. A mesma equipe organizou também a publicação de livros com os pronunciamentos realizados por dom Helder no Brasil e no exterior, a exemplo do livro *Utopias peregrinas*, publicado pela Editora Universitária da Universidade Federal de Pernambuco, em 1993.

Desaconselhado pelos médicos a continuar viajando, em fevereiro de 1994 dom Helder realizou sua última viagem internacional. Acompanhado por Zezita, foi a

Dom Helder em sua última viagem a Paris em companhia de sua secretária Zezita.

Paris participar de uma homenagem preparada pela Unesco a seu grande amigo abade Pierre, fundador do movimento Trapeiros de Emaús. Dom Helder aproveitou a oportunidade para rever outro grande amigo, o jornalista José De Brocker. Em agosto de 1996, o abade Pierre retribuiu a visita que recebera e participou das homenagens aos 65 anos de sacerdócio de dom Helder.

Dom Helder estava em Berlim na madrugada de 31 de maio de 1970. Para informar a "Família Mecejanense", escreveu-lhe uma circular contando os acontecimentos que mais o impressionaram naquela viagem:

> A Seção espanhola de Pax Christi entregou-me o Prêmio da Paz, João XXIII. Na Holanda, ouvi, várias vezes, vivas em francês: "Viva o novo Papa João!". Um protestante disse em um discurso: "Se o senhor for papa, os protestantes holandeses se unirão a Roma".
> Almocei em Utrecht com o ministro da Educação e uma dúzia de deputados e senadores, líderes de todos os partidos políticos holandeses. Queriam ouvir, queriam dialogar.
> Em Venlo, a Missa dos Jovens é, provavelmente, a mais bela do mundo. A cidade veio ao encontro do dom. Que carinho! Não havia menos de 1.200 jovens dentro da igreja.
> Falei, como falei! E como os jovens entenderam!
> Em frente da Igreja, duas bandas de música, danças folclóricas e a presença de dois bonecos enormes, símbolos da cidade, que só saem de casa, raríssimas vezes, para receber grandes personagens: Valois e Gertrudes.
> Batizei a filhinha de Francisco Mooren, no início da Santa Missa, e não consegui escapar de meter, no nome da pobrezinha, não apenas Helder, mas Helder Camara!
> Voltei para casa em carruagem puxada por platerinho, que tinha ao lado o prefeito da cidade segurando as rédeas e caminhando a pé.
> O tempo todo, da carruagem, de pé, abençoando católicos e protestantes de Venlo!
> Parece um sonho! Será uma despedida? Salzburg, Louvain, Bruxelas, Orleans, Lion, Paris, Upsala, Estocolmo, Utrecht, Amsterdã, Berlim...
> Tudo passará?

Dom Helder em sua sala de estar nos fundos da igreja das Fronteiras em Recife.

A GRANDE VIAGEM

*Houve tempo
Em que me afligia
vendo Rosas
viverem
seus instantes finais:
já muito abertas,
com as pétalas
começando a cair e a rolar pelo chão...
Hoje,
comovo-me
e alegra-me
a lição de simplicidade
de doação total,
de fé,
com que permanecer rosa,
até o desprendimento da última pétala
e o evolar-se
do perfume final...*

Dom Helder Camara

Em sua trajetória de quase um século de vida, dom Helder sempre manifestou uma profunda e coerente compreensão sobrenatural da morte. Foi assim no duro momento que atravessou ainda jovem, com a aceitação da morte da mãe, Adelaide, no já longínquo 23 de agosto de 1935, em que ela convivia com o sofrimento provocado pelas consequências de um câncer. Com 26 anos e apenas 4 de sacerdócio, padre Helder acompanhou os últimos instantes de vida da mãe cantando baixinho ao seu ouvido: "No céu, no céu, com minha Mãe estarei".

Para expressar o significado da morte como redenção, ele gostava particularmente de um prefácio do segundo domingo da Quaresma, como escreveu em uma carta a sua querida Família Mecejanense, de 3 de março de 1971:

Anunciando aos discípulos a sua morte
mostrou-lhes, no Monte, o seu esplendor
para que já fosse revelada,
com o testemunho da lei e dos profetas,
a glória da ressurreição.

380 DOM HELDER CAMARA

Ainda na flor dos seu 57 anos (para quem viria a falecer aos 90), em uma de suas vigílias, ele já refletia bem prematuramente sobre a própria morte em um poema de Pe. José:

O Velho dizia:
"A gente vai virando árvore.
Cria raiz
Não quer mais sair".
Talvez seja o pressentimento
De estar chegando
A viagem sem fim.
(Recife, 20/12/1966)

No mesmo ano, morre dom Manuel Larraín. Impactado, dom Helder escreve: "Até hoje, nenhuma outra morte me lembrou de modo mais vivo e mais duradouro a proximidade de minha própria partida" (Recife, 03/07/1966).

Ele voltou a pensar na morte ao celebrar uma missa para a Polícia Rodoviária no final de julho de 1967. Ao som do toque de recolher, recordou que viveu parte da infância morando em frente ao Batalhão de Caçadores e, por isso, guardava "no ouvido os toques militares... Sempre que imagino a morte, ouço o toque de recolher, como se o Pai mandasse um Anjo chamar", escreveu. Para dom Helder, era uma graça divina incomparável, uma "graça das graças aceitar por dentro ser chamado a qualquer instante. Não discutir com o anjo anunciador. Obedecer imediatamente ao clarim. Nada de pedir um minuto, um segundo, fração de segundo". E a fragilidade humana também não era um tormento para dom Helder.

Prefiro mil vezes
a rosa frágil
que, um dia, antevive a eternidade –
as rosas ressuscitarão! –
do que a aparência da perenidade..."
Agradece tua fragilidade, Rosa.
Se fosses bela
Mas não efêmera
Não serias a encarnação
Da beleza terrena...
(Recife, 29/07/1967)

Provavelmente a morte que gerou a maior comoção em dom Helder foi a do jovem padre e seu colaborador Antônio Henrique Pereira Neto, no final de maio de 1969, e que o inspirou a escrever em tom elegíaco:

Parece que ele adivinhou
que, instantes depois,
uma pedrada
lhe roubaria a vida.
E cantou como nunca.
Não era,
de modo algum,

um canto lamuriento
de quem se despede,
triste,
da vida...
Era um canto
de quem tinha consciência
de que sua razão de ser
era cantar,
desfazer-se em canto,
emprestando a voz
à criação inteira...
Era sua Missa final,
seu Sacrifício Eucarístico,
seu louvor ao Pai!...
(Recife, 28/08/1969)

A morte como um desígnio divino que prepara um encontro futuro é o sentido que atribui ao falecimento de dom José Távora, o "Eu", como ele o chamava. Nas palavras de dom Helder: "Acaba de partir para o Pai, em Aracaju, dom Távora, o meu querido 'Eu'... Tudo passará tão depressa! Em breve, todos nos encontraremos na Casa do Pai" (Recife, 3/04/1970).

A morte quase sempre parecia a dom Helder um sacrifício que traria consigo o prenúncio da redenção, como ele deixa transparecer ainda sob "o impacto da morte do primeiro presidente Castelo Branco", ao ponderar que "nas circunstâncias atuais – e esperando que Deus tenha sido misericordioso com o meu conterrâneo (disse na vigília: "ele é de Mecejana, Senhor!") – o sacrifício da vida dele é capaz de abrir rumos novos para o País" (Recife, 20/07/1967).

Nove anos depois, quando morre o presidente Juscelino Kubitschek, Dom Helder lamenta: "Ele simbolizava toda uma fase de minha vida... Hoje, de perto do Pai (quem sofreu as humilhações e as injustiças que ele sofreu, pagou, amplamente, quaisquer fraquezas!)..." (Recife, 24/08/1976).

Na sua vigília do aniversário de 68 anos, ele realiza um balanço sobre sua vida: "Sem perder tempo de imaginar muito o futuro, permiti, Pai, nesta primeira vigília dos 69, 68 se foram, já começou o 69º ano em que eu Vos digo – em vossas mãos, ontem, hoje, e sempre! – em vossas mãos, para partir quando bem quiserdes ou para sobreviver a mim mesmo, se assim preferides..." (Recife, 07/02/1977). Ainda em 1977, ele vai sofrer com a morte de sua querida Cecilinha, secretária nos tempos do Rio de Janeiro: "Fui surpreendido em Atenas, pela partida de frei Leão... Que frei Leão nos ajude junto a Cristo (e cristo junto ao Pai) para que nossa Família se una sempre mais e sempre mais se entre, de todo, nas mãos do Pai" (Recife, 31/12/1977).

Com a partida da mãe, de vários irmãos, do pai e dos grandes amigos e amigas, alguns jovens e outros antigos colaboradores, no aniversário de 69 anos, dom Helder escreve uma nova reflexão pessoal sobre a morte em uma carta à família Mecejanense": "Nem perco tempo de saber quanto tempo ainda terei de vida... Não me preocupa saber se chegarei ou não até os 75 anos, idade oficial da renúncia... Não perco mais tempo em perguntar o que farei depois da renúncia (basta a cada dia o seu cuidado). Até o cuidado, que já foi forte em minha vida, quanto à esclerose e à caduquice, até este cuidado sumiu" (Recife, 07/02/1978).

* * *

Na noite de sexta-feira, 27 de agosto de 1999, em razão de uma insuficiência respiratória aguda, após uma parada cardiorrespiratória que foi constatada às 22 horas e 20 minutos, no leito em que dormia em sua residência no fundo da igreja das Fronteiras, na qual vivera as últimas três décadas, dom Helder Camara, aos 90 anos, partiu para a "grande viagem" para a qual se preparou pacientemente nos últimos anos. Uma semana antes de falecer, dom Helder havia recebido alta de uma internação de alguns dias no Hospital Português para tratar de uma infecção urinária, percebida na manhã de quarta-feira, 18 de agosto de 1999.

Naquela sexta-feira, dom Helder "passou o dia ouvindo canções religiosas e levantando os braços. Parecia que estava conversando com Deus e preparando a partida", comentou sua secretária Zezita ao *Jornal do Comércio*, de 29 de agosto de 1999.

"Após uns poucos instantes de privacidade, para os que atuavam e conviviam mais de perto com o dom fizessem suas orações e entoassem alguns cânticos, as portas da pequena igreja das Fronteiras foram abertas para a imprensa, que encheu o ambiente com seus *flashes*, *spots*, câmeras, gravadores, procurando ângulos, posições, depoimentos e causando alguma confusão para o ambiente de um velório. Mas, passados estes momentos, a sensação era de que se deveria anunciar ao mundo que dom Helder fora se encontrar com o Pai, coroando de glória, uma vida dedicada aos irmãos mais pobres e ao Evangelho de Jesus Cristo", escreveu Sérgio Menezes, do Grupo de Leigos que edita o *Jornal Igreja Nova*, na edição publicada em setembro de 1999. O velório foi organizado por um outro colaborador da confiança de dom Helder, padre Edwaldo Gomes, durante toda a madrugada, a manhã e a tarde do dia 28, sábado. Às 4h40 da madrugada, o sempre presente padre João Pubben celebrou a primeira das várias missas realizadas na igreja das Fronteiras em homenagem a dom Helder. Na manhã de sábado, Nair, com 86 anos, chega do Rio de Janeiro e fica o restante do velório aos prantos ao lado do caixão com o corpo do irmão, amparada várias vezes pela irmã Catarina ao seu lado. O outro irmão, Mardônio, já com 93 anos não pôde deixar o Rio de Janeiro por recomendações médicas.

Por decisão do padre Edwaldo, o corpo foi conduzido da igreja das Fronteiras até a Catedral da Sé de Olinda, em um trajeto de cerca de 10 quilômetros, percorrido entre às 17 e às 20 horas do sábado, acompanhado por algumas centenas de fiéis. Na Sé, milhares de fiéis esperavam o cortejo com lenços brancos tremulando no ar. Para a missa de corpo presente, o caixão foi introduzido na catedral coberto por uma bandeira do Movimento dos Trabalhadores Rurais Sem Terra (MST). O Núncio Apostólico, dom Alfio Rapizzarda, presidiu a missa, que foi concelebrada pelos arcebispos dom José Cardoso Sobrinho e dom Marcelo Carvalheira, este último como o responsável por uma homilia que emocionou os presentes, embora causasse constrangimento aos mais conservadores, ao reafirmar os princípios do Concílio Vaticano II, de Puebla, Medellín e Santo Domingo, pelos quais dom Helder entregou-se de corpo e alma. Acompanharam a celebração mais 18 bispos e cerca de 100 padres. Ao final da cerimônia, o corpo de dom Helder foi sepultado em um túmulo em frente ao altar da igreja, ao lado da sepultura de seu querido amigo e bispo auxiliar, dom Lamartine Soares.

Representantes dos poderes espiritual e temporal enviaram oficialmente as suas condolências: o papa João Paulo II, o Presidente da CNBB, dom Jayme Chemello, o presidente da República, Fernando Henrique Cardoso, e mais um sem-número de lideranças religiosas e políticas do Brasil e do mundo. Mas a declaração mais inusitada, publicada na edição de 29 de agosto de 1999 pelo *Jornal do Comércio*, coube ao arcebispo de Olinda e Recife, dom José Cardoso Sobrinho, ao afirmar "...que a dedicação total de dom Helder Camara aos pobres deve ultrapassar a vida terrena, servindo de exemplo para todos os religiosos". Sua vida pessoal, suas virtudes, sua entranhada caridade pastoral e seu imenso amor pela causa dos pobres fazem-no merecedor do título: "irmão dos pobres, meu irmão, conferido pelo nosso papa João Paulo II quando esteve no Recife", para depois completar: "Ele era incansável e sempre dedicado aos mais humildes. Essa é a mensagem da sua vida e que todos devemos acolher em nossos corações", confirmando o previsível clichê: "ele morreu, podemos elogiá-lo!".

No início do mês de agosto de 1999, dom Helder já deixava transparecer os sinais da proximidade de sua partida. Foi quando o visitou o amigo de longa data frei Betto: "Estive com dom Helder dia 6 de agosto. Ele me abençoou. Senti que o fim estava próximo", escreveu-nos em 26 de setembro de 1999. No mês anterior, frei Betto havia promovido com o Grupo de Leigos da Igreja Nova e a fiel secretária Zezita um encontro de dom Helder com o cantor e compositor Chico Buarque. O encontro ocorreu no dia 16 de julho, ao final da tarde. Dom Helder recebeu-o sentado em sua cadeira de balanço, no fundo da igreja das Fronteiras. A jornalista Rejane Menezes acompanhou o encontro e recorda que "de repente, o artista se levanta e cantarola trechos de "A Banda" para o profeta, que erguendo os braços alegremente acompanha o ritmo da música, como se regesse uma orquestra: "Estava à toa na vida o meu amor me chamou, pra ver a banda passar, cantando coisas de amor. A minha gente sofrida, despediu-se da dor, pra ver a banda passar, cantando coisas de amor".

Na entrevista que concedeu ao *Jornal Igreja Nova*, publicada em agosto de 1999, em Recife, Chico Buarque recordou um momento marcante de sua relação com dom Helder: "Todo mundo sabia que não se podia falar em dom Helder. Eu não era querido também não, mas podia fazer meus shows. Eu vim aqui fazer um show no Geraldão, o show estava indo e tinham me falado que dom Helder estava lá assistindo. O show estava indo mais ou menos morno, uma música e outra, aí eu falei: 'eu queria anunciar e agradecer a presença de dom Helder Camara'. Eu nunca fui tão aplaudido na minha vida. Aquele ginásio veio abaixo. Foi uma coisa linda. Isso foi em setenta e pouquinhos... setenta e dois, setenta e três".

Foi também no início do mês de agosto de 1999 o último encontro de padre Marcelo Barros com dom Helder: "No dia 5 de agosto estive com ele por um momento. Estava calado e parecia pouco lúcido. Mas fez sinal de que me reconheceu e quando lhe pedi uma palavra para o meu hoje, sussurrou, sem mesmo mover a cabeça: "Não deixe cair a profecia".

BIBLIOGRAFIA

ALVES, Márcio M. *A Igreja e a política no Brasil*. São Paulo: Brasiliense, 1979.

ARAÚJO, Marco César de. *O Estado e a representação da problemática regional*: uma ideologia de desenvolvimento e segurança nacional – 1954-1959. Universidade de São Paulo, Departamento de História, 1997. Mímeo.

ARINOS FILHO, Afonso. *Atrás do espelho*: cartas de meus pais. Rio de Janeiro: Record, 1994.

ÁVILA, Pe. Fernando Bastos de. *Neocapitalismo, socialismo, solidarismo*. Rio de Janeiro: Agir, 1963.

BARROS, Raimundo Caramuru de. *Para entender a Igreja no Brasil*: a caminhada que culminou no Vaticano II (1930-1968). Petrópolis: Vozes, 1994.

BEISIEGEL, Celso de R. Educação e sociedade no Brasil após 1930. In: *História geral da civilização brasileira*. São Paulo: Difel, 1984, tomo III, vol. 4.

BEOZZO, José Oscar. A Igreja entre a Revolução de 1930, O Estado Novo e a redemocratização. In: *História geral da civilização brasileira*. São Paulo: Difel, 1984, tomo III, vol. 4.

_____. *A Igreja do Brasil, de João XXIII a João Paulo II*: de Medellín a Santo Domingo. Petrópolis: Vozes, 1994.

BERNSTEIN, Carl & POLITI, Marco. *Sua Santidade João Paulo II*. Rio de Janeiro: Objetiva, 1996.

BETTO, Frei. *Batismo de sangue*. São Paulo: Círculo do Livro S.A., 1982.

BOFF, Leonardo. *Igreja*: carisma e poder. Ensaios de eclesiologia militante. Petrópolis: Vozes, 1982.

BOURDIEU, Pierre. Gênese e estrutura do campo religioso. In: *A economia das trocas simbólicas*. São Paulo: Perspectiva, 1992.

BRUNEAU, T. *O catolicismo brasileiro em época de transição*. São Paulo: Loyola, 1974.

CAMARA, Carlos. *Teatro. Obra completa*. Fortaleza: Academia Cearense de Letras, 1979.

CAMARGO, Aspásia de A. A questão agrária: crise de poder e reformas de base (1930-1964). In: *História geral da civilização brasileira*. São Paulo: Difel, 1983, tomo III, vol. 3.

CARONE, Edgard. *A República Velha (evolução política)*. São Paulo: Difusão Europeia do Livro. s/d.

_____. *A República Nova (1930-1937)*. São Paulo: Difusão Europeia do Livro, s/d.

CASTELO, Plácido Aderaldo. *História do ensino no Ceará*. Ceará: Departamento de Imprensa Oficial, 1970.

CASTRO, José Liberal de. Arquitetura eclética no Ceará. In: FABRIS, Annateresa. *Ecletismo na arquitetura brasileira*. São Paulo: Edusp/Nobel, 1987.

CASTRO, Marcos de. *64*: conflito Igreja x Estado. Petrópolis: Vozes, 1984.

CASTRO, Ruy. *O anjo pornográfico*: a vida de Nelson Rodrigues. São Paulo: Companhia das Letras, 1992.

CATANI, Denise Bárbara. O poder do relato e o relato do poder na história da educação. *Revista Pesquisa Histórica. Retratos da Educação no Brasil*. Rio de Janeiro: Universidade do Estado do Rio de Janeiro, s/d.

CHASIN, José. *O integralismo de Plínio Salgado*. São Paulo: Ciências Humanas, 1978.

COMBLIN, Joseph. *Padre Cícero*. São Paulo: Paulinas, 1991.

DELLA CAVA, Ralph. Igreja e Estado no Brasil do século XX: sete monografias recentes sobre o catolicismo brasileiro, 1916/1964. *Estudos CEBRAP*, n. 12, São Paulo, 1975.

DULLES, John W. F. *Carlos Lacerda*: a vida de um lutador. Rio de Janeiro: Nova Fronteira, 1992.

FALCÃO, Armando. *Tudo a declarar*. Rio de Janeiro: Nova Fronteira, 1989.

FONSECA, Rubem. *Agosto*. São Paulo: Companhia das Letras, 1990.

GARAUDY, Roger. *Minha jornada solitária pelo século*: memórias. Rio de Janeiro: Nova Fronteira, 1996.

GIRÃO, Raimundo. *Geografia estética de Fortaleza*. Fortaleza: Imprensa Universitária do Ceará, 1959.

GIRÃO, Raimundo & SOUSA, Maria da C. *Dicionário da literatura cearense*. Fortaleza: Imprensa Oficial, 1987.

GUIMARÃES, Bernardo. *O seminarista*. São Paulo: Ática, 1995.

GURRON, Jean. *Diálogos com Paulo VI*. Lisboa: Edição Livros do Brasil, 1966.

HOBSBAUWM, Eric J. *Era dos extremos*: o breve século XX – 1914-1991. São Paulo: Cia. das Letras, 1995.

IOKOI, Zilda Maricia G. *Igreja e camponeses*: teologia da libertação e movimentos sociais no campo. Brasil/Peru – 1964-1986. Universidade de São Paulo, Departamento de História, 1990. mímeo.

LEME, Sebastião. *Carta pastoral*. Petrópolis: Vozes, 1916.

LOURENÇO FILHO, Manoel B. *Juazeiro do padre Cícero*. São Paulo: Melhoramentos, 1926.

MACEDO, Carmen Cinira de Andrade. *Tempo de gênesis*: o povo das comunidades eclesiais de base. São Paulo: Brasiliense, 1986.

MACHADO DE ASSIS. *Dom Casmurro*. São Paulo: Ática, 1995.

MAINWARING, S. *Igreja católica e política no Brasil*. São Paulo: Brasiliense, 1989.

MARITAIN, Jacques. *Humanismo integral*: uma visão nova da ordem cristã. São Paulo: Companhia Editora Nacional, 1941.

MARITAIN, Raíssa. *As grandes amizades (memórias)*. Rio de Janeiro: Agir, 1970.

MELLO, Thiago. *Vento geral*. Rio de Janeiro: Civilização Brasileira, 1984.

MICELLI, Sergio. *As elites eclesiásticas no Brasil*. São Paulo: Difel, 1988.

MIR, Luís. *A revolução impossível*. São Paulo: Best Seller/Círculo do Livro, 1994.

MOIX, Candide. *O pensamento de Emmanuel Mounier*. Rio de Janeiro: Paz e Terra, 1968.

MONTENEGRO, João Alfredo de Sousa. *O integralismo no Ceará*: variações ideológicas. Fortaleza: Imprensa Oficial do Ceará, 1986.

MONTELLO, Josué. *Diário da tarde*: 1957/1967. Rio de Janeiro: Nova Fronteira, 1987.

MONTEIRO, Duglas T. Um confronto entre Juazeiro, Canudos e Contestado. In: *História geral da civilização brasileira*. São Paulo: Difel, 1977, tomo III, vol. 2.

MORAIS, Fernando. *Chatô*: o rei do Brasil. A vida de Assis Chateaubriand. São Paulo: Companhia das Letras, 1994.

PAIVA, Vanilda. *Catolicismo, educação e ciência*. São Paulo: Loyola, 1991.

PIERUCCI, Antonio Flávio de O.; SOUZA, Beatriz Muniz de & CAMARGO, Candido Procópio F. de. Igreja Católica: 1945-1970. In: *História geral da civilização brasileira*. São Paulo: Difel, 1984, tomo III, vol. 4.

PILETTI, Nelson. *História do Brasil*. São Paulo: Ática, 1996.

PINTO, Ernesto. *Francisco de Asís y la revolución social*. Montevidéo: Mosca Herrnanos, 1940.

QUEIROGA, Gervásio Fernandes de. *Conferência Nacional dos Bispos no Brasil*. CNBB – Comunhão e corresponsabilidade. São Paulo: Paulinas, 1977.

QUEIRÓS, Eça de. *O crime do padre Am*aro. São Paulo: Ática, 1995.

QUEIROZ, Rachel de. *O Quinze*. Rio de Janeiro: José Olympio, s./d.

RAJA GABAGLIA, Laurita Pessoa (irmã Maria Regina do Santo Rosário, o.c.d.). *O cardeal Leme*. Rio de Janeiro: José Olympio, 1962.

ROMANELLI, Otaíza de Oliveira. *História da educação no Brasil*: 1930/1973. Petrópolis: Vozes, 1985.

RIBEIRO, Darcy. *Aos trancos e barrancos*: como o Brasil deu no que deu. Rio de Janeiro: Guanabara Dois, 1985.

SARAMAGO, José. *O Evangelho segundo Jesus Cristo*. São Paulo: Cia das Letras, 1994.

SCHWARTZMAN, Simon. *Tempos de Capanema*. Rio de Janeiro: Paz e Terra; São Paulo: Edusp, 1984.

RIDEAU, Émile. *O pensamento de Teilhard de Chardin*. São Paulo: Livraria Duas Cidades, 1975.

SHEEN, Fulton J. *Filosofias em luta*. Rio de Janeiro: Agir, 1961.

SKIDMORE, Thomas. *Brasil*: de Castelo a Tancredo. Rio de Janeiro: Paz e Terra, 1988.

SMULDERS, Peter, S. J. *A visão de Teilhard de Chardin*: ensaio de reflexão teológica. Petrópolis: Vozes, 1965.

TRINDADE, Helgio. Integralismo: teoria e práxis política nos anos 30. In: *História geral da civilização brasileira*. São Paulo: Difel, 1983, tomo III, vol. 3.

VIANA FILHO, Luís. *Anísio Teixeira, a polêmica da Educação*. Rio de Janeiro: Nova Fronteira, 1990.

WAINER, Samuel. *Minha razão de viver*: memórias de um repórter. Rio de Janeiro: Record, 1988.

WANDERLEY, Luiz Eduardo. *Educar para transformar*. Petrópolis: Vozes, 1984.

ANEXOS

(Organização: Obras de Frei Francisco, Recife)

TÍTULOS CONFERIDOS A DOM HELDER

Doutorados
1. Doutor Honoris Causa em Letras – Universidade de Saint Louis – EUA – 31/5/1969
2. Doutor Honoris Causa em Teologia – Universidade de Louvain – Bélgica – 21/5/1970
3. Doutor Honoris Causa em Direito – Universidade Sta. Cruz, Massachusetts – EUA – 10/6/1970
4. Doutor Honoris Causa em Teologia – Universidade de Fribourg – Suíça – 16/8/1971
5. Doutor Honoris Causa em Teologia – Universidade Católica de Munster – Alemanha – 22/6/1972
6. Doutor Honoris Causa em Direito – Universidade de Harvard – EUA – Cambridge Min. – 13/6/1974
7. Doutor Honoris Causa em Direito – Universidade de Paris Pantheon Sorbonne – 7/3/1975
8. Doutor Honoris Causa em Direito – Universidade de Cincinnati, Ohio – EUA – 16/10/1975
9. Doutor Honoris Causa em Sociologia – Universidade Livre de Amsterdã – Holanda – 20/10/1975
10. Doutor Honoris Causa em Direito – Universidade de Notre Dame Indiana – EUA – 16/5/1976
11. Doutor Honoris Causa em Economia e Comércio – Universidade de Florença – Itália – 1977
12. Doutor Honoris Causa em Direito – Faculdade e Conselho da Universidade de Manhattan – Nova York, EUA – 23/4/1981
13. Doutor Honoris Causa em Letras Humanas – Outorgado pelo Conselho dos Curadores e Presidência das Faculdades da Universidade de Loyola – New Orleans, Lousiania – EUA – 19/5/1981
14. Doutor Honoris Causa – Pontifícia Universidade Católica de São Paulo – Brasil – 4/3/1982
15. Doutor Honoris Causa – Universidade Santa Úrsula – Rio de Janeiro – Brasil – 21/5/1982
16. Doutor Honoris Causa em Letras Humanas – Saint Joseph College Universidade West Hartford – EUA – 26/9/1983
17. Doutor Honoris Causa – Universidade Católica de Pemambuco – Recife, Brasil – 22/3/1983
18. Doutor Honoris Causa – Saint Mary's University – Halifax – Canadá – 12/5/1984
19. Doutor Honoris Causa – Saint Xavier College – Chicago – EUA – 19/5/1984
20. Doutor Honoris Causa – Universidade Federal Rural de Pernambuco – Recife, Brasil – 21/9/1984
21. Doutor Honoris Causa – Universidade Católica de Goiás – Brasil – 17/10/1984
22. Doutor Honoris Causa – Universidade Metodista de Piracicaba – Piracicaba (SP) – Brasil – 23/10/1984
23. Doutor Honoris Causa – Universidade Federal de Pernambuco – Recife (PE) – Brasil – 15/8/1985
24. Doutor Honoris Causa – Universidade Ottaviensis, Ottawa – Canadá – 24/10/1986
25. Doutor Honoris Causa – Universidade Federal de Santa Catarina – Brasil – 31/10/1986
26. Doutor Honoris Causa da Humanidade – Saint Mary's College Notre Dame – Indiana – EUA – 15/5/1987
27. Doutor Honoris Causa – Universidade Católica de Santos – Santos (SP) – 28/9/1987
28. Doutor Honoris Causa – Universidade Católica do Paraná – Curitiba (PR) – Brasil – 30/9/1987
29. Doutor Honoris Causa – Universidade do Estado do Ceará – Fortaleza (CE) – Brasil – 13/11/1987
30. Doutor Honoris Causa – Universidade Federal do Pará – Belém (PA) – Brasil – 5/8/1990
31. Doutor Honoris Causa – Universidade Federal do Ceará – Fortaleza (CE) – Brasil – 13/8/1990
32. Doutor Honoris Causa – Pontifícia Universidade Católica do Rio de Janeiro – PUC Rio de Janeiro – Brasil – 22/3/1991

Outros títulos
1. Cidadão Honorário de Aracaju – 22/4/1967
2. Cidadão Honorário de Sergipe – 24/4/1967
3. Cidadão Honorário da Cidade do Recife – 11/9/1967
4. Cidadão Honorário de Pernambuco – 25/9/1967
5. Cidadão Honorário da Cidade de Olinda (PE) – 23/3/1968

388 DOM HELDER CAMARA

6. Cidadão Honorário da Cidade de Carpina (PE) – 23/3/1968
7. Cidadão Honorário de Timbaúba (PE) – 25/2/1983
8. Cidadão Honorário Norte-Riograndense – 19/10/1983
9. Cidadão Honorário de Mossoró (RN) – 5/12/1984
10. Cidadão Honorário da Cidade de Paulista (PE) – 14/2/1984
11. Cidadão Honorário da Cidade de Caruaru (PE) – 28/5/1984
12. Cidadão Honorário da Cidade de Curitiba (PR) – 14/6/1984
13. Cidadão Honorário da Cidade de Ribeirão Preto (SP) – 22/8/1985
14. Cidadão Honorário de Goiânia (GO) – 28/8/1985
15. Cidadão Honorário da Aldeia da Paz na Cidade de São Nicolau – Suíça – 10/9/1985
16. Cidadão Honorário da Cidade de São Salvador (BA) – 29/8/1986
17. Cidadão Honorário de Navegantes (SC) – 30/8/1986
18. Cidadão Honorário de São Luís (MA) – 5/9/1986
19. Cidadão Honorário de Rocamadour – França – 10/5/1987
20. Cidadão Honorário de Fernando de Noronha – 30/9/1988
21. Cidadão Honorário da Cidade de Canindé – (CE) – 3/2/1989
22. Cidadão Honorário de Itabuna (BA) – 19/3/1990
23. Cidadão Honorário de Belo Horizonte (MG) – 24/3/1990
24. Cidadão Honorário de Belém (PA) – 5/8/1990
25. Cidadão Honorário de Barbacena (MG) – 14/9/1991
26. Cidadão Honorário de João Alfredo (PE) – 24/10/1991
27. Cidadão Honorário de Valença (BA) – 6/11/1991
28. Cidadão Honorário de Cuiabá (MT) – 1/7/1992
29. Cidadão Honorário de Garanhuns (PE) – 10/9/1992
30. Cidadão Honorário de São José dos Campos (SP) – 14/7/1995

Prêmios e distinções
1. Prêmio René Sande de Serviço Social, 26/8/1962, XI Conferência Internacional de Serviço Social, Rio de Janeiro.
2. Prêmio Memorial Juan XXIII 1969, VII aniversário da *Pacem in Terris*, Seccion Española de *Pax Christi*, 11/4/1970.
3. Prêmio Martin Luther King, Atlanta (EUA), 12/8/1970.
4. Prêmio da Paz – "Prêmio Internacional Viareggio", com o título "O Homem de Terceiro Mundo" – Itália, 7/1970.
5. "Prix Hammarskjoeld", Gran Collar al mérito de fraternidad y solidariedad universal, Patrocínio da "Organisation Mondiale de la Presse Diplomatique", 1973.
6. Prêmio Popular da Paz, Oslo, Noruega, 10/2/1974.
7. Prêmio Popular da Paz, Frankfurt, Alemanha, 11/2/1974.
8. Prêmio Melhor Escritor sobre os Problemas do Terceiro Mundo. Iglesias, Celiari, Itália, 30/11/1974.
9. Prêmio São Francisco, North American Federation Third Order of S. Francis, Cincinnati, Ohio, EUA, 16/10/1975.
10. Prêmio "Voice of Justice", Sacred Pipe, oferecido pelos Índios Americanos, Davenport, Indiana, EUA, 18/10/1975.
11. Prêmio "Pacem in Terris Peace and Freedom Award", Catholic International Council, Davenport, Indiana, EUA, 18/10/1975.
12. Prêmio da Paz Victor Gollancz Humanity Award, 1974, Londres, Inglaterra, 22/10/1975.
13. Prêmio Thomas Merton, Pittsburg, Pensilvânia, EUA, 23/11/1976.
14. Prêmio Artesões da Paz 1982 oferecido pelo SERMIG (Servizio Missionario Giovani) em Turim, Itália, 18/4/1982.
15. Prêmio Ordine ai Merito della Pace oferecido pela Comune di Dusino San Michele, Asti, Itália, 19/10/1982.
16. Prêmio Mahatma Ghandi oferecido pela TV Globo de São Paulo (SP), 31/12/1982.
17. Prêmio "Niwano Peace Prize". Atribuído pela primeira vez pela Niwano Peace Foundation, Tóquio, Japão, 7/4/1983.
18. Prêmio "Il XIII Premio Internazionale Della Testimonianza". Oferecido pelas Dioceses de Mileto, Nicotera e Tropea com o Título "Profeta dei Terzo Mondo", Vibo Valentia, Itália, 1/3/1985.
19. Prêmio "Raoul Follereau" oferecido pela Associazione Italiana Amici di Raoul Follereau, Roma, 21/9/1986.
20. Prêmio "Roma-Brasília Cidade da Paz" oferecido pela Prefeitura de Roma, Itália, 27/12/1986.
21. Prêmio "Christopher Award for 1987", o mais prestigioso dos prêmios dos EUA para livros religiosos, oferecido a D. Helder Camara pelo *Through the Gospel with Dom Helder Camara*, EUA, 6/10/1987.
22. Prêmio Nutrição – Troféu Nelson Chaves 1988 – oferecido pela Sociedade de Nutrição Humana de Pernambuco, Recife (PE). Brasil, 30/9/1988.
23. Prêmio "Heleno Fragoso" pelos Direitos Humanos oferecido pelo Centro Heleno Fragoso, Curitiba (PR), Brasil, 1/6/1992.
24. Prêmio "Paul VI – Teacher of Peace Award" outorgado por ocasião da Assembleia Nacional Pax Christ, Minnesota, Rochester, EUA, 8/8/1992.

ANEXOS 389

Organizações internacionais
1. Membro do Comitê de honra da Organização Internacional Justice et Development, França, 6/1/1968.
2. Membro do Comitê do Instituto de Viena para o Desenvolvimento, Viena, Áustria, 28/10/1970.
3. Membro do Curatorium do SIPRI – Scientific Council of SIPRI – Suécia, 14/12/1970.
4. Membro da World Conference of Religion for Peace, New York, EUA 15/6/1971.
5. Membro de honra de Societé Allemande la Paix, Alemanha Ocidental, 18/6/1971.
6. Membro do Conselho Acadêmico da University de la Paix, Bélgica, 30/10/1971.
7. Membro do Consejo Consultivo Internacional de La Fondacion dei Hombre, Buenos Aires, Naciones Unidas XXVI, Aniversário da ONU, 1971.
8. Membro do Comitê de Diretores – World Council of Churches – Nova York, EUA, 11/2/1973.
9. Membro do Curatorium Les Amis de PAX Christi International, Bélgica, 11/3/1975.
10. Membro pleno do The Third World Forum, México, DF, 1977.
11. Membro do "Clube de Dakar", França, 2/2/1978.
12. Advisory Editorial Board of Universal Human Rights – A Comparative and International Journal of the Social Sciences, Philosophy and Law, EUA, 9/6/1978.
13. Membro de honra da Fondation Mondiale de Jeunesse Catholique, Bélgica, 16/8/1978.
14. Membro da North-South Round Table of the Society for International Development, EUA, 1/2/1978.
15. Membro de honra da Association des Amis du Pere Riobé, França, 15/1/1979.
16. Membro Consultivo Internacional da Revista *Gandhi Marg* da Gandhi Peace Foundation, Nova Delhi, Índia, 2/3/1979.
17. Um dos nove vice-presidentes da World International Foundation (WIF), Sri Lanka, 2/1/1980.
18. Membro Fundador de Journées Universitaires de la Paix, Bélgica, 11/12/1980.
19. Membro da National Geographic Society, EUA, 4/6/1981.
20. Membro do Curatorium Albert Schweitzer Friedens Zentrum, Alemanha, 7/5/1981.
21. Membro do Conselho Executivo da Nonviolent Alternatives, Bélgica.
22. Membro do Conselho Directivo de la Asociación Latino Americana para los Derechos Humanos (ALDHU).
23. Membro do Conselho do International Center for Integrative Studies (ICIS), EUA, 20/9/1983.
24. Membro do Comitê de Honra da Foundation International pour la promotion des Droits de l'Homme, França, 27/1/1983.
25. Membro titular da Académie International de Prospective Social (AIPS), Gênova, 21/11/1983.
26. Membro do Comitê de Honra de The Dana McLean Greeley Foundation for Peace and Justice, Concord (MA), EUA, 14/3/1986.
27. Membro do Comitê Científico do Centro di Studi e di Formazione sui Diritti dell'Uomo i dei Popoli Universitá di Padova – Facoltà Sciennze Polítiche – Itália, 17/3/1986.
28. Membro de Honra do International Holistic University, Paris, França, 28/6/1986.
29. Membro do Conselho Científico do Instituto Materno Infantil de Pernambuco (IMIP), Recife (PE), Brasil, 1987.
30. Membro do Comité Catholique contre Faim et pour le Développement, Paris, França.
31. Membro do Solidariedade França-Brasil – SFB, Cidade Nova, Rio de Janeiro, 1989.
32. Membro do Sophia Antipolis, França, 27/3/1989.
33. Membro do Conselho Credo International, EUA, 11/7/1991.

Obras publicadas e traduzidas
1. *Revolução dentro da paz*. Rio de Janeiro: Sabiá, 1968. 203p. (1ª, 2ª ed., 1968). Edições em holandês, alemão, francês, coreano, inglês e italiano.
2. *Terzo mondo defraudato*. Milão: Italiana, 1968. 157p. (1ª ed., 1968). Edições em francês e inglês.
3. *Spirale de violence*. Paris: Desclée de Brouwer, 1970. 87p. (1ª ed., 1970). Edições em espanhol, alemão, norueguês, holandês, chinês, inglês, italiano e português.
4. *Pour arriver à temps*. Paris: Desclée de Brouwer, 1970. 183p. (1ª ed., 1970). Edições em espanhol, italiano, alemão, holandês, sueco, inglês e grego.
5. *Le désert est fertile*. Paris: Desclée de Brouwer, 1971. 119p. (Ed. D. D. B. Collection "Le livre de víe", n. 128, 1971) (Ed. D. D. B. 2ª ed., 1971. "Prix Populaire de la Paix", 1974) (1ª ed., 1971, 2ª ed., 1971). Edições em espanhol, italiano, alemão, inglês, coreano, português e japonês.
6. *Prière pour les riches*. Zurique: Pendo, 1972. (1ª ed., 1972). Traduzido também para o alemão.
7. *Um olhar sobre a cidade*. Rio de Janeiro: Civilização Brasileira, 1976. 144p. (1ª ed., 1976, 2ª ed., 1977, 3ª ed., 1977, 5ª ed., 1979, 6ª ed, 1985). Traduzido também para o alemão.
8. *Les conversiones d'un Evêque*: entretiens avec José de Broucker. Paris: Editions du Seuil, 1977. 200p. (1ª ed., 1977). Edições em italiano, alemão, inglês, espanhol e sueco.
9. *Mil razões para viver*: meditações do pe. José. Rio de Janeiro: Civilização Brasileira, 1978. 101p. (1ª ed., 1978, 2ª ed., 1979, 3ª ed., 1979, 5ª ed., 1982, 6ª ed., 1983, 7ª ed., 1985).

10. *Renouveau dans l'Esprit et service de l'homme*. Cardo Léon Joseph Suenes. Bruxelas: Lumen Vitae, 1979. 142p. (Document de Malines, 3) (1ª ed., 1979). Edições em italiano, inglês, alemão, espanhol e holandês.

11. *Mille raisons pour vivre:* méditations. Paris: Editions du Seuil, 1980. 122p. (Presentation de José de Broucker) (1ª ed., 1980). Edições em alemão, italiano, inglês, sueco, holandês, espanhol, norueguês e dinamarquês.

12. *Nossa Senhora no meu caminho:* meditações do pe. José. São Paulo: Paulinas, 1981. 100p. (1ª ed., 1981, 2ª ed., 1981, 3ª ed., 1983, 4ª ed., 1986, 5ª ed., 1988). Edições em italiano e alemão.

13. *Hoffen wider alle hoffnung*. Vortwort: Mario von Galli. Zurique: Pendo, 1981. 119p. (1ª ed., 1981). Edições em inglês e holandês.

14. *Des questions pour vivre*. Prefácio de José de Broucker. Paris: Editions du Seuil, 1984. 104 p. (1ª. ed., 1984). Edições em alemão, holandês, italiano, português e inglês.

15. *L'Evangile avec Dom Helder*. Paris: Editions du Seuil, 1985. 189p. (1ª. ed., 1985). Edições em espanhol, alemão, inglês, holandês, italiano e português.

16. *Em tuas mãos, Senhor!* São Paulo: Paulinas, 1986. 84 p. (1ª ed., 1986). Edições em inglês, italiano, alemão e espanhol.

17. *Quem não precisa de conversão?* São Paulo: Paulinas, 1987. 88 p. (1ª ed., 1989, Edições Paulistas, Lisboa). Edições em alemão, inglês e espanhol.

18. *Um olhar sobre a cidade:* olhar atento, de esperança, de prece. São Paulo: Paulus, 1995. 149p.

19. *Rosas para meu Deus*. São Paulo: Paulinas, 1996.

Obras sobre Dom Helder

1. Bourgeon, Roger. *L'Archevêque des favelles*. Paris: Robert Laffont, 1968. 219p.

   1.1 Bourgeon, Roger. *Il profeta dei terzo mondo:* l'arcivescovo delle favelas. Milão: Massimo, 1970. 271p.

   1.2 Bourgeon, Roger. *Der Rebell mil Krummstab*. Freiburg: Herder, 1970. 221p.

2. Broucker, José de. *Dom Helder Camara:* la violence d'un pacifique. Paris: Librarie Artheme Fayard, 1969. 221p.

   2.1 Broucker, José de. *Dom Helder Camara:* Die Leidenschaf des Friedensstifters. Wien: Stytria, 1969. 254 p.

   2.2 Broucker, José de. *Dom Helder Camara:* la violenza d'un pacifico. Roma: Saggi Esperienze, 1970. 189p.

   2.3 Broucker, José de. *Dom Helder Camara:* the violence of a peacemaker. Nova York: Orbis Book, 1970. 154p.

   2.4 Broucker, José de. *Dialogen met Dom Helder Camara*. Utrecht: Desclée de Brouwer, 1969. 241p.

   2.5 Broucker, José de. *Prameny Helder:* Krasmé, Bezmracné Nebe. Translated by Otomar Radina, 1970. 196p.

   2.6 Broucker, José de. *Dom Helder Camara:* la violence de um pacífico. Bilbao: Desclée de Brouwer, 1971. 228p.

3. Cayuela, José. *Helder Camara, Brasil:* um Vietnam católico? Barcelona: Pomaire, 1969. 280p.

   3.1 Cayuela, José. *Helder Camara, Brasile: um Vietnam cattolico?* Bologna: Nigrizia, 1970. 351p.

4. *Une journée avec dom Helder Camara*. Paris: Desclée de Brouwer, 1970.

   4.1 Xeantep Kamapa. *O paunos kúknos tñs bias*. Athenas: Mhnyna, 1972. 83p.

5. Filius, Jan & Glissenar, Jan. *Helder Camara in Nederland*. Utrech: A.W. Bruna & Zoon, 1971. 52p.

6. González, José. *Helder Camara:* l'arcivescovo rosso. Roma: Paoline, 1970. 204p.

   6.1 González, José. *Dom Helder Camara:* Bischofund Revolutionar. Limburg: Lahm, 1971. 270p.

   6.2 González, José. *Helder Camara:* el arzobispo rojo. Barcelona: GP, 1972. 315p.

   6.3 González, José. *Helder Camara:* el grido dei poveri. Roma: Paoline, 1973. 340p.

   6.4 González-Balado, José Luis. *Helder Camara:* l'évêque rouge? Paris: Apostolat des Editions, 1978. 174p.

7. Weigner, Gladys & Moosbrugger, Bemhard. *La voix monde sans voix:* Dom Helder Camara. Zurique: Pendo, 1971. 144p.

   7.1 Weigner, Gladys & Moosbrugger, Bemhard. *Stimme der stummen Welt:* Dom Helder Camara. Zurique: Pendo, 1971. 144p.

   7.2 Moosbrugger, Bemhard & Weigner, Gladys. *A voice of the third world:* Dom Helder Camara. New York: A Pyramid Book, 1972. 144p.

   7.3 Weigner, Gladys & Moosbrugger, Bemhard. *La voce dei mondo senza voce: Dom Helder Camara*. Milão: Iniziativa Cultura1 e Centro Missionário P.I.M.E., 1973. 1542p.

8. Roma, J. A. de. *Helder Camara:* el arzobispo rojo. Barcelona: Don Bosco, 1971. 61p.

   8.1 Palma, Roberto Valda. *Los obispos rojos de Latinoamérica*. Lima: Libréria Studium S.A., 1971. 112p.

9. Guske, Hubertus. *Helder Camara:* Katholiken Lateinamarikas suchen neue Wege. Berlim: Union, 1973. 85p.

10. Schilling, Paulo R. *Helder Camara*. Montevidéo: Biblioteca de Marcha, 1969. 108p.

11. Helder Camara. *Friendereise 1974*. Zurich: Pendo-Verlag, 1974. 64p.

12. Helder Camara. *Signo de contradicción*. Salamanca: Sígueme, 1974. 262p.

13. Homman, Win. *El obispo rojo*. Salamanca: Sígueme, 1977. 311p.

   13.1 Homman, Win. *De Rode bisschop*. Harlen, J. H. Gottmer, 1977. 383p.

14. Castro, Marcos de. *Dom Helder:* o bispo da esperança. Rio de Janeiro: Graal, 1978. 171p.

ANEXOS 391

15. Renedo, Benedicto Tapia de. *Helder Camara*: Quien soy yo? *Autocritica*. Madri: Sígueme, 1978. 137p.
    15.1 Renedo, Benedicto Tapia de. *Helder Camara*: chi sono io? Assisti: Cittadella Editrice, 1979. 132p.
16. Hall, Mary. *The impossible dream*: the spirituality of Dom Helder Camara. Belfast: Christian Journals, 1979. 96p.
    16.1 Hall,Mary.*Theimpossibledream*:thespiritualityofDom HelderCamara.NovaYork:OrbisBooks,1979.96p.
    16.2 Hall, Mary. *Dom Helder Camara avagy a hihetetlen álom*. Budapest: Ecclesia, 1985. 95p.
17. Badino, Lino. *Dom Helder Camara*: fratello dei poveri. Turim: Elle Di Ci, s. d. 32p.
    17.1 Badino, Lino. *Dom Helder Camara*: irmão dos pobres. Recife, s. d. 26p. (cópia heliográfica).
18. Lima, José de Carvalho. *Dom Helder Camara*: 50 anos de sacerdócio. Recife, 1981. 127p.
19. Schermer, Martin. *Dom Helder Camara*: "Stem uit zwygende wereld". Nejmegen, 1981. 26p.
20. Kick, Klaus R. *Dom Helder Camara*: Meditation fiir dies Jahrhundert. Wuppertal: Jugenddienst-Verlag, 1989. 64p.
21. Italiaander, Rolf. *Partisanen und Propheten*; Christen fiir die eine Welt. Berlim: Verlag der EV. Luth. Mission Erlangen, 1972. 152p.
22. Veras, Everaldo Moreira. *Dom Helder*: ser e viver. Olinda, 1982. 15p.
23. *Dom Helder Camara*: un cri d'esperance. Montreus: Suisse par Corbaz S. A., 1980. 77p.
24. Jorge, Salomão. *O diabo celebra a missa*. São Paulo: L. Oren, 1969. 346p.
25. Cirano, Marcos. *Os caminhos de Dom Helder*: perseguições e censura (1964-1980). Recife: Guararapes, 1983. 328p.
26. Broucker, José de. *Dom Helder Camara*: presenté par Françoise de Broucker. Paris: Les Editions Du Cerf, 1983.
27. Homenagem-ucbc; Grande comunicador Helder Camara por ocasião do encerramento do xii Congresso de Comunicação Social realizado em sua homenagem. Recife, 1983.
28. Santagelo, Enzo. *Helder Camara*: a voz dos que não têm voz. São Paulo: Loyola, 1983. 90p.
29. Potrick, Maria Bemarda et alii. *Dom Helder*: pastor e profeta. São Paulo: Paulinas, 1983.175p.
    29.1 Potrick, Maria Bemarda et alii. *Dom Helder Camara*: testigo dei Evangelio en América Latina. Buenos Aires: Paulinas, 1986. 200 p.
30. Renedo, Benedicto Tapia de. *Helder Camara*: proclamas a la juventud. Salamanca: Sígueme, 1976. 250p.
31. Cheetham, Neville. *Helder Camara and Brazil*. Londres: scm Press, 1973. 24p.
32. Watenwenweiler, Frítz. *Morgengrauen in Brasilien*. Zurique: Pendo, 1972. 63p.
33. Nute, Betty Richardson. *Helder Camara's Latin America*. Londres: Friends Peace & Intemational Relations Committee, 1974. 26p.
34. Álbum em homenagem aos 75 anos de Dom Helder; enviado por um grupo de amigos. Paris, 1984.
35. Blazquez, Feliciano. *Helder Camara*; el grido dei pobre. Madri: Sígueme, 1976. 173p.
36. Renedo, Benedicto Tapia de. *Helder Camara y la justicia*. Salamanca: Sígueme, 1981. 302p.
37. Eigenmann, Ers. *Politische Praxis des Glaubens*. Freiburg: Exodus, 1984. 729p.
38. UFRPE. *Dom Helder Camara*: Doutor Honoris Causa. Imprensa Universitária, 1984. 50p.
39. Castro, Gustavo do Passo. *As comunidades do Do*m: um estudo de cebs no Recife. Dissertação apresentada para obtenção do grau de mestre em antropologia cultural, 1984. 457p.
    39.1 Castro, Gustavo do Passo. *As comunidades do Dom*: um estudo de cebs no Recife. Recife, funda/ Massangana, 1987. 199p.
40. Guenther, Titus. *Torres and Camara*: violence and nonviolence from a mennonite perspective. s. 1., 1977. 124p. (Tese sobre Dom Helder)
41. Blasquez, Feliciano. *Ideario de Helder Camara*. Salamanca: Sigueme, 1981. 231p.
42. Claudino, Assis. *O monstro sagrado e o amarelinho comunista*. Recife: Opção, 1985. 178p.
43. *Sperare contro ogni speranza*: Helder Camara. Campobasso, 1985. 74p.
44. *It's Midnight, Lord*: Dom Helder Camara. Washington: The Pastoral Press, 1984. 54p.
45. Toulat, Jean. *Dom Helder Camara*. Paris: Éditions du Centurion, 1989. 144p.
    45.1 Toulat, Jean. *Dom Helder Camara*. Munchen: Verlag Neuev Stadt, 1990. 150p.
46. *Dom Helder Camara*: croire: c'est simples. Paris: Le Livre Ouvert, 1988. 61p.
47. Camara, Helder P. *Razones para luchar*. Madri: Cuademos de Estudio y Debate dei Movimento Cultural Cristiano, 1989. (doc. completo).
48. *O dom do amor*. Dom Helder, 80 anos de amor à vida. Recife: Obras de Frei Francisco, 1989. 118p.
49. *Memória viva de Dom Helder Camara*. Natal: Nossa Terra, 1989. 60p.
50. Ferrarini, Sebastião Antônio. *A imprensa e o arcebispo vermelho*. São Paulo: Paulinas, 1992. 294p.
51. Rocha, Abelardo Baltar da S. Ferreira, Glauce Chagas. *Um furacão varre a esperança*: o caso D. Helder. Recife: Fundarpe, 1993. 237p.
52. Ten Kathen, Nelmo Roque. *Uma vida para os pobres*: espiritualidade de Dom Helder Camara. São Paulo: Loyola, 1991. 109p.

AGRADECIMENTOS

Dom Helder Camara, Aglaia Peixoto, Maria José Duperron Cavalcanti (Zezita), Nair Camara, Mardônio Camara, Norma Camara, Luis Tenderini e dom Cândido Padim.

E mais

Marina Araujo, Marina Bandeira, Maria Luiza Amarante, Edgar Amarante, Raul Santana, Herondina Sabina, Alberto Venâncio Filho, Rui Lourenço Filho, Anderson Moebus Retondar, pe. Antonio Valentini Neto, Sonia Milhomem Carvalhedo, Marleide Feitosa, Gustavo de Passo Castro, Fernando Gonçalves, Maria do Carmo Pimenta, Raimundo Viana, Maria de Fátima Silva, dom Marcelo Carvalheira, mons. José Gaspar de Oliveira, mons. André Viana Camurça, Agenor João Ferrari, Francisco Adegildo Ferrer, Luiz Safont, Maria Safont, Geraldo Nobre, Marcelo Linhares, Maria de Fátima Lima, Josefa Gonçalves Oliveira, Francisco Withaker Ferreira, Diana Gonçalves Schimidt, Maria Victoria de Mesquita Benevides, José Mario Pires Azanha, Celso de Rui Beisiegel, Gorge Nagle Nilson José Machado, Manoel Isaú, Helder Camara (sobrinho), Magda, pe. Sidney José Barone, Adelina Pinto, Marco Cesar de Araujo, Manoel Dimas Tavares, Laercio da Costa Carrer, Lucimar Athayde Carrer, Afranio Mendes Catani, Denice Bárbara Catani, Waldir Cauvilla, Valentim Angelo Lazaroto, dom Paulo Moretto, pe. Francisco Andognini, pe. Agostinho Mazzotti, Hugo Nicoletto, Claudino Piletti, Balduino Piletti, Maria do Carmo Cainelli Piletti, José Arnildo Schaeffer, Rosangela Pinto Rosa, Valder Alencar Praxedes, Carlos Afranio Praxedes, Maria Alencar dos Santos, Antonio Batista dos Santos, João dos Santos Filho, Fábio Viana Ribeiro, Wania Rezende Silva, Luis Gianni, Moacir José da Silva, Claudivan Sanches Lopes, pe. Nunzio Reghenzi, Marina de Souza Lima, Manoel Speach de Almeida, Alvacir Luiza Mattosinho, Solange Cristina Martins, Ines Castilho, Brit Faldbakken, Jon Sletbak, Claudio Stieltjes, Maria Clara Tenorio, Rodrigo Duarte Valmore D. G. Puccinelli, Argene Puccinelli Alves, Ivone Mosolino, Luciene Pinto Rosa, Fernando dos Passos, Antonio Cesar Andrade, José Henrique Rollo Gonçalves, Clovis Pedrinho, Maria Cristina Rosa, Arnaldo Pilotto e Carlos Anselmo, Helenita Giraldeli Sala, Reginaldo Dias.

Instituições

Faculdade de Educação da Universidade de São Paulo, Departamento de Ciências Sociais da Universidade Estadual de Maringá (PR), Obras de Frei Francisco, TV Cultura de São Paulo, Instituto Histórico do Ceará, Seminário Episcopal de Fortaleza, Instituto Teológico e Pastoral do Ceará, Conferência Nacional dos Bispos do Brasil (CNBB), Biblioteca da Escola de Comunicações e Artes da Universidade de São Paulo, Associação Brasileira de Educação, Centro Alceu Amoroso Lima para a Liberdade (Petrópolis, RJ), Norwegian Broadcasting Corporation (Noruega).

ICONOGRAFIA

p. 11: arquivo Obras de Frei Francisco; **p. 13:** arquivo particular de Aglaia Peixoto; **p. 20:** arquivo particular de Nair Camara; **p. 26:** arquivo particular de Aglaia Peixoto; **p. 27:** ambas, arquivo particular de Nair Camara; **p. 32:** arquivo particular de Nair Camara; **p. 46:** arquivo particular de Nair Camara; **p. 53:** arquivo particular de Nair Camara; **p. 63:** arquivo particular de Nair Camara; **p. 70:** arquivo particular de Nair Camara; **p. 103:** arquivo particular de Nair Camara; **p. 109:** arquivo particular de Nair Camara; **p. 125:** arquivo particular de Nair Camara; **p. 143:** arquivo particular de Aglaia Peixoto; **p. 151:** arquivo particular de Aglaia Peixoto; **p. 162:** arquivo particular de Nair Camara; **p. 170:** arquivo particular de Aglaia Peixoto; **p. 182:** arquivo particular de Aglaia Peixoto; **p. 193:** arquivo particular de Aglaia Peixoto; **p. 194:** arquivo Obras de Frei Francisco; **p. 201:** arquivo particular de Aglaia Peixoto; **p. 230:** arquivo Obras de Frei Francisco; **p. 237:** arquivo particular de Aglaia Peixoto; **p. 240:** arquivo particular de Aglaia Peixoto; **p. 252:** arquivo particular de Mardômio e Norma Camara; **p. 253:** arquivo particular de Aglaia Peixoto; **p. 255:** arquivo particular de Aglaia Peixoto; **p. 283:** arquivo Obras de Frei Francisco; **p. 309:** arquivo particular de Aglaia Peixoto; **p. 335:** arquivo particular de Aglaia Peixoto; **p. 340:** arquivo particular de Aglaia Peixoto; **p. 342:** arquivo Obras de Frei Francisco; **p. 345:** arquivo particular de Aglaia Peixoto; **p. 349:** arquivo Obras de Frei Francisco; **p. 353:** arquivo particular de Aglaia Peixoto; **p. 363:** arquivo particular de Aglaia Peixoto; **p. 374:** arquivo particular de Aglaia Peixoto; **p. 375:** arquivo particular de Aglaia Peixoto; **p. 377:** arquivo Obras de Frei Francisco; **p. 378:** arquivo particular de Aglaia Peixoto.

OS AUTORES

Nelson Piletti

Graduado em Filosofia, Pedagogia e Jornalismo. Mestre, doutor e livre-docente em História da Educação Brasileira. Professor da Faculdade de Educação da Universidade de São Paulo (USP). Autor de vários livros nas áreas de História e Educação.

Walter Praxedes

Graduado em Ciências Sociais pela USP, pós-graduado em História e Filosofia da Educação pela Faculdade de Educação da mesma universidade. Professor de Sociologia e Ciência Política da Universidade Estadual de Maringá.

CADASTRE-SE
EM NOSSO SITE,
FIQUE POR DENTRO DAS NOVIDADES
E APROVEITE OS MELHORES DESCONTOS

LIVROS NAS ÁREAS DE:

História | Língua Portuguesa
Educação | Geografia | Comunicação
Relações Internacionais | Ciências Sociais
Formação de professor | Interesse geral

ou
editoracontexto.com.br/newscontexto

Siga a Contexto
nas Redes Sociais:
@editoracontexto